MON HISTOIRE DE LA LITTÉRATURE FRANÇAISE CONTEMPORAINE

DU MÊME AUTEUR

Aux Éditions Grasset :

Souvenirs :
Les Lumières de Paris.
Souvenirs romancés :
La Rentrée des classes.
Les Amis de jeunesse.
L'Armoire aux poisons.

Chez d'autres éditeurs :

Critique :
Histoire de la littérature française de 1940 à nos jours (Fayard).
Tableau de la vie littéraire en France d'avant-guerre à nos jours (Luneau-Ascot).
Journal de la vie littéraire (Julliard).
Les Critiques dramatiques (Flammarion).

Essais :
La Race des seigneurs (Albin Michel).
Une humeur de chien (Olivier Orban).

Romans :
Daniel ou la double rupture (Gallimard).
L'Atelier du photographe (épuisé).
Les Petites Filles de Courbelles (épuisé).
Trois Jeunes Tambours (épuisé).
Une femme d'aujourd'hui (Albin Michel).
L'Inconnue de la Seine (Albin Michel).
Le Rendez-vous de Bordeaux (Albin Michel).
Le Neveu de Beethoven (Belfond-Laffont).

JACQUES BRENNER

MON HISTOIRE DE LA LITTÉRATURE FRANÇAISE CONTEMPORAINE

BERNARD GRASSET
PARIS

I

Paratonnerre

André Breton a baptisé « Paratonnerre » sa préface à l'*Anthologie de l'humour noir.* Je lui emprunte le mot qu'il avait lui-même emprunté à Lichtenberg.

1

Quand j'annonçai, vers 1975, mon intention de composer une « Histoire de la littérature française depuis 1940 », on me dit : « De quels écrivains parlerez-vous ? Nous n'avons plus d'écrivains qui méritent de figurer dans un ouvrage de ce type. » Quand le livre parut, les réactions furent différentes : « Quoi !, me dit-on, vous n'avez pas parlé de X..., ni de Y..., ni de Z... non plus. Ils avaient leur place dans votre tableau. » Je triomphai : « Vous voyez que nous ne manquons pas de bons écrivains. J'en ai retenu plus d'une centaine et vous me jugez sévère. — Vous auriez dû prévenir que vous effectuiez un choix. — Il va de soi qu'une histoire de la littérature contemporaine n'est pas un dictionnaire des écrivains de l'époque, mais qu'elle reflète les opinions et les goûts d'un critique particulier. Tout au plus ce critique peut-il se présenter comme le délégué d'une famille de lecteurs, le porte-parole de quelques amateurs de littérature. »

Ma naïveté n'allait pas jusqu'à croire que les critiques que l'on m'adressait reposaient uniquement sur une appréciation différente de la littérature contemporaine. Par exemple, un jeune critique barbichu qui venait de publier un roman feignit de s'indigner que je n'eusse pas salué les mérites de quelques auteurs qui se trouvaient siéger dans des jurys dont il espérait les couronnes.

D'autres critiques parlèrent au contraire de mon « courage ». C'était parce que j'avais omis de citer les noms d'auteurs qui jouaient un grand rôle dans la vie littéraire, comme membres de jurys précisément, ou comme patrons de presse, ou comme feuilletonistes en vue. On m'assura que mon livre eût été mieux accueilli si j'avais flatté tous les gens en place. Je n'en doutais pas. Mais, avec le même « courage », je vous présente ce supplément à ma petite *Histoire.*

2

Parlant des histoires et des anthologies de la littérature contemporaine, Bernard Frank a écrit : « L'ennui avec le présent, c'est qu'il a la bougeotte. Nos historiens par sa faute sont constamment sur la brèche. Ils sont obligés de revoir sans cesse leurs savants travaux. Ce ne sont qu'éditions nouvelles et refondues. »

Le passé aussi a la bougeotte. J'ai conservé le manuel de Lanson et Tuffrau, paru chez Hachette en 1936, que l'on m'avait conseillé quand j'étais lycéen. Vous y chercheriez en vain les noms de Laclos et de Sade, de Nerval et de Lautréamont. Rimbaud n'a droit qu'à une note de quatre lignes en bas de page. En revanche une belle place est accordée à Paul Bourget, à Paul Hervieu et à Sully Prudhomme, poète et philosophe, premier Prix Nobel de littérature.

Précisons que Lanson était mort en 1934. Paul Tuffrau, professeur agrégé, avait été chargé de donner un abrégé de sa célèbre *Histoire* et de mettre celle-ci « à jour » pour la période contemporaine. A l'occasion de rééditions, il modifia à plusieurs reprises les derniers chapitres, les présentant comme provisoires : « Il ne peut être question que d'indiquer les lignes de force qui sont *actuellement* les plus apparentes, et de renseigner sur ceux des écrivains contemporains qui sont *actuellement* considérés comme les plus représentatifs. Il s'agit donc d'un témoignage sur l'état présent de l'opinion. »

Marcel Arland considérait cet avertissement comme un bel aveu d'impuissance. Paul Tuffrau s'estimait incapable de juger par lui-même quels étaient les meilleurs écrivains des nouvelles générations et il s'en remettait à l'opinion pour les désigner. Il ne disait pas de quelle opinion il s'agissait.

Paul Tuffrau est probablement le modèle des historiens dont parle Frank. Ils sont sur la brèche parce qu'ils veulent suivre une opinion changeante. Ainsi, dans le manuel Bordas paru en 1970, Paul Morand et Marguerite Yourcenar n'avaient droit qu'à quelques lignes. Dans le supplément paru en 1982, Morand est devenu « une grande figure du siècle » (précédant Malraux et Sartre) et Yourcenar « un nouveau classique ». (Moi, je la désignais, en 1978, comme un de nos « derniers classiques ».)

Toutefois les historiens de la littérature contemporaine sont sur la brèche, même s'ils sont indifférents à la mode, parce que le domaine qu'ils ont décidé d'explorer s'élargit sans cesse. De nouvelles œuvres paraissent tous les jours. Une histoire de la littérature d'aujourd'hui demande rapidement à être complétée.

Vous me direz avec raison que j'ai montré plus haut que l'histoire de la littérature du passé se modifie elle aussi puisqu'il arrive qu'une œuvre ancienne oubliée (ou jamais connue) soit soudain tirée de l'ombre et que de nouvelles générations lui donnent une place que les contemporains lui avaient refusée. Mais les historiens du passé se contentent généralement d'entériner les jugements de leurs prédécesseurs. C'est pourquoi nous retrouvons toujours les mêmes noms dans toutes les Histoires, comme les mêmes poèmes dans la plupart des anthologies. Les historiens du présent sont contraints, quant à eux, de parier sur l'avenir.

Mais comment un lecteur imagine-t-il un historien des lettres ?

3

Une « Histoire de la littérature française » se présente comme un inventaire descriptif des œuvres censées constituer « la littérature française », soit dans sa totalité (depuis les origines de notre langue), soit à une époque donnée (par exemple : de 1940 à nos jours). L'auteur décrit l'évolution des divers genres littéraires, établit le relevé des œuvres qui ont obtenu un accueil exceptionnel, parle des écrivains et résume leur biographie. Il ne dit rien de lui-même. Mais comment le lecteur imagine-t-il cet homme invisible ?

L'historien des lettres est un homme qui a pris connaissance de tous les livres ; qui a patiemment amassé une foule de renseignements sur les écrivains ; qui dispose de tous les éléments pour brosser un juste tableau de la vie littéraire. Or, un tel personnage n'a jamais existé. Depuis les origines de notre langue, plus de livres ont été écrits que personne n'en pourra jamais lire. Bien plus : il paraît chaque année en France plus d'ouvrages qu'en sa vie entière un lecteur ne pourrait en connaître, s'il entend aller, sans sauter une ligne, de la première à la dernière page. Il s'ensuit qu'il n'y aurait pas d'historiens si ceux-ci ne succombaient à ce que Jean Paulhan appelle l' « illusion de totalité ». Nos connaissances ne se déposent pas dans notre esprit comme un liquide dans un vase : nous ne pouvons pas en mesurer le niveau. Elles se répandent comme un gaz qui occupe tout l'espace libre. D'où les comiques prétentions de la plupart d'entre nous. Personne n'échappe complètement à cette illusion.

Pour l'historien des lettres, l'illusion de totalité peut fonctionner de deux façons. S'étant formé une idée de tous les auteurs dont le nom est parvenu jusqu'à lui, il se persuade qu'il n'ignore aucun de ceux dont les écrits méritent un sérieux examen. Mais quels écrivains a-t-il étudiés sérieusement ? Ayant lu un ou deux volumes d'un romancier, deux ou trois morceaux d'un poète, il croit pouvoir porter un honnête jugement sur ce romancier ou sur ce poète, alors que leurs meilleures œuvres lui ont peut-être échappé.

Un écrivain qui décide d'écrire une « Histoire de la littérature » devrait expliquer comment il a acquis les connaissances dont il veut faire état, raconter comment il a découvert les livres dont il parle. Il devrait se situer lui-même avant de tenter de situer les autres.

Le présent livre donnera mon itinéraire parmi les livres (et cela dès ma petite enfance), racontera mon approche de la littérature et ma rencontre avec les écrivains contemporains (alors que j'étais un jeune lycéen rouennais).

Mais que signifie au juste le mot « littérature » ?

4

Qu'est-ce que la littérature ? Sartre disait être le premier à s'être posé cette question. Il n'a pas apporté de réponse : il s'est contenté de nous donner un exposé des responsabilités de l'écrivain et d'instaurer, au lendemain de la Libération, une nouvelle « terreur dans les lettres », toute différente de celle qu'avait étudiée Paulhan dans ses *Fleurs de Tarbes*.

La littérature n'est pas l'affaire des seuls écrivains. Elle naît dès que les hommes disposent d'un langage et sont capables de jouer avec les mots de leur tribu. La littérature orale précède partout la littérature écrite. Elles ne cessent ensuite de coexister. La conversation, quand elle n'est pas purement utilitaire, est une forme de littérature. De nos jours, on a pu enregistrer des entretiens qui ont donné naissance à des livres.

La littérature revêt des formes très diverses. Certains y voient le résultat d'un besoin de raconter ou de se raconter des histoires. On distingue littérature sacrée et littérature profane, suivant que le conteur se prétend inspiré par des puissances supérieures ou qu'il avoue n'obéir qu'à sa fantaisie personnelle. Le conteur du premier type introduit le surréel dans nos existences. Le conteur du second type nous révèle les séductions de l'imaginaire.

Cet imaginaire ne crée pas seulement des images. Au besoin de fabuler s'ajoute le besoin de se faire des idées et, dans le même mouvement, d'adhérer à des croyances. C'est la source des religions et des philosophies.

Quant à la poésie, elle nous fait passer du monde des idées à celui des sentiments, mais nos sentiments sont liés aux idées que nous avons adoptées. La poésie pure pourrait être la chanson sans paroles exprimant nos sensations, nos joies et nos tristesses.

Dans la littérature écrite, on distingue littérature populaire et littérature savante. On peut sourire quand certaines personnes tranchent, à propos d'un livre : « c'est de la littérature » ou « ce n'est pas de la littérature » (ou bien, à propos d'un film : « c'est du cinéma » ou « ce n'est pas du cinéma »). Mais ici intervient la notion d'œuvre d'art et à partir de là on pourra parler de « bonne » et de « mauvaise » littérature.

En littérature, il exista longtemps de grands genres et des genres mineurs. Au XVIIe siècle, la poésie et la tragédie méritaient seules l'attention des critiques. Ceux-ci veillaient à l'observation de règles rigoureuses. Les auteurs devaient se familiariser avec des techniques et, au cours d'années d'apprentissage, se choisissaient des maîtres. Avoir été de bons élèves ne les empêchait pas de créer des œuvres originales, s'ils possédaient un vrai tempérament de créateur. Et même de se moquer des règles comme La Fontaine, qui a écrit plus de vers libres que de vers réguliers.

Pour étudier la littérature considérée comme un art, les professeurs ont inventé de grouper les écrivains dans des écoles successives. L'histoire littéraire serait l'étude de l'évolution des genres à travers ces écoles. L'amateur de littérature, lui, se méfie de ces simplifications. Le « défilé des ismes », comme disait Queneau, ne lui paraît pas sérieux : classicisme, romantisme, symbolisme, naturalisme, surréalisme, existentialisme. En littérature, ce qui compte, ce sont les œuvres de quelques auteurs. Rappelons la phrase excellente par laquelle Henri Clouard terminait son étude sur le romantisme : « Mérimée comparé, non seulement à Sand, mais à Stendhal et à Balzac, achève de montrer avec une évidente clarté la diversité du romantisme et prouverait, s'il en était besoin, qu'on devrait en finir avec les classements par écoles et tendances générales ; *il n'existe en littérature vivante que des individus, et les classements sont forcément faux.* » (C'est moi qui souligne.)

Dans le même esprit, j'aime à citer le mot de Pierre Gaxotte, selon lequel « il n'y a pas d'Histoire, il n'y a que des historiens ». Qu'est-ce à dire ? Que chaque historien choisit à sa guise dans la foule des événements parvenus à sa connaissance ceux qui lui permettront d'inventer une Histoire à son goût. De même un historien des lettres peut se contenter de rassembler un certain nombre de portraits d'écrivains et baptiser « Histoire » cette galerie de portraits. Il y a histoire dans la mesure où les auteurs se succèdent dans le temps. Ce sera un jeu de montrer en quoi ils se ressemblent et en quoi ils se distinguent.

5

Les salons et les revues ont disparu où se construisaient autrefois les renommées littéraires durables. Aucun critique aujourd'hui n'est capable, par un article, d'assurer le succès d'un livre qu'il a aimé. La notion de « valeur littéraire » tend à disparaître. Les médias pratiquent un mélange des genres qui désoriente l'amateur de littérature. Les hebdomadaires de tous bords établissent pour les livres l'équivalent de ce qu'est le « hit-parade » pour les disques de variétés. Ce qui compte ici, ce sont les tirages et les ventes. On n'a d'ailleurs jamais vendu tant de livres, mais jamais non plus la vie d'un livre n'a été aussi brève, c'est-à-dire qu'un ouvrage disparaît quelques semaines ou quelques mois après avoir paru. Autrefois les éditeurs stockaient les invendus dans des entrepôts. Aujourd'hui, ils préfèrent pilonner. Cela coûte moins cher de réimprimer un ouvrage qui connaît une seconde chance que de conserver des tonnes de volumes sur lesquels on fonde peu d'espoirs.

Ce qui caractérise notre époque, c'est aussi le déluge d'ouvrages écrits par des illettrés et, dans les médias, l'apparition de critiques qui n'ont aucune culture littéraire. J'ai entendu une dame critique se flatter de ne jamais comparer un livre à un autre livre, alors que seul le jeu des comparaisons permet de situer un auteur.

Beaucoup d'écrivains, de nos jours, prétendent n'avoir subi aucune influence. Tout ce qu'ils écrivent vient d'eux-mêmes. Voyez-vous : ils n'ont pas même eu d'instituteur pour leur apprendre à tracer des lettres. Ils savaient écrire en naissant. Les livres qu'ils ont lus ne les ont pas formés (en tant qu'écrivains). Pourtant Malraux notait que tout artiste commence par le pastiche. L'imitation peut être volontaire ou inconsciente. Elle est bénéfique quand elle est continuation de la culture et s'accompagne d'innovations. Elle peut aussi n'aboutir qu'à de pâles copies.

Les écrivains qui disent n'avoir été influencés par personne se reconnaissent à leur syntaxe incorrecte et à leur vocabulaire incertain. Pour bien écrire, il faut avoir beaucoup lu de bons auteurs. Pour innover, il faut avoir subi beaucoup d'influences diverses.

6

Suis-je un lecteur difficile ? Je suis plutôt — ou du moins j'ai été — un lecteur infatigable. Dans *Solde,* Bernard Frank se moque gentiment de moi : « Brenner a un goût exagéré, inoffensif pour les livres : les bons, les moins bons, les franchement mauvais. » Ah ! si je ne m'intéressais qu'aux œuvres imprimées, mais j'ai passé beaucoup de temps à lire ou à parcourir des manuscrits, dont je dois avouer que la plupart étaient détestables. J'étais curieux d'en prendre connaissance : ainsi, voilà ce que des contemporains imaginaient, voilà dans quel style ils écrivaient. Deux ou trois fois l'an, j'avais le plaisir de faire des découvertes ; et découvrir un auteur sur manuscrit est encore plus agréable que de le découvrir déjà imprimé (car alors d'autres ont reconnu ses mérites avant vous). Notez bien que je n'ai pas toujours réussi à faire publier les manuscrits qui m'avaient plu, et même lorsque j'étais directeur de collection, car mes choix devaient être entérinés par le comité de lecture ou par le patron de la maison où j'étais employé. Par contre, je voyais paraître nombre d'ouvrages que je n'aimais pas du tout. Car Frank se trompe s'il croit que j'accorde de la valeur à tout texte imprimé. Ce n'est pas moi qui commencerais une chronique en déclarant : « Il n'y a probablement pas de mauvais livres, ni de livres importants, ni de livres qu'il faut absolument lire. Tous les livres devraient avoir des lecteurs... »

Or c'est Bernard Frank — eh oui ! — qui tint un jour ces propos dans les colonnes du *Matin.* Bien entendu, il développait ensuite son idée et la justifiait fort bien. Si les mauvais livres abondent et s'il en existe d'importants, c'est de notre point de vue. Beaucoup de lecteurs pensent tout autrement que nous. Frank reprochait aux critiques d'être trop occupés à exposer leurs goûts et leurs humeurs, et de ne pas penser au public potentiel des ouvrages qu'ils examinent. Tout livre pourrait être apprécié par quelque lecteur, mais comment un livre peut-il parvenir dans les mains de ce lecteur-là ? La question est intéressante et n'a pas encore obtenu de réponse. Des livres que les critiques jugent excellents ne trouvent pas d'acheteurs quand d'autres ouvrages que les critiques boudent atteignent des tirages impressionnants.

Je veux bien qu'il n'existe pas de « livres importants ». Je maintiendrai qu'il en existe beaucoup de mauvais. Heureusement il n'y en a pas moins de très bons. Et de quoi écrire autant d'Histoires de la littérature que l'on voudra.

7

Pour ma part, j'aurai donc écrit deux « Histoires de la littérature française contemporaine ». Pour éviter les malentendus, j'insiste sur le fait que l'une n'annule pas l'autre : la seconde complète la première. J'espère pouvoir les réunir plus tard en un seul volume. Je ne voulais pas parler ici d'ouvrages que j'avais analysés déjà. C'est pourquoi certains écrivains que je louais hier ne figurent pas au sommaire d'aujourd'hui ou bien n'occupent pas la place que leur talent aurait dû leur assurer. De toute façon, ce n'est pas au nombre de lignes qu'un historien lui consacre qu'il faut mesurer l'importance d'un poète ou d'un romancier.

Ajoutons que, pensant aux jeunes gens désireux de savoir comment aborder tel ou tel auteur, j'ai privilégié dans la plupart des notices une œuvre qui me paraissait représentative. Mes choix pourront être contestés et je souhaite qu'ils le soient : un des charmes d'un essai comme celui-ci est de prêter à discussions.

II

Autoportrait de l'historien

Je ne me rappelle pas à quel âge j'ai appris à lire, mais je sais quels sont les premiers personnages imaginaires qui m'ont donné à rêver. Pour moi, la littérature orale a précédé la littérature écrite. Dans la classe de Mme Bertrand où j'ai commencé mes études, au collège de Saint-Dié, une série de gravures étaient suspendues aux murs : elles représentaient les héros des contes de Perrault. Ainsi ai-je fait connaissance du Chat Botté, de Barbe-Bleue, de Cendrillon et de la Belle au bois dormant dont Mme Bertrand nous raconta les aventures.

Les premiers livres que j'eus dans les mains — y compris les manuels scolaires — étaient des livres d'images. On ne parlait pas encore de bandes dessinées. Les héros, tantôt des hommes, tantôt des animaux, s'appelaient Mickey, Félix le Chat, Bicot et Suzy, Bécassine, les Pieds-Nickelés. Du livre d'images, je passai aux livres illustrés : tout d'abord les récits d'Arnould Galopin, lesquels paraissaient en fascicules avant d'être reliés en volumes de grand format : *Les Aventures d'un petit Buffalo* — de là date mon goût pour les westerns — et *Les Aventures d'un poilu de douze ans* qui se déroulaient pendant la Première Guerre mondiale (on appelait « poilus » les valeureux combattants). Puis j'en vins, vers neuf ans, à la comtesse de Ségur, à Hector Malot et à Jules Verne. De la comtesse, j'aimais particulièrement les histoires russes et le personnage du général Dourakine. Jules Verne à son tour me transporta en Russie avec Michel Strogoff. Je suivis avec moins d'intérêt ses ouvrages d'anticipation : la conquête de l'espace et l'exploration des grands fonds sous-marins n'étaient pas mon affaire. L'évocation du passé me retenait bien plus que des vues sur l'avenir.

J'allais entrer dans une période où je lirais surtout des romans historiques. Elle commença le jour où je pris dans la bibliothèque de mes parents le premier volume des *Misérables*. Cette édition ne comprenait pas moins de dix tomes. Je les lus en quelques jours, et avec quelle passion... Je devais avoir douze ans. Je ne suis pas sûr de n'avoir pas sauté certains chapitres, parmi les meilleurs, comme celui sur la nature de l'argot. Je les sautais parce que c'était l'action qui m'intéressait. Après avoir fini *Les Misérables,* je me lançai dans *Quatrevingt-Treize* et dans *Notre-Dame de Paris.*

Dans la bibliothèque familiale (un petit meuble vitré, ornement de notre salon), je trouvai également quelques romans d'Erckmann-Chatrian. Je crois bien qu'ils me plurent plus encore que Victor Hugo. Les romans en question s'appelaient *Madame Thérèse, Le Fou Yegoff, Histoire d'un conscrit de 1813.* Erckmann et Chatrian ne se cachaient pas d'être des « partisans » et l'on pourrait leur adresser les reproches que mérite toute littérature engagée, mais que j'aimais leur générosité et comme, avec eux, je me sentais patriote et républicain !...

Je parle de la bibliothèque de mes parents, mais ceux-ci tenaient une petite librairie et recevaient les « nouveautés ». L'auteur chéri de la clientèle était alors Pierre Benoit. Je lus à mon tour *L'Atlantide, Axelle, Kœnigsmark,* qui, à mes yeux, pouvaient passer pour des romans historiques, puisqu'ils se situaient avant ma naissance. (Tout roman devient rapidement roman historique.)

Deux héros de romans policiers d'avant 1914 jouissaient aussi d'une grande popularité. L'un était un journaliste débrouillard, Rouletabille, et l'autre un cambrioleur qui se disait gentleman, Arsène Lupin. Leurs aventures paraissaient chez Hachette dans la collection « Le Point d'interrogation ». C'est dans cette collection que je lus également Conan Doyle, le père de Sherlock Holmes.

À treize ans, je rencontrai Alexandre Dumas, mais je n'avais encore lu que *Les Trois Mousquetaires* quand je quittai Saint-Dié pour Rouen. Il fut mon auteur de prédilection dans les années qui suivirent. Je lus tous ses romans, soit dans la Bibliothèque Nelson, soit dans la collection verte de Calmann-Lévy. Grâce à quoi je devins un brillant élève en classe d'histoire et, bien plus tard, j'apparus comme un honorable convive chez Paul Morand, quand Roger Nimier et Kleber Haedens rivalisaient d'érudition aussi bien sur *La Dame de Monsoreau* et *Les Quarante-Cinq* que sur *Le Vicomte de Bragelonne* ou sur *Ange Pitou* et *Cagliostro.* Cependant mon héros préféré était le Comte de Monte-Cristo. Aujourd'hui même je n'ai rien oublié de ses aventures et pourrais vous raconter sa vie.

Je découvris un Dumas anglais en la personne de Stevenson, auteur de *La Flèche noire,* de *Prince Othon,* de *Kidnapped* et de *Catriona.* Stevenson reste aujourd'hui un de mes auteurs préférés. Romancier d'aventures, il est aussi un pur et parfait artiste. Mais je ne m'intéressais pas encore à « l'art ».

Rouen est la ville de deux illustres écrivains. Je les connus d'abord par leurs statues. Un Corneille de pierre se dressait dans la cour d'honneur du lycée. Un Flaubert de bronze, devant le musée Le Secq des Tournelles. Je les trouvais froids et intimidants. Pour aimer Corneille, il me fallut assister à des représentations du *Cid* et du *Menteur.* J'essayai de lire *Salammbô* et *Madame Bovary,* mais je ne devais m'enthousiasmer pour ces deux romans que plus tard. Je ne pense pas que Flaubert soit un auteur pour la jeunesse, du moins pour des garçons de quatorze ou quinze ans.

Au contraire, à cet âge, Musset me séduisit immédiatement. J'ai tout de suite compris qu'un poète me convenait quand je retenais facilement ses vers et pouvais me les réciter quand je me sentais nostalgique. Je ne craignais pas la poésie déclamatoire (comme l'est souvent celle de Musset). Musset fut mon poète, « jeune homme vêtu de noir qui me ressemblait comme un frère ». Je me procurai ses œuvres complètes dans la collection Garnier et je découvris avec ravissement son théâtre et ses nouvelles. Il est le premier écrivain dont j'ai eu la curiosité de connaître la biographie.

Et la littérature contemporaine ? D'après ce que j'entendais dans le milieu où je grandissais — et au lycée même — les « quatre grands » de l'époque étaient Anatole France, Loti, Bourget et Barrès. Le hasard me fit aborder France par *Le Lys rouge,* Loti par *Pêcheurs d'Islande,* Bourget par *Le Disciple* et Barrès par *Colette Baudoche.* Le meilleur de ces livres, pensai-je, ce devait être *Pêcheurs d'Islande.* (Je fus surtout impressionné par la scène où la vieille Yvonne découvre que les cruels gamins de Ploubazlanec ont tué son chat noir.) Puis, le hasard des vacances me conduisit dans une maison où je trouvai d'autres ouvrages d'Anatole France. Je dévorai *Les dieux ont soif* et cette fois je fus conquis. Ce roman me ramenait à une période de l'histoire de France que je connaissais bien grâce à Dumas, mais qui était présentée de manière nouvelle. Sur ma lancée, je lus *La Rôtisserie de la reine Pédauque, Le Crime de Sylvestre Bonnard* qui m'enchantèrent également. De sorte que, à la rentrée scolaire, lorsque notre nouveau professeur de français (on ne disait pas « professeur de lettres ») nous demanda quels étaient notre poète et notre romancier préférés, je répondis : « Musset et Anatole France. » Les camarades interrogés avant moi avaient, eux aussi, donné des noms qui figuraient dans nos manuels de littérature. Les poètes les plus cités étaient Victor Hugo, Corneille, La Fontaine. Les romanciers : Balzac, Flaubert, Alphonse Daudet, Pierre Loti. Notre professeur me demanda : « Vous considérez Musset comme un plus grand poète que Victor Hugo ? — Pas du tout, mais vous n'aviez pas demandé quel était notre plus grand poète, vous vouliez savoir celui que nous préférions. »

Notre nouveau professeur était un jeune homme de vingt-quatre ans, svelte et agile, vêtu avec élégance. Il se déplaçait dans la classe avec des gestes de danseur et parlait avec une voix d'acteur. Il me rappelait Maurice Escande, célèbre sociétaire de la Comédie-Française, que j'avais eu l'occasion d'applaudir au grand théâtre de Rouen (le théâtre des Arts). « Ah, me dis-je, voilà ce qu'est un Parisien. » Il s'appelait Marcel Schneider. En conclusion de sa petite enquête sur nos préférences, il nous apprit que les amateurs de poésie se divisaient en deux familles : les admirateurs inconditionnels de Victor Hugo et les fanatiques de Baudelaire. Puis il se corrigea lui-même : « Il y a aussi ceux qui estiment que Ronsard n'a jamais été surpassé et ceux qui pensent que la poésie française commence avec Rimbaud. »

Des propos de ce genre étaient nouveaux pour nous. Aucun de nos professeurs ne nous avait encore parlé de Baudelaire ni de Rimbaud. Ces deux poètes sentaient le soufre. Les titres de leurs ouvrages les désignaient comme des marginaux sans moralité : *Les Fleurs du Mal, Une saison en enfer.* Notre camarade Sadrin, fils d'un commissaire de police, nous apprit que le premier était un ami des prostituées, et le second, un petit voyou pédéraste. Pour que Sadrin, qui se fichait de la poésie et collectionnait des anecdotes scabreuses, fût renseigné sur eux, il fallait bien que Baudelaire et Rimbaud eussent mené une vie aventureuse, « pas catholique ». Bizarre que l'on pût leur accorder autant d'importance qu'à Ronsard ou à Hugo. Mais, cette année-là, c'étaient Molière et Racine que nous devions étudier.

Marcel Schneider n'allait pas tarder à nous donner des commentaires inattendus de leurs œuvres. Par exemple, il nous assura que le Sonnet d'Oronte valait beaucoup mieux que la Chanson du roi Henri dont Alceste surestimait les mérites. Pour quelques-uns d'entre nous, Schneider fut lui-même classé parmi les précieux. D'autres employèrent le mot « mondain ». Schneider avait des goûts d' « aristocrate ».

La coutume voulait qu'à la fin d'un trimestre le dernier cours fût remplacé par la lecture à haute voix d'extraits d'un ouvrage que le professeur conseillait pour les vacances. Nouvelle surprise : Schneider nous lut quelques chapitres de *L'Enfant,* le premier tome du *Jacques Vingtras* de Jules Vallès. Allait-on l'appeler encore « aristocrate » ? Le nom de Vallès ne figurait même pas dans notre manuel de littérature. Schneider précisa que son livre aurait mérité le succès du *Petit Chose* d'Alphonse Daudet et peut-être même de *David Copperfield* de Dickens.

Au cours de l'année, il s'absenta quelques jours. A son retour, il nous annonça qu'il ne pouvait pas nous remettre les copies corrigées de nos derniers devoirs parce qu'il les avait oubliées dans la « maison de santé » où il avait dû se faire soigner. Pour nous, les « maisons de santé » étaient des « asiles de fous ». Ah ! nous tenions l'explication de son originalité.

Avant le départ pour les grandes vacances, il nous lut quelques pages d'un autre livre de souvenirs d'enfance. « L'auteur est le plus grand écrivain français vivant, nous dit-il, et cet ouvrage est dès maintenant inscrit au programme des écoles anglaises... » Il ajouta : « Je vous conseille de vous le procurer dans la " Select-Collection " de Flammarion. Cela vous coûtera deux francs cinquante. » Ce qu'il ne nous disait pas, c'est que le texte de *Si le grain ne meurt* publié dans cette collection populaire à bas prix était un texte expurgé (de même n'était-ce que des extraits des premiers chapitres qui étaient proposés aux élèves des collèges anglais). Mais comment conseiller à des lycéens, en 1938, la lecture intégrale des souvenirs de jeunesse d'André Gide ?

Cette année-là, Schneider fut désigné pour prononcer le discours des prix. Les distributions de prix étaient alors d'importantes cérémonies publiques, auxquelles assistaient des personnalités diverses, hauts fonctionnaires, magistrats, militaires. Schneider prononça un éloge de la poésie contemporaine, dont les deux représentants les plus remarquables étaient, selon lui, Apollinaire et Valéry. Gide, dit-il, les situait aux deux extrémités de leur art, le premier devant être considéré comme un musicien et l'autre comme un théoricien et mathématicien. Aux « exercices savants » de Valéry, on pouvait préférer les « miracles ingénus » d'Apollinaire. Schneider cita quelques vers de celui-ci et nous assura qu'il y entendait « frémir l'âme légère de Musset ».

Son discours ne séduisit pas le général Peloquin qui présidait la cérémonie et qui, dans sa réponse, entreprit de dénoncer les aberrations des artistes d'avant-garde. Évoquant des peintures cubistes, il ne craignit pas de déclarer : « Je n'appelle pas cela de l'art, j'appelle cela le panier à ordures. » Ah ! c'était bien amusant, cette colère du général. Schneider, qui rougissait facilement, s'était transformé en coquelicot.

Quelques jours plus tard, j'achetai *Alcools* en même temps que l'édition Flammarion de *Si le grain ne meurt.* À la fin de l'été, si l'on m'avait demandé quels étaient mes écrivains préférés, j'aurais répondu : « Apollinaire et André Gide. »

Apollinaire est-il une réincarnation de Musset ? Il a su parfaitement mêler ce qu'il appelle « la tradition et l'aventure ». Aussi bien peut-on le considérer comme le dernier romantique, le dernier des symbolistes, ou bien comme un poète cubiste et le premier surréaliste. Il est avant tout un poète de la nature, de l'amour et de l'amitié. Ce sont ses poèmes réguliers qui m'enchantèrent le plus. J'ai rapidement su par cœur nombre d'entre eux.

J'ai cueilli ce brin de bruyère
L'automne est morte souviens-t-en

Les poèmes libres où il aligne impressions et choses vues se lisent comme des pages de journal intime. Il invente aussi de surprenantes images qui jaillissent comme des feux d'artifice. Au demeurant, moins ingénu que ne le croyait Gide : il avait feuilleté beaucoup de livres anciens et modernes, et en avait tiré des enseignements. Aujourd'hui je le vois dans la descendance de Nerval plutôt que de Musset.

(Il ne me déplaisait pas non plus de savoir que, né d'une mère polonaise et d'un père italien, il n'avait obtenu la nationalité française qu'en mars 1916. Il était d'autant plus français qu'il l'était par choix et non par le hasard de la naissance.)

Gide, lui, appartenait à la race des grands moralistes. Il se situait dans la descendance de Rousseau. Dès l'âge de onze ans, raconte-t-il dans *Si le grain ne meurt,* il s'était écrié un jour, dans la crainte et le tremblement : « Je ne suis pas pareil aux autres. » De là, plus tard, son désir de se comprendre lui-même, de justifier sa différence et d'opposer une nouvelle morale à celle que l'on honorait dans le monde bourgeois auquel il appartenait.

La société que décrivait *Si le grain ne meurt* ne ressemblait pas à celle où je vivais. Je pouvais cependant l'imaginer d'autant mieux qu'une partie du livre se situait à Rouen. Enfant, Gide y venait pour ses vacances de nouvel an. Je passais souvent devant la belle maison qui avait été celle de ses grands-parents : elle existe toujours et fait l'angle de la rue de Crosne et de la rue Fontenelle. (Et j'allai rue de Lecat voir la maison où avait grandi la cousine Madeleine.)

Après Gide mémorialiste, je lus Gide romancier : *L'Immoraliste* et *Les Faux-Monnayeurs*. Ce fut ensuite la découverte des soties : *Paludes* et *Le Prométhée mal enchaîné* (le livre de lui que je continue de préférer). L'ordre dans lequel on lit les œuvres d'un auteur a son importance : j'aurais été moins séduit par Gide si je l'avais abordé par *La Porte étroite* ou *La Symphonie pastorale* qui étaient alors ses livres les plus connus.

Mon père était abonné à *La Revue des Deux-Mondes* où paraissaient en feuilleton les nouveaux romans de Pierre Benoit et à *L'Illustration* qui, dans des suppléments appelés *Petite Illustration*, publiait le texte des pièces présentées dans les théâtres de Paris. Je n'ai jamais si bien suivi la vie théâtrale qu'à cette époque où, en fait de représentations, je n'assistais qu'à des « matinées classiques ». *La Petite Illustration* me fit connaître les pièces de Giraudoux et de Romains, aussi bien que celles de Guitry et d'Achard. C'est là que je découvris Anouilh. J'ai conservé l'exemplaire où parut *Y avait un prisonnier*, une de ses premières pièces, qu'il n'a pas reprise dans ses œuvres complètes.

Grâce au cinéma, j'avais pu voir Sacha Guitry et il m'amusait beaucoup. Comme j'en parlais à Schneider, il me déclara : « Guitry, c'est du boulevard. Le théâtre aujourd'hui, c'est Giraudoux. » Je sentis que le mot « boulevard » sous-entendait une condamnation. Eh bien, je pouvais aimer Giraudoux et Guitry. De même lire Apollinaire ne m'empêchait pas d'écouter avec plaisir les chansons de Charles Trenet. Mes camarades de lycée, eux, préféraient nettement Sacha à Giraudoux, et Trenet à Apollinaire. Plus exactement, ils connaissaient tous Sacha et Trenet, très peu s'intéressaient à Giraudoux et à Apollinaire... ou à Gide. Mon meilleur ami, Michel Aubin, se singularisait en proclamant son admiration pour Valéry. Alors que je découvrais *La Chanson du mal aimé*, il s'était enthousiasmé pour *Le Cimetière marin*. Je me rappelle ma surprise quand il m'en cita quelques vers que je ne connaissais pas encore. J'entendis : « Ce toit tranquille où picoraient des phoques », alors qu'il récitait : « où picoraient des focs ». Schneider nous avait parlé du « bœuf sur le toit ». Maintenant, les phoques !

À la veille du dernier été de l'avant-guerre, la Bibliothèque de la Pléiade publia le *Journal 1889-1939* de Gide. Pour la première fois un auteur contemporain était accueilli dans cette collection réservée jusque-là aux écrivains classiques. Le très bourgeois *Journal de Rouen*, qui se flattait d'être le plus ancien des quotidiens français, salua l'événement et lui consacra deux pages entières de son supplément littéraire, sous la signature de R. G. Nobécourt, dont les chroniques étaient très appréciées. Ce *Journal* de Gide devint mon bréviaire. Mon intérêt pour l'auteur s'étendit aux écrivains dont il était l'ami : Valéry, Schlumberger, Larbaud, Martin du Gard. Chaque mois, j'achetais désormais la *N.R.F.* que je considérais comme le bulletin de la petite société littéraire dans laquelle j'espérais être admis un jour. Dans le numéro de juin 1939, Denis de

Rougemont écrivait : « Je prévois le jour où nos cadets nous opposeront l'exemple du probe adversaire des orthodoxies orgueilleuses, que Gide, n'en doutons pas, restera jusqu'au bout. » (Repris dans le volume *Les Personnes du drame.*)

Les deux grands éblouissements que je connus cette année-là furent provoqués par la lecture de Schopenhauer et de Lautréamont. Je découvris Schopenhauer dans un volume de pages choisies, présentées par Thomas Mann. J'adhérai immédiatement à ses vues sur le monde et la nature humaine. Quant à Lautréamont, il venait d'être réédité par José Corti, avec une préface d'Edmond Jaloux.

Pendant l'été 39, je me passionnai aussi pour *L'Été 1914* de Martin du Gard. Les menaces de guerre rendaient, me semblait-il, ce livre très actuel. Je me trompais : comme l'a fort bien dit Raymond Aron, « il n'y a pas deux guerres identiques en leur déclenchement ou leur évolution ».

La guerre qui fut déclarée en septembre 1939 commença si curieusement que l'on devait l'appeler « drôle de guerre ». Elle prit en France l'apparence d'une simple mobilisation.

Au lycée Corneille, nous fîmes connaissance d'un nouveau professeur de lettres, Pierre Fauchery. Ce moins de trente ans avait une tête charmante de vieux bébé. Il était de petite taille et portait des manteaux trop longs. Sans doute n'était-il pas en bonne santé ; sinon, il eût été mobilisé.

Il prenait souvent le risque, non pas tant de nous choquer, que de scandaliser nos parents au cas où ils auraient été curieux de savoir quels sujets il nous donnait à traiter. Il nous demanda un jour de commenter cette phrase de Diderot : « Pour un nez honnête, ce n'est pas une femme, c'est une chèvre bien musquée, bien ambrée et qui pue. » (Il nous dit ensuite qu'il avait voulu voir combien d'entre nous seraient capables d'écrire plus de six lignes sur cette petite énigme.)

Je ne sais s'il était un fanatique de Baudelaire, mais il aimait nous réciter des vers des *Fleurs du Mal.* Par exemple :

Une nuit que j'étais près d'une affreuse Juive,
Comme au long d'un cadavre un cadavre étendu,
Je me mis à penser devant ce corps vendu
À la triste beauté dont mon désir se prive.

Si Schneider avait été qualifié de « précieux » par mes camarades, Fauchery fut classé parmi les décadents, en raison de son pessimisme et de ses vues critiques sur notre société et sur le monde en général. Il aimait, lui aussi, citer des auteurs contemporains. Après l'avoir entendu raconter comment Bardamu découvrit l'Amérique, j'achetai *Voyage au bout de la nuit.* Après qu'il nous eut lu la page décrivant la stupeur provoquée à Claquebue par la naissance d'une jument verte (« les vieillards claquaient comme des mouches »), j'achetai mon premier Marcel Aymé. Fauchery nous parla aussi de Jules Romains et nous le présenta sous ses deux aspects de normalien : l'inventeur de canulars, l'auteur des *Copains,* et le peintre de la société contemporaine, avec son cycle romanesque des *Hommes de bonne volonté,* alors en cours de publication.

Parmi mes nouveaux condisciples, cinq ou six lisaient autre chose que des magazines de sport ou de cinéma. Ils étaient même capables de se transformer en propagandistes des auteurs qu'ils admiraient. Leurs goûts étaient bien différents. Jean Bernanose aimait surtout Montherlant... et Bernanos. Gérald Allégret, qui voulait devenir aviateur (et le devint trois ans plus tard), chantait les mérites de Saint-Exupéry. Jacques Spatz louait Francis Jammes, mais c'est lui qui me prêta *Les Enfants terribles* de Jean Cocteau et les romans de Simenon qui avaient paru chez Fayard sous couverture photographique. Blaise Héran, qui habitait rue des Charrettes, m'offrit la brochure que Mac Orlan avait consacrée à cette artère hautement pittoresque du Vieux-Rouen. Jean Holstein était séduit par l'intelligence d'André Maurois, ancien élève de notre lycée. Francis Paul jouissait du prestige d'être le neveu de l'éditeur Émile Paul qui avait publié *Le Grand Meaulnes* d'Alain-Fournier, et les premiers romans de Pierre Benoit et de Giraudoux. Le père de notre Francis possédait une splendide bibliothèque où figurait la collection « Les Introuvables », plaquettes à tirage très limité, parmi lesquelles *Le Sacrifice impérial* de Max Jacob. J'ajoute que ma sœur (d'un an mon aînée) et ses amies lisaient Colette, Giraudoux et Chardonne, ainsi que *Les Hauts de Hurlevent* d'Emily Brontë et *Poussière* de Rosamond Lehmann. Je ne manquais pas d'interlocuteurs et d'interlocutrices pour parler de littérature. Il est certain que, passionné par elle, je négligeais un peu les mathématiques, la physique et la chimie.

En mai 40, la guerre cessa d'être une menace pour devenir une réalité. Avant même la fin de ce mois-là, un vent de panique souffla sur Rouen. L'administration où travaillait mon père reçut l'ordre de se replier sur Nantes. Je devais rester à Nantes jusqu'au début août et y passer mon bachot. Je n'avais emporté que quatre livres, *Alcools* d'Apollinaire et trois Pléiade : Montaigne, Rousseau et Gide. Je lus intégralement les *Confessions* et les *Rêveries* de Rousseau et, partiellement, les *Essais* de Montaigne. Ici, il faudrait parler des livres qu'on lit de la première à la dernière page et de ceux qu'on lit par morceaux, tantôt tel chapitre et tantôt tel autre. Toutefois, quand il s'agit de relectures, les deux catégories se confondent. J'ai si souvent rouvert les *Essais* de Montaigne que je les ai probablement lus en entier.

En octobre, je repris le chemin du lycée Corneille. J'avais pensé, après ma découverte de Schopenhauer, que les cours de philosophie allaient me passionner. Il n'en fut rien. Nous bachotions misérablement. Le philosophe que je fréquentai assidûment, après Schopenhauer, ce fut Nietzsche, mais était-il un philosophe au sens scolaire du terme ? En tout cas, notre professeur ne le cita jamais. Il ne nous parla pas non plus d'Alain qui avait enseigné à Rouen au début du siècle. J'abordai celui-ci par les *Propos sur le bonheur* qu'un camarade m'avait conseillés. Cependant je lisais surtout des romans. J'entrepris une lecture intensive de Balzac, de Stendhal et de Proust, ainsi que de grands étrangers : Tolstoï, Dostoïevski, Dickens.

L'année scolaire suivante, je devins étudiant en droit. Et c'est alors que je me liai avec un professeur de philosophie, une jeune femme qui m'avait interrogé sur Freud à l'oral de mon bachot et dont ma sœur avait été l'élève, Yanne Feldman. Cela m'avait bien plu de parler de Freud alors que ses œuvres étaient interdites par les autorités d'occupation. Yanne était mariée à un jeune Juif d'origine russe qui, en raison de sa race, avait perdu le droit d'enseigner. Il répondait au prénom de Valentin et avait publié un essai d'esthétique dans la collection où avait paru celui de Sartre sur l'imaginaire *. Précisément, chez les Feldman, on parlait de Sartre et c'est eux qui me conseillèrent de lire *Le Mur* et *La Nausée.* Une des nouvelles du *Mur* (« L'Enfance d'un chef ») m'amusa fort par son côté voltairien. *La Nausée,* placée sous l'invocation de Céline, cité en épigraphe, décrivait un malaise existentiel que je n'avais jamais éprouvé. Le livre se situait au Havre, fort bien décrit, et j'appris que, lorsqu'il était professeur dans cette ville, Sartre venait souvent à Rouen rejoindre son amie Simone de Beauvoir, alors titulaire au lycée Jeanne-d'Arc de la chaire de philosophie qu'occupait maintenant Yanne Feldman. Simone de Beauvoir n'avait encore rien publié, mais elle avait laissé de pittoresques souvenirs à ses collègues et à ses élèves. On me raconta diverses anecdotes que j'ai retrouvées plus tard dans ses Mémoires.

Revenu à Rouen après sa démobilisation, Marcel Schneider était maintenant chargé de cours à l'école des lettres, logée dans l'enclave Sainte-Marie à côté de l'école de médecine. Il enseignait dans un amphithéâtre qui devait lui rappeler la Sorbonne. Mais on se serait plutôt cru au Collège de France quand Valéry y professait. Les gradins n'étaient pas seulement garnis d'étudiants : on y voyait aussi des femmes élégantes, des jeunes et des moins jeunes qui venaient là comme au spectacle, à une époque où les distractions manquaient. Je me rappelle les causeries de Schneider sur le théâtre romantique et le succès qu'il se tailla en racontant *Hernani* avec plus de drôlerie que d'émotion : il alla même jusqu'à prêter à Hugo un vers de Vigny : « Ah ! que le son du cor est triste au fond des bois. »

Je le rencontrais en dehors des cours et nous parlions surtout de poésie. Il poursuivait alors son exploration du surréalisme et me disait son enthousiasme pour les écrits d'André Breton. Il pensait surtout à *Nadja.* Pour ma part, je considérais l'auteur du *Revolver à cheveux blancs* comme un bien mauvais poète. En revanche son œuvre d'essayiste et de critique me paraissait de premier ordre. Il donnait envie de lire les poètes qu'il aimait. C'est dans ses livres que je fis connaissance de Charles Cros et de Germain Nouveau dont je devais plus tard éditer les *Œuvres complètes.*

Les poètes furent à l'honneur sous l'Occupation. Certains venaient du surréalisme comme Eluard et Aragon. Henri Michaux, que Gide nous

* Valentin Feldman paraissait être à son affaire quand il parlait de littérature. J'ignorais qu'il était entré dans un réseau de résistance. Il devait être arrêté en février 1942, condamné à mort pour sa participation à des sabotages de voies ferrées, et fusillé. Aux soldats (allemands) du peloton d'exécution, il cria : « Imbéciles, c'est pour vous que je meurs. »

invita à « découvrir » en 1941, n'avait adhéré à aucun groupement, mais me parut le plus remarquable descendant de Lautréamont.

Jean Paulhan dirigeait une collection qu'il avait baptisée « Métamorphoses » et où il avait publié *L'Amour fou* de Breton, *La Grande Beuverie* de Daumal, *Race des hommes* d'Audiberti, *Ma vie sans moi* d'Armand Robin. C'est dans « Métamorphoses » que parut, en 1941, *Travaux d'aveugle* d'Henri Thomas. La plupart des poèmes de ce recueil s'accordaient à ma sensibilité, j'en aimai très fort la musique et les images (« Galop d'Esther », « Wolfram », « Message du bonhomme de neige »). Thomas n'avait précédemment publié qu'un seul livre, un roman que je ne me procurai pas sans peine : *Le Seau à charbon.* Sa lecture me réservait une surprise : l'action se situait au collège de Saint-Dié où j'avais commencé mes études. Thomas était de dix ans mon aîné et je ne reconnus que trois ou quatre des personnages qu'il décrivait, notamment le « principal » et le surveillant général. Au surplus il avait vu le collège avec des yeux de pensionnaire, alors que j'avais été externe libre. Je pensai que je le rencontrerais un jour et que nous aurions beaucoup à nous dire. J'avais écrit moi-même des souvenirs où le collège de Saint-Dié tenait une grande place. Comme l'avait fait Thomas dans *Le Seau à charbon,* je débaptisai Saint-Dié pour l'appeler Saint-Romont.

J'aimais parler des écrivains que j'aimais. L'idée d'écrire sur eux me vint naturellement : cela me permettrait de préciser ce qu'ils représentaient pour moi. À dix-neuf ans, j'entrepris de composer des portraits de Lautréamont et d'Apollinaire. Pas question de rencontrer ces poètes, mais je pouvais visiter les lieux où ils avaient vécu, et, pour Apollinaire, voir des gens qui l'avaient connu. Lors d'un de mes premiers séjours à Paris, je me promenai sur les pas de Maldoror rue Vivienne, rue Notre-Dame-des-Victoires et rue du Faubourg-Montmartre (où existent toujours deux des maisons où a vécu Isidore Ducasse). L'Occupation, qui nous avait débarrassés des voitures, permettait d'imaginer mieux qu'aujourd'hui ce qu'avait été ce quartier sous le second Empire.

J'envoyai mon petit essai sur Apollinaire à André Salmon en sollicitant son jugement et j'écrivis à Jacqueline Apollinaire pour lui demander de m'accorder un entretien. J'obtins deux rendez-vous. Nous étions en décembre 1941. Salmon me reçut dans son bureau-salon de la rue Notre-Dame-des-Champs. Nous conversâmes devant la cheminée où brûlait un feu de bois. Il me dit que, dans mon texte, j'insistais peut-être un peu trop sur certaines préoccupations morales et philosophiques qu'Apollinaire avait sans doute éprouvées, mais pas de façon continue comme je semblais le croire. J'avais systématisé un écrivain répugnant au système et l'avais représenté plus mélancolique qu'il n'était. Salmon devait avoir raison : à l'époque, je lisais Apollinaire avec des lunettes empruntées à Schopenhauer et je trouvais dans des poèmes comme *L'Ermite* et *Le Larron* l'illustration et la confirmation d'idées que j'avais puisées dans *Le Monde comme volonté et comme représentation.* Toutefois j'indiquais que le poète s'était ensuite rapproché du Nietzsche de *La Naissance de la tragédie...*

Salmon eut la gentillesse de m'indiquer quelques modifications à apporter à mon texte et m'invita à revenir le voir. Comme je lui disais que Mme Apollinaire allait me recevoir, il eut cette phrase charmante : « Présentez-lui mes hommages et dites-lui que nous avons travaillé ensemble. » Il ajouta que le logement du 202, boulevard Saint-Germain était poétique à souhait, mais présentait l'inconvénient d'être situé à un sixième étage.

Surprise en arrivant au 202 : je me trouvai devant une solide maison bourgeoise de trois étages seulement. J'entrai sous le porche pour me renseigner. Mme Apollinaire habitait bien au sixième étage. On n'avait pas installé d'ascenseur. Un escalier majestueux conduisait au troisième étage et se rétrécissait pour desservir un étroit et bizarre bâtiment que l'on n'apercevait pas de la rue. Le logement d'Apollinaire était perché tout en haut : « mon pigeonnier », disait le poète.

En grimpant les six étages, je me récitai *La Jolie Rousse* (« Ses cheveux sont d'or on dirait / Un bel éclair qui durerait / Ou les flammes qui se pavanent / Dans les roses thé qui se fanent... ») Je savais bien que je n'allais pas rencontrer la toute jeune femme qu'avait connue Apollinaire : plus de vingt ans s'étaient écoulés depuis qu'il avait écrit ce poème, mais la femme qui voulait bien me recevoir était restée la fidèle gardienne d'un grand amour et je m'apprêtais à la saluer comme un noble personnage (« Car y a-t-il rien qui vous élève / Comme d'avoir aimé un mort ou une morte... »).

Quand Jacqueline Apollinaire vint m'ouvrir, je me trouvai en face d'une femme encore fort belle qui m'accueillit comme un disciple du poète. Elle me fit entrer dans un petit salon où était accroché le tableau de Rousseau *Le Poète et sa muse* ainsi que divers dessins d'Apollinaire lui-même, plus proches du Douanier que de Picasso. Le meuble principal était un large divan qui pouvait se transformer en lit et c'était là que le poète avait achevé sa vie. Sur de petits meubles, beaucoup d'objets bizarres et pittoresques. Suspendu dans un coin, le casque que le poète portait quand un éclat d'obus l'atteignit à la tête : ce casque était troué.

« C'est ici que Guillaume recevait, mais il travaillait à l'autre bout de l'appartement. » Jacqueline Apollinaire me proposa la visite de ce modeste mais peu banal appartement. C'était en effet un appartement à deux bouts comme les haltères sont des instruments à deux boules. Premier bout : l'entrée où se trouvait le salon-salle de séjour. Un couloir tapissé de livres conduisait à l'autre bout ; il s'élargissait pour donner place à une cuisine et aboutissait à une pièce à fonction de bureau-bibliothèque, mal éclairée par une étroite fenêtre. « Mais nous avons aussi une terrasse », me dit Jacqueline Apollinaire et j'aimai ce « nous avons » qui aurait pu laisser penser que son Guillaume habitait toujours là avec elle. C'est une partie du toit qui avait été transformée en terrasse : on y accédait par un escalier intérieur très raide, presque une échelle. Cette terrasse était recouverte de plaques de zinc et entourée d'une rambarde de fer. Des caisses de terre permettaient de cultiver des fleurs à la belle saison. On n'était pas en plein ciel, mais on dominait les cheminées du quartier.

Quand je demandai à Jacqueline Apollinaire si elle possédait le manuscrit de *Calligrammes,* elle m'apprit que les feuillets en avaient été dispersés, donnés à des amis ou vendus à des libraires. Elle possédait cependant l'original de *La Colombe et le Jet d'eau* qu'elle me montra en disant : « C'est adorable. C'est plus beau que n'importe quel tableau. Il faudra que je me décide à le faire encadrer. »

Lorsque, un peu plus tard, je me retrouvai sur le boulevard, j'eus l'impression que je venais d'accomplir un grand voyage et que j'avais rencontré Apollinaire lui-même ou tout au moins son ombre. Aujourd'hui, c'est tous les jours que je passe devant le 202 (j'habite à côté). On a, peu après la Libération, posé une plaque sur la façade de l'immeuble pour signaler qu'Apollinaire a vécu là. Les curieux qui déchiffrent l'inscription doivent s'imaginer qu'il occupait un des grands appartements sur rue.

À partir de 1941, je pris souvent le train pour Paris. C'est ainsi que, en quatre jours de la dernière semaine de cette année-là, je pus voir une reprise de *L'Annonce faite à Marie* de Claudel, l'*Eurydice* d'Anouilh, *Le Bout de la route* de Giono et une revue de music-hall, *Chesterfolies 42.* Pendant l'Occupation, les théâtres ne désemplissaient pas. Je devins un habitué de la Comédie-Française, où j'assistai à de mémorables créations : *La Reine morte, Renaud et Armide.* Je me rappelle une « matinée classique », consacrée à Corneille et présentée par Robert Brasillach, lequel avait toutes les apparences d'un petit professeur tout intimidé de paraître sur une scène illustre. Je n'ai vu Brasillach qu'à cette occasion.

À Rouen, avec des camarades étudiants, j'avais fondé une petite compagnie de comédiens amateurs. Nous montâmes quelques spectacles classiques (Corneille, Molière, Marivaux, Mérimée) et contemporains (Gide, Romains). Nous organisâmes des soirées poétiques : Baudelaire, Apollinaire, Péguy, Paul Fort, Valéry. L'une de ces soirées fut consacrée à des scènes choisies de Racine. Deux jeunes pensionnaires de la Comédie-Française nous prêtaient leur concours : Jacques Dacqmine et Louise Conte. La séance fut troublée par une alerte. Nos spectateurs n'avaient pas quitté la salle quand les sirènes avaient appelé à se rendre aux abris. Mais on entendit des tirs de D.C.A. et, dans la grande scène entre Antiochus et Bérénice, quand Dacqmine-Antiochus s'écria : « Que ne fuyais-je alors ! », tout le monde fut debout et l'on se précipita vers la sortie. La fin de l'alerte sonna peu après et la soirée put reprendre. (Un an plus tard, le palais des Consuls, où avait lieu notre spectacle, fut détruit par un bombardement.)

Lors de la soirée Valéry, le poème *Les Pas* devait provoquer un fou rire inattendu. Parmi nos spectateurs s'était glissé un jeune militaire allemand, lequel avait pensé sans doute assister à un divertissement d'étudiants et qui s'aperçut vite de son erreur. Il essaya de s'éclipser discrètement, mais il ne put étouffer le bruit de ses bottes sur le parquet ciré de la salle d'honneur du palais des Consuls. Or l'un de nos camarades était en train de réciter :

Personne pure, ombre divine,
Qu'ils sont doux, tes pas retenus !

Le fou rire fut immédiat. Le militaire, comprenant que l'on se moquait de lui, allait-il se fâcher ? Non, il quitta la salle en riant à son tour.

Au lendemain de mon examen de licence en droit, je fus requis par le S.T.O. Mon amie Mireille Dumond, affiliée à un mouvement de résistance, m'envoya à Jean Lescure, directeur de la revue *Messages,* en m'assurant qu'il pourrait me procurer de faux papiers. A Paris, il habitait alors rue du Cardinal-Lemoine et, dans son bureau, des piles de tracts s'entassaient sur le plancher. Il m'en confia une poignée avec mission de les glisser dans des boîtes aux lettres. J'en lus le texte avec stupeur. On y parlait d'Auschwitz, dont le nom m'était encore inconnu. Je pensai que les horreurs décrites devaient avoir été inventées à des fins de propagande. On était au début de l'été 1943 : les camps de concentration, on les imaginait encore comme Chaplin nous les a montrés dans son *Dictateur.*

Lescure me fournit la fausse carte d'identité désirée. Mais je ne pouvais demeurer à Rouen. Un ami me recommanda à un sien cousin, Robert Quesney, appartenant à une brigade de gendarmerie de Seine-et-Marne et qui avait déjà planqué plusieurs « réfractaires » dans des fermes de la région. Je jouai peu de temps les ouvriers agricoles. Robert Quesney me trouva une chambre au village (comme on dit une chambre en ville) et j'allai prendre mes repas à la gendarmerie. Eh oui ! il existait des gendarmeries où l'on protégeait les insoumis au lieu de les poursuivre.

La seule usine du coin était une papeterie, laquelle recevait des cargaisons de livres interdits afin de les transformer en pâte à papier. Robert Quesney connaissait le directeur de l'usine. Celui-ci lui offrait, à chacune de ses visites, quelques volumes soustraits au pilonnage. Ainsi, dans la dernière année de l'Occupation, je lus surtout des auteurs condamnés par l'Ordre nouveau : Hesse *(Demian),* Kafka *(La Métamorphose),* Max Brod *(Stefan Roth),* Odon de Horvath *(Jeunesse sans Dieu)* et Dos Passos *(1919).*

Jean Paulhan m'avait mis en rapport avec René Tavernier, le directeur de la revue *Confluences* qui paraissait à Lyon. C'est dans cette revue que je fus publié pour la première fois. Mon premier texte imprimé fut un article consacré à Henri Thomas. Un autre article où je disais mon admiration pour Jean Schlumberger fut repoussé par la censure de Vichy et ne vit le jour qu'après la Libération.

De retour à Rouen et après une période de réadaptation à une vie citadine, je pensai aux moyens de créer moi-même une revue littéraire qui serait un centre d'activités artistiques diverses (conférences, concerts, représentations théâtrales, ciné-club) capables de redonner à la ville martyre un éclat de capitale régionale. Pas moins.

J'allais bénéficier d'un précieux soutien : celui de Robert Bréchon, que l'on connaît aujourd'hui comme le meilleur exégète d'Henri Michaux et comme l'éditeur des œuvres de Fernando Pessoa. Quand je l'avais rencontré, en 1942, il était professeur de lettres au lycée Corneille et s'intéressait aux soirées poétiques que j'organisais. Il avait gagné le maquis quand on l'avait invité à partir pour l'Allemagne. Il était revenu à

Rouen comme délégué du ministère de l'Information. Il avait ses bureaux ainsi qu'un appartement de fonction dans l'immeuble du *Journal de Rouen,* place de l'Hôtel-de-Ville. C'est de lui que dépendaient les autorisations de paraître et les attributions de papier.

Pour les jeunes générations, expliquons que les journaux qui avaient paru sous l'Occupation avaient été placés sous séquestre. Les salles de rédaction et l'imprimerie du *Journal de Rouen* avaient été mises à la disposition d'une équipe de journalistes dirigée par un patron désigné fin août 1944 par un officier des F.F.L. (Forces françaises libres), Lucien Bodard, agissant au nom du commissaire de la République, Bourdeau de Fontenay. Le nom du nouveau journal : *Normandie,* et son directeur : Charles Vilain. J'ai pu interroger Bodard, l'auteur de *Monsieur le Consul,* sur les circonstances de la nomination de Vilain. Il m'a répondu que, ne connaissant personne de l'équipe qui voulait reprendre le journal, il s'était contenté de ratifier démocratiquement le choix de la majorité des journalistes. Las ! le malheureux Vilain avait publié en 1941 un livre illustré à la gloire du Maréchal et quelques personnes ne l'avaient pas oublié. Début 1945, à l'Assemblée nationale, les députés communistes saisirent l'occasion d'attaquer le ministère de l'Information, tenu pour responsable de la présence d'un collabo à la tête d'un grand quotidien régional. Robert Bréchon fut chargé de trouver un autre directeur pour *Normandie.*

À la recherche d'un imprimeur pour ma future revue, j'avais rendu visite à Pierre René Wolf qui s'était réinstallé depuis peu dans sa maison de la rue de la Pie, en face de la maison de Corneille. Il avait passé toute l'Occupation dans la région lyonnaise. Il était imprimeur et écrivain. Avant-guerre, il avait imprimé les premiers livres de Jean de La Varende, mais sans se transformer en éditeur : La Varende s'était fait publier à ses frais et Wolf regrettait bien de n'avoir pas compris que ce gentilhomme campagnard allait faire une brillante carrière. Écrivain lui-même, Wolf avait publié plusieurs romans de mœurs chez Albin Michel. L'acteur Jean Gabin avait acheté les droits cinématographiques de son *Martin Roumagnac* et c'est pour tourner un film d'après cet ouvrage que Gabin allait refuser le rôle que Prévert et Carné lui avaient proposé dans *Les Portes de la nuit.*

Pierre René Wolf était un homme plein de verve et d'intelligence. De petite taille, assez corpulent, il se tenait déjà un peu voûté. Il m'apparut comme un héros balzacien. Son aide me serait sans doute très utile et je lui demandai de figurer dans le comité de direction de ma revue. Il accepta. Je le présentai à Robert Bréchon. Ils s'entendirent parfaitement et bientôt en vinrent à parler de l'avenir de *Normandie.* Bréchon m'a assuré plus tard que c'était grâce à moi que Wolf était devenu directeur de ce journal, qu'il rebaptisa *Paris-Normandie.* Bréchon exagérait peut-être un peu. Wolf avait d'autre part obtenu le soutien des responsables locaux des mouvements de Résistance. Ces responsables étaient devenus actionnaires et membres du conseil d'administration du journal.

Quoi qu'il en soit, dès qu'il eut pris possession de *Normandie,* Wolf me demanda d'y collaborer. Début 1945, j'écrivis quelques « éditoriaux » dont l'un en l'honneur de Saint-Ex et l'autre en l'honneur de Paulhan. Wolf m'annonça qu'il me confierait une chronique régulière de littérature dès qu'il pourrait augmenter le nombre de ses pages. Pour le moment, il serait heureux, dit-il, que je donne des papiers pour la rubrique rouennaise « Les bruits de la ville », où l'on trouvait des comptes rendus de spectacles, concerts et conférences. Le responsable de la rubrique s'appelait Georges Gabory. Au début des années 20, il avait appartenu au groupe de jeunes poètes qui gravitaient autour de Max Jacob et il avait été l'un des intimes d'André Malraux. Il vivait maintenant à Rouen parce qu'il y avait suivi son épouse, un professeur de l'école normale de jeunes filles. Gabory n'aimait pas tellement évoquer sa jeunesse où de bons esprits lui avaient prédit une gloire littéraire qui n'était pas venue. Il était maintenant un quadragénaire rond et charmant avec lequel j'aimais bien bavarder.

Avec l'appui de Bréchon, j'avais organisé moi-même un cycle de conférences sous le titre de « Rencontres ». L'auteur à la mode était Jean-Paul Sartre, grande révélation des années d'Occupation. Pour parler de lui, nous pensâmes à Jean Lecanuet, qui avait alors vingt-cinq ans et occupait le poste d'inspecteur général du ministère de l'Information. Il était rouennais et avait fréquenté la « bande à Beauvoir et Sartre » alors qu'il préparait son agrégation de philosophie (réussie brillamment). Tous ceux qui l'avaient approché admiraient sa culture et sa personnalité, et pensaient qu'il accomplirait une belle carrière dans les lettres. Il proposa un titre : « La vie est-elle absurde ? » et une date : le 8 mai.

À la veille de ce jour, nous apprîmes que les combats allaient cesser en Europe et que l'Allemagne nazie se résignait à capituler sans conditions. La victoire serait proclamée le 8 mai. Nous hésitâmes à maintenir notre soirée Sartre, mais la salle était retenue à la Société industrielle et les invitations lancées pour une réception chez Bréchon. La conférence eut lieu et obtint un grand succès. La fête chez Bréchon fut également très réussie. Le cycle « Rencontres » débutait sous les meilleurs auspices.

Il se poursuivit pendant près de deux ans. J'eus le plaisir de recevoir à Rouen Jean Schlumberger, Marcel Arland, Pierre Emmanuel, Maurice Fombeure, Henri Thomas, René Tavernier, André Berne-Joffroy, Marthe Robert et Arthur Adamov. Nous ne manquions pas d'éclectisme.

Lors de la venue d'Emmanuel, j'avais invité quelques camarades à venir le saluer dans l'après-midi chez mes parents. Je nous revois l'entourant, et voici qu'il entreprit de nous lire un long passage de sa dernière œuvre, un poème biblique inspiré qui nous laissa sans voix. Ma mère assistait à cette réunion et fut surprise et même un peu choquée de notre silence. Quand un poète ou un comédien vient de déclamer une suite de vers, on se doit de le féliciter aussitôt. Par politesse, ma mère s'écria : « Ah ! c'est très joli. » L'adjectif me remplit de confusion et me fit monter le rouge au front. La phrase m'attendrit aujourd'hui. Au demeurant, Pierre Emmanuel la prit très bien : « Vous êtes trop aimable, madame », dit-il en s'inclinant.

La séance la plus pittoresque fut celle où Marthe Robert et Arthur Adamov nous parlèrent de Franz Kafka. J'avais cru qu'ils avaient l'intention de dialoguer devant nous. Pas du tout. Marthe Robert laissa Adamov s'installer seul sur l'estrade du salon d'honneur de l'hôtel de ville. Il avait une allure d'autant plus étrange, ce jour-là, qu'il s'était légèrement égratigné en se rasant et s'était entouré le cou d'une large bande Velpeau qui ressemblait à un vilain foulard. Marthe Robert, elle, était restée au fond de la salle et, debout, le visage rêveur, s'était accoudée à un piano à queue. Elle ressemblait à une princesse lointaine ou à une star de cinéma. Adamov parla une vingtaine de minutes, puis demanda : « Marthe, vous voulez intervenir ? — Plus tard », dit Marthe. Adamov improvisa encore pendant vingt autres minutes. Puis : « Marthe, voulez-vous donner votre sentiment ? — Plus tard », dit Marthe. Adamov ouvrit tout grands ses yeux et lança d'une voix caverneuse et plaintive : « Marthe, je n'ai plus rien à dire. » Alors, Marthe Robert traversa la salle, le rejoignit sur l'estrade et prit enfin la parole. Qui, mieux qu'elle, savait parler de Kafka ? Cette séance a dû laisser un vif souvenir à tous ceux qui y assistèrent.

À cette époque, Bréchon avait quitté Rouen. Il avait accepté un poste d'attaché culturel à Rio de Janeiro. La revue littéraire à laquelle j'avais rêvé avait paru sous le titre *Seine*. Gide et Schlumberger m'avaient donné un texte pour le premier numéro. Mais je n'avais sollicité l'appui d'aucun organisme officiel : pas de subventions de la mairie, du conseil général ou d'un ministère quelconque. Je comptais sur les abonnements : avec deux mille abonnés, je couvrirais les frais d'imprimerie. Hélas ! c'est là que j'avais rêvé. Nous ne récoltâmes que quelques centaines d'abonnements et *Seine* n'eut que trois numéros.

J'allais quitter Rouen à mon tour. Je n'avais même plus l'avantage de loger chez mes parents, car mon père avait été nommé à un autre poste dans une autre ville. J'allai poursuivre mon éducation de critique et d'écrivain à Paris. J'arrête ici mon petit récit autobiographique, dont on trouvera la suite dans mon livre *Les Lumières de Paris*.

Je restai cependant lié à Rouen. Pierre René Wolf tint sa promesse de me confier la chronique littéraire de *Paris-Normandie*. Je touchai des mensualités, mais trop faibles pour suffire aux besoins de ma vie courante. Cette activité de chroniqueur avait comme principal avantage de me permettre de recevoir en service de presse tous les livres nouveaux. J'ignorais alors que, semaine après semaine, j'allais accumuler les éléments qui me permettraient un jour d'écrire une *Histoire de la littérature française de 1940 à nos jours*.

Quand je venais à Rouen, Wolf m'invitait dans les meilleurs restaurants de la ville. Il me faisait signe également quand il était de passage à Paris. C'est convié par lui que je déjeunai pour la première fois chez Drouant. Je me disais parfois que j'aurais préféré qu'il augmentât mes mensualités.

« Vous êtes une espèce de monstre », me dit-il un jour. « Et pourquoi donc ? — Vous donnez l'impression de ne vous intéresser qu'à la littérature. Et vous êtes un monstre d'une espèce rare : car lorsqu'un jeune homme est passionné par la littérature, il pense aux livres qu'il écrit ou qu'il écrira, tandis que vous, vous vous battez pour les livres des autres. Je ne vous ai jamais entendu parler de vos propres ouvrages, vous ne me parlez que des livres de vos amis. »

À propos de mes chroniques, il ne m'adressa jamais qu'un reproche, mais il me l'adressa plusieurs fois : « Vous avez un certain nombre d'amis et vous privilégiez leurs livres dans vos papiers. Si vous vous laissiez aller, vous ne parleriez que des livres de vos amis. Combien d'articles avez-vous consacrés à Thomas ou à Dhôtel, à Curtis ou à Cabanis, alors que vous négligez X... ou Y... que beaucoup tiennent pour des auteurs aussi remarquables. » Que répondre ? Je répondais qu'il se trompait en croyant que je parlais de Thomas ou de Dhôtel, de Curtis ou de Cabanis, parce qu'ils étaient mes amis. C'était le contraire : j'étais devenu leur ami parce que j'avais écrit sur eux les articles qu'ils méritaient.

J'ajouterai ici que l'auteur d'un livre que nous avons aimé peut nous décevoir quand nous le rencontrons. Inversement, un auteur dont les ouvrages nous ont paru très ennuyeux se révèle parfois très attachant dans sa conversation... Le métier de critique ne facilite pas toujours les rapports avec les écrivains.

III

Grands auteurs et curieux personnages

Mon *Histoire de la littérature française de 1940 à nos jours* s'ouvre sur un chapitre consacré aux « derniers maîtres » : Gide, Claudel, Proust, Valéry. Quand je passai mon bachot, ils figuraient déjà dans les manuels scolaires.

Lors d'une émission d'*Apostrophes,* Georges Perec manifesta sa surprise que j'aie parlé de Proust, mort en 1922. Je lui répondis que *Jean Santeuil* ne nous avait été révélé qu'en 1953 et *Contre Sainte-Beuve* qu'en 1954. L'image que nous nous faisions de Proust s'était considérablement modifiée après ces publications.

Perec aurait dû plutôt s'étonner que je n'eusse pas accueilli dans ma galerie des derniers maîtres Max Jacob, Valery Larbaud, Léon-Paul Fargue, Roger Martin du Gard, Ramuz, Alain. Et aussi Victor Segalen, mort en 1919, mais dont l'œuvre n'a commencé d'être connue qu'après la publication d'un numéro spécial des *Cahiers du Sud* en 1948.

J'aurais répondu que, dans mon projet, je ne devais parler que des livres parus depuis 1940. On peut avoir réponse à tout, ce n'est pas la preuve qu'on ait toujours raison. En tout cas, aujourd'hui, j'intitule mon livre *Histoire de la littérature française contemporaine.* Pas question de ne pas rendre hommage à Jacob et à Segalen, à Fargue et à Larbaud, à Ramuz et à Alain. Je saluerai aussi Panait Istrati, un de ces étrangers qui ont choisi la langue française. Quant à Martin du Gard, son *Maumort* a paru en 1983. C'est son œuvre majeure (en attendant la publication de son *Journal*).

MAX JACOB

Ayant joué, de sa vingt-troisième à sa quarante-cinquième année, le « boute-en-train chez les pauvres » et le « pitre chez les riches », Max

Jacob (1876-1944) a été longtemps considéré comme un clown et un amuseur. La légende en a fait un personnage pittoresque de la bohème montmartroise, un joyeux luron fort dissolu, qui, à la suite d'une vision mystique, se convertit au catholicisme, se transforma en doux ermite et alla vivre chez les moines à Saint-Benoît-sur-Loire. À la fin de l'Occupation, il fut arrêté par la Gestapo, en tant que juif. Gravement malade, il mourut la veille du jour où des amis fidèles — auxquels Picasso refusa de se joindre — obtinrent sa mise en liberté.

Cette fin tragique ne relève pas, hélas, de la légende. Mais toute la vie du poète fut plus riche en malheurs et en déboires qu'en vraies joies. « Le poète, nous dit Max Jacob lui-même, cache sous l'expression de la joie le désespoir de n'en avoir pas trouvé la réalité. »

S'agit-il de joie ou de gaieté ? Max Jacob justifia largement sa réputation de fantaisiste par son goût des calembours et des contrepèteries. Il fut un époustouflant jongleur de mots et il qualifie lui-même de burlesques certaines de ses œuvres. Il nous a donné aussi des poèmes très simples et très émouvants, comme celui qui commence par « J'ai retrouvé Quimper où sont nés mes quinze premiers ans », et de petites pièces exquisement musicales comme celle qui ouvre *Le Laboratoire central* et que l'on retrouve désormais dans presque toutes les anthologies de la poésie française (« Il se peut qu'un rêve étrange [...] ») Catalogué poète d'avant-garde, il signait du nom de Morven le Gaélique des poésies toutes fraîches qui font revivre une vieille tradition populaire.

Il avait une double vocation de peintre et d'écrivain. Ses gouaches, peintures à l'huile et dessins lui rapportèrent plus d'argent que ses livres, bien que cela ne fût jamais la fortune. Comme écrivain, il dut faire éditer la plupart de ses premiers livres par souscription, y compris *Le Cornet à dés* (1917), et il avouait que cette pratique de l'édition par souscription est de la « mendicité déguisée ». Il avait alors plus de quarante ans. *Le Cornet à dés,* malgré ses conditions de lancement, fut un succès dans les milieux dits d'avant-garde. Au lendemain de la Première Guerre mondiale, Max Jacob put espérer conquérir une place comparable à celle qu'avait occupée son ami Guillaume Apollinaire, qui venait de disparaître (à trente-huit ans). *La Défense de Tartufe* (1919) et *Le Laboratoire central* (1921) furent publiés avec enthousiasme par de jeunes éditeurs entreprenants. À la même époque, la N.R.F. accueillit des nouvelles et des romans du poète. La plus grande partie de son œuvre narrative comme de son œuvre poétique vit le jour en l'espace de sept ans : oui, dix ouvrages et diverses plaquettes entre 1917 et 1924, soit entre la quarante et unième et la quarante-huitième année. On reste stupéfait devant une telle fécondité, même si l'on admet que de nombreuses pages de ces livres furent écrites bien avant d'être livrées à l'imprimeur.

Dans ces années-là, Max Jacob devint ce que Sainte-Beuve appelle « un poète consultant ». Il recevait de nombreuses visites de jeunes gens dont beaucoup deviendraient célèbres : de Malraux à Aragon, d'Artaud à Radiguet. Mais il eut bientôt contre lui André Breton qui lui reprochait sa religion et son homosexualité. Breton refusa de reconnaître la dette qu'avait le surréalisme envers *Le Cornet à dés* où, pour la première fois, un poète s'était appliqué à saisir en lui « les données de l'inconscient : mots en liberté, associations hasardeuses des idées, rêves de la nuit et du jour, hallucinations, etc. ».

À vrai dire, les poèmes en prose du *Cornet à dés* étaient composés avec une rigueur qui les transformait en « poèmes-objets ». Max Jacob affirmait que le sujet n'y avait pas d'importance. Il se flattait d'avoir donné au genre des règles strictes. Il avait sur l'œuvre d'art des principes qui renchérissaient sur les exigences des tenants de « l'art pour l'art » : « Une œuvre d'art vaut par elle-même, disait-il, et non par les confrontations qu'on en peut faire avec la réalité. On dit au cinéma : c'est bien ça ! On dit devant un objet d'art : quelle harmonie ! quelle solidité ! quelle tenue ! quelle pureté ! »

Ah ! Mais que dit-on devant *La Défense de Tartufe ?* Dans la dédicace du livre, Max Jacob donne lui-même un résumé de son ouvrage : « Les étapes de ce livre, dit-il, marquées par des œuvres poétiques, peut-être, conduisent l'auteur au catholicisme, du libertinage, dont le mysticisme ne l'avait pas guéri, à la première révélation. » Quatre parties : « Antithèse », qui rassemble quelques productions burlesques d'avant la guerre de 14. C'est là qu'on trouve, notamment, les poèmes écrits pour la S.A.F. (Société des amis de Fantômas) :

Ce jour-là, Dubonnet rêvait dans les égouts ;
On ne discute pas des couleurs et des goûts.
Juve l'y rencontra déguisé en ouvreuse...

Puis, c'est « La Révélation », avec le récit de la visitation, au numéro 7 de la rue Ravignan. Vient ensuite « La Décadence ». Durant cette période, Max Jacob est à la fois mystique et pécheur. La dernière partie contient les premières méditations qu'écrivit l'auteur. Pourquoi l'ensemble constitue-t-il une défense de Tartufe ? C'est Max Jacob lui-même qui était accusé, parfois par ses amis comme par ses ennemis, de jouer la comédie de la religion. On ne pensait pas que sa conversion fût sincère. Il offrit donc ce journal de ses « extases, remords, visions et prières ». Nous ne doutons pas qu'il ait mis ici son cœur à nu. Nous devinons aussi que les quatre cycles qu'il nous décrit, il n'a cessé de les parcourir pendant toute sa vie. Sa lutte avec l'ange est un combat en lui-même. Sans cesse il se retourne contre soi. Sa poésie est poésie de la dualité et du dédoublement. Qu'il souffre ou qu'il s'amuse, il se voit souffrir ou s'amuser. S'il croit, il se voit croire et déjà sa foi n'est plus tellement assurée. Il lui arrive de donner aux autres de bons conseils : c'est sans doute qu'il a besoin de se répéter à lui-même les principes qu'il s'était donnés.

Si la religion lui fut parfois d'un grand secours, elle fut également source de grands tourments. Dans « Angoisses et autres », un poème de *Fond de l'eau* (1927), nous le voyons déchiré par les deux amours qui l'habitaient :

J'ai peur que Tu ne t'offenses
lorsque je mets en balance
dans mon cœur et dans mes œuvres
ton amour dont je me prive
et l'autre amour dont je meurs

Qu'écriras-tu en ces vers
ou bien Dieu que tu déranges
Dieu les prêtres et les anges
ou bien tes amours d'enfer
et leurs agonies gourmandes

Justes rochers vieux molochs
je pars je reviens j'approche
de mon accessible mal
mes amours sont dans ma poche
je vais pleurer dans une barque

Sur les remparts d'Édimbourg
tant de douleur se marie
ce soir
avec tant d'amour
que ton cheval Poésie
en porte une voile noire

Auteur d'une biographie de Max Jacob, Pierre Andreu a écrit que beaucoup des jeunes admirateurs qui venaient visiter le poète ne lui procuraient pas seulement une compagnie amicale, mais qu'ils représentaient aussi une « tentation ». Dans la « société permissive » que nous connaissons, Max Jacob se serait-il senti plus à l'aise ? Non, sans doute, puisque sa religion condamnait ses penchants. Et puis les jeunes gens qu'il aimait pouvaient bien parfois l'admirer sincèrement, ils n'éprouvaient pas pour lui les sentiments qu'il leur portait. Les amours malheureuses inspirent les plus beaux poèmes d'amour. Pierre Andreu nous dit que *La Ballade de la visite nocturne* est *La Chanson du mal aimé* de Max Jacob. Elle commence ainsi : « Quel hiver fut celui de 1929 ! Paris était de velours blanc, ses fenêtres en pierre de lune [...] » C'est assurément un des plus beaux poèmes de la langue française.

Il arrive aussi que Max Jacob nous fasse sourire quand il s'adresse « à un filleul de quinze ans » dans des termes qui rappellent le poème de Corneille à Marquise :

Jean, ta ressemblance m'angoisse
avec mes quinze ans de jadis.
Songe à de futures disgrâces :
j'en suis le miroir aujourd'hui.

À la veille de sa cinquantième année, Max Jacob publia ses *Pénitents en maillots roses* (1925). Il ne se risqua plus à proposer de gros recueils de poèmes (alors que la matière ne lui manquait pas) et il ne donna plus que des plaquettes. La dernière, *Ballades,* parut en 1938. Il ne s'agissait nullement d'une édition de luxe ou de demi-luxe, mais d'un modeste cahier de seize pages, édité chez Debresse parmi des brochures de débutants à compte d'auteur. Outre « La Ballade de la visite nocturne », c'est là que l'on trouve « L'Attente au guichet de la poste » : « À me voir si vieux, j'ai peur, j'ai peur des reproches du passé. La jeunesse a versé le vin qu'il te faut boire. Or, ce vin était la beauté : c'est la hideur qu'il te faut boire. Est-ce de moi que vous vous moquez, brave peuple dont je suis épris : c'est la moquerie qu'il me faut boire [...] »

La vieillesse est rarement joyeuse. Elle se berce parfois des souvenirs du bon vieux temps. Max Jacob, lui, se montrait amer quand il évoquait ses débuts parisiens. Il se rappelait la misère qu'il avait connue et avait pris en horreur les bonnes histoires qui circulaient sur la vie des bohèmes de Montmartre. Se plaignait-il que l'on ait méconnu ses talents ? Pas du tout. Il lui arrivait même de porter des jugements sévères sur ses œuvres. Il affirmait à Marcel Béalu qu'il avait honte d'avoir écrit les stupidités du *Cornet à dés* et que c'était une erreur d'avoir composé *Le Laboratoire central* « pour se distraire ». Ne le croyons pas sur parole ; il n'a jamais cessé d'écrire et il a laissé plus d'inédits qu'il n'avait publié de textes. Ses posthumes ne sont nullement des fonds de tiroir. Tout au contraire, quelques-uns des *Derniers Poèmes* (publiés en 1946, édition augmentée en 1967) comptent parmi ses meilleurs, comme « Vantardises d'un marin breton » et « Connaissez-vous Maître Eckart ? ».

On connaît bien peu ceux qu'on aime
mais je les comprends assez bien
étant tous ces gens-là moi-même
qui ne suis pourtant qu'un babouin.

De même qu'après la mort d'Apollinaire, la N.R.F. avait inscrit à son catalogue *Alcools* (en 1920) et *Calligrammes* (en 1925), elle reprit *Le Laboratoire central* (en 1961) et *La Défense de Tartufe* (en 1964). Ces deux œuvres avaient été absentes des librairies pendant quarante ans. Ou, du moins, fallait-il les rechercher chez des libraires précisément spécialisés dans les livres rares. Leur cote n'était cependant pas très élevée puisque, alors que j'étais étudiant, je pus m'offrir l'édition originale de ces deux ouvrages. Je m'achetai aussi les livres en prose de Max Jacob, non moins remarquable comme chroniqueur que comme poète.

Le cornet acoustique

Dans quelles circonstances Jules Romains traita-t-il Max Jacob de « chroniqueur » ? On peut penser que, de toute façon, ce n'était pas une injure. Chroniqueur est le titre que revendique Marcel Jouhandeau. Mais

Jules Romains déniait à Max Jacob la qualité de poète, et voilà qui peut paraître surprenant. Jacob en fut très affecté, comme on peut le voir au premier chapitre du *Terrain Bouchaballe* : à cause de Jules Romains, qui l'a guéri de la poésie, ironise-t-il, il ne traitera pas son sujet en poème épique. « Dresser la chronique de Guichen pendant le siège de la chimère, telle sera mon humble ambition. Libre à vous de donner le titre de roman à cet ouvrage. » (*T.B.*, I, 25.)

Sur la couverture du *Terrain Bouchaballe* (1923), le mot de roman ne figure pas, non plus d'ailleurs que sur la couverture de *Filibuth ou la Montre en or* (1923) et sur celle de *L'Homme de chair et l'Homme reflet* (1924). Ce sont pourtant là les trois ouvrages de Max Jacob que l'on peut le mieux qualifier de romans, en ce sens qu'on y trouve une intrigue qui se développe sur un nombre élevé de pages. Y a-t-il une raison à cette omission ?

Les lecteurs de l'*Art poétique* (1922) se souviennent des trois pages où il est question du roman, qui est « l'art » (entre guillemets) à la portée de tous, « car il n'exige pas de goût ou d'éducation, comme la musique artistique, la véritable peinture et la littérature » (*A.P.*, 20-2). Le roman, selon Max Jacob, aussi sévère sur ce point que Sainte-Beuve, ne serait pas vraiment de la littérature. Pourtant, dans la liste de ses ouvrages qui figure au début de *L'Homme de chair et l'Homme reflet,* on voit qu'il qualifie de « romans » le premier *Saint Matorel* (1910), *Le Phanérogame* (1918) et *La Défense de Tartufe* (1919). Pour cette dernière œuvre, il précise « roman mêlé de vers ». Fragments autobiographiques aurait mieux convenu. On serait tenté de croire que le mot *roman* est mis là pour attirer le chaland. Pour la même raison, il pourrait également convenir sur la couverture de *Cinématoma* (1920), et même du *Cabinet noir* (1922). *Le Roi de Béotie* (1921) n'est-il pas, lui aussi, catalogué comme roman dans la liste des œuvres qui se trouve en tête de *Filibuth* ?

À titre anecdotique, on signalera quelques bizarreries de l'édition originale du *Roi de Béotie.* La couverture de l'ouvrage est muette sur son genre. À l'intérieur du volume, un même titre courant, du début à la fin, peut faire croire à qui feuillette qu'il s'agit d'un seul long récit. Le mot « fin » à la dernière page est également trompeur. Et il n'y a pas de table des matières. Oui, l'on peut se demander s'il n'y a pas tricherie de la part de l'éditeur.

Tricherie qu'on lui pardonnera. *Le Roi de Béotie* est sans doute le livre qu'il faudrait conseiller à qui désire faire la connaissance de Max Jacob prosateur. On y trouve l'éventail complet de ses dons, qui allaient du bouffon au tragique.

L'ouvrage se divise en deux parties : « Par le gros bout de la lorgnette » et « Nuits d'hôpital et l'aurore ».

La première partie présente une suite de nouvelles, les unes situées à Guichin, les autres à Paris. Guichin (qui deviendra Guichen dans *Le Terrain Bouchaballe*) est le Chaminadour de Max Jacob. On ne saurait trop insister sur le côté « écrivain de terroir » de Jacob ; et ce n'est pas moins vrai pour sa poésie. Il est de formation provinciale, bonhomme de

Quimper comme Balzac était bonhomme de Tours. Nouvelles provinciales comme nouvelles parisiennes reposent sur une expérience directe, une masse de choses vues et entendues. Certains morceaux se présentent d'ailleurs comme des fragments de souvenirs — qu'il s'agisse du service militaire dans « Surpris et charmé » ou des années où l'auteur fut employé à « L'Entrepôt Voltaire ». Mais Max Jacob semble s'intéresser beaucoup plus aux curieuses gens qu'il a rencontrés qu'à lui-même. On ne distingue jamais non plus de frontière dans ses textes entre l'observation et l'invention. De l'observation précise et du souvenir exact, il passe facilement au développement fantaisiste et imaginaire. Mais c'est une fantaisie fidèle à une réalité première. C'est la manière dont les gens s'expriment qui excite sa verve : aussi les nouvelles sont-elles émaillées de dialogues et de lettres. Quelques textes comme « Chantage » sont de petites comédies, présentées comme telles et divisées en scènes.

La deuxième partie du *Roi de Béotie* contient le récit de l'accident dont Max Jacob fut victime place Pigalle en 1921 et qui le transforma quelque temps en un simple numéro : « lit 33, salle Grisolle, hôpital Lariboisière ». Et certes, il a dû penser à Lariboisière quand il fut agonisant à Drancy. Il donne tout d'abord la vedette à ses compagnons d'infortune. C'est à la fin qu'il en vient à parler de lui-même ; et ce sont alors les extraordinaires pages intitulées « Ce n'est encore que l'aube » qui, à l'égal des meilleures de *La Défense de Tartufe,* rendent un son presque pascalien. Avec l'humilité de qui se trouve aux prises avec la souffrance physique et la peur de mourir, Max Jacob parle ici sans jonglerie. Si l'on veut savoir où il nous a montré son visage nu, c'est bien là.

Que de masques il a portés par ailleurs, que de voix il a empruntées ! Max Jacob est, dans son œuvre narrative, un présentateur de personnages, comme on dit présentateur de marionnettes. Présentateur de personnages bien vivants qu'il appréhende de l'intérieur, puisqu'il se met dans leur peau afin de parler par leur bouche. « Portrait d'une voix », c'est ainsi que Marguerite Yourcenar qualifie certains de ses propres récits. L'expression convient à merveille pour *Cinématoma* et *Le Cabinet noir,* qui sont des galeries de « portraits de voix », portraits stylisés, d'une écriture assurément plus riche que celle des modèles et qui donne cependant l'impression d'un langage parlé. Dans l'avis qui précède *Cinématoma,* Max Jacob écrit expressément : « Ce livre n'est pas un recueil de nouvelles, c'est une collection de caractères. L'auteur suppose qu'il a prêté sa plume aux sujets de son étude. Il a l'espoir qu'il réveillera l'intérêt d'un genre littéraire désuet : le portrait. »

Le procédé est le même dans *Le Cabinet noir,* mais l'auteur ajoute des commentaires qui ont déconcerté plus d'un lecteur : ces lecteurs ont cru que Max Jacob commentait en son propre nom, alors qu'il joue un rôle souvent burlesque, sous les apparences d'un moraliste pétri de préjugés. N'oublions pas qu'il a écrit dans son *Art poétique :* « Dans les grandes œuvres, il y a autant d'ironie que de candeur, même les plus tragiques. L'ironie qui se laisse voir ou qui ne se laisse pas voir donne à l'œuvre cet éloignement sans lequel il n'y a pas de création. » (*A.P.*, 74.)

Se vouloir peintre de caractères, serait-ce se placer dans la descendance de La Bruyère ? Max Jacob le cite au début du *Terrain Bouchaballe :* « Pour vous présenter M. Deschamps, préfet de l'Ouest, j'emprunte à La Bruyère (vous vous rappelez bien... La Bruyère !) sa plume, son coup d'œil artiste et sa langue incisive. » (*T.B.*, I, 17.) Mais La Bruyère ne se livrait pas à des exercices d'imitation, il peignait de l'extérieur, alors que c'est comme mime que triomphe Max Jacob. On a insisté sur les personnages de bourgeois bêtes et méchants qu'il pastiche et dont il met en relief la suffisance ; les personnages humbles et touchants ne manquent pas non plus.

Max Jacob a parlé de « botanique humaine »; il a dressé dans le *Tableau de la bourgeoisie* un catalogue des diverses espèces de bourgeois que l'on pouvait rencontrer. Il croyait aussi que notre destin est inscrit dans les astres et il a donné, dans le *Miroir d'astrologie* de Claude Valence, une série de portraits correspondant aux différents types humains suivant les signes du zodiaque. Peut-être ces prétentions pseudo-scientifiques sont-elles malgré tout plus divertissantes que convaincantes : les portraits présentés sont toujours excellents, mais les cas particuliers font oublier la théorie générale qu'ils devaient illustrer.

Passer de la nouvelle ou du portrait à la chronique paraît tout naturel, puisque le chroniqueur par sa seule présence assure les enchaînements indispensables. Max Jacob ne se fait pas faute d'intervenir dans ses romans, usant de son droit d'auteur, un auteur qui joue souvent le même rôle que le commentateur du *Cabinet noir.* Il insère aussi de nombreuses lettres de personnages ou s'abandonne à de longs dialogues.

On a beaucoup dit qu'il n'y avait pas dans ses romans de progression dramatique, mais une succession de morceaux brillants, reliés par un fil assez lâche ou une intrigue aussi extravagante que celle des feuilletons populaires ou policiers qu'il lisait. C'est cependant aller un peu loin que de parler de l'influence de *Fantômas* sur *Filibuth :* on pourrait aussi bien évoquer le Labiche du *Chapeau de paille d'Italie !* En fait, pour Max Jacob, l'intrigue est très secondaire. Ce qui l'intéresse, ici comme toujours, c'est la vérité des caractères. L'action à laquelle il donne tous ses soins, c'est la « marche des sentiments » qu'il étudie.

Les romans de Max Jacob, avec leur mélange de réalisme et de farfelu, échappent au jeu des comparaisons. Ce ne sont sans doute pas de vrais romans. Mais qu'importe ? Nous avons vu que « romancier » n'était pas le titre que Max Jacob revendiquait. On dirait plutôt qu'il est l'inventeur et l'animateur de toute une comédie humaine.

Dans un poème de *Rivage* (1931) intitulé précisément « Vous n'écrivez plus » (phrase que Max Jacob dut entendre souvent), on lit ceci :

Pour insister vers l'Institut
il me faudrait de la vertu :
mes romans n'ont ni rang ni ronds
et je n'ai pas de caractère.

Le mot « ronds » doit se comprendre, je suppose, au sens populaire : un roman qui « n'a pas de ronds » est un roman qui ne rapporte pas d'argent. Mais si les romans de Max Jacob n'ont pas de rang, c'est qu'ils occupent une place unique.

PARENTHÈSE LAFORGUE

Si je ne crois pas aux écoles littéraires, je suis d'autant plus sensible aux filiations. Toute œuvre trouve sa source dans une œuvre qui l'a précédée.

« Laforgue m'a formé », a écrit Max Jacob. Je ne connaissais pas encore Laforgue quand je lus pour la première fois Max Jacob. Aujourd'hui, je sais que ce jeune homme — Jules Laforgue demeurera toujours un jeune homme, car il est mort à vingt-sept ans — se trouve à l'origine de tout un courant de la littérature française du XXe siècle. Qu'on lise ses poèmes et ses *Moralités légendaires,* on verra ce que lui doivent aussi bien Gide, Jammes, Apollinaire, Fargue et Larbaud que Giraudoux et Supervielle et, pourquoi pas, Tardieu et Queneau.

Laforgue est l'inventeur d'un certain ton nostalgique, farceur et désabusé. Il désamorce par l'ironie ses désespoirs sentimentaux, il est le poète agile des grands élans retombés. Les grands problèmes de notre condition le préoccupaient beaucoup (au lycée de Tarbes, en six ans, il n'obtint qu'un seul prix : celui d'éducation religieuse) et il se défendait comme il pouvait contre les tourments métaphysiques qu'il ne cessa d'éprouver et qu'il exprime en potache inspiré. Il nous a confié ses tristesses dans des vers fantaisistes, faisant appel à des formes populaires, élidant ici, ajoutant là, pour ne pas faire boiter ses vers, créant aussi parfois des « mots-valises » comme « éternullité », « violuptés » ou « cosmiquement ». Au demeurant, il n'élidait pas toujours — c'est-à-dire qu'il ne supprimait pas toujours les voyelles pour les remplacer par des apostrophes «(comme dans « chemin d'fer »). René Lalou assurait que son originalité consistait « à avoir fait boiter de beaux vers français. » Il donnait comme exemple : « Ô Nature, donne-moi la force et le courage [...] » qui est une variante du vers de Baudelaire : « Ah ! Seigneur, donnez-moi la force et le courage [...] »

En vérité, Laforgue décidait certains jours qu'un mot comme « nature » pouvait n'avoir que deux syllabes. Et ici je pense à Max Jacob déclarant : « Mes défauts les plus grands furent ceux de mes poèmes. » Ce vers est faux, à moins que le poète ait voulu tenir compte de l'évolution du langage : la prononciation moderne l'emporte, dans ce cas, sur la prononciation telle qu'on l'enseignait depuis Malherbe. Un jeune poète d'aujourd'hui, quand il fredonne en composant, réduit, comme Max Jacob, « fu-rent-ceux » en « furceux ». On voit cependant l'ambiguïté du vers de Max Jacob : le poète parle des défauts de ses poèmes dans un vers qui transgresse une ancienne règle — règle qu'il convient de se rappeler quand on lit des poètes classiques (et qu'oublient les comédiens-français lorsqu'ils transforment certains alexandrins de Corneille ou de Racine en vers de dix ou onze pieds). J'ai souvent discuté de ces questions avec Raymond Queneau. Il supposait que l'invention du vers libre était la conséquence du triomphe d'une nouvelle diction qui rendait difficile la pratique du vers classique.

Jules Laforgue passe souvent pour l'inventeur du vers libre, mais il connaissait fort bien les mérites du vers régulier. Il n'a jamais demandé l'abandon de celui-ci au profit de celui-là. Il a proposé un compromis et usé de formes diverses suivant son inspiration. Queneau a médité son exemple, tout comme l'avait fait Max Jacob.

Mais c'est peut-être comme prosateur que Laforgue a eu le plus d'influence. Dans les *Moralités légendaires,* il a repris avec familiarité des mythes illustres, remodelant à sa fantaisie héros de l'Antiquité grecque ou personnages du théâtre élisabéthain. Il ouvrait la voie au Gide des traités, des soties et aussi de *Thésée,* au Giraudoux d'*Elpénor* et d'*Électre* (avec le personnage du Mendiant), au Supervielle de *L'Arche de Noé* et des *Premiers Pas de l'univers.* Est-il nécessaire de préciser que lorsqu'une influence s'exerce sur un tempérament de créateur, elle donne naissance à une œuvre originale ?

Si Laforgue (1860-1887) avait vécu aussi vieux que Gide (1869-1951), il serait certainement devenu un des maîtres de la première moitié du XXe siècle. Nous ne penserions pas à lui avec plus de tendresse et d'amitié.

VICTOR SEGALEN

Victor Segalen naquit à Brest en 1878. Il fut bon élève, mais une forte myopie l'empêcha d'entrer à l'École navale. Son père décida qu'il « ferait » l'École de santé de Bordeaux. Le jeune homme obéit. Du reste, s'il se sentait assez peu fait pour la médecine et, moins encore, pour la marine, il termina brillamment ses études imposées.

Il fut nommé, en premier poste, à bord de l'aviso *La Durance,* stationné à Tahiti. Il fut ainsi « contemporain de Polynésie » de Gauguin, mais il ne lui fut donné d'aborder Hiva-Oa qu'après la mort du grand peintre. C'est cependant celui-ci qui devait lui inspirer ses *Immémoriaux :* « Je puis dire n'avoir rien vu du pays et de ses Maoris, avant d'avoir parcouru et presque vécu les croquis de Gauguin. »

En débarquant à Hiva-Oa, Segalen avait été déçu par ces rivages défigurés par l'administration européenne. Il en retrouva toute la séduction à travers l'œuvre du peintre.

Les Immémoriaux sont dédiés « aux Maoris des temps oubliés ». La première partie du livre s'ouvre sur une évocation des derniers païens des îles de Polynésie. Segalen nous montre les mœurs et coutumes de Tahiti, les rites et les fêtes. Nous sommes vers la fin du XVIIIe siècle. Segalen a choisi le moment où les premiers Européens débarquent. Le héros du livre est Terii, le Récitant. Sur lui semble reposer l'avenir de la race. Las ! c'est presque malgré lui que Terii est initié à des cosmogonies qu'il néglige. Il voyage à travers les îles. Pendant ce temps, des missionnaires méthodistes anglais, avec leur Bible, leurs codes et leur morale, transforment le pays. Quand, au bout de vingt ans, Terii revient parmi les siens, il les trouve satisfaits et, même, fiers de leur nouvelle condition. Lui-même finit par se laisser baptiser et européaniser. L'abandon des traditions ancestrales, le reniement du génie des îles entraîneront le dépérissement d'une race autrefois superbe. Les « Immémoriaux » sont ces hommes qui ont laissé se perdre le secret du bonheur.

Dans une lettre à Claudel, Segalen a nettement affirmé qu'il allait « d'instinct » vers un ferme anticatholicisme. Mais il n'était pas sans croyance, et il formule sa croyance dans une autre lettre au même Claudel : « Une foi tout entière esthétique, une recherche exclusive de beauté, un désir permanent de tendre partout à la beauté, d'en réaliser un reflet dans ses pensées, dans ses actes, surtout dans ses œuvres ; et cela, sans jamais prétendre embrasser, ni fixer surtout, la beauté — encore moins oserai-je la définir à vous, cette idole, puisque c'est en partie d'après vos œuvres qu'elle est faite et se renforce en moi. »

Il ajoute : « Je n'ai pas plus à la formuler pour d'autres. J'espère seulement ne pas mourir à tout, sans avoir dit aux autres comment je concevais le monde, illusoire et beau : et ceci me ramène au point de vue taoïste, à cette vision ivre de l'univers ; d'une part, la pénétration à travers les choses lourdes, et la faculté d'en voir à la fois l'avers et le revers ; d'autre part, la dégustation ineffable de la beauté dans ces apparences fuyantes. »

Lorsqu'on parle des *Immémoriaux,* il est bon de prévenir que ce livre est pareillement éloigné du roman historique, genre *Salammbô,* et du roman exotique à la Loti. Segalen entreprend de mimer des civilisations, des formes de vie et d'art qu'il veut comprendre. Par là, il est essentiellement moderne : il joue, si l'on veut, mais c'est un jeu sérieux, c'est un grand jeu. Il a parlé du « grand illusionnisme du monde » et de la « prestidigitation des apparences » mais il respecte l'objet de son étude et de son attention. (Cela n'est pas sans rapport avec l'attitude de Thomas Mann.) Amoureux de la diversité des hommes et du monde, Segalen l'épouse avec oubli de soi. Comme il est un très grand artiste, il recrée des civilisations et construit une œuvre parfaitement originale.

Loti ne s'oubliait jamais lui-même. Il est, au fond, le seul sujet qui toujours l'intéresse. Dans ses voyages, il n'est sensible qu'au pittoresque. Il cherche un décor sur lequel se faire valoir. Et nous ne disons pas que ses livres manquent de séduction. Nous disons que Loti reste un voyageur, un touriste. Tout au contraire, Segalen, dans *Les Immémoriaux*, se transforme en Maori pour nous raconter ce drame maori.

Quant à Flaubert, il se livrait à une reconstitution et se montrait fier de ses recherches d'archéologue. Segalen admirait beaucoup Flaubert, mais tous les documents qu'il réunit et étudie ne sont pour lui qu'une première étape, un premier pas vers la véritable connaissance qui sera une connaissance du cœur. Car la connaissance par l'intellect ne lui suffit pas.

Les Immémoriaux se divisent en trois parties. La partie centrale, la plus courte, est la plus saisissante. Entre le Pacifique d'avant les missionnaires et le Pacifique d'après, elle constitue une halte où nous est livré le secret de la décadence. Une civilisation meurt quand elle oublie ses mots et que le langage dépérit. Or, Terii était venu dans l'île des dieux pour écouter le dernier sage. Terii, nous l'avons indiqué, est un récitant, quelqu'un dont la mémoire a charge de retenir les dires ancestraux. Mais, pendant que parle le dernier sage, Terii s'endort et le vieux sage meurt. Tout est joué.

Tahiti n'est plus à Tahiti. Elle est toute dans *Les Immémoriaux* de Segalen.

Segalen n'a pas trente ans quand il compose ce livre.

De retour à Brest, il devient médecin à l'École des mousses et se marie en 1906. Il publie ses *Immémoriaux* sous le pseudonyme de Max Anely, et à compte d'auteur, en 1907. Il songe à un drame hindou et entre en relations avec Debussy dont il souhaite qu'il en écrive la partition musicale. Debussy n'est pas conquis par la *Siddharta* que Segalen lui présente, il demande au poète d'écrire un drame s'inspirant du mythe d'Orphée. (Segalen écrira *Orphée-Roi,* mais Debussy ne le mettra pas en musique.)

À la même époque, Segalen entreprend l'étude du chinois, devient élève de l'École des langues orientales, puis obtient un poste d'élève interprète de la marine en Chine. Il n'en sera l'effectif titulaire qu'après avoir fait, avec Gilbert de Voisins, un « riche amateur », un long voyage d'exploration qui conduira leur caravane jusqu'aux confins du Tibet.

Il fait venir sa femme et son fils à Pékin où il loge dans la ville chinoise. Il lit et écrit la langue, hante les boutiques, tente de pénétrer les mystères de la Cité interdite.

« Ce Pékin que Segalen aimait tant, a écrit Claudel, et qui à moi a laissé un souvenir ennuyé, plutôt que romanesque ou poétique. » Cette petite phrase explique sans doute pourquoi, en dépit de l'admirable *Connaissance de l'Est,* c'est le nom de Segalen qui nous vient à l'esprit quand on nous demande quel écrivain français a le mieux parlé de la Chine. Claudel n'avait pas vu que l'amour, chez Segalen, accompagnait et même précédait la connaissance. C'est de l'amour que naissent le romanesque et la poésie. Et non pas l'inverse.

Claudel n'a jamais oublié qu'il était, là-bas, en terre païenne. Segalen fit de Pékin sa ville : « La ville que j'habite plus et mieux que ses habitants, que j'essaie de posséder, de dominer autant et plus que l'empereur lui-même. » Et ses descriptions sont inoubliables de cette ville capitale « dessinée comme un échiquier, tramée d'avenues, quadrillée de ruelles, puis levée d'un seul jet monumental ».

On a pu dire que Segalen a vécu la Chine dans son présent et qu'il l'a revécue dans son passé millénaire. Et si son œuvre est exotique, elle ne l'est certes pas à la manière superficielle de quelques voyageurs. Segalen a repensé la Chine. Puis il l'a transcrite en français, employant avec un art accompli les mots les plus riches de sons et de sens. Ses *Stèles* ont leur place à côté des plus belles œuvres de Claudel et de Saint-John Perse.

Cependant, la peste éclatant en Mandchourie, il redevient médecin pour combattre l'épidémie. Puis il accepte d'enseigner, en anglais, à l'Imperial Medical College de Tien-tsin. « Tien-tsin à trois heures de Pékin, écrit-il, à plus de cent jours en réalité, car Pékin est aussi vieille Chine, aussi impérial, aussi noble que Tien-tsin est bâtard, ridicule et laid. » C'est là que le surprend la révolution chinoise qui, en une nuit, crée la république et anéantit l'impériale somptuosité de Pékin.

En 1912 paraît *Stèles,* dans une édition de haut luxe tirée à 81 exemplaires. La même année, Segalen jette les bases d'une mission archéologique. Sa réalisation sera un peu retardée parce qu'un haut fonctionnaire chinois a voulu s'attacher Segalen comme médecin de sa famille, et Segalen a accepté cette proposition tentante.

Mais, en 1913, l'expédition est décidée. Il faut d'ailleurs retourner quelques mois en France. Il faut tout prévoir pour un long voyage en Asie, pour les travaux scientifiques et pour la vie matérielle des participants.

Le voyage fut riche en découvertes, mais il fut interrompu, après sept mois, par la guerre mondiale, dont la nouvelle fut portée à Segalen et à ses deux compagnons sur le haut cours du Yang-tseu « par un courrier thibétain, issu de la brume ».

D'abord mobilisé à l'hôpital de Brest, Segalen obtient un poste au front, mais son état de santé le fait renvoyer de la zone des combats. Il connaît la joie de pouvoir participer à une mission militaire qui le ramène en Chine. Il peut, cette fois, consacrer quelques semaines à l'exploration de la région du bas Yang-tseu et y découvrir « l'ensemble statuaire le plus important d'art chinois rituel, antérieur à la dynastie des T'ang ».

Il rentre en France peu après la fin de la guerre, mais ces quinze années, fébrilement remplies, l'ont usé : « Je suis lâchement trahi par mon corps. Mon entrain pouvait donner le change. M'arrêter plus tôt eût été tomber plus tôt. »

Segalen mourut en mai 1919, âgé de quarante et un ans. Il s'était retiré à Huelgoat, près de Brocéliande. C'est au cours d'une promenade en forêt qu'il fut terrassé par une syncope, après s'être blessé à la jambe en heurtant une racine coupante.

En 1922 parut son curieux et séduisant roman intitulé *René Leys.* Une note de Segalen précise que *René Leys* fut écrit à Pékin (qu'il orthographie « Pei King ») du 1er novembre 1913 au 31 janvier 1914, mais auparavant, en 1910-1911, avant la chute de la dynastie mandchoue, il avait tenu une espèce de journal, « Les Annales secrètes d'après M.R. », dont il s'est directement inspiré dans son roman.

Le « M.R. » en question était un jeune Français de dix-neuf ans — Maurice Roy, fils de postiers — dont Segalen avait fait la connaissance et qu'il avait choisi comme professeur pour se perfectionner dans la langue chinoise. Le jeune Roy se flattait (confidentiellement) d'avoir un poste important dans la police secrète chinoise et (plus confidentiellement encore) d'être l'amant de l'impératrice douairière. Segalen ne croyait qu'à moitié ce que lui racontait son professeur, mais le personnage l'intéressait et il en a fait René Leys ; de même que Cocteau fut passionné par le jeune Castelnau et en fit Thomas l'Imposteur.

René Leys est le portrait d'un mythomane ; mais surtout une évocation du Pékin impérial, dont l'auteur avait espéré que son héros lui livrerait les derniers secrets. Le livre, sous forme de journal, a les apparences d'un roman d'aventures. Segalen avait eu l'ironique intention de l'appeler « Le Mystère de la chambre violâtre » par allusion à un roman populaire de Gaston Leroux *(Le Mystère de la chambre jaune)*. Ce grand poète avait un sens de l'humour très développé.

Dans une lettre de 1911 à Debussy, il écrivait : « Au fond, ce n'est ni l'Europe ni la Chine que je suis venu chercher ici, mais une vision de la Chine. Celle-là, je la tiens et j'y mords à pleines dents. » Segalen s'est livré à des puissances poétiques étrangères et a tenté de se confondre avec elles. L'aventure va très loin, mais pour donner une approximation de l' « indicible » chinois, il faut finalement puiser dans le monde inconscient de tous. Segalen, pour être compris, demande une complicité : « Vous ne verrez rien si vous restez spectateurs ébahis de l'apparence. Laissez-moi vous mener en profondeur. »

Cette complicité est surtout nécessaire pour *Peintures*. Ces poèmes peuvent, d'abord, sembler des descriptions de peintures sur soie, mais on plonge bientôt dans un domaine onirique, sans références au monde du réel. On pense à Charles Cros écrivant trois fantaisies inspirées d'aquatintes de son frère Henry.

L'Équipée porte, en sous-titre, « Voyage au pays du Réel » et l'on y voit, en des pages du journal, s'affronter le réel et l'imaginaire. Pierre Jean Jouve en écrit : « Plein de substance dramatique et chaude (parfois un peu folle) de terre et d'énigmes chinoises, le livre montre que l'imaginaire, préalable à l'aventure, est aussi ce qui lui survit — l'imaginaire, la Poésie. »

Et voici le grand ton de la poésie de Segalen. Nous citerons des fragments de « L'Hommage à la Raison », une des pièces maîtresses de *Stèles :*

J'enviais la Raison des hommes, qu'ils déclarent peu faillible, et pour en mesurer le bout, j'ai proposé : Le Dragon a tous les pouvoirs ; en même temps il est long et court, deux et un, absent et ici, — et j'attendais un grand rire parmi les Hommes — mais,
Ils ont cru.

J'ai décidé que tous les hommes sont d'un prix équivalent et d'une ardeur égale — inestimables — et qu'il vaut mieux tuer le meilleur de ses chameaux de bât que le chamelier boiteux qui se traîne. J'espérais un dénégateur — mais,
Ils ont dit oui.

Alors, rendant grâces à leur confiance, et service à leur crédulité, j'ai promulgué : Honorez les hommes dans l'homme et le reste en sa diversité.

Et c'est alors qu'ils m'ont qualifié de rêveur, de traître, de régent dépossédé par le Ciel de sa vertu et de son trône.

LÉON-PAUL FARGUE

Les gares apparaissent souvent dans l'œuvre de Léon-Paul Fargue, mais il préférait la promenade familière aux grands voyages et savait la transformer en expéditions merveilleuses.

Dans *Le Piéton de Paris,* nous suivons un « flâneur des deux rives » qui connaît sa ville mieux que personne et nous parle du canal Saint-Martin aussi bien — et avec plus d'amour — que des Champs-Élysées. Le livre relève de la géographie sentimentale, où se mêlent réalisme et féerie. Il pourrait porter en épigraphe les vers de Baudelaire :

Paris change ! mais rien dans sa mélancolie
N'a bougé ! Palais neufs, échafaudages, blocs,
Vieux faubourgs, tout pour moi devient allégorie
Et mes chers souvenirs sont plus lourds que des rocs.

La mélancolie de Fargue se hausse au sublime dans certains textes de *Haute Solitude,* où il explore ses espaces intérieurs. Il invente des images surprenantes, nées de comparaisons et de rapprochements inattendus. Il représente, dans l'histoire de la poésie française, le chaînon entre Rimbaud et les surréalistes. Sa sensibilité est cependant plutôt du côté de Laforgue. On a souvent dit que coexistaient en lui un visionnaire et un humoriste. Son goût du merveilleux est contrebalancé par un profond scepticisme. Mais il n'oublie jamais les émerveillements et les chagrins de son enfance et de sa jeunesse auxquels il s'est référé jusqu'à la fin.

Fargue naquit en 1876. Son père était devenu céramiste à sa sortie de l'École centrale et quelques-unes de ses œuvres ornent encore les murs de la brasserie Lipp. Sa mère était d'origine très modeste, elle était la fille de paysans du Berri. A cette époque, les dignes familles bourgeoises, qui se flattaient pourtant d'être chrétiennes et pratiquantes, se seraient senties déshonorées par ce qu'elles appelaient des mésalliances. Le père de Fargue était assez amoureux pour continuer de voir la petite paysanne que la famille refusait de recevoir, mais il était assez soumis pour respecter l'interdiction qui lui avait été signifiée de l'épouser. Ainsi les parents du petit Léon-Paul vivaient ensemble, mais ils n'étaient pas mariés. Quand l'enfant devina ce secret, il éprouva comme une honte sociale, mais son affection pour ses parents n'en fut que plus forte. Ses parents ne devaient s'épouser qu'après la mort de la grand-mère et Léon-Paul avait alors près de trente ans.

Il avait fait des études brillantes, mais avait décidé de ne pas avoir de métier, pour narguer peut-être les grands-parents dont il allait immortaliser le nom. Après une année de khâgne à Henri-IV, où il eut Bergson comme professeur de philosophie, et Jarry, Charles-Louis Philippe et Thibaudet comme condisciples, il tourna le dos à l'École normale et commença de mener la vie de bohème. Il n'avait jamais aimé qu'écrire, peindre, jouer du piano et paresser. Ah ! la paresse : « La détente, c'est-à-dire la contemplation, je veux y voir notre état naturel. » Ses rêveries étaient productives et, quand il composait, il était soucieux de perfection. Il fut l'un des premiers poètes édités par la jeune N.R.F. : deux recueils, *Pour la musique* et *Poèmes,* parurent en 1912. Il se lia très tôt avec Larbaud, Gide, Valéry, et aussi avec Ravel, Satie, Stravinski.

Ne croyons pas qu'il n'eut jamais de métier. À la mort de son père, il reprit l'entreprise de céramique et la dirigea pendant vingt ans. Ensuite, tout en restant un poète rare, il gagna sa vie comme journaliste et devint un chroniqueur abondant. Familier des salons et des cafés littéraires, recherché pour la drôlerie de sa conversation, il fut, dans les années 30, une des figures parisiennes les plus connues. Il s'était créé un personnage bien pittoresque dont on colportait les bons mots. Cependant, il retrouvait souvent sa « haute solitude » et y composait ses chefs-d'œuvre. « Toute ma vie, a-t-il confié, a été l'entrelacement d'un chagrin secret et d'une apparente joie de vivre. »

Un soir d'avril 1943 où il dînait avec Picasso et quelques autres amis, dans un restaurant de la rue des Grands-Augustins, il se pencha pour ramasser une boîte d'allumettes tombée à terre : « Et pan ! l'heure du lustre qui tombe avec son orage amassé sou par sou avait sonné. » C'est ainsi que Fargue évoque dans *Méandres* l'attaque dont il fut victime : une congestion cérébrale qui le laissa hémiplégique pour le restant de ses jours. Se trouvait traduit dans les faits un de ses plus beaux et tragiques poèmes :

Gare de la douleur, j'ai fait toutes les routes,
Je ne peux plus aller, je ne peux plus partir.

Il vivra encore quatre ans, entouré des soins attentifs de sa femme, le peintre Chériane, et recevant le dimanche de nombreux amis, dont Colette et le professeur Mondor, et de fidèles admirateurs, tels Audiberti et Follain. Quand on a lu Fargue, on rencontre souvent son fantôme dans la nuit parisienne. C'est un merveilleux compagnon de route pour tous les amoureux de la poésie.

VALERY LARBAUD

Il est arrivé à Larbaud (1881-1957) de se définir comme « un petit précieux du début du xxe siècle ». Il nous apparaît comme un parfait artiste et qui a su se créer un royaume bien à lui.

Voici le texte que j'ai publié dans le numéro d'hommage que lui consacra la *N.R.F.* au lendemain de sa mort. Le titre était : *Au nom de Larbaud...*

Au nom de Larbaud, des trains de luxe démarrent et les voici qui glissent à travers une Europe illuminée, une Europe en fête, une Europe où règne la paix. Et la Castille « âpre et sans fleurs » n'est pas moins belle que la Bulgarie « pleine de roses ». Cette Europe n'existe-t-elle plus ? Au cours de certaines vacances, nous avons pu croire parfois que nous l'avions retrouvée. (Nous avions décidé de ne plus lire les journaux.)

Demandons-nous que le bonheur s'installe en Europe ? On ne demande pas tant. On demande seulement de vivre sa propre histoire et de n'être pas bousculés dans les remous d'une absurde histoire anonyme, cette autre histoire dont on écrit le nom avec une majuscule. On demande enfin que le travail puisse être à nouveau et à jamais « le centre glorieux de nos pensées », comme le souhaitait Larbaud à l'une des dernières pages de son *Journal* (1935).

Oui, le Travail. Cette fois, la majuscule est de Larbaud. Barnabooth lui-même, le multimillionnaire, se défendait d'être oisif : « Oisif, moi qui consume ma vie dans la recherche de l'absolu ! »... On ne trouve à peu près jamais ce que l'on cherche, mais c'est la recherche qui importe. L'œuvre de Larbaud respire la discrète exaltation de la recherche.

Si d'autres écrivains ont sans doute compté pour moi davantage, il n'en est pas un que j'aie mieux aimé. Mon admiration n'a jamais bougé. Elle ne tenait qu'à de bonnes raisons : toutes littéraires. En effet, Larbaud ne s'est jamais préoccupé d'exercer une influence, de quelque ordre fût-elle.

« Non, je n'ai pas de conseils à te donner. Je n'ai rien à te dire dont tu puisses profiter. Chacun a été mis à part, chacun des hommes a été réservé. » C'est le grand-duc Stéphane qui parle ainsi au jeune Barnabooth. Larbaud eût adressé les mêmes paroles au jeune lecteur qui serait venu l'interroger. Son œuvre ne contient aucune leçon, sinon d'ordre professionnel et, comme il a dit, technique. Pourtant Barnabooth apprend beaucoup de Stéphane et il va sans écrire que nous avons beaucoup appris de Larbaud. Et d'abord que seul le « particulier » est intéressant et vrai, que tout être et toute chose ont leur saveur irremplaçable. Nous savons ce qu'il faut rejeter : « la Majorité écrasante, la Voix du Peuple, l'Homme normal des aliénistes, n'ayant que les passions que l'on doit avoir, chacune en son temps : christianisme au ive siècle, patriotisme avant-hier, socialisme hier matin, et l'amour sans phrases et sans art, et même un goût modéré pour la modération. »

Ce n'est pas le peuple que Barnabooth condamne ici, ce sont les esprits médiocres qui pensent que la culture se peut domestiquer et qui se croient dépositaires d'on ne sait quelle ancestrale sagesse.

Barnabooth chante son grand amour pour le monde et pour toutes les formes de la vie. Rien ne le rebute, il n'a ni haine ni dégoût et, à l'occasion, il dira à la Honte qu'il meurt d'amour pour elle. Barnabooth chante aussi sa nostalgie d'être séparé de tant de choses. Comblé par la fortune, il sait que c'est par nature même que l'homme ne peut posséder tout ce qu'il désire. Mais ce qu'il peut posséder, du moins qu'il le possède ! Barnabooth nous invite à toutes les joies et à toutes les tristesses des voyages :

Un instant nous chantons et nous rions ensemble.

Mais Barnabooth n'est qu'un des personnages de Larbaud.

Au nom de Larbaud, des enfants accourent en foule. Qui a jamais su peindre aussi bien que lui les amours enfantines, leur secrète violence, leurs naïvetés et leurs audaces ? Camille Moûtier s'élance en brandissant un drapeau colombien en l'honneur de Fermina Marquez. Un autre garçonnet, Milou, par amour pour Justine, la petite bergère qui s'est blessée à l'annulaire, décide d'entailler son propre doigt. Un autre découvre une figure dans les veines du marbre d'une cheminée et part avec elle dans les bois. Et puis voici les petites filles : Queenie Crosland, travestie en petite Folie blanc et bleu, agite sa marotte de rubans bleus et blancs (à moins qu'elle ne soit en chemise de nuit, dont les boutons ont sauté). Elyane — *Elyane à quatorze ans* — a « un Bien-Aimé, plusieurs Bien-Aimés et une multitude d'amants » (tous imaginaires, mais « elle ne veut pas se persuader que tout cet amour, que tous ces désirs se perdent, sans que rien ne vienne effleurer l'âme de ceux auxquels ils s'adressent si passionnément »).

On voit bien que ce sont les fillettes qui sont le plus délurées. Elles réinventent toutes seules une carte du Tendre dont elles explorent les plus secrets sentiers. Elles connaissent plus rapidement que les garçons les échanges entre le cœur et les sens.

Je voudrais bien que ma Flo des *Petites Filles de Courbelles* séduisît quelqu'un comme j'ai pu être séduit par les petites héroïnes de Larbaud. Dirai-je aussi que ce n'est pas sans penser à Rose Lourdin des *Enfantines* et à Inga d'*Amants, heureux amants*... que j'ai inventé le personnage d'Alberte Arnoux de *L'Atelier du photographe* ? « Pauvre cœur d'Inga ! depuis ses douze ou treize ans occupé par ces amitiés passionnées, torturé par les jalousies, les fureurs, les délices, les lâchetés, les triomphes, les abandons. »

Le ton de Larbaud n'est pas celui de la complicité, mais de l'amitié. C'est sans doute pourquoi il est si juste et si touchant. (Rappelons aussi les deux jeunes filles rencontrées par Barnabooth à Rotterdam sur le quai des Boompjes : « C'était le 18 septembre 1900, vers huit heures. »)

Au nom de Larbaud accourent bien d'autres héros et héroïnes. Et comment oublier l'essayiste et le traducteur ?

Au nom de Larbaud, les pages d'innombrables livres se mettent à bouger ; Antoine Heroet et Jean de Lingendes nous donnent signe de vie ; Valéry, Fargue et Joyce saluent leur ami et leur meilleur critique ; Butler parle français comme si c'était là sa langue maternelle.

Critique, Larbaud ne joue pas au maître ou au professeur. Il veut simplement nous faire partager ses admirations et ses plaisirs, et nous dire ses découvertes. Il nous invite à des promenades dans des livres qu'il a aimés. La littérature, comme la vie, est un voyage, mais où l'on peut choisir ses compagnons. Il n'en est pas de plus « précieux » — de meilleur — que Larbaud.

Histoire d'une amitié

Les grandes correspondances forment de véritables romans. Tel est le cas de la *Correspondance Larbaud-Ray* qu'a éditée Françoise Lioure (1980).

Larbaud et Marcel Ray se sont rencontrés en 1894 : le premier n'avait que treize ans, le second en avait déjà seize. Celui-ci, fils d'un directeur d'école, avait été invité pour les vacances par Mme veuve Larbaud, propriétaire de la source Saint-Yorre à Vichy. La richissime dame pensait que ce garçon sérieux et travailleur serait un excellent exemple et un bon guide pour son rejeton dans ses études. En somme, Marcel Ray, protégé de la mère, pourrait devenir le protecteur du gamin.

Une amitié née dans de telles conditions ne semblait pas avoir de grandes chances de durer. Mais, au bout de quelques années, la différence d'âge entre les deux garçons perdit de son importance, et Marcel Ray pardonna au jeune Valery ses traits d'enfant gâté quand il lui découvrit, par-delà son goût pour les livres, des dons littéraires tout à fait singuliers. Il ne semble pas même l'avoir jalousé d'être dispensé du souci de gagner sa vie, alors que lui-même devait s'assurer une situation par son travail. Marcel Ray deviendra un brillant universitaire, agrégé d'allemand, et finira diplomate après être passé par le journalisme.

Cette correspondance permet d'assister aux débuts littéraires de Larbaud et de suivre les différentes étapes de la carrière d'un écrivain qui n'avait aucun penchant à l'exhibitionnisme et que l'on a un peu trop souvent confondu avec le héros milliardaire de son livre le plus célèbre : *Barnabooth.* On découvre ici que c'est Marcel Ray qui encouragea Larbaud à donner à cette figure de « riche amateur » la dimension que nous lui connaissons. Ray a vite deviné que Barnabooth pouvait devenir un « mythe littéraire » et ce mythe a quelque peu absorbé son créateur.

Le jeune Larbaud voyait dans la richesse à la fois un privilège et une contrainte. Un privilège : cela va de soi. Une contrainte, dans la mesure où sa vie paraissait tracée d'avance. Par attachement à sa mère, il ne voulait pas rompre avec l'honorable société où il était né, mais il détestait Vichy et les milieux bourgeois. Toute sa sympathie allait aux dissidents de la littérature et de la société. Sa piété familiale le conduisit cependant à des lâchetés : par exemple, il n'osa présenter à sa mère des jeunes femmes qu'il aimait et qu'elle aurait jugées indignes de lui. Craignant de provoquer des drames en affichant son indépendance, il se gâcha sans doute de nombreuses chances de bonheur. Son goût des voyages ne s'explique pas seulement par la curiosité de l'étranger, il concrétisait aussi son désir d'échapper à la mesquinerie provinciale. Au demeurant, il fut moins voyageur qu'on ne l'a dit. Il ne courait pas les routes, il s'installait pour des périodes plus ou moins longues dans les villes qui lui plaisaient, en Italie, en Angleterre, en Espagne.

C'est en Espagne qu'il passa la plus grande partie de la guerre de 14, guerre qui lui paraissait honteuse, car il avait souhaité, dès son adolescence, une fédération des États d'Europe, où une grande place aurait été faite aux particularismes des provinces. Se détournant de luttes qu'il estimait fratricides et suicidaires, il traduisit les œuvres de Samuel Butler, gigantesque travail qu'il plaça sous l'invocation de saint Jérôme.

La grande découverte de cette *Correspondance* est le talent de Marcel Ray, lequel n'a pas laissé d'œuvre, mais son amour et sa connaissance de la littérature n'en sont que plus remarquables. Il était un lecteur idéal et infatigable. Il connaissait la plupart des littératures européennes et, dès les premières années du siècle, se documentait sur la littérature hispano-américaine. Il ne se laisse jamais impressionner par les réputations tapageuses et tous ses jugements sont fortement motivés, y compris ceux qu'on n'avalise pas. Mais un grand critique est un critique qui se fait lire et non pas un critique qui ne se trompe jamais. Les récits qu'il donne de scènes de sa vie quotidienne sont également de tout premier ordre, qu'il décrive ses journées d'enseignant en province, ou bien de professeur en Allemagne. Marcel Ray avait, lui aussi, le goût des voyages comme celui des livres. Ses descriptions précises ont un charme rétro tout à fait prenant.

Entendre dialoguer ces deux hommes est un pur régal. On sait, hélas, que dialoguer, oralement ou par écrit, devait être un jour interdit à Larbaud. Il fut victime, à cinquante-quatre ans, en 1935, d'une congestion cérébrale qui le rendit aphasique et paralytique. Il ne s'en remit jamais parfaitement : il se survécut plus de vingt ans...

CHARLES-FERDINAND RAMUZ

Il existe une légende de Charles-Ferdinand Ramuz (1878-1947), poète paysan qui n'aurait jamais quitté son pays de Vaud, aurait utilisé le langage de son terroir et célébré les vertus du monde rural. Or il n'était pas paysan — pas plus que ne l'était Giono, auquel on le compare souvent. Il était fils d'un importateur de denrées coloniales (on sait mieux que le père de Giono était cordonnier). Il a fait de solides études universitaires, de lettres et de droit. Il a vécu à Paris de sa vingt-deuxième à sa trente-sixième année. Les particularités de son langage ne sont pas empruntées à quelque parler local, mais le fruit de ses recherches d'écrivain. Enfin, les histoires qu'il raconte ou qu'il invente sont plus souvent effrayantes qu'idylliques, et ses personnages sont rarement animés par de bons sentiments conventionnels. Le titre de son roman d'avant-guerre, *Le Règne de l'esprit malin,* nous avertit de la présence du diable dans son univers.

Est-il vrai qu'il a influencé Giono? Leurs méthodes de travail se ressemblent sur plus d'un point. Il y a chez tous deux une imprégnation des paysages qu'ils ont découverts dans leur enfance et leur jeunesse, mais ils n'entreprennent pas de les décrire exactement, ils les transposent dans leurs œuvres et en font une création personnelle. De même leurs personnages sortent de leur imagination plus qu'ils ne sont les portraits fidèles de gens qu'ils auraient patiemment observés. Aussi bien, tant Ramuz que Giono échappent tout à fait à la littérature régionaliste. Ajoutons que tous deux, s'ils n'adhèrent à aucune croyance officielle, ont une sensibilité très vive qui leur permet d'être en contact avec ce qu'on appelait jadis les mystères de la nature, les signes et les présages, toutes les forces qui suggèrent l'existence d'un au-delà. D'où la réputation qu'on leur a faite d'être des visionnaires.

Il leur arrivait pourtant d'être réalistes. Pour Ramuz, on le voit dans certaines nouvelles du recueil *Le Tout-Vieux,* comme on le constate chez le Giono de *Solitude de la pitié.* Vers 1910, on comparait Ramuz à Maupassant. Dans la préface à la réédition de 1981, Francis Olivier nous dit même qu'en lisant *Le Cheval du sceautier,* il est impossible de ne pas penser à la nouvelle de Maupassant intitulée *Coco* et qui raconte aussi le martyre d'un vieux cheval. J'avoue que je ne connaissais pas *Coco,* que je viens de lire pour comparer. Les deux textes sont admirables et me paraissent inspirés par des expériences différentes.

Il est curieux de penser que Maupassant devait échapper au naturalisme quand il éprouva les premières atteintes de la folie. Ramuz, qui resta toujours parfaitement sain d'esprit, utilisa l'irrationnel parce qu'il savait que nos vies ne sont pas gouvernées par la raison. Par suite de son éducation protestante, il fit une belle place au merveilleux chrétien, ce qui lui valut des exhortations de Claudel à prendre position nette sur les problèmes religieux.

À Paris, Ramuz souffrait de vivre dans un univers hyperintellectualisé. On y affichait des convictions matérialistes et l'on ne s'y nourrissait pourtant que d'idées. Il dénonçait « l'abstraction croissante du monde moderne ». On y oubliait la saveur des choses qui font le prix de la vie (« les vraies richesses », selon Giono) : le ciel, l'eau, les arbres, l'abandon naïf aux sensations. Il décida de retrouver sa terre natale et ne la quitta plus. Et c'est dix ans après son départ de Paris qu'il y devint célèbre, avec la publication de *Joie dans le ciel,* en 1924.

À cette époque, il était déjà l'auteur d'une œuvre abondante. Il avait commencé de publier régulièrement en 1903. Rectifions l'erreur qui figure au dos de la réédition de *Vie de Samuel Belet* dans la collection « L'Imaginaire » : ce livre n'a pas du tout paru pour la première fois en

1945, mais en 1913 (en 1945, ce roman fut racheté par les éditions Gallimard).

Dans ce roman qui se situe au siècle dernier, on voit un jeune paysan vaudois qui, grâce à des études, sort de sa condition et pense pouvoir épouser la fille qu'il aime. Mais la belle est infidèle et il part pour Paris afin de l'oublier. Il considère sa vie comme un échec, sans devenir un révolté. Il rentre en Suisse à trente ans, au moment de la guerre de 70. Il se marie, devient père. Il pense avoir atteint le bonheur. Et puis voici qu'il perd femme et enfant. Connaîtra-t-il cette fois le désespoir ?

Il en est préservé par la force du souvenir. Il se réfugie dans un monde imaginaire où il retrouve les présences chères, non seulement la femme disparue, mais même la fiancée d'autrefois. « Car tout est confondu, la distance en allée et le temps supprimé. Il n'y a plus ni mort, ni vie. Il n'y a plus que cette grande image du monde dans quoi tout est contenu, et rien n'en sort jamais et rien n'y est détruit... »

On a très bien compris que Ramuz nous faisait assister ici au « retour de l'âme au grand tout ». C'est une réconfortante rêverie de poète.

PANAIT ISTRATI

La vie de Panait Istrati est en soi un étonnant roman d'aventures. Il est né en 1884 à Braila, un port du Danube. Son père, qu'il n'a point connu, était un contrebandier grec. Sa mère, roumaine, était blanchisseuse. À douze ans, il commença de travailler, comme garçon de restaurant. Ce fut le premier des cent métiers qu'il devait exercer dans divers pays du Proche-Orient, en Italie, puis en France. Il nous apparaît comme un vagabond ensorcelé, possédé par la passion des voyages et ne résistant pas à l'appel de l'aventure. Il connut des moments de pure exaltation et des périodes de désespoir. Il était amoureux de la vie et scandalisé par les injustices et les souffrances qu'il découvrait partout. Toutefois, la rencontre de quelques personnages exceptionnels l'empêcha de porter sur l'humanité des jugements sans appel. Et les livres le consolaient de bien des déboires (il avait aussi la passion de la lecture).

Cette vie aventureuse ruina sa santé. Pendant la guerre de 14, il parvient en Suisse où il est hospitalisé dans un sana. C'est là qu'il apprend le français, c'est là qu'il lit Romain Rolland et qu'il a le coup de foudre pour le message de fraternité que lance alors l'auteur d'*Au-dessus de la mêlée.* Il lui adresse une longue lettre, laquelle lui est retournée : Rolland a quitté son domicile sans indiquer où faire suivre son courrier. Sensible aux signes du destin, Istrati interprète le retour de la lettre comme une fin de non-recevoir : il renonce à écrire.

Sa santé ne se rétablit guère. Quand il sort du sana, la lutte pour le pain devient épuisante. Un soir, à Nice, en 1921, il se tranche la gorge mais un miracle se produit : Istrati ne meurt pas, et sa lettre à Rolland que l'on trouve sur lui est une deuxième fois envoyée par la poste et parvient à destination.

La lettre révèle un génie de conteur auquel Romain Rolland est aussitôt sensible. Il répond : « Vous devez écrire. » Et Panait Istrati, qui ne sait écrire le français que depuis quatre ou cinq ans, commence dans notre langue une œuvre dont la publication connaîtra un succès immédiat. *Kyra Kyralina* parut en 1924.

Panait Istrati est ce qu'on appelle un conteur, et non un romancier. Il raconte des histoires qui ont toutes besoin d'un récitant : c'est le ton du récitant qui fait la chanson. Istrati donne la parole à ses personnages et, par leur bouche, répète ce qu'il a entendu dans sa jeunesse. Ou bien il se met en scène sous le nom d'Adrien Zograffi et rapporte ce qu'il a vu lui-même au cours de son existence vagabonde. On distingue ainsi deux veines dans son œuvre : les évocations du temps passé qui nous valent des récits héroïques dans la tradition des *Mille et Une Nuits,* et les récits contemporains, autobiographiques, qui appartiennent à la tradition picaresque.

Istrati ne s'interdit jamais de broder. On peut même dire que ses livres sont une succession de broderies sur des thèmes qui lui sont essentiels. Les mêmes souvenirs reparaissent, modifiés, dans des livres différents. Panait Istrati utilise un nombre limité de situations romanesques mais elles lui permettent des variations sans fin. Légende et vérité sont indissociables et l'on n'a pas envie d'ailleurs de les dissocier : leur mélange traduit une réalité qu'on ne met pas en doute.

Bien sûr, on voulut enrégimenter cet écrivain prolétarien devenu brusquement célèbre. Mais ce révolté pouvait-il adhérer à un parti ? Il réclamait, certes, une révolution, mais « faite sous le signe de l'enfance ». Ce rêveur devint un gêneur. À propos de l'U.R.S.S., il se trouva en complet désaccord avec son ami Romain Rolland auquel il devait tant.

Panait Istrati a donné, au cours de sa vie, l'exemple d'un magnifique courage. Mais il est mort, découragé, en 1935. Toujours aux prises avec la maladie qui allait l'emporter, craignant à nouveau la misère, écœuré par la situation politique de l'Europe, doutant même de l'amitié et de l'amour qu'il avait si bien célébrés, il n'avait plus envie de chanter. « Je n'ai plus de flûte », disait-il. Mais cette flûte, on continue de l'entendre dans ses livres, et ce courage qui l'avait abandonné, Panait Istrati le transmet à ses lecteurs.

ROGER MARTIN DU GARD

Dans le discours de remerciement qu'il prononça en 1937 à Stockholm, lorsqu'il reçut le prix Nobel, Martin du Gard tint à rendre un hommage au romancier qu'il admirait le plus : Léon Tolstoï, qui a su nous communiquer sa vision personnelle du monde, faire vivre une grande variété de personnages bien particularisés et qui tous s'interrogent sur le sens de leur destinée. Tel était le maître que l'auteur des *Thibault* s'était donné. Dès ses débuts, son ambition fut de réussir de vastes constructions romanesques, dans la lignée d'*Anna Karénine* et de *Guerre et Paix.* Il n'a pas laissé d'*Anna Karénine,* mais il a écrit *Les Thibault,* le seul roman français qui puisse être comparé à *Guerre et Paix.*

En 1920, quand il eut l'idée des *Thibault,* il avait quarante ans (il était né le 13 mars 1881) et il était connu par son roman *Jean Barois* publié en 1913, qui est « l'histoire d'une conscience » et que l'on cite souvent quand on veut évoquer la France de l'affaire Dreyfus. Ce livre, d'ailleurs très réussi, n'était nullement dans la ligne de Tolstoï. Martin du Gard a très bien dit pourquoi : c'est que si les grands romans de Tolstoï sont « tout chargés, tout baignés de pensée », ils ne sont pas des « livres d'idées » comme l'est *Jean Barois,* qui peut passer pour une œuvre de penseur et de sociologue. Roger Martin du Gard décida que *Les Thibault* seraient une œuvre de pur romancier. Il a déclaré plus d'une fois que le pur romancier a « une intelligence faite de sensibilité, et nullement une intelligence faite de raison ». Ce qu'il veut exprimer, ce sont des émotions et des sentiments. Il peint des sensations, des caractères, des personnages.

Cette définition pourrait s'appliquer aussi bien à un auteur de nouvelles qu'à un auteur de romans. Mais l'auteur de nouvelles s'en tient à des moments d'une vie tandis que le vrai romancier s'attache à décrire la courbe d'une destinée. La deuxième grande influence que subit Martin du Gard fut celle de Romain Rolland, lequel inventa l'expression de « roman-fleuve ». Certes, on peut qualifier de roman-fleuve tout roman d'une certaine étendue, aussi bien *L'Astrée* d'Honoré d'Urfé que *Les Misérables* de Victor Hugo, mais Romain Rolland, avec son *Jean-Christophe,* avait donné l'histoire d'un homme, de sa naissance à sa mort. Le roman-fleuve ne s'en tient pas à développer une intrigue, avec ses rebondissements et son dénouement. Il veut tout dire d'un homme. Il est l'équivalent dans la fiction de ce que sont les Mémoires dans l'ordre du document, avec la différence que le mémorialiste ne donne que son point de vue tandis que le romancier crée l'illusion de l'objectivité et s'interdit toute intervention personnelle. Il laisse le lecteur libre de porter un jugement sur les actions et les idées de ses personnages. Un vrai roman ne peut être écrit qu'à la troisième personne.

Il va de soi cependant qu'un romancier réaliste, comme l'était Martin du Gard, ne peut nourrir son œuvre qu'avec sa propre expérience et sa propre sensibilité. Romain Rolland avait fait tout naturellement de son Jean-Christophe un musicien. Martin du Gard, dans ses *Thibault,* au lieu d'un seul personnage central, en voulut deux — deux frères — afin de pouvoir pousser à bout dans une fiction les tendances contradictoires qu'il sentait en lui : « [...] l'instinct d'indépendance, d'évasion, de révolte, le refus de tous les conformismes ; et cet instinct d'ordre, de mesure, de refus des extrêmes, que je dois à mon hérédité. »

Ainsi naquirent Jacques et Antoine Thibault. L'aîné, Antoine, entreprend avec détermination une carrière de médecin. De tempérament posé, il tend à une réussite bourgeoise. Jacques est un littéraire, au caractère instable et qui ne deviendra pas l'artiste qu'il souhaitait devenir. Mal à l'aise dans la société, il rêve de contribuer à la transformer.

On s'est beaucoup demandé auquel des deux frères Martin du Gard ressemblait le plus. La sympathie des jeunes lecteurs allait généralement à Jacques. Beaucoup se reconnaissaient dans ce jeune homme exalté, mais Martin du Gard confiait à un ami : « Ce qui les a séduits, c'est de trouver, dans un personnage que j'ai su rendre sympathique, attachant, leurs défauts d'esprit, leur faiblesse de jugement. »

Le fait est que, pour sa part, Martin du Gard a vécu comme Antoine et non pas comme Jacques. Cela ne veut pas dire qu'il n'ait lui-même secrètement préféré Jacques, même s'il a toujours donné raison à Antoine dans ses discussions avec lui. Il me paraît significatif qu'il ait accepté en 1946 que paraisse un volume intitulé *Jacques Thibault,* morceaux choisis à l'usage de la jeunesse : c'était accepter que son héros principal ne fût pas celui dont il se sentait le plus proche. Non point qu'Antoine ne suscite pas lui aussi la sympathie, mais surtout celle des lecteurs d'âge mûr, car c'est un homme de bon sens et qui ne rêve pas de choses impossibles. On ne lui voit la tête tourneboulée que lorsqu'il s'éprend de la capiteuse Rachel, passion qui lui fera mieux comprendre les faiblesses d'autrui : jusqu'à cette rencontre, tout lui avait un peu trop bien réussi et il faisait un peu trop confiance à la raison, qui n'est pas ce qui guide la plupart des hommes. Précisément, en dépit de son intelligence, Jacques agit par coups de tête. S'il est un raisonneur, c'est finalement la passion qui explique ses décisions et son comportement. Il se laisse aller à l'inspiration du moment.

Martin du Gard disait qu'il faut se méfier de l'inspiration. Ce principe lui paraissait particulièrement valable dans le domaine littéraire. Il n'a jamais écrit un livre qu'après en avoir soigneusement établi le plan et avoir constitué un dossier sur les personnages qu'il voulait peindre. Ce travail préparatoire lui paraissait essentiel. Après quoi, il ne restait plus qu'à rédiger les scènes prévues et Martin du Gard avait assez de confiance en soi pour se persuader que cela ne lui poserait pas de grandes difficultés.

Quand il publia les premiers tomes des *Thibault,* il ne craignit pas d'assurer que, si l'éditeur le lui avait permis, il aurait livré l'œuvre dans sa totalité, d'un seul coup, alors qu'il devait se résoudre à la débiter par tranches. On ne doute pas de sa bonne foi, mais on sourit de sa témérité car il lui fallut vingt ans pour mener *Les Thibault* à leur terme. Et il ne put les achever sans abandonner son plan primitif.

Nous connaissons ce plan primitif, qu'on appellerait aujourd'hui un synopsis. Il abonde en rebondissements dramatiques et mélodramatiques, mais ce qui nous paraît tout à fait extraordinaire, c'est qu'il raconte des événements qui s'échelonnent de 1904 à 1940. Entendez qu'en 1920 Martin du Gard n'avait pas hésité à imaginer des scènes qui se dérouleraient bien après cette date. On avouera que c'était un projet singulier pour un auteur si sensible aux événements sociaux et politiques et que la critique considérait comme un témoin de son temps.

Il est vrai que les premiers volumes des *Thibault* ne contiennent guère de références précises à l'époque. On peut parler de leur valeur documentaire parce qu'on y trouve le tableau d'une certaine société bourgeoise, aujourd'hui pratiquement disparue. Martin du Gard décrivait tout naturellement cette société parce que c'était celle dans laquelle il avait grandi.

C'est après la publication de *La Mort du père* qu'il renonça à son plan primitif et qu'il se lança dans la vaste fresque de *L'Été 1914*. Le roman familial et bourgeois fait place à la fresque historique. On passe de l'histoire de quelques-uns au destin de toute une génération. Certains critiques ont parlé de rupture de ton et de construction, alors que nous assistons à un élargissement du roman, à l'arrivée du fleuve dans la mer. *L'Été 1914* donne même aux *Thibault* sa signification générale. On y voit comment la vie des individus dépend des intrigues politiques et diplomatiques qui se déroulent dans les hautes sphères de l'État. En temps de paix, dans un pays comme la France, les citoyens se croient relativement libres de bâtir leur vie à leur façon. Soudain, les individus sont noyés dans les tourmentes que leurs gouvernants ont déclenchées ou n'ont pas su dominer. La résistance de Jacques contre l'absurdité du conflit le conduit à une aventure suicidaire.

Pour clôturer son œuvre, Martin du Gard écrivit un *Épilogue* où il utilisa la plupart de ses souvenirs de guerre en les prêtant à Antoine. De tous les volumes des *Thibault*, c'est le plus autobiographique, avec cette différence considérable que Martin du Gard ne fut pas gazé et qu'il sortit vivant de la guerre.

Ses lettres de la période 1914-1918 ont été rendues publiques en 1980 et il est donc possible de comparer ses opinions personnelles à celles d'Antoine Thibault. On découvre qu'il a vu dans la guerre de 14 le triomphe de la bêtise et que les déclarations patriotiques des gens de l'arrière l'écœuraient. Il ne respirait « un peu d'air pur » qu'en lisant les articles de Romain Rolland. Il refusa pourtant de quitter le front, alors qu'on lui proposait de l'affecter au service de la propagande à l'étranger : il aurait pu suivre Jacques Copeau dans la tournée que le Vieux-Colombier entreprit aux États-Unis. C'est là un trait de caractère qui mérite d'être souligné.

On mourait beaucoup autour de lui. Plusieurs de ses plus anciens camarades furent tués au combat. Son meilleur ami, qui était aussi son cousin, le compositeur Pierre Margaritis, mourut à la veille de l'armistice, atteint par l'épidémie de grippe espagnole (celle-là même qui devait emporter aussi Apollinaire). Martin du Gard se sentit comme « amputé » (c'est le mot qu'il emploie) par la mort de Margaritis et c'est à celui-ci qu'il dédiera *Les Thibault*. Il devait porter jusqu'à son dernier jour la bague que son ami lui avait léguée sur son lit d'hôpital.

Nous ne savons pas ce qui, dans le caractère de Jacques Thibault, est inspiré par Pierre Margaritis. Mais l'épisode du *Pénitencier* lui doit évidemment beaucoup puisque, vers l'âge de quinze ans, à la suite d'une fugue, il avait été placé, sur l'ordre de son père, dans une maison de redressement près de Tours.

Martin du Gard n'aimait pas parler des événements de la vie privée qui l'avaient inspiré pour la fabulation de ses romans. Il a fallu la publication de sa correspondance et celle de journaux ou souvenirs de certains de ses intimes pour que l'on soit un peu renseigné à ce sujet. Par exemple, la lettre de juillet 1898 du jeune Roger à un de ses camarades de classe (publiée dans la *Correspondance générale*) jette une lumière sur les origines du *Cahier gris*. Les *Cahiers de la Petite Dame* (Mme Van Rysselberghe) nous éclairent sur le changement brutal qui survient au cours de l'été 1914 dans les relations entre Jenny de Fontanin et sa mère. Ici l'auteur se souvient de scènes violentes qui l'opposèrent à sa propre fille quand celle-ci lui fit part de projets matrimoniaux qu'il désapprouvait. Mme Van Rysselberghe lui objectant que la transposition qu'il en donnait était outrancière, il protesta vivement, allant jusqu'à prétendre : « C'est pour dire ça que j'ai écrit ces derniers livres ! » (29 avril 1936.)

Voilà bien la preuve que le roman le plus objectif est nourri de souvenirs très personnels. Dans son discours de Stockholm, Martin du Gard avait bien raison de déclarer que l'on pouvait découvrir dans son œuvre « tous les secrets de sa vie la plus intime ». Cependant, lorsqu'on lit *Les Thibault,* on ne se soucie nullement des sources de l'auteur, car Martin du Gard a réussi à créer des personnages vivants dont on se souvient comme de gens qu'on aurait réellement connus et fréquentés. Et c'est bien là ce qu'il souhaitait : le lecteur de romans doit se passionner pour des personnages et non s'interroger sur le romancier.

Maumort

C'est en 1941 (il avait soixante ans) que Martin du Gard entreprit *Maumort* avec l'intention de raconter toute la vie d'un homme, de sa naissance vers 1870 jusqu'à la Seconde Guerre mondiale. Il ne devait pas terminer cet ouvrage. Il mourut en 1958, ne laissant pas un récit interrompu mais un gros dossier, contenant, à côté de divers chapitres tout à fait au point, de nombreuses ébauches, des fragments, des notes. Il ne doutait pas que l'on pourrait extraire de ce dossier un fort volume qui serait son testament à l'usage de ses lecteurs.

Dans ses *Souvenirs autobiographiques,* il a exposé les difficultés auxquelles il s'est heurté en échafaudant ce dernier roman. Il avait toujours pensé qu'un romancier doit suivre un plan bien précis s'il veut composer une œuvre solide. C'est sans doute vrai s'il s'agit d'un roman objectif, à la troisième personne. Ça l'est beaucoup moins si l'on donne la parole à un personnage privilégié. Et c'était le cas avec Maumort. Mais Martin du Gard hésita sur la forme qui convenait le mieux à son propos : journal, souvenirs, lettres. Il pensa même à une juxtaposition de nouvelles. Sans cesse il remettait son plan en question. Tantôt il modifiait la date de naissance de Maumort. Tantôt il changeait la date à laquelle Maumort commençait à tenir son journal. Etc., etc. Heureusement, il avait décidé, d'autre part, de travailler comme un mosaïste, c'est-à-dire de rédiger les morceaux qu'il avait le plus envie d'écrire et qui, d'une façon ou d'une autre, pourraient trouver place dans la structure d'ensemble. Et il écrivit beaucoup ; au total, le dossier *Maumort* doit comprendre autant de pages que le manuscrit des *Thibault.*

Quand mourut Martin du Gard, Jean Schlumberger, qui se trouvait auprès de lui, se hâta d'expédier le dossier *Maumort* à la Bibliothèque nationale afin que personne n'eût la tentation d'en détruire des passages qui pouvaient paraître scabreux. Cela n'allait pas faciliter le travail de Pierre Herbart, chargé d'établir le texte de l'édition souhaitée par Martin du Gard. On n'imagine pas Herbart se rendant régulièrement à la Nationale pendant des mois pour étudier toutes les pièces d'un énorme dossier. On lui remit des photocopies. Le choix de pages qu'il finit par proposer à Gallimard, au bout de quelques années, fut accepté dans un premier temps et envoyé à l'imprimeur. Schlumberger et Malraux en prirent connaissance sur un jeu d'épreuves. Ce choix comportait la nouvelle intitulée *La Baignade* et le récit de la liaison avec Doudou, la jeune Antillaise, mais ces textes n'étaient suivis que de courts fragments et ne donnaient pas une juste idée du grand roman inachevé. Gallimard renonça à publier ce choix trop limité. Le dossier fut, un peu plus tard, remis à Henri Thomas, d'abord enthousiasmé, puis qui fut découragé par la masse des éléments à ordonner. Enfin, la tâche d'éditer *Maumort* fut confiée à un brillant universitaire, André Daspre. Il y a consacré plus de six années. Nous lui devons l'admirable volume qui a paru dans la Bibliothèque de la Pléiade en 1983.

On peut s'étonner que Martin du Gard ait tant hésité sur la forme à donner à son *Maumort,* alors qu'adopter le genre « Mémoires » semblait la meilleure et la plus simple des solutions. Et d'ailleurs c'est ainsi que l'ouvrage se présente dans l'édition Daspre : les morceaux entièrement rédigés et mis au net étaient, à deux ou trois exceptions près, consacrés à l'enfance et à la jeunesse de Maumort et, en les disposant bout à bout dans un ordre chronologique, André Daspre nous présente un récit continu qui va jusqu'au mariage de Maumort. Ce récit est suivi de fragments divers, de lettres et de notes. On remarquera que certaines de ces notes sont anciennes, quelques-unes datent même de l'époque de *Jean Barois.* Martin du Gard voulait dire dans *Maumort* tout ce qu'il n'avait pas pu insérer dans ses œuvres antérieures. Quelques lecteurs se demandent pourquoi — puisqu'il voulait composer un ouvrage testamentaire — il n'a pas entrepris d'écrire ses propres Mémoires au lieu de ceux d'un personnage inventé. La réponse est simple, car il a remarqué lui-même que son vieux colonel, veuf, ayant perdu ses enfants à la guerre, n'aurait aucun scrupule : il estimait qu'il pourrait être plus hardi sous le masque d'un personnage qu'en parlant en son nom propre. Il s'interdisait une utilisation directe de ses propres souvenirs. Il en donnerait un équivalent qui ne serait pas de moindre portée. On peut être surpris que, pacifiste, il ait choisi comme narrateur et comme héros un colonel. Ce n'est pas seulement pour bien se différencier de lui, c'est aussi pour montrer qu'un homme ne se définit pas par son métier, mais par la manière dont il l'exerce. Si la vie de Maumort et celle de Martin du Gard sont très différentes, leurs façons de penser sont à peu près les mêmes. Nous noterons que, pour la manière d'être et de se tenir en société, le personnage le plus proche de Martin du Gard, dans ce roman, ce n'est pas cependant Maumort mais bien Ernest Renan, tel qu'il nous le dépeint dans le salon des Chambost-Lévadé, à la fin du siècle dernier. Déguisement inattendu et portrait magistral...

Rien n'a été rédigé sur la vie militaire de Maumort : on ne lira sur ce point que des notes. On trouvera quelques dizaines de pages sur la défaite de 40 et sur l'Occupation (morceaux très précieux pour connaître les réactions de l'auteur à ces grands événements). L'essentiel du texte concerne l'éducation sexuelle et la formation intellectuelle de Maumort. Vous devinez que les pages que Schlumberger pouvait estimer scabreuses sont relatives aux souvenirs sexuels. Martin du Gard craignait lui-même de passer pour un « obsédé » aux yeux de ses futurs lecteurs. Nous avons été habitués depuis à des audaces bien plus fortes, mais il faut tenir compte de l'époque où Martin du Gard écrivait et, surtout, considérer que certaines affirmations ne prennent tout leur poids qu'en raison de la personnalité de celui qui les profère. Or Martin du Gard avait une réputation de parfaite droiture et de grand bon sens.

Il ne craint pas de déclarer que chaque homme reste marqué toute sa vie par ses premières expériences et ses premières curiosités dans le domaine sexuel : « Elles ont une action déterminante sur le caractère, les tendances, l'existence entière de l'adulte. Là est la clef de l'homme. Dis-moi ce qu'a été ta puberté et je connaîtrai ta nature, et je saurai tes secrets. » C'est Maumort qui prétend cela, mais il est ici l'exact porte-parole de l'auteur.

Maumort croit qu'il existe des points communs dans toute puberté : il affirme que la première activité sexuelle de tout individu est la masturbation et que c'est une pratique inévitable chez les adolescents. Quand il nous montre deux jeunes garçons se livrant ensemble à cet exercice et se prêtant mutuellement la main, il nous avertit ensuite que l'on aurait tort de les croire voués à l'homosexualité. Chaque âge a ses plaisirs. Mais, d'un autre côté, il est persuadé qu'il n'existe pas d'hétérosexuel qui ne puisse, dans certaines circonstances, être sensible au charme d'un garçon. Pour sa part, ses quelques aventures homosexuelles furent liées, nous dit-il, aux hasards de la vie africaine (p. 1151). Mais il se garde de rejeter dans l'anormalité ceux qui sont exclusivement homosexuels. Dans sa jeunesse, la bonne société considérait l'homosexualité comme « contre nature » : il remarque de façon plaisante que tout homme qui noue des relations amoureuses avec une femme sans le désir de lui faire un enfant « agit lui-même contre la nature ».

Si Maumort nous parle beaucoup d'homosexualité, c'est que son ancien précepteur, devenu l'un de ses plus proches amis, était homosexuel : il s'agit de Xavier de Balcourt, héros d'une nouvelle insérée dans les Mémoires, la fameuse *Baignade,* qui est intitulée *La Noyade* dans la Pléiade et que l'on a saluée comme un chef-d'œuvre. Or André Daspre, dans son appareil critique, nous apprend que, en 1941, le héros de *La Baignade* était Maumort lui-même (p. 1072), et il commente plus loin : « Le romancier a préféré transférer cette histoire de Maumort à Xavier : il voulait insérer dans son roman un certain nombre d'histoires scabreuses et, en même temps, il cherchait un moyen de les " détacher " le plus possible de Maumort [...] » (P. 1161.) On voit bien pourquoi : c'est que, bien qu'il eût inventé une vie de Maumort toute différente de ce qu'avait été la sienne, beaucoup de lecteurs ne manqueraient pas de le confondre avec son personnage. Dès lors il ne voulait pas que celui-ci, malgré quelques aventures pédérastiques, fût franchement bisexuel. On peut deviner aussi pourquoi il avait imaginé un plan compliqué pour écrire son *Maumort*. En commençant son récit par un tableau des années noires et par des considérations historiques, il ne déconcerterait pas, pensait-il, les lecteurs des *Thibault* et particulièrement de *L'Été 1914* qui lui avait valu le prix Nobel. Les pages sur l'enfance et l'adolescence ne viendraient que lorsqu'on aurait lié amitié avec un vieux colonel dont on aurait apprécié les nombreuses qualités. On ne l'accuserait pas d'être obsédé, puisqu'il aurait parlé de mille choses avant d'évoquer son éducation sexuelle.

Nous ne nous trompons sans doute pas en prêtant ce raisonnement à Martin du Gard. Nous ajouterons aussitôt qu'il s'inquiétait à tort. En lisant le volume de la Pléiade, on ne doute certes pas qu'il ait toujours accordé une vive attention à la sexualité, mais on voit aussi que le champ de ses curiosités et de ses préoccupations était très étendu.

Le monde de *Maumort* est aussi riche et aussi vaste que celui des *Thibault*. Et Gide avait raison quand il déclarait que ce livre contient les meilleures pages de Roger Martin du Gard.

ALAIN

À l'âge où l'on découvre Alain — généralement en classe de philosophie (mais en marge des cours) —, on voudrait trouver sans plus tarder la clef de l'univers, adopter un système où se réfugier. On est à l'âge métaphysique, on serait à l'aise dans un monde d'idées, comme en témoignent les conversations des adolescents. Ces conversations sont un peu simples. L'adolescent le comprend dès qu'il ouvre un livre d'Alain.

On a dit qu'Alain aimait à opérer des retours aux sources. Il s'agit de doubles retours assez paradoxaux. Retours primaires aux éléments simples, c'est-à-dire à un point de départ où tout le monde pourra le joindre sans effort, mais aussi retours à l'immédiat, c'est-à-dire exercices de recul pour prendre de l'élan et mieux sauter. On ne réussit pas le saut à tout coup. Le retour aux sources est d'ailleurs aussi un retour au silence originel où se retrempe la pensée.

Parti des sources, Alain ne forme pas un système. L'adolescent n'a pas le temps d'être déçu car Alain lui ouvre toute grande une porte sur les idées. Mais attention. On ne vit pas dans un monde d'idées. L'adolescent se trouve aussitôt mis en garde. Alain confie : « Je ne comprends pas ce que pourrait être une connaissance qui ne serait pas d'expérience. » (*Histoire de mes pensées*, p. 45.) Il insiste : les idées sont des moyens, des instruments, « des pinces pour saisir les objets de l'expérience » (*H.P.*, p. 86).

Alain tient que, si l'univers des choses n'existe pas sans l'esprit, cet univers des choses est pourtant le seul régulateur de nos pensées. On ne forme pas d'idées dans le vide. L'entendement, dès qu'il ne se heurte plus à la résistance des choses, devient raison et ne trouve que la preuve. Or : « Toute preuve est pour moi clairement déshonorée. » Il s'ensuit une condamnation des discussions (ces discussions qu'aiment tant les jeunes gens) : « Les discussions n'instruisent personne [...] Car on se ferme à la preuve [...] cette précaution est elle-même de raison. Qu'on ne puisse répondre à un homme habile, cela prouve-t-il quelque chose ? » (*H.P.*, p. 85.) Tout se prouve, dit en effet la sagesse populaire. Mais le monde tourne sans se soucier de preuves. Et c'est le monde qu'il faut comprendre.

La méfiance d'Alain envers les preuves fut renforcée par l'activité de politiques et d'économistes qui prétendirent raisonner avec la rigueur de mathématiciens et de physiciens. Ils raisonnèrent dans l'abstrait comme s'ils eussent argumenté sur des figures précises. Ils aboutirent à des théories *a priori* très strictes que vint évidemment contredire l'expérience. Elles ne furent pas abandonnées pour autant... Le mal provenait d'un mauvais usage du langage : les mots sont ce qu'on veut qu'ils soient, ils ne sont pas liés avec le réel et leur pouvoir, qui tient de la magie, peut dépasser leur sens. Rien n'est prouvé que ne prouvent que des mots.

Alain, prince de l'esprit, se méfie donc d'une certaine « intelligence ». Il met toute son ambition à ne pas tomber dans l'erreur et l'illusion. Il assure : « Je suis persuadé qu'il y eut des moments où Alexandre, César ou Napoléon furent bêtes comme j'ai toujours juré de ne l'être pas. » (*H.P.*, p. 10.)

Voilà un ton bien fait pour plaire à la jeunesse.

Alain abandonne cette hauteur, mais garde un juste orgueil, quand il écrit : « Je n'ai jamais cru pour ma part qu'il fût possible de trouver une philosophie nouvelle ; et j'avais assez de retrouver ce que les meilleurs avaient voulu dire ; cela même est inventer dans le sens le plus profond, puisque c'est continuer l'homme. » (*H.P.*, p. 43.) Malraux notait pour sa part, dans une phrase fameuse, que la culture ne s'hérite pas : elle se conquiert.

Alain apprend aux jeunes gens la modestie, il les invite à s'instruire avant que de se vouloir originaux. Le désir d'être neuf pousse à réfuter plus qu'à comprendre. Heureusement : la véritable originalité se moque de l'originalité. Alain va, du reste, plus loin et indique, après Hegel, que tout est vrai dans les doctrines si l'on en prend le train et l'élan.

La vieille querelle que l'on a faite à Alain de penser sur les pensées des autres est absurde. Toute pensée est pensée de la pensée et appartient par là, comme Buffon l'a très bien dit, à l'humanité tout entière. C'est par sa manière d'ordonner ses pensées, par son style qu'un écrivain existe — et, finalement, aussi bien un philosophe qu'un poète. (Et Alain était l'un et l'autre.)

Alain prit très tôt le parti de rompre avec les coutumes officielles. Il écrivit selon un rythme qui lui était propre, auquel il fallut que le lecteur se pliât. On a parlé d'écriture en coup de poing, à propos de cette concision qui va parfois jusqu'à la suppression des liaisons logiques. C'est un style, en tout cas, qui tient éveillé. Alain refuse le discours classique. Pourtant son langage est apparemment simple et toujours concret, mais ce sont souvent des énigmes et des images qui nous sont proposées. Alain ne cherche pas à simplifier et tient que les signes éclatants dont est parsemée la nuit instruisent mieux qu'une pâle et plate clarté.

Il revient souvent sur ses idées, les reprend, les révise : « Une découverte, on ne peut que la faire et la refaire », dit-il (*H.P.*, p. 25) et encore : « Je n'ai jamais cru que les idées puissent exister en quelque sens que ce soit ; mais au contraire les idées ne sont que par un mouvement dialectique qui les construit ; on n'est jamais assuré de les trouver où on les a laissées ; au contraire il faut les retrouver. » (*H.P.*, p. 26.)

Alain s'applique à retrouver ses idées. Il les enchaîne dans un ordre différent et un nouvel éclairage les modifie légèrement. L'on s'aperçoit alors que les idées sont en effet liées à des mouvements de pensée, mais plus encore de style. La pensée et le style dépendent enfin de l'expérience. De l'expérience à l'idée, telle est la démarche. L'adolescent prend par là une leçon d'individualisme : la clef de l'univers, c'est à lui de la forger tous les jours. On n'adopte pas un système : on le recrée et il est remis constamment en question. Cela nous rappelle que, prince de l'esprit, Alain est aussi un prince de la volonté.

Les premiers *Propos* d'Alain parurent à Rouen, chez Wolf et Lecerf, de 1908 à 1914 : quatre séries de « Cent Un Propos ». Mais, bien qu'ils aient d'abord paru à Rouen, ces propos furent écrits à Paris. J'ai longtemps cru qu'ils avaient été composés à Rouen à cause d'une erreur que commet André Maurois dans ses souvenirs.

À ma connaissance, c'est dans un excellent petit livre, intitulé *Rouen*, qu'André Maurois, en 1928, a évoqué pour la première fois ses années d'études au lycée Corneille. En classe de philosophie, il fut l'élève de Chartier et il écrit : « Dans la classe de Chartier, pour la première fois, l'air frais de la vie réelle traversa le monde scolaire. » Qui était Chartier ? André Maurois nous dit encore : « Nous savions que, même hors du lycée, il modelait un peu ce Rouen inconnu. Le soir, à l'université populaire, il dirigeait des discussions. Dans *La Dépêche de Rouen*, il publiait des “ Propos ” qu'il signait Alain et dans lesquels il parlait de Noël, de la poésie, de la cathédrale. En lisant ces propos, soudain m'apparut quelque chose à quoi je n'avais pas pensé : le côté humain de l'histoire. Jusqu'alors j'avais traversé cette ville sans la voir ; maintenant une grande curiosité me venait... »

À vrai dire, c'est le seul enseignement scolaire d'Alain qui donna soudain à Maurois cette curiosité dont il parle. À l'époque où il était élève de philosophie au lycée Corneille, non seulement Alain ne donnait pas de « propos » à *La Dépêche de Rouen,* mais ce journal n'existait même pas. Je le sais par Alain lui-même qui écrit dans *Histoire de mes pensées :* « Les " Propos " naquirent seulement en 1906, c'est-à-dire quatre ans après que j'eus quitté Rouen. Le journal *La Dépêche de Rouen,* où je les écrivis, n'était encore qu'un projet quand je vins à Paris. » (P. 96.)

L'*Histoire de mes pensées* est de 1936. André Maurois, sans aucun doute, a lu ce livre, mais les lignes que je viens de citer ne l'ont nullement frappé. La preuve en est que dans ses *Mémoires* (dont la première édition parut en 1951) il commet la même erreur que dans le petit livre sur *Rouen :* « Au lycée de Rouen, en 1901, nous attendions, mes camarades et moi, l'année de philosophie avec une impatience d'autant plus grande que notre philosophe était un homme déjà célèbre. Il se nommait Émile Chartier, mais signait " Alain ", dans *La Dépêche de Rouen,* des " Propos " quotidiens écrits dans un style de poète et pensés avec une vigueur que nulle prudence ne retenait. » (P. 50.)

Décidément, il convient de se méfier de ses souvenirs. Quand on voit un homme comme Maurois, au cerveau si puissamment organisé, trébucher sur les siens et mélanger les dates, on prend une leçon de modestie.

Alain n'avait pas commencé par écrire des « Propos » quotidiens dans *La Dépêche de Rouen,* mais des articles hebdomadaires sur deux colonnes. Ils parurent d'abord comme « Propos du dimanche », puis en « Propos du lundi ». De cette série, aucun n'a été retenu. Alain les a déclarés nuls. Il a dit aussi : « Cet article hebdomadaire empoisonnait toute ma semaine. » Il ne songea pourtant pas à retirer sa collaboration à la *Dépêche.* Au contraire, s'il renonça à écrire un article hebdomadaire, ce fut justement pour écrire un court article tous les jours. Ce qu'il fit de 1906 à 1914 : la totalité des *Propos d'un Normand* représente plus de trois mille articles. Ce travail quotidien, nous dit Alain, fut moins pénible que l'autre : un article raté était réparé dès le lendemain. En outre, il était écrit avec moins de prétention. Mais on serait surtout curieux de savoir dans quelle mesure ce travail façonna le fameux style d'Alain. Notre philosophe remarque qu'il retrouva pour écrire ses *Propos* le ton et le style de ses cahiers d'exercice. C'est-à-dire un ton et un style qui lui étaient naturels. Mais ce qu'il inventa, c'est une forme courte qu'il compare lui-même à celle du sonnet. Dans les *Propos,* tout doit être sacrifié à un problème central, mais les idées qu'on n'a pu exprimer doivent se trouver sous-entendues dans le développement. Tout ce qui vient à l'esprit est ainsi rassemblé et resserré pour aboutir à un trait unique : « Tel est mon tour d'acrobate, dit Alain. Je ne l'ai pas réussi une fois sur cent. »

Alain estimait que le neuf est bien misérable et qu'il s'agit de s'insérer dans une tradition. Cependant, dans les *Propos d'un Normand,* il raisonne à partir d'une vue de l'homme nu, c'est-à-dire n'ayant que soi, et il renouvelait les analyses de la richesse, du commerce, du travail, du salaire, et généralement les problèmes de l'économie avec force et l'on put l'accuser d'être dogmatique. À quoi il répondait : « Le dogmatisme qui choque quelquefois en mon allure n'est que d'allure. Il faut frapper fort. Le doute vient ensuite : comme je l'ai dit une fois, le doute suit la certitude comme son ombre. »

La solidité du monde n'est jamais ici mise en doute, mais Alain lui refuse un visage humain. C'est un monde sans espérance et qu'on ne peut prier. En revanche, c'est un monde sur lequel on peut agir. Il n'y a pas trace, dans les trois mille propos de cette époque, d'une philosophie de l'existence comme telle. Mais qu'importe ? « Il y a une manière de chanter qui montre que l'on n'a pas peur, et qui rassure toute la terre des hommes. »

Alain était de nature heureuse. Il a confié : « J'ai toujours senti la vie comme étant délicieuse par elle-même, et au-dessus des inconvénients. » (*H.P.*, p. 87.) L'a-t-il toujours vraiment éprouvé ? En tout cas, il n'est jamais un démoralisateur.

IV

Les écrivains modèles

L'amour de la langue française, la probité de la pensée, le goût du travail bien fait, voilà les trois caractéristiques qui permettent de réunir des écrivains aussi différents que Valéry, Schlumberger et Paulhan, Colette et Cocteau, Chardonne et Morand, et de les proposer en exemples aux jeunes gens qui veulent s'engager dans la carrière des lettres.

Certains de ces jeunes gens éprouvent un véritable besoin de confier au papier leurs préoccupations et leurs imaginations : ils disent qu'ils écrivent pour eux-mêmes et quelques-uns sont parfaitement sincères. Toutefois, quand on publie, c'est bien pour les autres ou du moins pour exister aux yeux des autres, ou de quelques autres. Il convient alors de présenter une copie sans tache, comme nos écrivains modèles.

PAUL VALÉRY

Au lycée de Rouen, Paul Valéry avait la réputation d'être un auteur obscur et je me rappelle assez ma surprise, quand je lus pour la première fois quelques pages de lui, de découvrir un des auteurs les plus clairs que j'eusse jamais rencontrés. Son style, d'une rigoureuse élégance, était d'un prince de l'esprit, qui donnait à ses paradoxes l'évidence des banalités et aux banalités le charme de la nouveauté. La plupart de ses œuvres sont, il le prétendait, des ouvrages de circonstance, mais sur tout sujet il savait faire des variations brillantes (« Nous autres, civilisations [...] ») et il sut prophétiser. Bien avant la guerre, il notait : « L'Europe sera punie de sa politique. Elle sera privée de vins, et de bière, et de liqueurs. Et d'autres choses. » Ou encore il se demandait : « L'Europe deviendra-t-elle ce qu'elle est en réalité, c'est-à-dire : un petit cap du continent asiatique ? Ou bien restera-t-elle ce qu'elle paraît, c'est-à-dire : la partie précieuse de l'univers terrestre, la perle de la Sphère, le cerveau d'un vaste corps ? »

Toujours il a su montrer que la bêtise n'était pas son fort.

Son individualisme est bien particulier. Valéry a placé presque toute son œuvre sur le plan de l'art et de l'intellect. Mais son art était strictement art des formes. Il se méfiait des sentiments et l'introspection lui paraissait vaine. Je n'ai jamais su s'il visait son ami Gide lorsqu'il écrivait (je cite de mémoire) : « Qui se confesse ment et fuit le véritable moi, lequel est indistinct et nul. » Il existe un fonds de sentiments communs à tous les hommes et chacun le connaît par soi : « Cela n'a donc pas grand intérêt. » D'un autre côté, Valéry ne s'est pas consacré aux sciences pures et il a écrit les pages que l'on sait sur l'histoire de la philosophie. Ce qui l'intéressait, c'était le *moi* intellectuel. C'est un tel mémorable *moi* qu'il saluait en Descartes et que nous saluons en lui.

Valéry donne une leçon de liberté dans la mesure où son intelligence survolait et résolvait les problèmes. Il ne se laissait égarer par nulle passion partisane et ne recherchait que la vérité. Mais il poursuivait cette recherche avec une apparente sérénité, sans entamer jamais de polémique. Lorsqu'il se hasardait sur des terrains dangereux, il prenait soin de dire « comme chacun sait » avant d'avancer des propositions qui auraient dû violemment heurter certains. On n'imagine pas auteur plus sceptique et plus athée : cependant il n'a jamais été violemment attaqué par les auteurs bien-pensants, Claudel et Mauriac ont fort calmement entendu la déclaration de son *Faust :* « Mon premier mot fut NON qui sera le dernier. »

Nous ne savons quel ouvrage de Valéry sera le plus lu dans l'avenir. Ne serait-ce pas justement *Mon Faust* ou *L'Idée fixe* ? Ces œuvres dialoguées recèlent un merveilleux comique d'idées. On les lit avec une excitation intellectuelle assez comparable à celle que procurent les soties de Gide.

Mais les poésies ? On assure couramment qu'elles ont vieilli. Mais il est bien normal qu'un écrit vieillisse : Ronsard, Racine et Mallarmé ont vieilli sans cesser d'être admirables. L'injustice envers les poésies de Valéry s'explique très bien lorsqu'on constate que Valéry poète était un symboliste égaré au XXe siècle. La gloire poétique de Valéry est mystérieuse ou très explicable suivant la façon dont on l'examine. Elle est mystérieuse parce que enfin *Alcools* est de 1913 quand *La Jeune Parque* est de 1917 : les poésies de Valéry auraient dû paraître vieillerie poétique à leur apparition. Songez que la gloire de Valéry poète est contemporaine de la grande période surréaliste... Elle est explicable car le public qui avait boudé Baudelaire et Mallarmé pouvait enfin saluer un poète symboliste.

Valéry paie peut-être aussi pour avoir appelé « exercices » ses poèmes. Les graves critiques ne veulent pas du tout que la poésie soit un jeu. Pourquoi ne pas réfléchir plutôt sur un titre comme celui de *Charmes ?* En relisant le « Narcisse » de *Charmes* on retrouve un enchantement intact. Si en Valéry le poète ne vaut pas le prosateur, on ne peut pas nier que Valéry pourtant fut poète.

Il entendait maintenir une séparation très tranchée entre sa vie privée et sa vie publique. Divers volumes de « correspondance » ont révélé un Valéry intime dont la séduction opérera sur tout lecteur, un Valéry tendre et tourmenté, aux accès de violence, et aussi de sentimentalité. Dans ses lettres, il aborde les sujets les plus divers, des plus hauts aux plus quotidiens. On y découvre que rien ne lui était étranger.

JEAN SCHLUMBERGER

Jean Schlumberger a raconté ses années de jeunesse dans *Éveils* (1950). En 1892, un garçon de quinze ans quittait l'Alsace annexée pour devenir citoyen français. Cela se fit sans drame, le départ ayant été depuis longtemps prévu par les parents et l'attrait de la France étant fort vif pour le garçon. Au surplus, il n'entrait pas dans l'inconnu en passant la frontière, il rejoignait ses grands-parents maternels à Paris. Il s'agissait pourtant d'un déracinement, pour employer un mot que Barrès allait mettre à la mode quelques années plus tard. Jean Schlumberger parlait de transplantation. Tout retour à la terre natale lui serait interdit, aussi longtemps du moins qu'elle resterait sous la domination allemande.

Quelle Alsace avait-il connue ? L'Alsace protestante de la grande bourgeoisie industrielle, austèrement travailleuse. Cette bourgeoisie n'utilisait pas sa fortune à des fins de jouissance : elle ne s'accordait guère de distractions, s'interdisait les épanchements sentimentaux et sacrifiait à de rigides principes moraux.

La famille maternelle était plus riante, « écrivante et lisante » : autre famille de grande bourgeoisie cependant, dominée par la figure de l'aïeul Guizot, dont elle avait hérité la belle propriété du Val-Richer, dans le Calvados. Jean Schlumberger, après avoir passé ses vacances d'enfant et d'adolescent en Normandie, devait faire d'une dépendance du Val-Richer, l'ancienne ferme de Braffy, sa résidence secondaire durant tout le reste de sa vie : « J'ai beau garder de ma première éducation au bord de la plaine qui va vers le Rhin une orientation d'esprit et une conception de la culture qui n'ont rien de commun avec le génie des provinces de l'Ouest, c'est tout de même dans ces provinces que je suis aujourd'hui autre chose qu'un passant. »

Appartenance à deux provinces très dissemblables, protestantisme, vieille bourgeoisie : voilà trois premières clefs pour comprendre la personnalité de Jean Schlumberger.

Ses origines expliquent un patriotisme très vif, mais qui sut se garder de tout chauvinisme et de tout dénigrement de l'étranger : elles l'amenèrent à jouer souvent un rôle de médiateur.

Dans sa famille, les femmes étaient très pieuses et, sous l'influence de sa mère, il pensa un moment devenir pasteur. Mais il s'installa très tôt dans un tranquille agnosticisme, tout en gardant du respect pour la foi qu'il avait perdue.

Il devait s'écarter également du conformisme bourgeois, sans jamais médire d'une classe qui l'avait formé. En fait, il était encore lycéen et nullement en révolte contre son milieu, quand il s'entendit demander par un camarade : « Alors, toi aussi, tu es socialiste ? » C'est, a-t-il expliqué, qu'il avait l'esprit farci de toutes les réformes que sa génération aurait mission d'apporter aux hommes, à leurs institutions, à leur nature même. Son deuxième acte civique (après le départ de l'Alsace), alors qu'il était à peine majeur, fut de signer la pétition pour la révision du procès de Dreyfus. Étudiant, il participa au mouvement des Universités populaires, qui espéraient pouvoir combler le fossé entre la culture et le peuple. Mais c'est surtout après la guerre de 1914-1918 qu'il devait consacrer une grande partie de son temps à des problèmes sociaux ainsi qu'à la politique nationale et internationale, devenant ce que Sartre appelle un écrivain engagé. Quand il embrassa la carrière des lettres, Jean Schlumberger ne se doutait pourtant pas qu'une partie non négligeable de son œuvre traiterait de telles questions.

Il posséda toujours à un haut degré le sens de la communauté, du plan amical jusqu'au plan national. Il convient de noter son goût pour le travail en équipe. Il ne cherchait pas à se mettre en avant, mais ne reculait pas devant des tâches ingrates. Ainsi assura-t-il le secrétariat et l'administration de la *N.R.F.* à ses débuts. Ainsi fut-il le plus efficace soutien de Copeau lors de la fondation du Vieux-Colombier.

Pour Schlumberger, la passion du théâtre avait précédé l'amour de la littérature. Passion pas très bien récompensée, mais durable. « Je ne voudrais pas mourir, me disait-il un jour, sans avoir réussi une bonne comédie. » (Il me raconta un premier acte où des héritiers étaient réunis pour la lecture d'un testament.) Ce goût du théâtre explique la forme dramatique de certains de ses romans *(L'Inquiète Paternité, Le Camarade infidèle)* et de ses nouvelles (monologues des *Yeux de dix-huit ans* et de *Passion*).

Dans ses souvenirs, il note qu'à vingt-cinq ans il restait « beaucoup plus intéressé par l'esprit des œuvres que par leur facture ». Il devait apprendre que les deux choses sont inséparables. Mais sa conception même de l'art devait être nécessairement marquée par un certain puritanisme : recherche, dans la littérature comme dans la morale, d'un « milieu juste » (à ne pas confondre, disait-il, avec le juste milieu) ; volonté de ne dire que le nécessaire, sans jamais « rien de trop » ; conviction aussi que « nulle nature ne produit son fruit sans extrême travail, voire et douleur », selon la phrase de Bernard Palissy reproduite par ses soins dans un des premiers numéros de la *N.R.F.* — conviction qui l'amena sans doute à se guinder parfois, alors que le volume *Rencontres* nous a révélé des notes de carnet écrites probablement sans effort et qui sont d'une très heureuse liberté de ton et d'allure.

Jean Schlumberger se défendait d'écrire de la littérature édifiante et, bien entendu, il n'entendait rien prouver dans ses récits et dans ses dialogues. Il ne craignait pas non plus de heurter la morale courante en présentant des caractères hors du commun, en mettant en doute la réalité de certains sentiments (et même de certains instincts : l'instinct paternel, par exemple) ou, au contraire, en reconnaissant l'honorabilité d'autres sentiments jugés parfois condamnables (l'amour de deux des garçons dans les *Quatre Potiers*). Toutefois il a parlé sévèrement d'une certaine littérature complaisante aux abandons de tous ordres, une littérature qui s'attache à la peinture de personnages qui se défont. On pourrait prétendre que deux de ses meilleurs livres nous montrent des déchéances : *Le Lion devenu vieux* et *Saint-Saturnin.* Mais le *Lion* est plutôt le récit du dernier combat d'un grand homme, le cardinal de Retz, et *Saint-Saturnin* nous montre le courage des fils autant que les folies séniles du père. Ce qui intéresse Schlumberger et lui paraît digne d'être conté, ce sont les combats que l'on est amené à livrer contre soi-même ou le destin contraire, des conflits où s'affirment des caractères. Il condamne la manie moderne qui fait considérer les sentiments comme d'autant plus vrais qu'ils sont moins relevés. Il refuse d'accorder moins d'attention à nos aspirations vers le haut qu'à notre pente vers le bas. Par le choix de ses sujets et la qualité humaine de ses héros, il occupe une place originale dans la littérature de son temps.

Et puis, il y a toute son œuvre d'essayiste. Et là nous ne sommes plus dans la « pure littérature » : un homme y affirme ses convictions et propose des règles de vie.

Pour être nuancées, les positions de Schlumberger n'en sont pas moins tout à fait nettes. Son souci d'exactitude, sa volonté de ne pas outrepasser sa pensée l'ont toujours empêché de prendre des positions extrêmes. Aux yeux de certains, cela devient prudence et tiédeur. Peser le pour et le contre, on peut appeler cela prudence. Refuser les emportements de la passion, on peut appeler cela tiédeur. Mais lorsque la réflexion nous amène à prendre des positions inconfortables, voilà bien une haute forme de courage. Et dominer ses mouvements instinctifs, cela peut relever de l'héroïsme. Il y avait en Schlumberger un héros. Au demeurant, de tous ses amis, il se révéla le plus assuré dans ses convictions pendant les années de l'Occupation : il maintint ferme ses positions d'humaniste et, après la Libération, ne se laissa pas porter par la haine ou le ressentiment (ses articles sur les procès politiques sont un modèle de probité). L'heure n'était pas à la disponibilité et aux actes gratuits et l'on pouvait penser que Schlumberger avait eu raison de prôner le ferme choix d'une ligne de conduite et la volonté de suivre le chemin qu'on s'est une fois tracé ; pour sa part, il avait prêché d'exemple.

On a trop parlé de la modestie de Jean Schlumberger. Lui-même était un peu agacé de s'entendre toujours louer pour sa discrétion. Elle n'était que l'envers d'une fierté qui lui interdisait de flatter personne ni le succès. Je suppose que c'est cette noble indépendance qui me fit m'enthousiasmer pour ses écrits vers l'âge de dix-huit ans. Par la suite, j'ai pu voir que le caractère de l'homme authentifiait l'œuvre. Jusqu'à la fin, il ne nous a donné que des raisons de l'admirer et de l'aimer davantage.

Dans les années 50, Gaston Gallimard lui avait proposé de réunir ses œuvres principales en un volume de la Pléiade. Il préféra une publication de ses *Œuvres complètes* en sept tomes, car il appartenait à une génération où l'on pensait qu'un auteur devait être jugé sur la totalité de ses écrits.

S'il figurait dans la Pléiade, il aurait pourtant plus de lecteurs aujourd'hui. À défaut de Pléiade, il serait bien que l'on réédite en collection de poche *Saint-Saturnin, Histoire de quatre potiers* et *Stéphane le glorieux,* trois livres sans équivalents dans notre littérature.

JEAN PAULHAN

Un périodique sur papier glacé m'avait demandé un long article pour célébrer les quatre-vingts ans de Jean Paulhan. J'ai oublié le titre que j'avais choisi, mais le rédacteur en chef l'avait repoussé et avait inventé : « Le Roi Paulhan ». Et, en dessous, en gros caractères : « À 80 ans, il est la célébrité à l'état pur : de cet académicien, on ne connaît que le nom ». Je n'avais pas trouvé que ce fût très aimable et, de plus, c'était inexact. Pour quiconque s'intéressait aux lettres françaises contemporaines, Paulhan était plus qu'un nom : c'était un personnage, le patron de la *N.R.F.* On savait aussi que, fondateur des *Lettres françaises* sous l'Occupation, il avait pris parti contre les procès d'opinion et les listes noires à la Libération, et publié, contre l'avis de ses amis, une *Lettre aux directeurs de la Résistance.* On savait également qu'il avait fait l'objet de poursuites judiciaires pour avoir préfacé certaine *Histoire d'O* d'une certaine Pauline Réage (pseudonyme qui cachait qui ?).

Ce qui était vrai pourtant, c'est que le personnage officiel avait éclipsé l'écrivain, et que l'œuvre de l'écrivain Paulhan n'était connue que d'un petit nombre. On peut dire cependant que l'importance d'une œuvre, en littérature, ne se mesure pas à la quantité, mais à la qualité des lecteurs. Jean Paulhan ne se plaignait pas de manquer de lecteurs.

Il était né à Nîmes, en 1884. Son père était le philosophe Frédéric Paulhan, auteur de *La Double Fonction du langage.* On peut penser que le jeune Jean subit assez fortement l'influence intellectuelle de son père. Ce n'est pas sans intérêt non plus de noter que son enfance et le début de son adolescence se déroulèrent en province. La famille Paulhan ne s'installa à Paris que vers 1900. Jean Paulhan se croyait une vocation de professeur, mais le système universitaire le rebuta et il ne poussa pas ses études plus loin que la licence de lettres. Muni de cette licence, il obtint un poste au lycée de Tananarive... qu'il s'agissait d'ailleurs de créer. Là-bas, il apprit le malgache et commença une vaste enquête sur le langage en s'intéressant aux poèmes du pays. En 1912, à son retour en France, il publia une étude sur les hain-tenys.

La première revue dont il se soit occupé s'appelait *Spectateur.* Il ne s'agissait pas d'une revue littéraire, mais d'un recueil mensuel d'observations et d'essais sur le fonctionnement du langage dans la vie quotidienne et, par exemple, sur l'art d'argumenter. De cette époque datent les premiers brouillons de ce qui deviendra les *Entretiens sur les faits divers.* Ce qui est en question, ce sont les rapports des mots et de la pensée, préoccupation centrale et qui le demeurera pour Paulhan.

La revue ne faisait pas vivre ses collaborateurs : Paulhan était devenu sous-chef de bureau au ministère de l'Éducation nationale. Il se trouvait là collègue de Pierre Benoit, auquel il succéderait un jour sous la Coupole. Il était également chargé de cours à l'École des langues orientales.

En 1914, il est mobilisé comme sergent au 9e zouaves. Le jour de Noël, il est assez sévèrement blessé. Au cours de sa convalescence, il consigne ses souvenirs des premiers mois de combat. Ce sera *Le Guerrier appliqué* qui paraît en 1917. Il y montre un souci d'exactitude exceptionnel : il décrit la guerre comme un phénomène naturel et ne se permet pas le moindre cri, la moindre plainte. Le livre trouve au moins deux bons lecteurs : Eluard et Breton. Ils écrivent tous deux à Paulhan, on décide de se voir et c'est ainsi qu'au lendemain de la guerre Paulhan (qui n'était plus un tout jeune homme) sera mêlé à l'aventure Dada et à l'aventure surréaliste. Aragon présentera Paulhan à Gide et celui-ci le fera entrer comme secrétaire à *La Nouvelle Revue française.* Quel poste privilégié pour quelqu'un qui se passionne pour l'usage qu'on fait des mots...

Après la mort de Rivière, en 1925, Paulhan devint le directeur de la revue. Jusqu'en 1940, il ne publie aucun livre (sinon une première version des *Entretiens sur les faits divers* tirée à 350 exemplaires...). Ce n'est point qu'il ne travaille patiemment à classer ses observations. Il se demande notamment pourquoi les meilleurs écrivains de nos jours en sont venus à se méfier de la littérature. À cette question répond l'essai intitulé *Les Fleurs de Tarbes* qui voit le jour en 1941.

Pendant la guerre de 1914, Paulhan avait écrit deux brefs romans : *Lalie* et *Progrès en amour assez lents.* Au cours de l'Occupation, il revint à la fiction et il écrivit *Les Causes célèbres,* « nouvelles qui tiennent dans la main », dirait Kawabata ; courts chefs-d'œuvre qui manifestent à merveille la liberté d'esprit de Paulhan et la fraîcheur de son coup d'œil.

Paulhan était un homme de vérité. Plus que tout autre, il sut se soustraire aux idées reçues et aux sentiments tout faits. Cela ne l'empêchait nullement d'être un moraliste et même un homme de devoir : il n'éludait pas, aux heures graves, ses responsabilités de citoyen. Ensuite, quand on lui demandait pour quelles fautes il avait le plus d'indulgence, il répondait : « Je n'ai d'indulgence pour aucune faute, seulement pour les coupables. » Car il ne fut jamais un juge.

COLETTE

Colette entra dans la Pléiade en 1984, à l'âge de cent onze ans. Façon de parler : née en 1873, elle nous avait quittés en 1954 et, une fois que l'on est mort, on ne vieillit plus. Il arrive même que l'on rajeunisse. Les lecteurs d'aujourd'hui imaginent Colette aussi bien sous les traits de Claudine ou de l'actrice de music-hall qu'elle fut dans sa jeunesse que sous les apparences de la « grande dame des lettres » ou de l'académicienne Goncourt qu'elle devint à la fin de sa vie et pour laquelle l'État organisa des « funérailles officielles » (tandis que l'Église lui refusait une messe à Saint-Roch). L'édition de ses œuvres dans la Pléiade a été confiée à Claude Pichois et contient la biographie et la bibliographie que l'on attendait depuis longtemps.

Colette fit ses débuts d'écrivain en 1900, mais anonymement, puisque *Claudine à l'école* parut sous la signature de Willy, dont elle était alors l'épouse et qui s'était contenté d'ajouter quelques gaudrioles au manuscrit original. Willy était un homme spirituel et cultivé qui, plutôt que d'écrire lui-même, exerçait la profession de négrier. On est un peu surpris de lire dans la préface de Claude Pichois : « La littérature à laquelle appartiennent Willy et Colette en 1900 et après sera lettre morte pour le groupe de la *N.R.F.* qui a orienté la vie littéraire française pendant le demi-siècle que dura l'activité créatrice de Colette. » (P. XV.)

On peut contester à la fois que Willy et Colette soient d'une même famille littéraire et que tous les membres de la première *N.R.F.* aient été insensibles au talent de Colette. Au demeurant, Claude Pichois ne manque pas de noter ce qui sépare l'inspiration de Colette de celle de Willy (ou des collaborateurs habituels de celui-ci) et il nous dit lui-même que Henri Ghéon, pilier de la *N.R.F.*, fut très élogieux pour *Claudine à l'école :* « Ghéon fut un des trois critiques de la grande presse à déceler l'originalité de l'œuvre », les deux autres étant Charles Maurras et Rachilde. N'oublions pas non plus que Francis Jammes accepta de préfacer *Dialogues de bêtes* (en 1904).

Claude Pichois écrit que si la revue de Gide (revue qui d'ailleurs ne fut créée qu'en 1909) passa sous silence Willy et Colette, c'est que Willy lui-même, dans ses chroniques parisiennes, ne faisait aucun cas de Gide et de ses amis. On peut contester également cette explication. Il nous semble plus simple de penser que Gide qui, dans un premier temps, écarta Proust coupable d'être un mondain, se méfia longtemps de Colette qui appartenait au monde du Boulevard. Toutefois, dès 1922, *La Nouvelle Revue française* accueillit un chapitre de *La Maison de Claudine* et, en 1936, les éditions de la N.R.F. publièrent des *Morceaux choisis* de Colette. Cette même année 1936, Gide loua dans son journal *Mes apprentissages* qui venaient de paraître. Il regrettait pourtant que Colette eût fréquenté certains milieux : son talent avait quelque peu souffert de ses mauvaises fréquentations.

Nous n'en croyons rien et *Mes apprentissages* montrent précisément très bien comment Colette a su tirer parti de toutes les expériences — de toutes les aventures — auxquelles elle s'est prêtée. Un critique l'a qualifiée de « paysanne pervertie ». En réalité elle a toujours préservé sa santé paysanne, et ce que l'on appelle perversions n'était pour elle que bizarreries de la nature, sur lesquelles elle ne portait pas de jugements moraux.

La grande originalité de Colette est son tranquille amoralisme. Elle n'a jamais cherché à convaincre son lecteur de quoi que ce fût. Voilà sans doute en quoi elle se distinguait le plus nettement des « grands écrivains » de son temps. Elle ignorait les cas de conscience et l'inquiétude religieuse. L'au-delà ne la préoccupait pas, n'existait pas pour elle. Elle refusait les égarements de l'imagination (sauf lorsqu'elle faisait parler les bêtes). Elle se contentait de décrire ce qu'elle voyait, ce qu'elle avait vu, et de dire ce qu'elle éprouvait, sentiments et sensations. Elle se voulait écrivain du monde réel, qui est avant tout celui de la vie des sens, avec ses douceurs et ses cruautés.

En dépit des apparences, Colette est restée attachée toute sa vie à sa terre natale et au souvenir de sa mère qu'elle a fait revivre dans *La Maison de Claudine* (1922), *La Naissance du jour* (1928), *Sido* (1930), trois de ses meilleurs livres. Elle n'a jamais rompu avec son enfance où elle avait vécu en communauté avec le règne animal et le règne végétal. Jusqu'au jour où elle devint infirme, elle voulut près d'elle des chiens et des chats (et elle était curieuse des fauves et des serpents). Guidée par un sûr instinct, elle amassa un savoir sensoriel sans équivalent dans notre littérature.

Ses romans les plus célèbres, en dehors de la série des « Claudine », sont *La Vagabonde* (1910), *Chéri* (1920), *Le Blé en herbe* (1923), *La Chatte* (1933). Ses ouvrages de souvenirs et d'observations (parfois des recueils de chroniques) ne sont pas moins admirables. Elle s'y révèle grande moraliste, témoignant sur les mœurs du temps sans, répétons-le, se préoccuper de morale. Il faut lire *Ces plaisirs...* (1932), réédités plus tard sous le titre *Le Pur et l'Impur*. Parmi ses derniers ouvrages, on aimera particulièrement *L'Étoile Vesper* (1946) et *Le Fanal bleu* (1949) où elle s'adresse à ses lecteurs comme à des amis.

Colette ne semble pas avoir connu l'inspiration. « Je travaille ?, écrivait-elle un jour à Marguerite Moreno. Oui, si travailler est déchirer ce que j'ai fait la semaine passée et recommencer. » Ses bonheurs d'expression viennent d'un dressage des mots pour cerner avec précision les sujets qu'elle voulait traiter. Son art est un art d'artisan. Il devient parfois art de joaillier, mais ici Colette ne refrène pas toujours son goût très féminin pour les ornements inutiles. On relève chez elle nombre de préciosités et de coquetteries. Le plus souvent, son style atteint la perfection.

JACQUES CHARDONNE

Bien que, depuis l'enfance, il eût souhaité devenir un écrivain, Jacques Chardonne n'a publié un premier livre qu'à l'âge de trente-sept ans : *L'Épithalame* (1921). Ce titre surprend parfois les jeunes gens d'aujourd'hui qui connaissent mal la littérature classique et ne savent pas que dans l'Antiquité on composait des poèmes à l'occasion d'un mariage et pour célébrer les époux.

L'Épithalame n'est pas un poème, mais c'est un roman sur la vie conjugale. Le sujet était neuf quand Chardonne l'aborda. On préférait alors parler d'amours contrariées de jeunes gens ou des complications de l'adultère. Chardonne s'attacha aux relations d'un homme et d'une femme réunis sous le même toit. Le tissu narratif traditionnel fait place dans son livre à une succession de scènes de la vie quotidienne. L'auteur s'interdit les commentaires. Il laisse au lecteur le soin de deviner sous les paroles prononcées le tumulte des sentiments tus, ce que Nathalie Sarraute appellera la sous-conversation.

Après deux romans dramatiques, *Le Chant du bienheureux* et *Les Varais,* Chardonne passa au récit à la première personne. La forme adoptée dans *Éva* (1930) et dans *Claire* (1931) l'amena à mettre en lumière ses dons d'analyste classique. Ces deux récits furent aussitôt salués comme des chefs-d'œuvre de littérature psychologique. Cependant l'originalité d'*Éva* est de montrer comment l'intelligence la plus fine n'empêche nullement de se tromper quand il s'agit d'interpréter les attitudes d'un être aimé. Maurice Blanchot a écrit qu'*Éva* racontait le « drame de la vaine perspicacité ». Chardonne se serait ici servi de la psychologie pour montrer qu'elle est au service de nos passions : nous inventons les autres quand nous croyons essayer de les comprendre. *Éva* est une œuvre ambiguë, car le bonheur du narrateur repose sur une méprise.

Le récit de la découverte d'un véritable bonheur, on le trouvera dans *Claire,* mais c'est encore une œuvre inquiète, parce que la vie est toujours pleine de menaces et, quand on tient le bonheur, on a aussi la crainte de le perdre. Le conserver ne dépend pas toujours de nous.

Chardonne revient au roman à la troisième personne, au roman apparemment objectif, avec *Les Destinées sentimentales,* que Marcel Arland considérait comme son œuvre maîtresse et qui est, en tout cas, son livre le plus ambitieux (il parut d'abord en trois volumes). Tout en restant le romancier du couple, Chardonne s'impose dans cette fresque comme le peintre de toute une société bourgeoise, celle à qui l'on doit le cognac des Charentes et la porcelaine de Limoges. Il utilise les souvenirs qu'il a gardés du milieu familial où il a grandi et, soucieux de vérité, il a interrogé de nombreux parents et amis. *Les Destinées sentimentales* se déroulent sur une trentaine d'années, de 1905 à 1935, et Chardonne n'a négligé aucun des grands événements économiques et historiques de cette époque. Le dernier volume nous raconte la première crise mondiale et la lutte contre la concurrence étrangère. On devine qu'il a retrouvé aujourd'hui une brûlante actualité.

De tout temps Chardonne s'était intéressé aux questions sociales et aux grands débats sur l'avenir de notre civilisation. C'est en 1932 qu'il publia son premier volume d'essais : *L'Amour du prochain.* Quand il s'exprime sans l'entremise d'un personnage de roman, Chardonne mêle remarques générales et réflexions sur des lectures à des souvenirs et à des observations concrètes sur ce qu'il voit autour de lui, sur les rencontres qu'il a faites et les conversations qu'il a eues avec des amis. Il semble écrire avec abandon, mais il ne livre sa pensée que lorsqu'il l'a coulée dans une forme parfaite. Le plus grand charme de son art naît d'un contraste entre l'expression la plus ramassée et la pure harmonie d'une écriture ailée.

À la veille de la guerre, il publia *Le Bonheur de Barbezieux* que l'on considéra comme un hommage à une forme de société alors en voie de disparition — et qui a en effet disparu aujourd'hui. Le succès du livre incita Chardonne à écrire une *Chronique privée* qui portait le surtitre « Autour de Barbezieux ». Elle parut au début de la guerre et n'obtint que des éloges. Malheureusement, Chardonne ne sut garder pour lui ses réactions après l'effondrement français de 1940. Il publia au début de 1941 un second volume de *Chronique privée* dont quelques pages surprirent et scandalisèrent plus d'un lecteur. Il y disait que nous avions vécu dans les illusions et qu'il fallait ouvrir les yeux sur la réalité. Les critiques qu'il souleva — et notamment celles d'André Gide — l'amenèrent alors à écrire *Voir la figure,* où il affirmait que la France pourrait s'intégrer honorablement dans l'Europe nouvelle qui se construisait.

Ce petit ouvrage, qui parut fin 1941, se voulait réaliste, mais était l'œuvre d'un rêveur. Chardonne avait eu la malchance de rencontrer quelques Allemands bien polis et il ignorait tout des réalités du national-socialisme. Il fut de ceux qui le considéraient comme un rempart contre le communisme soviétique. Il rédigea un ouvrage intitulé *Le Ciel de Niefheim,* mais il renonça à le faire paraître quand son fils, Gérard Boutelleau, qui appartenait à la Résistance, fut arrêté et déporté à Oranienburg. Il ne réussit pas sans mal à le faire libérer (et Gérard reprit aussitôt son activité clandestine).

À la Libération, Chardonne, qui se trouvait en Charente, fut arrêté à son tour et emprisonné quelques semaines à la prison de Cognac. On le libéra sans qu'il ait été jugé. Il ne passa jamais devant un tribunal quelconque : le parquet de Versailles, qui étudia son dossier, n'y trouva rien qui offrît matière à inculpation. En juin 1945, il composa *Détachements* où il raconte l'aventure qu'il venait de connaître et prend ses distances avec une époque détestable.

Ce livre, qui ne parut qu'après sa mort, est un livre charnière car Chardonne allait faire peau neuve. *Romanesques* (paru en 1937) nous apparaît aujourd'hui comme le dernier de ses romans qui corresponde aux lois traditionnelles du genre. Dans ses œuvres d'après-guerre, Chardonne vagabonde librement dans ses souvenirs et ses imaginations, faisant se succéder et s'entrecroiser brèves nouvelles, esquisses de romans, portraits, paysages, méditations et pensées diverses. Son style devient de plus en plus musical et aérien : *Chimériques* (1948), *Vivre à Madère* (1953), *Le Ciel dans la fenêtre* (1959), *Demi-Jour* (1964).

Le dernier livre qu'il publia est un recueil de notes sur des sujets divers : *Propos comme ça* (1966). Il eut la fantaisie de l'envoyer au général de Gaulle, qui le remercia en ces termes (lettre autographe du 14 avril 1966) : « Mon cher Maître, vos *Propos comme ça* m'enchantent. J'admire l'ampleur et la désinvolture de votre pensée. Je goûte votre style pur et sans accessoire [...] »

Dans tous ses livres, Chardonne n'a cherché qu'à être lui-même et n'a subi aucune influence d'époque : c'est ce qu'exprime fort bien la formule gaullienne de « style sans accessoire ». De son côté, François Mitterrand a insisté sur la pureté d'une écriture à la fois naturelle et savante. Parlant dans *La Paille et le Grain* des écrivains qu'il admire, il a écrit : « De sa génération, Chardonne reste pour moi le modèle. »

Un choix de lettres parut en 1969 sous le titre *Ce que je voulais vous dire aujourd'hui.* Après le romancier, l'essayiste et le mémorialiste, on découvrit en Chardonne un épistolier de premier ordre. Sa « Correspondance » mérite d'être placée à côté de celles de Mérimée et de Flaubert. Ici, Chardonne apparaît dans toute sa complexité, sa richesse et son désordre : homme passionné, tout différent du sage écrivain qu'il s'efforçait de devenir et qu'il est d'ailleurs devenu dans ses œuvres patiemment composées. Toutefois, ses derniers livres n'auraient pas leur frémissement si la passion ne perçait pas sous le calme apparent.

Dans les *Propos comme ça,* on lit : « L'homme veut brûler, on ne supporte pas la vie de sang-froid. » Relisant Voltaire qui pensait que les hommes seraient heureux s'ils étaient raisonnables et conciliants, et savaient vivre en paix, Chardonne observait : « C'est cela, je crois, qui leur est impossible. Sitôt de loisir, ils s'ennuient et se posent des problèmes inquiétants. Quand il s'agit de chasser, de tendre des pièges, d'exterminer leurs ennemis, de tout démolir et de tout reconstruire, ils sont à leur affaire. »

Chardonne n'avait jamais rien attendu de bon de cette agitation. Les rêves égalitaires lui paraissaient absurdes et dangereux : « Cet idéal inhumain, toujours en faveur, ne sera satisfait que dans l'uniformité, la mécanique et la mort. »

Cette dernière citation est extraite de *Détachements*. Le mot « détachement » est au pluriel, ce qui montrait bien que Chardonne ne prétendait pas à une indifférence absolue, mais ce qui lui paraissait finalement avoir du prix sur la terre, c'était la lumière et son secret, le ciel changeant, la fidélité à un être aimé, l'amitié. L'essentiel, pour lui, c'était son art, dans lequel il avait trouvé un refuge; où il nous est loisible à tous de le rejoindre.

Retour à Barbezieux

À un lecteur qui ne connaîtrait pas encore Chardonne, sans doute faudrait-il conseiller de lire d'abord *Le Bonheur de Barbezieux* qui, selon Nimier, contient « les meilleures pages de prose du XXe siècle ». Dans ce livre, Chardonne ne raconte pas seulement son enfance et son adolescence dans une petite ville de Charente. Il poursuit son récit jusqu'à l'époque où il rédige ses souvenirs et il nous fait des confidences sur sa carrière d'écrivain et son métier d'éditeur (il dirigea longtemps la maison Stock avec son ami Maurice Delamain). Si *Le Bonheur de Barbezieux* s'ouvre sur la peinture d'une société provinciale d'autrefois, il se transforme rapidement en un portrait de l'auteur lui-même qui dut quitter sa ville natale pour vraiment l'aimer. C'est plus tard qu'il en découvrit les mérites et en vanta les charmes. Cependant, il affirmait ne pas regretter le passé. Mais il préférait les petites sociétés de jadis aux termitières modernes, l'artisanat à l'industrie, le calme des rues d'autrefois au vacarme actuel des villes, la lumière douce qui tombe des abat-jour à l'éclairage au néon. Il n'aimait pas la vitesse ni les encombrements : « Le monde finira dans les embouteillages », prédisait-il. On comprend qu'il condamnait l'évolution de toutes les sociétés — indépendamment du système politique qui les régissait.

Pour ma part, au *Bonheur de Barbezieux* je préfère encore *Le Ciel dans la fenêtre* et *Demi-Jour,* d'une composition parfaitement originale et d'un style insurpassable. Ici, on me permettra d'évoquer un souvenir des années 60.

Nous étions assis, un soir d'été, à la terrasse d'un café de Roscoff, près du bassin où les pêcheurs amarrent leurs barques. Tout était calme. Nous étions seuls et nous nous taisions depuis quelque temps. Alors Chardonne étendit le bras vers le bassin et les barques et dit : « Ce dortoir... »

Ce n'est pas un mauvais exemple du style de Chardonne dernière manière. Il confie : « J'ai commencé par des romans, puis j'ai écrit des nouvelles. J'en suis venu à des contes de dix lignes. Je finirai par n'écrire que des télégrammes. »

On ne contestera pas une évolution de ses écrits vers une concision de plus en plus grande. Mais on soulignera que cette prose ne cesse jamais d'être limpide. Aucune apparence de difficulté : une certaine finesse d'oreille est toutefois nécessaire pour en saisir toutes les résonances. Ce qui est suggéré est toujours plus important que ce qui est dit.

Dans tout ce qu'a écrit Chardonne, la part de l'inexprimé est vaste. Ce qui l'intéresse se situe outre-raison, au-delà du racontable. Il a trouvé le moyen de faire toucher l'inexprimable.

Cet art souverain serait le dernier mot du classicisme. On trouve ici l'élégance de la forme, un sûr instinct dans le choix des mots les plus simples (qui deviennent brusquement précieux), ce fameux art de la litote. Mais, à propos de litote, insistons sur le fait que Chardonne « ne dit pas moins pour faire entendre plus » : il dit une chose pour en faire apparaître ou transparaître une autre. Cela relève des prestiges de la poésie.

Le saisissant réalisme (oui, réalisme) des scènes conjugales de *L'Épithalame* explique pour une part l'extraordinaire succès que ce livre rencontra. Les connaisseurs furent sensibles à autre chose : à la révélation d'une sensibilité trouble et tourmentée qui s'exprimait avec le plus parfait naturel. L'odeur du soufre est parfois terrifiante pour qui a la narine exercée.

L'univers de Chardonne n'est pas du tout rassurant. Et l'auteur cherche à troubler plus qu'à rassurer. Nous sommes loin de toute psychologie explicative : c'est toujours le combat du jour et de la nuit, tout comme dans les meilleurs poèmes de Hugo. Et pourtant il y a une continuité et donc une unité de la vie des personnages. Cette continuité est souterraine.

Chardonne ne se flatte pas de la trouver. Ce qu'il peut montrer et qu'il montre, ce sont les hauts et les bas de la conscience et du sentiment.

Le refus d'une unité conventionnelle l'amène à une composition par juxtapositions; laissant à chaque phrase son autonomie, comme l'a observé Jean Rostand. Ses phrases ne s'enchaînent pas suivant les règles d'une logique scolaire : elles procèdent par bonds, comme sa pensée. Et l'on pourrait craindre une écriture hachée si l'auteur n'avait le sens du rythme. C'est une respiration naturelle qu'il s'agit pour lui de respecter. On voit mal que cette œuvre est toute en ruptures parce qu'elle est, en même temps, un jaillissement naturel.

La mode est au laisser-aller de l'expression. On loue le français parlé, par opposition à un académisme mort. Mais il n'y eut jamais trace d'académisme chez Chardonne, et ceux qui l'ont approché savent qu'il parlait comme il écrivait. On éprouvait la même joie et les mêmes surprises à l'entendre qu'à le lire.

Attention, je ne veux pas dire qu'il écrivait comme il parlait. Ou disons que, pour lui, écrire un texte littéraire, c'était le récrire, le corriger pour le mener à son point de perfection : conserver le mouvement de la phrase et donner à celle-ci sa densité la plus forte. Le resserrement de la forme, la suppression d'un mot ou l'adjonction d'un adverbe inattendu apportent au lecteur les plaisirs que donnaient aux auditeurs les intonations et la mimique.

Chardonne présente ses *Propos comme ça* comme exemple d'un texte parlé, par opposition à toutes ses œuvres précédentes, œuvres écrites. À vrai dire, qui verrait la différence ? C'est qu'il y avait chez Chardonne une déconcertante « perfection dans le natif » comme dit encore Jean Rostand, qui ajoute : « [...] et cette spontanéité dans l'artifice. » Il est impossible de distinguer, chez Chardonne, le naturel, l'art et l'artifice. Il a trouvé une unité dans le style.

JEAN COCTEAU

À la fin de sa vie, Jean Cocteau avait accepté d'écrire un volume pour la collection « Moi et mes personnages » dont son amie Denise Bourdet avait eu l'idée. Il avait cependant hésité et il en expliquait la raison : « La tâche est peu commode de résoudre le problème que Denise Bourdet nous propose, lorsque le meilleur de nous arrive d'une nuit profonde dont nous ne sommes que les intermédiaires. » Cocteau estimait qu'on n'écrit pas ce qu'on veut et qu'il aurait été incapable de refaire une de ses œuvres déjà écrites : « Je me demande toujours ce qui m'a rendu capable d'en être l'auteur. »

Il nous donne quelques sources de ses livres et cela pourra intéresser les amateurs d'anecdotes : dans *Le Grand Écart*, il a fixé un amour d'adolescent pour la petite actrice Madeleine Carlier (petite actrice, mais de treize ans son aînée). Pour *Thomas l'Imposteur*, il pensait au jeune imposteur Castelnau, et pour *Les Enfants terribles*, à ses amis Jean et Jeanne Bourgoint. Mais les héros s'éloignèrent rapidement de leurs modèles : « Déjà je les mythifiais et le moi obscur qui me dirige m'éloignait du réalisme. »

Plus loin, Cocteau nous confie qu'il n'a jamais rencontré une famille qui ressemblât le moins du monde à celle qu'il a peinte dans *Les Parents terribles*. Donc ici, pas de sources, ou plutôt la source est, une fois de plus, intérieure : s'il ne s'agit pas de personnalités existantes, il ne peut s'agir, en bloc, que de celle de l'auteur.

Cocteau se demande aussi pourquoi certains héros légendaires vinrent l'habiter et le forcer de leur donner une nouvelle vie. Ainsi, pour ses pièces : *Orphée, Les Chevaliers de la Table ronde, La Machine infernale, Renaud et Armide*. Les héros de ses pièces sont apparemment très éloignés du monde où vit Cocteau : « Il arrive que je ne puisse comprendre par quelle porte ils m'apparurent et par quelle porte ils disparurent en me fermant cette porte au nez à triple tour. » Les figures de ces personnages n'en viennent pas moins se superposer à celles des autres héros de Cocteau et contribuent ainsi à former la complexe figure du poète lui-même.

On aimerait souvent savoir quel visage est le plus proche du visage véritable. À ce propos, il note : « Certains jeux de glace nous présentent à l'improviste, de notre figure, une apparence fort différente de celle à quoi un simple miroir de cabinet de toilette nous avait accoutumés. Et sans doute cette apparence surprenante et parfois pénible est-elle plus vraie et nous dérange-t-elle comme nous déconcerte la minute où notre travail ne s'apparente à aucun autre et par ce manque d'appui nous laisse croire à une perte de notre personnalité alors qu'il en est, au contraire, l'expression la plus secrète. »

Les différents visages que revêt Cocteau peuvent déconcerter, mais le regard est toujours le même. Le visage, c'est l'anecdote. Le regard, c'est l'essentiel.

Cocteau ne se contentait pas de transcrire un texte dicté par des voix intérieures. Il obéissait à des ordres, ce qui est tout différent. Il devait réaliser ce que voulait l'inconnu qui l'habitait. Aussi bien proteste-t-il contre la réputation de magicien qui lui était faite. « Je suis un ouvrier, un artisan, qui s'acharne et ne se contente pas de peu, je l'avoue. » Si le *Requiem* lui fut donné tout fait, il était la conséquence du travail poétique de toute une vie. Et ce n'est pas peu, reconnaissons-le.

En poésie, quelles avaient été les premières amours de Cocteau ? De même que Max Jacob écrivait : « Laforgue m'a formé », Cocteau a proclamé sa dette envers la comtesse de Noailles : « Elle a été l'émerveillement de ma jeunesse, et même s'il m'arrive, parfois, de laisser en mon esprit d'autres rythmes vaincre les siens, elle reste victorieuse dans ce domaine incomparable et inexplicable de l'amour. »

À la veille de sa mort, en 1963, Cocteau a composé un volume intitulé *La Comtesse de Noailles oui et non*, où il a réuni les textes qu'il avait consacrés à la poétesse et il les a fait suivre d'une anthologie. Cette anthologie comprend poèmes et proses. Cocteau a choisi lui-même treize poèmes extraits du *Cœur innombrable,* de *L'Ombre des jours,* des *Éblouissements* et de *Les Vivants et les Morts.*

Ces poèmes ne manquent pas de charme et l'on voit bien comment l'influence de la comtesse s'exerça sur l'auteur de *Plain-Chant.* Et ce n'est pas seulement parce qu'elle aimait les stances ; c'est aussi une affaire de sensibilité et de vocabulaire.

Écoutez, par exemple, la première strophe de « Le Temps de vivre » :

Déjà la vie ardente incline vers le soir,
Respire ta jeunesse,
Le temps est court qui va de la vigne au pressoir,
De l'aube au jour qui baisse.

Ou bien le début de « Constantinople » :

J'ai vu Constantinople étant petite fille,
Je m'en souviens un peu,
Je me souviens d'un vase où la myrrhe grésille,
Et d'un minaret bleu.

Je me souviens d'un soir, aux Eaux-Douces d'Asie,
Soir si traînant, si mou,
Que déjà, comme un chaud serpent, la Poésie
S'enroulait à mon cou.

Une barque passa, pleine de friandises,
Ô parfums balancés !
Des marchands nous tendaient des pâtes de cerises,
Et des cédrats glacés.

Je prends plaisir à recopier ces vers et je pense que vous prendrez plaisir à les lire.

Vous direz que Cocteau n'est pas seulement le poète de *Vocabulaire* et de *Plain-Chant.* Et certes, au cours de sa carrière, Cocteau a paru changer beaucoup et il est vrai que la distance était grande de la comtesse de Noailles à Max Jacob, mais Emmanuel Berl a noté à juste titre que Cocteau n'a jamais rompu avec rien ni avec personne : « Nul n'était plus fugace, mais nul n'était plus fidèle. » Du reste, trente ans après *Plain-Chant,* il nous donna, dans *Clair-Obscur* (1954), des poèmes de la même veine :

J'ai chanté le sommeil, c'est la mort que je chante
L'âge m'ouvre les yeux.
Je ne suis plus victime, hélas, de l'alléchante
Imposture des dieux.

Cocteau n'a jamais craint de subir des influences, c'est que certaines œuvres nouvelles lui permettaient d'acquérir des méthodes de connaissance pour explorer son univers personnel et pour exprimer des sentiments qui existaient en lui. Aussi bien, s'il a parfois imité (aurait dit Queneau), s'il a pris des leçons chez Apollinaire ou chez Max Jacob, il n'a jamais copié. Son style ne ressemble à aucun autre, un style rapide, avec des images frappantes et de brusques raccourcis. Jean-Louis Curtis lui a rendu le plus bel hommage en disant que, de tous les auteurs qu'il connaissait, Cocteau était le seul qu'il n'était pas parvenu à pasticher.

En 1983 a commencé de paraître *Le Passé défini,* le journal que tint Cocteau de 1951 à sa mort. Il y aura neuf volumes. Nous n'en connaissons que deux au moment où j'écris. L'homme que nous y découvrons surprendra plus d'un lecteur.

« C'était un fort méchant homme très drôle s'il contait des histoires et d'un orgueil incroyable. Il ne supportait pas les autres. » (II, p. 342.) De qui Cocteau parlait-il ainsi ? D'Henry Bernstein. Si Cocteau lui-même paraît parfois fort méchant dans son journal, c'est qu'il avait décidé que celui-ci serait posthume : « Vous vous étonnez peut-être de ma franchise. C'est qu'un mort vous parle. Lorsque ces lignes paraîtront — si elles paraissent — je ne serai plus cible. » (II, p. 313.) Dans sa vie publique et quand il recevait de jeunes admirateurs, il était d'une gentillesse exquise et d'une drôlerie merveilleuse, mais il s'estimait mal compris, se croyait persécuté et déversait ses rancœurs dans ses carnets. Il ne supportait que quelques proches et son chien Annam. Son orgueil était immense, mais non pas incroyable, car son génie était à la mesure de cet orgueil.

À son avis, il n'était pas jugé à sa vraie valeur. Voilà un sentiment qu'éprouvent tous les écrivains. Cocteau pouvait bien être le plus célèbre des écrivains de sa génération, cela ne l'empêchait pas d'être un écorché vif. « Je serai toute ma vie et après ma mort, faussé, insulté, calomnié, traîné dans la boue. » (I, p. 214.) Sa célébrité ne le rassurait pas, parce qu'elle reposait en grande partie sur des malentendus. Au surplus, il n'avait pas toujours la conscience tranquille. En 1952, nous le voyons s'interroger un moment avec humilité sur un reproche que lui avait adressé Genet : « Tu n'as fait qu'être une vedette depuis dix ans. » (I, p. 320.) C'était son activité de cinéaste que Genet avait mise en cause. (Nous, nous sommes amusés par un Genet transformé en professeur de morale.)

Maintenant, Cocteau est-il plus équitable pour les autres qu'on ne l'a été pour lui ? Gide, Claudel et Proust sont sévèrement traités. Cocteau nous livre notamment ses réflexions après une relecture de Proust : elles constituent un superbe morceau de critique qui aurait enchanté Sainte-Beuve (et nous enchante nous-même, sans entamer notre admiration pour *La Recherche du temps perdu*). En revanche, Cocteau ne tarit pas d'éloges sur Alexandre Dumas et sur Offenbach, dont il rapproche *La Belle Hélène* du *Don Juan* de Mozart (I, p. 378).

Il y a chez Cocteau un côté enfantin tout à fait sympathique. Il se passionne pour des questions scientifiques ou pseudo-scientifiques, l'espace-temps et les soucoupes volantes. Il ne cesse de surprendre et son style est toujours superbe. Il peut déclarer sans ridicule écrire le français mieux que personne. De fait, personne n'écrit le français mieux que lui.

PAUL MORAND

Dans son brillant ouvrage intitulé *Morand-Express* (publié en 1980, quatre ans après la mort de l'écrivain), Jean-François Fogel reprend la distinction entre écrivains de gauche, pleins d'espoir dans les lendemains qui chantent, mais dont le style serait gris et pataud, et les écrivains de droite, pessimistes quant à l'avenir, mais qui s'expriment avec allégresse et bonne humeur. Dans ces conditions, Bory aurait été un écrivain de droite. D'ailleurs, Morand l'appelait « mon fils ». Disons que la division gauche-droite n'a pas le même sens en littérature qu'en politique. Ou bien que les opinions politiques d'un grand écrivain n'ont pas tellement d'importance : c'est son œuvre qui compte. Voyez Balzac, défenseur du trône et de l'autel, et dont les romans étaient vivement conseillés par Karl Marx, car ils constituent une critique sévère d'une société mauvaise.

Bory comparait précisément Morand à Balzac : « Il est, pour la civilisation blanche, ce que Balzac a été pour les valeurs légitimistes : l'avocat nostalgique, passionné, sans espoir, d'une cause qu'il sait perdue. » En vérité, Morand ne nous montre nullement la grandeur de cette civilisation blanche. Il en dénonce gaiement la décadence, et Sartre l'a vu comme un « liquidateur de l'ancienne société ».

Bory avait pourtant raison. Voyageur cosmopolite, curieux de toute chose nouvelle, Morand était un personnage enraciné dans l'Europe d'avant la guerre de 1914 et il ne se consolait pas de son naufrage. Dès la *Chronique du XXe siècle,* qui date des années 1925-1930, il nous la montre amoindrie et malade, dans un univers composé de mondes différents, aux intérêts divergents, et destinés sans doute à s'affronter un jour ou l'autre. Les États-Unis n'étaient-ils pas une chance d'avenir pour l'homme blanc ? Morand les critiquait pour leur respect de l'argent, leur culte de la réussite sociale et leurs enfantillages dans le domaine de la pensée.

Ses propres préjugés, hérités du XIXe siècle, l'ont conduit à parler parfois de façon très déplaisante des Noirs et des métis, sinon des Jaunes. Pour ce qui concerne l'antisémitisme, nous dirons que son seul livre qui en soit entaché est *France la doulce* (1933), une satire des milieux de cinéma parisiens.

La plus grande erreur et faute de Morand fut, alors qu'il se trouvait en poste à Londres en juin 1940, de revenir en France pour se mettre à la disposition de Pétain. Il eut d'ailleurs la prudence de ne pas faire de zèle au service de la collaboration, bien qu'il s'illusionnât sur le IIIe Reich, rempart contre les entreprises bolcheviques. À la Libération, les épurateurs ne purent rien retenir contre Morand dans ses activités de diplomate ou d'écrivain pendant l'Occupation.

Jean-François Fogel le range dans « le camp des perdants ». Certes, Morand, ambassadeur, fut révoqué par Bidault (mesure ensuite annulée par le Conseil d'État) et il n'osa pas tout de suite rentrer en France. Mais son exil en Suisse, puis à Tanger, lui fut bénéfique. L'expérience de la disgrâce lui avait manqué jusque-là, et c'est alors qu'il écrivit quelques-unes de ses meilleures œuvres. Elles lui permirent de retrouver rapidement sa place dans la littérature contemporaine et il regagna Paris où, dans son somptueux appartement de l'avenue Charles-Floquet, il donna quelques grandes réceptions où se pressaient de jeunes écrivains, aussi bien de gauche que de droite. Oh non ! il ne donnait nullement l'impression d'un « perdant ».

C'est une erreur de croire que l'on assiste à un « retour à Morand ». Il a toujours été très présent dans le monde littéraire depuis le début des années 50 (et tout autant que de 1922 à 1940). La nouveauté, c'est que son désenchantement paraît avoir gagné quelques anciens combattants de Mai 68. Des déceptions différentes ont produit des états d'âme voisins. Car c'est bien la musique à la fois nostalgique et alerte de Morand qui a séduit Fogel.

Au début des années 60, Morand avait accepté d'inaugurer une collection consacrée aux amours princières et intitulée « L'Amour et la Couronne ». Il avait choisi d'évoquer le destin tragique des Habsbourg, dont il dit : « Les Habsbourg ne sont pas une famille d'assassins, comme les Atrides ; plutôt une famille d'assassinés. » Les figures illustres ne manquent pas qu'ont popularisées le théâtre et le cinéma : le duc de Reichstadt, l'impératrice Élisabeth, l'archiduc Rodolphe. On se doute bien cependant que Morand ne s'est pas amusé à colorier des images d'Épinal. Quelques lecteurs, attirés par le titre de la collection, furent surpris de voir des héros romanesques dépouillés de leur légende, mais la réalité, ici comme ailleurs, dépasse la fiction.

De ces histoires saignantes et parfois vulgaires, bien que princières, racontées dans un style sec et pétillant, se dégage finalement une espèce de poésie secrète. Paul Morand ne quitte pas sans une certaine mélancolie ses héros d'un autre âge : « La Dame blanche n'avertira plus les rois de ce monde qu'il est temps de se tenir prêts ; c'étaient là ses manières d'autrefois. Désormais, elle ne préviendra plus ; il ne lui faut plus des personnages, il lui faut des masses ; elle veut apparaître à des millions d'humains ; c'est le *dernier cri* planétaire. »

Citons encore la dernière phrase du livre : « La Hofburg, désormais, c'est la Vallée des Rois. »

On voit que, même dans des œuvres de commande, comme cette *Dame blanche des Habsbourg* (1963), on retrouve le style inimitable de Morand.

V

Trois princes charmants

François Mauriac disait qu'un écrivain, pour retenir l'attention de la postérité, devait mourir jeune ou très vieux. Alain-Fournier est mort à la guerre, à vingt-huit ans. Raymond Radiguet est mort de maladie, à vingt ans. René Crevel s'est donné lui-même la mort, à trente-cinq ans.

ALAIN-FOURNIER

Peu de livres ont connu une aussi belle fortune que *Le Grand Meaulnes*. Ce roman n'a jamais cessé de trouver de nouveaux lecteurs, mais il a mieux que des lecteurs : il a des amis passionnés, qui estiment que jamais ne furent mieux exprimées les aspirations sentimentales de l'adolescence, l'attente d'un amour qui illuminerait et justifierait la vie. Le livre parut à la veille de la guerre de 14 dont Alain-Fournier fut l'une des premières victimes. C'est un livre unique et l'on ignore forcément ce que l'auteur aurait encore écrit s'il avait vécu. Certains ont prétendu qu'il se serait engagé dans une voie plus réaliste et qu'après avoir été le chantre du pur amour il aurait su parler des violentes passions charnelles.

Dans son livre de souvenirs, *Sous de nouveaux soleils,* Mme Simone a raconté ses amours avec Alain-Fournier. C'est une fort belle histoire, mais qui ne s'accorde pas très bien avec le mythe du *Grand Meaulnes*. Elle a même amené Clément Borgal à penser que le véritable Alain-Fournier n'avait jamais ressemblé à l'image qu'on se faisait de lui d'après son roman, qui ne serait qu'une création littéraire et quasiment une mystification. On comprend très bien qu'Isabelle Rivière se soit indignée et qu'elle ait tenu à nous donner le récit de la vie de son frère, *Vie et Passion d'Alain-Fournier* (1964).

Isabelle Rivière est en effet la sœur d'Alain-Fournier. Elle fut sa confidente, c'est à elle qu'il dédia *Le Grand Meaulnes*. Elle épousa son meilleur ami, Jacques Rivière. On ne peut douter un seul instant de sa bonne foi. On n'est point persuadé que son attestation réduise à néant les autres témoignages que nous possédons sur son frère. Tout ce qu'elle dit est probablement vrai : « Chacun sa vérité », comme disait Pirandello.

« Je cherche l'amour » : c'est ce qu'écrivait Alain-Fournier à Jacques Rivière en 1910 et Isabelle Rivière nous dit : « Toute la vie, toute la douleur, toute l'âme d'Alain-Fournier sont encloses en cette courte phrase. » Oui, mais tout le débat autour de la mémoire de l'auteur du *Grand Meaulnes* tourne autour du sens exact de ce mot « amour ». Pour Isabelle Rivière, ce mot a un sens précis, très noble, très grave. L'amour, Alain-Fournier l'a rencontré une fois pour toutes, quand Yvonne de Galais lui est apparue. Isabelle Rivière, en comparaison de cette merveilleuse histoire, estime que l'aventure avec Mme Simone ne pèse pas lourd. Pour le prouver, elle publie des notes prises par son frère dans un agenda et qui montrent que sa liaison avec la grande comédienne ne fut pas exempte de petits et grands orages. Cela ne prouve rien. Ce que l'on comprend très bien, en revanche, c'est qu'Isabelle Rivière a pensé tout de suite que « Mme Simone n'était pas une femme pour son frère » et l'on peut traduire qu'elle l'éloignait du milieu familial et qu'elle l'entraînait dans un univers « qui n'était pas fait pour lui », qui était à l'opposé du domaine enchanté du *Grand Meaulnes*.

On dira que, malheureusement, ce domaine enchanté ne peut exister que dans l'imagination d'un adolescent. Si le roman du *Grand Meaulnes* n'est pas une mystification, on voit bien qu'il est fait d'un mélange hasardeux de réalisme et de merveilleux. Le meilleur est la part du réalisme (la vie au village, la maison d'école, la neige). Les aventures où l'auteur jette son héros sont peu convaincantes, et pas toujours faciles à suivre. Elles sont nourries de lectures et non d'expérience.

Marcel Arland pensait que *Le Grand Meaulnes* tient dans la littérature du XXe siècle la place qu'occupe *Paul et Virginie* dans celle du XVIIIe siècle. Ces deux livres ne sont pas des chefs-d'œuvre, mais ils trouveront longtemps un public, parce qu'ils proposent de jolies rêveries et brodent sur de beaux sentiments.

RAYMOND RADIGUET

Raymond Radiguet fut emporté par la typhoïde à vingt ans et six mois en 1923. Ses *Œuvres complètes* tiennent en un volume. Vous trouverez là des poèmes écrits entre quatorze et dix-sept ans, et deux célèbres romans : *Le Diable au corps*, écrit entre seize et dix-huit ans, et *Le Bal du comte d'Orgel*, écrit entre dix-huit et vingt. Le volume comprend, en outre, une nouvelle, *Denise*, une courte pièce, *Les Pélicans*, et divers petits textes en prose.

Né en 1903 à Saint-Maur-des-Fossés, Raymond Radiguet était l'aîné de sept enfants. La famille ne roulait pas sur l'or : elle vivait de dessins humoristiques que le père vendait aux journaux parisiens. Le jeune Raymond eut très tôt le goût d'écrire. À cette époque, on débutait dans la littérature en publiant des poèmes dans des revues. Dès l'âge de quinze ans, Raymond envoya des vers à *Littérature,* que dirigeait André Breton, et à la revue *Dada,* qu'animait Tristan Tzara. Ses envois furent acceptés. Parallèlement, il rendait visite à des poètes qu'il admirait. André Salmon, qu'il avait connu au journal *L'Intransigeant,* l'adressa à Max Jacob qui, lui-même, le munit d'une recommandation pour Jean Cocteau : « La première fois qu'il vint me voir, écrit Jean Cocteau, la femme de chambre de ma mère me dit : “ Il y a un enfant avec une petite canne. ” Il portait en effet une petite canne qu'il ne posait pas par terre et qui étonnait entre ses doigts. »

On sait que l'enfant éblouit Cocteau, qui n'hésita guère à prononcer le mot « génie ». Dans sa préface au *Bal du comte d'Orgel,* publication posthume (1924), il est allé jusqu'à prétendre : « Le seul honneur que je réclame est d'avoir donné pendant sa vie à Raymond Radiguet la place illustre que lui vaudra sa mort. »

Quelle place Raymond Radiguet occupe-t-il aujourd'hui dans la littérature française ? Il occupe en tout cas une place singulière. Tout d'abord en raison de sa précocité tout à fait exceptionnelle dans le domaine du roman. Ensuite parce qu'il s'imposa à contre-courant des modes de son époque. Il est également très rare de voir un jeune écrivain, admis dans les milieux d'avant-garde, s'en détourner d'une façon radicale pour se chercher des maîtres dans la tradition classique. En poésie, Radiguet choisit de se recommander de Ronsard et, dans le roman, de Mme de La Fayette. Non point qu'il ait voulu avec des sentiments modernes composer des œuvres de facture traditionnelle, mais parce qu'il avait compris qu'il s'agit, pour un artiste véritable, de s'inscrire dans une lignée et qu'il est suicidaire de vouloir, comme Tzara, faire table rase du passé.

Les gracieux poèmes des *Joues en feu* sont tout à fait modernes, par leur rythme et leurs images, ainsi que par leur érotisme adolescent. Radiguet note dans sa préface : « C'est avant ou après notre cœur que s'éveillent nos sens, jamais en même temps. » On peut supposer que, chez lui, les sens s'étaient éveillés avant le cœur.

Le Diable au corps, situé pendant la Première Guerre mondiale, raconte la liaison d'un lycéen avec la jeune épouse d'un combattant. Le doute demeurera sur le point de savoir si le garçon a séduit cette femme ou si celle-ci a choisi de prendre un amant. Ce qui est certain, c'est qu'un enfant naîtra de leurs amours, que la femme mourra des suites de l'accouchement et que le combattant sera persuadé d'être le père de l'enfant. L'auteur fut accusé de cynisme, d'immoralité et même d'être un mauvais Français. Ces critiques indignées ne manquèrent pas de favoriser le succès du livre.

Le Bal du comte d'Orgel semble reprendre les thèmes de *La Princesse de Clèves.* Au lieu des fastes de la cour d'Henri II, nous avons la vie mondaine des années 20 (que l'auteur connut dans le sillage du comte

Étienne de Beaumont). C'est la naissance de l'amour entre le jeune François de Séryeuse et Mahaut d'Orgel qui nous est contée. Nous voyons Mahaut se défendre de ses sentiments en se confiant d'abord à Mme de Séryeuse, la mère de François, puis à son mari même : mais le comte d'Orgel ne ressemble en rien au prince de Clèves, il prend à la légère les confidences de sa femme. Sa frivolité désamorce le drame latent.

Nous ne sommes pas sûrs que le *Bal* soit plus réussi que le *Diable.* Ou disons plutôt que le *Diable* nous touche davantage. C'est un témoignage sur les revendications et les fanfaronnades d'un adolescent qui se heurte au monde des adultes et l'on y sent une connivence entre l'auteur et son héros. Avec le *Bal,* nous éprouvons souvent l'impression d'un exercice littéraire, sans doute réussi mais un peu gratuit.

On a parlé de l'influence qu'aurait exercée Radiguet sur Cocteau. Et Cocteau lui-même a déclaré s'être mis à l'école de « l'enfant ». En fait, nous serions plutôt portés à croire que c'est grâce à Cocteau que le *Diable* et le *Bal* ont atteint cette perfection formelle que nous leur connaissons.

Radiguet n'a d'ailleurs jamais fait mystère de l'aide que son ami lui avait apportée. Cocteau, au contraire, minimisa cette aide, au point de passer sous silence son travail sur le manuscrit du *Bal.* Nous savons aujourd'hui qu'il supprima un dixième du texte et apporta plus de mille changements de détail. Dans sa préface, il nous dit pourtant que l'auteur mourant n'envisageait aucune retouche à son roman.

L'aide apportée par Radiguet à Cocteau fut d'une autre nature. Cocteau n'a jamais tant écrit que lorsqu'il était amoureux. Au cours de l'année 1922, qui fut la meilleure de ses relations avec Radiguet, il composa deux romans : *Le Grand Écart* et *Thomas l'Imposteur,* son adaptation d'*Antigone* et surtout la suite poétique intitulée *Plain-Chant* qui contient quelques-uns des plus beaux vers de la langue française.

En 1920, Cocteau et Radiguet avaient écrit en collaboration un livret d'opéra-comique pour Erik Satie. Ils avaient adapté librement *Paul et Virginie,* tout en conservant les couleurs naïves du roman de Bernardin de Saint-Pierre. La trouvaille la plus jolie se trouve au dernier acte, après la noyade de Virginie. La jeune fille reparaît, mais ne peut être vue par les vivants. Paul la voit : c'est qu'il vient de mourir à son tour, de douleur. « La mort est peu de chose, dit Virginie. Tu es mort, je suis morte et nous sommes contents. Après la mort on ne peut plus mourir. »

Les décès se suivent alors à vive cadence (la mère de Virginie, la mère de Paul, et les bons nègres — on disait encore « nègres » — Marie et Domingue). Il y a là un côté farce heureuse.

Quand Radiguet disparut à son tour, Cocteau jugea préférable de garder le livret dans ses tiroirs.

Dans *La Machine infernale,* Jocaste morte apparaîtra à Œdipe : il la verra « parce qu'il est devenu aveugle ». Cette idée-là vient peut-être de *Paul et Virginie.* Avec des variantes, elle sera utilisée ailleurs encore. Par exemple, dans l'*Eurydice* d'Anouilh.

Était-ce une trouvaille de Cocteau ou bien de Radiguet ? Mais Anouilh n'a pu la leur emprunter, car le livret de *Paul et Virginie* ne fut publié qu'en 1967, quatre ans après la mort de Cocteau.

RENÉ CREVEL

Au soir du 18 juin 1935, après une journée épuisante — il s'occupait de l'organisation du « Congrès international des écrivains pour la défense de la culture » et bataillait pour que les communistes accordent aux surréalistes la possibilité de s'exprimer —, René Crevel se donna la mort, rue Nicolo, dans son petit appartement. Comme dernière volonté et comme explication, il avait écrit sur un bout de papier : « Prière de m'incinérer. Dégoût. » Il n'avait pas encore trente-cinq ans.

Dix ans plus tôt, à la célèbre enquête de *La Révolution surréaliste,* « Le suicide est-il une solution ? », il avait répondu : « La plus vraisemblablement juste et définitive des solutions. »

Le suicide, il avait été bien obligé d'y réfléchir de bonne heure. Il était encore enfant quand son père se pendit. Ce sont, paraît-il, les circonstances exactes de cette mort qu'il rapporte dans *La Mort difficile* en racontant la fin de M. Block. Mais, dans son premier roman, *Détours,* c'est la manière même dont lui-même quitterait la vie qui nous est décrite : « Une tisane sur le fourneau à gaz ; la fenêtre bien close, j'ouvre le robinet d'arrivée ; j'oublie de mettre l'allumette... »

Or tous ceux qui l'ont connu en témoignent — et de nombreux portraits et photographies en fournissent la preuve —, Crevel rayonnait d'un charme juvénile irrésistible. Il était un garçon fêté dans tous les milieux très divers qu'il fréquentait. Pourtant, il se sentait seul et malheureux. Et c'est la solitude — l'absence de vraie communication — qui lui a inspiré ses deux œuvres les plus émouvantes : *Mon corps et moi* et *La Mort difficile.*

Dans *Mon corps et moi,* Crevel joue souvent les enchanteurs pourrissants, en usant d'une écriture musicale très prenante : « Toute la nuit, femme aux yeux couleur de fleuve, toute la nuit on avait dansé chez vous, et vous aviez été plus pâle, plus bleue dans la pourpre d'un rêve. Or voici qu'il était parti celui qui avait régné sur la fête, car il ne savait marcher sans danser, non plus que parler sans chanter. Il s'en était allé loin de vous, loin de moi, parmi les autres, sans rien savoir ni vouloir d'eux, comme un enfant, comme un fauve. »

Dans *La Mort difficile,* qui est un roman, l'écriture est plus sèche et la satire se mêle à l'analyse. La mélancolie domine cependant. Le livre date de 1926, et c'est l'époque où Crevel écrivait à Jouhandeau à propos du peintre Eugene MacCown : « Eugene, c'est la vengeance qui me fut envoyée par tous ceux à qui j'ai fait mal. » Le héros du livre se tue par désespoir sentimental.

Mais attention : le faible Crevel n'était pas le seul Crevel. Il existe un autre Crevel qui refusait la fatalité du malheur. Recherchant de toutes ses forces un libre épanouissement de son esprit et de ses sens, il a essayé d'abattre les obstacles qui l'empêchaient de se sentir à l'aise dans cette vie.

Cela commença par une critique des hypocrisies bourgeoises et familiales et, les déceptions amoureuses surmontées tant bien que mal, cela se poursuivit en une révolte généralisée. Il se voulut écrivain combattant. Dans *Le Clavecin de Diderot* et d'autres essais, il trouva des accents et des traits d'une extrême violence. Enfant chéri des beaux quartiers, il mit avec une fiévreuse délectation « les pieds dans le plat ».

Son activité d'écrivain engagé ne devait guère lui apporter que des déboires. Certains de ses amis y ont vu l'une des causes de son suicide. D'autre part, il s'était toujours trouvé en mauvaise santé et avait dû faire des séjours en haute montagne : « Je suis du boudin fait avec du sang de mauvaise qualité », écrivait-il à Jouhandeau. Le soir du 18 juin 1935, il venait de recevoir, paraît-il, le résultat inquiétant d'une analyse médicale.

Ce poète mal portant a laissé l'image d'un jeune homme resplendissant de beauté. Aucun doute que cette beauté de Crevel ne rejaillisse sur ses écrits et que, jointe à un destin tragique, elle ne prête à légende. Mais Crevel n'a pas besoin de légende. Avec Antonin Artaud, il est un des surréalistes dont la vie authentifie l'œuvre.

VI

Les enfants du demi-siècle

À la veille de la guerre et durant l'Occupation, les auteurs qui avaient la faveur du public étudiant s'appelaient Bernanos, Montherlant, Saint-Exupéry, Giono, Céline, Malraux. On les admirait sans doute comme écrivains, mais on était attentif surtout aux idées qu'ils exposaient. Leurs livres permettaient des discussions passionnées.

Pour qu'un écrivain enthousiasme les jeunes gens, il faut qu'il apporte un semblant de réponse à leurs interrogations. Il faut qu'il ait pris parti dans les grands débats du temps (qu'il s'agisse de morale ou de politique). Évidemment, ce ne sont pas les mêmes garçons qui s'enthousiasment pour Bernanos et pour Céline, pour Giono et pour Montherlant.

Les pages que j'ai consacrées à Montherlant dans mon *Histoire* de 1978 ont choqué ses admirateurs inconditionnels, mais les réserves que je formulais se sont trouvées justifiées par les révélations contenues dans ses posthumes.

GEORGES BERNANOS

Un de mes meilleurs amis au lycée de Rouen en 1939 s'appelait Jean Bernanose. Il devait devenir un héros de la Résistance (et mourir en déportation). Il se disait le neveu de Georges Bernanos — malgré la différence d'orthographe entre leurs noms — et me fit lire *Nous autres Français,* qui venait de paraître. Il aimait le patriotisme mystique qui s'exprime dans cet ouvrage. Pour ma part, j'y retrouvais les accents et même les procédés stylistiques de Péguy. Par exemple, la reprise, en tête de nombreux paragraphes, tout au long du premier chapitre, d'une même phrase : « Il n'y a pas d'honneur à être français » (mais il faut être digne de cette chance) ou, dans le début du second chapitre, la répétition des mêmes mots : « Il y a quelques semaines je partais pour le Paraguay, ce

Paraguay que notre dictionnaire Larousse, d'accord avec le Bottin, qualifie de paradis terrestre. Je n'ai pas trouvé là-bas le paradis terrestre, mais je sens bien que je n'ai pas fini de le chercher, que je le chercherai toujours, que je chercherai toujours cette route perdue, effacée de la mémoire des hommes. »

Ce ton m'enchantait et j'ai longtemps su par cœur un article paru dans la *N.R.F.* de mai 1940 et dont une version quelque peu différente ouvre le recueil *Les Enfants humiliés* (1949) : « Nous retournons dans la guerre ainsi que dans la maison de notre jeunesse... » Dans la *N.R.F.*, ou du moins dans le souvenir que j'en ai gardé, on lisait : « comme dans la maison... » Et, de même, Bernanos, s'en prenant aux journalistes de l'arrière dont les articles scandalisaient les jeunes soldats, parlait de « M. Léon Bailby, toujours fidèle au poste et toujours colonel ». Le texte de 1949 a été modifié : « M. Léon Bailby, un peu tordu par l'âge, mais fidèle aux consignes et toujours colonel. » Il arrive que le premier jet d'un grand écrivain soit meilleur que le texte revu et corrigé. Et, pour une fois que les variantes d'un texte m'intéresseraient vraiment, la Bibliothèque de la Pléiade ne les donne pas.

Plutôt que polémiste, Bernanos préférait être appelé « écrivain de combat ». Mais il avait acquis une grande notoriété de romancier dès la publication de *Sous le soleil de Satan,* son premier ouvrage (1926). Jean Bernanose m'assura que « son oncle » avait écrit antérieurement un autre roman qu'il avait renié depuis et qui s'intitulait *Les Amants de Verdun.* Bien mieux : Jean me prêta cet ouvrage, signé Georges-Marie Bernanose et paru chez un éditeur de province. Voulait-il me tromper ou bien, dans sa famille, l'avait-on lui-même trompé ? Je n'en sais toujours rien aujourd'hui.

La tentation du désespoir

Sous le soleil de Satan s'ouvre sur un prologue qui constitue à lui seul une histoire complète. C'est l'histoire de Mouchette : « Une fois de plus, un jeune animal féminin, au seuil d'une belle nuit, essaie timidement, puis avec ivresse, ses muscles adultes, ses dents et ses griffes. » L'« Histoire de Mouchette » est un chef-d'œuvre ; mais, Bernanos me pardonne, c'est un chef-d'œuvre naturaliste. Il pourrait avoir été écrit par quelque auteur de l'école de Médan. Cette sourde et sauvage poésie, cette brusque frénésie ne sont nullement absentes de l'œuvre de Zola.

La fille mineure d'un riche brasseur devient la maîtresse d'un châtelain de village parce qu'elle étouffe dans son milieu prosaïque et qu'elle espère une autre vie. La déception qu'elle éprouve en découvrant que le châtelain n'est lui-même qu'un médiocre la pousse au crime et au désespoir. N'est-ce pas un thème naturaliste bien connu ? Et si l'on ajoute que Mouchette essaie de tout oublier en se livrant à la plus basse débauche, on conviendra que c'est même là une situation très souvent exploitée dans les romans à quatre sous, et qu'il fallait le génie de

Bernanos pour la renouveler. On admettra qu'en outre c'est une histoire qui ne prouve rien. Mouchette aurait pu s'éprendre d'un garçon estimable qui lui aurait apporté le bonheur. Mais Bernanos a l'imagination noire. Si l'histoire de Mouchette à nos yeux ne prouve rien, elle est pour lui symbolique : les jeunes gens veulent échapper à toutes les entraves et se jettent vers le plaisir, mais ils font fausse route, car le monde est mauvais et ne leur réserve que déceptions.

Après l'histoire de Mouchette nous est présentée celle de l'abbé Donissan, garçon simple, qui a la foi du charbonnier. S'il est un élu du Seigneur, les tentations ne lui seront pas épargnées, au contraire, et la première partie du roman s'appelle « La Tentation du désespoir ». Satan lui-même ou l'un de ses démons tentera de le séduire en le persuadant que les forces lui manquent pour marcher sur la route étroite du Bien : « Je suis vraiment votre ami, mon camarade, dit le démon, je vous aime tendrement. » Le chapitre proprement fantastique où l'abbé Donissan lutte avec Satan est assurément saisissant et c'est à Maturin, l'auteur de *Melmoth,* que le romancier Bernanos semble ici se mesurer. Nous sommes brusquement à mille lieues du naturalisme et même de tout réalisme. Plus tard, lorsque, grâce à l'abbé Donissan, Mouchette se convertit *in articulo mortis,* l'évêque ne veut tenir aucun compte de cette conversion, « dont l'invraisemblance le couvrirait de ridicule ». Pourtant la profonde vérité de ces pages apparaît à tout lecteur. Il s'agit d'une évidence intérieure. On se persuade que Bernanos a certainement été le théâtre de drames comparables à ceux qu'il nous raconte.

Dans une deuxième partie, l'abbé Donissan, après avoir été soigné dans un hôpital psychiatrique, est devenu « le saint de Lumbres ». Attendez-vous que Bernanos brosse le portrait d'un saint ? Certes, on peut dire qu'il l'a fait, mais il l'a fait dans la première partie où a été surmontée « la tentation du désespoir ». La deuxième partie nous réserve la surprise d'un portrait de M. Antoine Saint-Marin, de l'Académie française, auteur du *Cierge pascal.* En 1926, lorsque parut *Sous le soleil de Satan,* chacun reconnut Anatole France dans ce vieillard « qui exerça, pendant un demi-siècle, la magistrature de l'ironie ». Le bouillant Bernanos haïssait la froideur de l'ironie, qui doit être une des armes de Satan. Ne nous dit-on pas que Saint-Marin, avant de se rendre à Lumbres, a déjà approché plus d'un saint, « pourvu qu'on veuille donner ce nom à des hommes de mœurs simples et d'esprit candide, dont le royaume n'est pas de ce monde, et qui se nourrissent, comme nous tous, du pain de l'illusion, mais avec un exceptionnel appétit ».

Ce sinistre Saint-Marin, que vient-il chercher à Lumbres ? À l'approche de la mort, il voudrait bien croire encore à ses « rêves d'enfant ». Il pense aussi qu'il est sage de se retirer de la vie quand la vie se retire de vous. Cette sagesse fait horreur à Bernanos : la foi n'est pas une sagesse, c'est au contraire une folie qui vomit la sagesse humaine. Bernanos ne veut pas avoir vécu comme un furieux pour serrer enfin la main d'un sceptique souriant. On a dit qu'en terminant son livre sur cette évocation d'Anatole France il s'était abandonné à sa verve polémique et qu'il avait oublié son propos de romancier. Ce n'est pas exact : son livre se termine sur la mort de l'abbé Donissan, et Bernanos voulait, par une opposition frappante, signifier qu'il ne renoncerait jamais à son exigence d'absolu.

Si l'on a parlé de France à propos de Saint-Marin, où ai-je lu que Bernanos avait pensé à Gide en créant M. Ouine ? C'est dans une étude d'Albert Béguin. Mais Béguin ajoutait que, peu à peu, Bernanos avait oublié son premier modèle et que « M. Ouine s'était mis à ne plus ressembler à personne d'autre que l'auteur ». Qu'est-ce à dire ? Béguin rectifiait : « [...] l'auteur, ou plutôt à ce qu'eût été Bernanos, il le savait bien, s'il eût franchi la limite toujours côtoyée du désespoir et laissé tarir en lui l'amour. »

Après avoir parlé du premier roman de Bernanos, peut-être conviendrait-il que je parle maintenant de son dernier, *Monsieur Ouine,* qui est aussi bien celui que je préfère ? Je dirai aujourd'hui deux mots de la position de Bernanos par rapport à Gide. S'il est vrai que Bernanos combattait au nom du catéchisme de son enfance, il faut préciser que les règles qu'il s'était données étaient les règles d'un honneur sans compromis.

« Mon sentiment sur Gide est connu depuis longtemps, écrivait Bernanos en février 1945. Je défie qu'on trouve dans tous mes livres une ligne à sa louange. Il est vrai que je ne saurais partager la conviction un peu trop sommaire de Paul Claudel ou de Henri Massis qui le croient possédé du diable, mais loin d'être tenté de trop d'indulgence envers lui, j'avoue que je dois faire effort pour rester juste à l'égard d'un grand écrivain — l'un des plus grands de notre littérature — et qui honore notre langue. »

Or, de tous nos illustres écrivains, Bernanos fut le seul, à l'époque de la Libération et de l'épuration, à se dresser pour défendre Gide quand les inquisiteurs staliniens, alors très puissants, le mirent en accusation. Une fois de plus, Bernanos scandalisa les bien-pensants de tous les bords. « Presque tout me sépare de M. Gide, répéta-t-il. Mais M. Gide est un homme seul. Je suis, comme M. Gide, un homme seul. Il y a beaucoup d'hommes seuls, c'est-à-dire d'hommes libres, mais ils ne disposent pas des mêmes moyens de défense que nous. Pour ma part, j'estime que je ne puis les trahir, trahir leur confiance. Ma liberté ne vaudrait pas la peine d'être défendue, si elle n'était comme le gage et la garantie de la leur. Mais elle l'est. Voilà pourquoi, m'adressant non seulement au parti, mais à tous les hommes qui vont en troupeaux, je leur dirai — oh ! sans élever la voix, sans la moindre provocation — qu'ils peuvent braire, bêler, hennir, mugir ou rugir à la porte de ma solitude : ils n'y entreront jamais. »

En lisant une telle déclaration, on ne se défend pas d'éprouver pour Bernanos un peu plus que de l'admiration : de la reconnaissance et du respect.

Mon ami Michel

Je n'ai jamais rencontré Bernanos, mais je devais, après la Libération, me lier d'amitié avec un de ses fils, Michel, qui avait servi dans les F.F.L. et avait participé à l'opération de débarquement sur Dieppe en 1942. Michel Bernanos éprouvait une très vive admiration pour son père qu'il appelait « le grand Georges » et auquel il ressemblait physiquement. Il en avait hérité la passion de l'écriture mais, par respect, ne voulait pas utiliser son nom pour signer ses propres écrits. C'est sous le nom de Michel Drowin qu'il publia *Le Murmure des dieux* (1964) et sous celui de Michel Talbert qu'il collabora aux *Cahiers des Saisons*.

Le Murmure des dieux appartient à ce qu'on peut appeler « la littérature exotique », mais non moins fortement à la littérature de la violence : à ce double titre, le livre se place dans la descendance de *La Voie royale*, de Malraux. Il nous offre l'occasion d'un dépaysement aventureux au Brésil. Le héros est un jeune ingénieur des Eaux et Forêts, Eudes, qui vient prendre du service à Manaos, sur les rives de l'Amazone. Son patron est un riche propriétaire, espèce d'empereur d'un territoire mystérieux aussi vaste que la France. Eudes est envoyé en mission au cœur de la forêt profonde. Il aura, en la personne du savant docteur Lopez, un brave et intéressant compagnon de voyage. Mais le principal personnage du livre est la forêt elle-même, ce monstre végétal prêt à dévorer celui qui s'écarte des pistes tracées.

Il y a d'autres dangers : Eudes s'éprendra d'une jeune Indienne, au scandale des indigènes qui l'obligeront à affronter leurs rites d'initiation. Et c'est l'occasion d'une scène terrifiante où les corps nus des deux jeunes gens deviennent les obstacles d'une course de tarentules, araignées de la taille d'un poing d'enfant et dont la piqûre est mortelle.

Ce qui nous saisit dans ce livre, c'est la conviction de l'auteur, son souffle narratif, sa vision poétique, enfin. On se plaint parfois, dans le public, de ne plus trouver de romans d'aventures où la psychologie cède le pas à la passion de vivre. Michel Bernanos nous entraîne dans un univers de fulgurantes images qui nous atteignent comme des coups de poing.

Son meilleur ouvrage est probablement *La Montagne morte de la vie*, récit fantastique où, à la suite d'un naufrage, le héros aborde une île mystérieuse où les hommes se trouvent peu à peu transformés en pierre. À la fin, nous découvrons que le narrateur est lui-même devenu un homme de pierre. Michel avait-il éprouvé l'angoisse d'une pétrification de sa vie ? Il mit fin à ses jours en 1964, au cours d'une errance solitaire dans la forêt de Fontainebleau. Fin d'autant plus surprenante quand on savait l'amour qu'il portait à sa femme et à ses enfants...

HENRY DE MONTHERLANT

C'est également mon ami Jean Bernanose qui me fit lire Montherlant. Ah ! cet auteur ne se plaçait pas dans la descendance de Péguy, mais dans celle de Barrès, tantôt le Barrès de *Sous l'œil des Barbares* et tantôt celui du *Roman de l'énergie nationale.* Auteur de *Service inutile* (1935), il était devenu celui de *L'Équinoxe de septembre* en 1939. Il se présentait comme un fier individualiste, ennemi des lieux communs de la morale bourgeoise, ami de tout ce qui exaltait l'âme comme de tout ce qui comblait les sens. « Avec lui, me disait Jean Bernanose, on ne renonce à rien. »

Peut-on être un franc jouisseur, décidé à boire tout son soûl aux fontaines du désir, et un homme de devoir, prêt à se sacrifier pour son pays ? Montherlant affirmait que l'on pouvait être l'un et l'autre, tour à tour. Ou du moins qu'un homme supérieur y parvenait. Homme supérieur, Montherlant prétendait l'être et, s'il s'appelait M. Millon pour l'état civil, il avait choisi d'être M. de Montherlant en littérature. Il voulait « faire figure ». Le « paraître » ne l'emportait-il pas chez lui sur l' « être » ? Jean Bernanose m'expliqua qu'au départ un homme n'est rien et que l'on devient celui que l'on a décidé de paraître. Montherlant y était-il parvenu ?

Qu'il fût un grand écrivain, un merveilleux styliste, on ne pouvait en douter. Ses essais avaient du lyrisme et du mordant. Dans ses romans, *Les Célibataires* et *Les Jeunes Filles,* il s'était imposé comme un portraitiste joyeux et cruel, au coup d'œil infaillible.

Je le lisais avec plaisir. Et même je lus tout ce qu'il avait écrit.

Montherlant dans les Vosges

Étant né dans les Vosges, à Saint-Dié, et y ayant passé mon enfance, une phrase de *La Relève du matin* (1920) me fit rêver : « Ô Virgile, le tilleul de Saint-Dié, qui a fleuri neuf cents mois de mai, me touche moins fort que vous, quand je vous vois refleurir, à chaque automne, sur les lèvres d'une nouvelle génération d'enfants. »

Vous trouverez curieux que Montherlant ait comparé un poète à un arbre, mais Paul Fort s'identifiait bien à une plante : « Je suis un arbre à poèmes, un poèmier », disait-il. Certes, Montherlant assure qu'il était plus ému par le nom de Virgile prononcé par de jeunes garçons que par les fleurs sur les branches du vieux tilleul de Saint-Dié, mais enfin il n'avait pas oublié celui-ci et la phrase que j'ai citée peut être considérée comme un bel hommage, sous une forme inattendue.

Un autre poète, Henri Thomas, a mentionné dans son œuvre l'existence de ce tilleul. C'est à l'avant-dernière page du *Seau à charbon,* son premier roman, qui se déroule à Saint-Dié. On voit une vieille demoiselle « s'engager péniblement dans la montée qui conduit au porche de la cathédrale, passant près du tilleul près de six fois centenaire ». Ce tilleul, consolidé par une coulée de ciment, se dresse sur une petite terrasse en contrebas du parvis, regardant vers la ville. C'est sur cette terrasse que j'ai donné mes premiers rendez-vous d'amour. Une plaque indiquait — indique peut-être toujours — l'âge exact de l'arbre. Vous avez peut-être remarqué que Montherlant et Thomas ne sont pas d'accord sur cet âge : six cents ans selon Thomas et neuf cents ans selon Montherlant. Mais, quand on a dépassé les six cents ans, on n'est plus à un siècle près.

Quand Montherlant est-il venu à Saint-Dié ? Pendant la Première Guerre mondiale. Saint-Dié est plusieurs fois cité dans *Le Songe* (1922) où les noms de lieux sont très rares. Il s'agit d'un roman lyrique dont le héros, Alban de Bricoule, est un jeune engagé volontaire. Nous sommes au début de 1918 et nous voyons ce garçon se rendre dans l'Est en chemin de fer. Il s'exalte en ces termes : « Je monte en première ligne, rejoindre une compagnie d'infanterie dans les hautes Vosges, pour le plaisir. J'espère que je vais bien m'amuser. » Il descend du train, sur le quai de la gare d'un village, dont le nom nous est caché. En sortant de la gare, il aperçoit son ami l'aspirant Prinet qui l'attend près d'une automobile. Il s'étonne tout le premier que l'on vienne le chercher en voiture pour le conduire à son régiment. Prinet explique qu'ils vont « profiter de l'auto de la division » et qu'ils descendront à Grandrupt. Voilà un nom propre cité. En route pour Grandrupt ! « Ici, nous sommes au vrai front, je pense ? », demande soudain et bien naïvement Alban. Nous avons cependant une fort bonne description de paysage : « La route tournait au flanc de pentes boisées. À leur gauche, au-dessus d'eux, à leur droite, dévalant, la forêt de sapins poussait à perte de vue ses feuilles fraîches, vert et gris, avec parfois un arbre teinté de lie-de-vin. Dans les échappées, on voyait des profondeurs denses, les sapins bleus à l'horizon, comme si le ciel délavé coulait sur eux. »

Alban et Prinet ne gagnent pas Grandrupt ce soir-là. Ils s'arrêtent dans une cagna, au cœur des bois, pour y passer la nuit. Le lendemain matin, Prinet « accompagne son ami [à pied] jusqu'à son poste sur la ligne de feu ». Nous lisons d'autres descriptions de nature. Comme celle-ci : « La tristesse, la douceur des arbres vert pâle sur le ciel blanc de lait ! Ils étaient comme des flammes pâles de chlore. Et à perte de vue ils dévalaient au-dessous d'eux ; et la lumière dans les sous-bois elle aussi semblait vert pâle, comme si c'était de ces arbres qu'elle émanait... » Notons cette nouvelle précision géographique : « Du fond de la vallée, de Grandrupt, l'horloge de l'église détachait dans l'air, comme des bulles, des sons ténus. »

La crête représente « la ligne de feu », mais s'il y a des tirs d'artillerie, il n'y a pas d'attaques sérieuses. Le secteur se trouve relativement calme. On descend au repos à Grandrupt et l'on y assiste parfois à des séances récréatives. Montherlant nous en raconte une, organisée par le « Foyer du soldat » de Saint-Dié. (Chapitre 8 : « Dans la musique ».) Comme livre de guerre, *Le Songe* ne saurait rivaliser avec un livre comme *Orages d'acier* d'Ernst Jünger. Pourtant le bataillon d'Alban quitte la région de Grandrupt et il est envoyé dans l'Oise où de grandes batailles se livrent.

Les passages les plus saisissants ne nous montrent pas des champs de bataille, mais un hôpital de campagne. Le chapitre 12, intitulé « Que de souffrance », contient quelques-unes des meilleures pages de Montherlant. C'est qu'ici il parle de choses qu'il a vues, alors que, contrairement à Jünger, il n'avait pas d'expérience de combattant. Nous le savons depuis la publication du livre de Pierre Sipriot, *Montherlant sans masque,* paru en 1982, dix ans après la mort de Montherlant. On s'est demandé si Montherlant eût approuvé cet ouvrage qui détruit les légendes qu'il avait soigneusement confectionnées et, en tout premier lieu, sa légende guerrière.

La réponse n'est pas aisée à donner. Il faut savoir qu'il avait souhaité que Pierre Sipriot devînt son biographe. Il avait même pris le soin de rédiger à son intention, en 1968, un résumé de sa vie. Sipriot publie ce document en appendice à son ouvrage. Dans cette courte autobiographie, rédigée à la troisième personne, on lit : « M. a tenu jour à jour son journal intime, extrêmement complet, de 1908 (douze ans) jusqu'en 1922. Il l'a détruit. D'ailleurs, il avait cessé de le tenir pendant ses années de guerre. Il avait été convenu entre lui et sa grand-mère qu'il lui écrirait, et qu'elle lui écrirait, environ tous les trois jours pendant ses années de mobilisation. Cette double correspondance retrouvée après la mort de celle-ci a été détruite par lui. La censure interdisant de nommer les localités d'expédition, elles étaient embrouillées, et lui-même, quand il les relut, n'arrivait pas à préciser toujours ces lieux. »

Or cette correspondance n'a pas du tout été détruite. Montherlant avait-il cru le faire ou avait-il renoncé à son projet de la détruire ? Sipriot en ayant eu connaissance, devait-il nous révéler la vérité sur la carrière militaire de Montherlant ou bien nous la cacher ? Il aurait pu décider de se taire, mais, du moment qu'il écrivait une biographie, il ne pouvait pas ne pas tenir compte de ces documents dont il disposait. C'est une correspondance étonnante. Montherlant est déjà en possession de son style royal et manifeste un savoureux cynisme. De plus on est dans l'admiration qu'un garçon de sa génération ait pu parler à sa grand-mère avec une telle liberté. La grand-mère est ici une confidente et une complice, une amie intime.

Résumons ce que cette correspondance nous apprend. Appelé avec sa classe en 1914, le futur auteur du *Songe* est ajourné pour hypertrophie cardiaque. Il passe alors trois ans, suivant ses propres termes, « à asseoir les bases de sa culture pendant que les garçons de son âge se font tuer ». En septembre 1917, le voici cependant « requis » : on l'envoie dans une ferme, loin de la zone des combats, pour garder les vaches et nettoyer les écuries. Après une bagarre avec un camarade, il prend peur et saute dans le train de Paris, où on l'accuse d'abord d'abandon de poste ; mais un colonel, ami de la famille, arrange les choses. Montherlant est alors dirigé sur Mirecourt, où il devient secrétaire d'état-major, ce qui est encore une bonne planque.

En janvier 1918, en permission à Paris, il dépose chez plusieurs éditeurs le texte de *La Relève du matin,* où il s'attribue une vie héroïque. Cette décision de publier l'amène à souhaiter s'approcher du front. Il pense à sa carrière d'écrivain et il écrit à sa grand-mère : « Ma sphère de mouvance littéraire sera dans le monde bien-pensant et je serais déshonoré si, après la guerre, je n'avais rien fait. »

De retour à Mirecourt, il essaie de se faire nommer assistant d'un officier de renseignements chargé d'aller sur le terrain. Il est affecté début mai au 360e R.I., où l'un de ses oncles est commandant. Seulement il est versé dans la compagnie hors rang, c'est-à-dire celle des auxiliaires qui ne vont pas à l'attaque. Il paraît bien déçu. Cependant, le 6 juin 1918, à Ban-de-Laveline, il se trouve pris sous un tir inopiné de batterie ennemie et reçoit dans le dos et les fesses sept éclats d'obus de 105. Le soir même, il écrit à sa grand-mère : « [...] reçu quelques petits éclats insignifiants, si peu de chose que j'ai continué de suite mon service et n'ai pas eu besoin de pansements. Cela me permet de dire que j'ai été blessé et me donne droit au port de l'insigne. » Il ajoute : « Maintenant, attention au plat que je vais en faire aux gens. Vous savez ce qu'il en est en réalité. »

Deux jours plus tard, son oncle le commandant le conduit à l'hôpital de Saint-Dié où on lui extrait un petit éclat logé dans l'épaule. Le lendemain, Montherlant donne ces précisions à sa grand-mère : « Des sept éclats, un a été extrait, deux sont insignifiants, et les quatre autres, dans la cuisse, sont si profonds qu'il faudrait beaucoup charcuter pour les extraire ; d'autant moins utile qu'ils sont dans le muscle d'une façon inoffensive. Je suis enchanté de ces égratignures, vous savez que je les désirais. »

Vingt jours après, il est affecté au bureau de l'officier de détail : « Ça m'enlevait tout espoir de gagner la croix de guerre », commente-t-il. De fait, bien que blessé de guerre, il n'est jamais devenu combattant.

Vous avez noté que Montherlant disait que, relisant ses lettres à sa grand-mère, il n'avait pu se rappeler très bien de quelle localité il avait adressé celle-ci ou celle-là. Où se trouvait-il exactement du 9 mai au 5 juin 1918 ? C'est durant cette période qu'il a emmagasiné les souvenirs qui lui ont permis de nourrir d'images vraies les aventures guerrières d'Alban de Bricoule.

Quelques phrases m'ont frappé en tant que Déodatien. Dans une lettre, je lis : « Été ce matin à la grand'ville en vélo » (entre parenthèses, on est surpris de cette faute de français, il faudrait : à vélo) ; dans une autre lettre : « Aujourd'hui, été à la grand'ville à pied, aller et retour : 11 + 11 = 22 + 3 km à traîner en ville, soit 25 kilomètres à pied. » Qu'il ait écrit de Ban-de-Laveline, d'Anould ou d'un autre village, la grand'ville en question ne peut être que Saint-Dié. J'entends bien qu'il n'employait pas l'adjectif « grand » sans une pincée d'humour, mais tout de même il était capable de faire vingt-cinq kilomètres à pied pour la visiter, et pas seulement pour revoir le vieux tilleul du parvis de la cathédrale.

C'est dans *Mors et Vita* qu'il a exposé les circonstances dans lesquelles il fut blessé à Ban-de-Laveline. (*Essais,* Pléiade, pages 467 à 472.) Bien que le texte soit daté de 1927, Montherlant observe toujours les consignes de guerre qui interdisaient aux militaires de donner des indications géographiques précises : les noms des lieux sont omis. Le « je » du récit est en principe celui de l'auteur, mais Montherlant joue encore ici le rôle de son Alban de Bricoule. Il est un valeureux combattant que ses blessures contraignent à quitter le front : « Hôpital : pour la première et dernière fois de notre vie, nous faisons figure de personnage intéressant. » Ensuite, convalescence à Paris. « Et maintenant, clopin-clopant, le tour de France : il s'agit de rejoindre notre régiment. » Ce curieux tour de France conduit finalement Montherlant en Belgique. Mais il nous vaut quelques excellentes notations brèves sur des villes ou des régions traversées. Montherlant évoque ainsi son passage à Toul : « La cathédrale de Toul, au soleil levant, rose et jaune comme le Parthénon, sa base cachée par les vapeurs de la Moselle, de sorte qu'elle semble suspendue dans le ciel ; et si devant cela vous ne croyez pas en Dieu, je ne sais pas ce qu'il vous faut. » Et, à la page suivante, nous avons une jolie phrase sur les Vosges revisitées : « Les Vosges, un plein ciel d'arbres, une féerie murmurante, dans l'odeur enchantée des pins. »

Un donneur de leçons

Que Montherlant n'ait pas été un brillant militaire ne serait pas gênant s'il ne s'était pas donné pour un héros. Sans doute ne comptait-il pas assez sur son seul talent d'écrivain pour s'imposer comme il le souhaitait. Curtis nous le décrit comme un adolescent attardé qui joue des rôles parce qu'il n'est pas à l'aise dans le monde des adultes. L'ennui est que Montherlant se transforme souvent en donneur de leçons. Par son goût des poses avantageuses et méprisantes, en se présentant avec une biographie truquée, il devait finir par être dénoncé comme un hypocrite et un imposteur.

Après les lettres à la grand-mère, nous fut révélée en 1983 la correspondance avec Roger Peyrefitte (le volume couvrait les années 1938-1941). En lisant cette correspondance, on se rappelait avec amusement la fière déclaration qui se trouve dans *Tous feux éteints :* « Ce qui est important a été ma vie, vraiment extraordinaire, pas mon art. » Cette vie apparaissait ici comme celle d'un amateur de jeunes garçons, fiché à la brigade mondaine et tenaillé par la peur de la prison. On découvrait aussi de quelle confrérie la « nouvelle chevalerie », chantée dans *Le Solstice de juin,* était la transposition. Par mesure de prudence, Montherlant et Peyrefitte maquillaient dans leurs lettres les aventures amoureuses qu'ils se racontaient, ils usaient d'une écriture chiffrée que des notes des éditeurs nous permettent de traduire. On a là un curieux document, auquel se trouve jointe une excellente nouvelle, *Oblomov à Nijni-Novgorod,* où Montherlant relate une affaire de mœurs dont il fut le malheureux héros à Marseille en juillet 1940 : il fut passé à tabac dans un commissariat. « Si vous étiez à l'Académie, rien de cela ne serait arrivé », lui dit ensuite un avocat. Cette remarque ne tomba pas dans l'oreille d'un sourd.

La conjonction Montherlant-Peyrefitte peut surprendre. Rappelons que lorsque l'auteur du *Songe* rencontra Peyrefitte, celui-ci était un jeune diplomate et n'avait rien publié. Montherlant pensa que l'on pouvait se confier librement à un homme dont la profession garantissait une absolue discrétion. Il ne se montra pas moins naïf dans le choix de son héritier. Il ne croyait certainement pas que celui-ci permettrait la publication des lettres à la grand-mère et à Roger Peyrefitte. Montherlant s'était sans doute montré souvent insupportable envers le garçon auquel il léguait sa fortune, mais il estimait que, par son testament, il effaçait tous ses torts (à supposer qu'il se reconnût des torts). Eh bien non ! la publication a peut-être été un règlement de compte.

L'œuvre de Montherlant se trouve-t-elle dévalorisée par les révélations sur le caractère véritable de son auteur ? En tout cas, la statue qu'il s'était lui-même construite s'est effondrée. Il avait souhaité laisser une belle image de sa vie et de lui-même, et, de ce point de vue, il a raté son coup. Ses mensonges ne sont pas comparables à ceux d'un Malraux qui bâtissait sa légende sur une part de vérité. Malraux cherchait à devenir celui qu'il souhaitait être. Il a souvent payé de sa personne, tandis que Montherlant ne s'est engagé qu'en paroles : très sensible au « qu'en-dira-t-on », il a voulu tromper ses lecteurs. Il les a trompés en se prêtant des exploits imaginaires quand il parlait de la guerre, du sport, des taureaux et des femmes. N'aurait-il pu se contenter d'inventer des personnages qu'il aurait dotés de toutes les qualités qui lui manquaient ? Il aurait eu sa place dans la tradition cornélienne de la France, au lieu de devenir l'exemple type de l'écrivain fanfaron.

DRIEU LA ROCHELLE

Contrairement à Montherlant, Drieu avait réellement connu la guerre. Il s'était battu courageusement. Son meilleur livre reste *La Comédie de Charleroi* (1934), recueil de six nouvelles qui constituent un témoignage d'une parfaite honnêteté et d'un art très sûr.

Dans le recueil *Sur des écrivains* (paru en 1964), on trouve le début des *Mémoires* qu'il entreprit de rédiger en 1943 et n'acheva pas. Il nous y raconte notamment comment il naquit, en tant qu'écrivain, au lendemain de la bataille de Charleroi. Sous la poussée des événements, son tempérament triompha de toutes les conventions littéraires qu'il avait respectées jusque-là. Il rejeta les formes anciennes qu'il avait empruntées. « L'instinct avait percé et, comme malgré lui, avait façonné tant bien que mal une sorte de porte-voix, primitif mais qui lui permettait de crier, sinon de chanter. »

Drieu nous parle ensuite de « la gloire des mots » dans laquelle il vécut alors. Écrire n'était même pas nécessaire, il ne se lassait pas de former des phrases dans son esprit. « C'est ainsi qu'on devient familier avec soi-même. Par malheur, est-ce que je ne perdais pas beaucoup à me laisser peu à peu dominer par une faculté trop particulière qui en écartait d'autres ? »

On voit que, comme la plupart des écrivains de ce siècle, Drieu n'évite pas de mettre la littérature en accusation.

Pour le jeune Drieu, la grande révélation, ce fut les *Cinq Grandes Odes*, de Claudel, dont « la loi était celle de l'inspiration même ». Ayant trouvé une forme qui lui convenait, Drieu commença son premier livre : *Interrogation.* « J'y parlais de la guerre et uniquement de la guerre. Et, après tout, peut-être n'ai-je eu jamais qu'à parler de cela et tout le reste n'a été qu'allusion détournée et remplissage superflu. »

Drieu reconnaît qu'il est en réalité un prosateur, mais il dit avoir essayé d'insérer dans sa prose le tumulte lyrique ou épique qu'il donne pour sa raison d'être. Le lecteur du *Feu follet*, de *Rêveuse bourgeoisie* ou de *Gilles* (ses œuvres les plus célèbres) sera surpris par ces déclarations. Drieu reste comme un témoin de la décadence française et de la décomposition d'une société.

A l'origine de sa dérive, il y a la déception de l'ancien combattant. Nous la comprenons très bien. Drieu ne se consolait pas que la France, apparemment victorieuse, eût perdu sa première place dans le monde. Il reprochait aux Français de se vautrer dans la médiocrité, mais lui-même, rendu à la vie civile, ne menait-il pas une vie de jouisseur, aimant le luxe, l'argent et le plaisir ? Il éblouissait Malraux par ses liaisons flatteuses avec des femmes de la haute société.

Drieu est ainsi un homme double et c'est contre lui-même d'abord qu'il a écrit : « Il faut en finir avec l'homme divisé. » Il est le représentant d'une « génération perdue », censeur d'une société sans force et sans idéal. Il est aussi une image du dandy des Années folles. Et c'est en tant que tel qu'il a pu séduire beaucoup de jeunes gens d'après-guerre. Ses admirateurs d'aujourd'hui le placent à côté de Scott Fitzgerald, lequel se laissa détruire par l'alcool. Il existe des alcools de toutes sortes. Pour Drieu, l'alcool le plus dévastateur fut l'engagement politique. Son ivresse de 1940 ne dura pas et, quand il se suicida en 1945, il avait cessé depuis longtemps de croire à la cause qu'il avait défendue.

JEAN GIONO

À la veille de la guerre de 1940-1945, Giono n'était pas seulement considéré comme un grand écrivain, il faisait figure de « maître à penser ». À penser quoi ? Que le monde moderne courait à sa perte en s'engageant dans la voie du machinisme et de l'industrialisation. Giono chantait « les vraies richesses » qui sont celles qu'offre la nature et condamnait les grandes villes bruyantes, puantes et inhumaines. Il s'opposait à toutes les contraintes sociales, aux embrigadements politiques et, en premier lieu, au service militaire. Il venait de publier un « refus d'obéissance », manifeste contre la guerre. Il avait surtout convaincu des jeunes gens et beaucoup se réunissaient autour de lui, l'été, en haute Provence. Il les menait en procession jusqu'au plateau du Contadour. C'est à la suite de ces parties de campagne qu'il avait publié son premier livre d'idées, précisément intitulé *Les Vraies Richesses,* un discours écologiste avant la lettre. Oh ! il n'entendait pas créer un « mouvement de jeunes ». Il voyait plus grand : il invitait les hommes de la terre entière à secouer leurs chaînes pour enfin « vivre libres ». Il était horrifié à l'idée qu'une nouvelle guerre pourrait éclater et il croyait qu'il pourrait agir sur les événements internationaux. Le philosophe Alain partageait d'ailleurs ses illusions et l'encourageait. C'est durant l'été de Munich, en 1938, que Giono rédigea sa *Lettre aux paysans sur la pauvreté et la paix,* où il assurait que si les paysans s'engageaient, en cas de conflit, à détruire leurs récoltes et leurs stocks, les fauteurs de guerre devraient renoncer à leurs sombres desseins.

Les œuvres d'imagination de Giono figuraient dans la bibliothèque de mes parents. Mon père, lui aussi, préférait la campagne à la ville et parlait de la « sagesse des paysans ». Mais devais-je considérer Giono comme un paysan et comme un sage, et croire à la vérité de ses personnages ? Avec ses beaux discours, convertirait-il les foules qui se massaient pour acclamer Hitler à Nuremberg et Staline à Moscou ? Giono était un poète. L'univers qu'il avait créé ne ressemblait pas au monde dans lequel je vivais. Cependant il n'offrait pas les images d'une vie rêvée. La lecture du *Chant du monde* m'avait révélé qu'un pacifiste n'est pas forcément un enfant de chœur ni même un homme pacifique.

Ce grand roman est nourri de toutes les vieilles passions et de toutes les violences. Le lyrisme de Giono s'y déploie et il faut enfin parler d'épopée. L'histoire qu'on nous y conte prend les allures d'une légende. On n'a pas manqué d'évoquer Homère. De tels rapprochements sont toujours tentants. Et Giono les supporte sans faiblir. De même parlerait-on plus tard de Stendhal à propos du *Hussard sur le toit* et de Tolstoï à propos du *Bonheur fou.*

Si l'on rappelait Homère en rendant compte du *Chant du monde,* c'est que l'œuvre est construite autour du Fleuve comme *L'Odyssée* autour de la Mer. Le Fleuve joue ici un des rôles les plus importants et sa présence ne se fait pas oublier. On pourrait même soutenir qu'il est l'âme et le symbole du livre. Les héros sont en effet soumis à des passions et à des sentiments élémentaires.

Un personnage y donne cette saisissante définition de l'amour : « L'amour, c'est toujours emporter quelqu'un sur un cheval. » À quoi Antonio réplique : « On est là pour ça. » Et si, au début du livre, il s'agit pour un père de retrouver son fils, l'essentiel de l'œuvre nous raconte les aventures à la fin desquelles le jeune homme pourra aller vivre libre avec la fille qu'il aime. Mais voici les débuts de cet amour : le confident du garçon les raconte en présence de la fille : « À la lisière de la prairie où il construisait son radeau, il avait vu une femme.

— Ce jour-là, dit Gina, j'allais chercher des emplacements de lavoir.

— Il se mit à bégayer en me parlant, dit le bossu, et je le voyais trembler là devant moi. Il me disait comment elle était. Il essayait de me dire sa beauté, sa bouche en était toute luisante.

— Ce jour-là, dit Gina, c'était l'été, j'avais noué sur ma chemise une petite jupe de soie juste serrée à la taille, pas plus, il faisait chaud, j'étais plus libre.

— Comme ça s'est fait, dit le bossu, va chercher ?

Gina s'essuya les yeux.

— Il marquait ses arbres, dit-elle. Il avait fait un feu et il y avait mis à rougir son épaisse marque de fer. Je le regardais d'entre les saules. Il saisit la marque avec sa grande main nue et il l'enfonça, blanche de feu, dans le tronc tout vivant. Au milieu de la fumée, je le voyais pousser de toutes ses forces. La sève criait. Il se releva... L'arbre était marqué de son nom... Moi, j'étais marquée de cet homme aux cheveux rouges comme par une marque d'arbre. »

Que peut-on contre un tel amour ? Eh bien, on peut séparer les amants, tuer l'un d'eux. En tout cas, Maudru, le père de Gina, a mobilisé tous ses gens pour rattraper les fugitifs et les empêcher de quitter le pays. Des scènes d'une extrême sauvagerie se succéderont et le père du jeune homme laissera sa peau dans la bagarre. L'incendie allumé par vengeance chez Maudru ne ressuscitera pas le mort.

Non, le « chant du monde » n'est pas toujours un chant de bonheur, mais c'est un chant de joie parce qu'ici les hommes et la nature sont intimement accordés. Les héros ne sont au service que de leurs propres intérêts, leur plus puissant intérêt étant de donner satisfaction à leurs instincts.

C'est ainsi que, dans les années 30, pour combattre l'absurdité des guerres, Jean Giono imaginait des batailles dans la montagne.

Qui était l'homme Giono ? Quelle était sa formation ? Il était né à Manosque en 1895. Sa famille n'était pas originaire de la petite ville ou de la région. Le père était d'ascendance piémontaise et la mère d'ascendance picarde. Dans la maison natale voisinaient deux ateliers : celui du père, cordonnier, et celui de la mère, blanchisseuse. Les gains n'étaient pas considérables et, dès sa seizième année, Giono quitta le collège pour gagner sa vie : il entra comme « chasseur » (c'est-à-dire comme coursier) à l'agence locale du Comptoir national d'escompte de Paris. Il adorait la lecture et avait déjà commencé d'écrire : on a publié récemment un roman inachevé, *Angélique,* ébauché dès 1910. C'est un roman inspiré par les contes du Moyen Age. Ainsi voit-on que Giono fut écrivain de bibliothèque avant d'être auteur de plein air.

Giono affirmait qu'à Manosque « on entra dans la guerre sans s'en apercevoir ». Mais, en janvier 1915, il fut incorporé dans un régiment d'infanterie alpine et, dès mai, envoyé sur le front. Il devait connaître Les Éparges, Verdun, le Chemin des Dames, le Kemmel, où il fut gazé et crut perdre la vue. Il fut un des rares survivants de la 6e compagnie.

Après la guerre, il reprit son travail au Comptoir d'escompte et se maria. Il effectua un stage à Marseille, puis revint à Manosque, où il gravit les échelons de la hiérarchie : il devint sous-directeur de la succursale. Mais, surtout, il trouva le temps de compléter sa formation littéraire. C'est alors qu'il découvrit Whitman et ses élans panthéistes. Un éditeur amateur, installé à Grasse, publia en 1924 un recueil de poèmes en prose de Giono, *Accompagnés de la flûte,* dont on vendit dix exemplaires.

Ses relations avec le monde littéraire parisien commencèrent en 1928, quand Paulhan fit publier *Colline* dans la revue *Commerce.* C'est Grasset qui édita le roman en volume, l'année suivante. À cette occasion, Giono « monta » pour la première fois à Paris, afin de signer son service de presse. Le succès de *Colline* fut immédiat et Giono décida de vivre de sa plume. Mais il ne songea jamais à quitter Manosque. Il acquit une petite maison (qu'il ferait plus tard agrandir) où il devait finir ses jours.

À *Colline* succédèrent *Un de Baumugnes* et *Regain* (1930), *Le Grand Troupeau* (1931), en partie nourri de souvenirs de guerre, *Jean le Bleu* (1932), en partie nourri de souvenirs d'enfance. En 1934, ce fut *Le Chant du monde* et Pagnol adapta *Un de Baumugnes* pour le cinéma, sous le titre *Angèle.* Ce film connut un triomphe.

Cette année 1934 marqua un tournant dans la carrière de Giono : en novembre il publia dans la revue *Europe* un texte intitulé « Je ne peux pas oublier », qu'il reprit après en volume, avec des chapitres inédits du *Grand Troupeau,* sous le titre provocateur de *Refus d'obéissance.* Il faisait ainsi son entrée dans ce que l'on appela plus tard la littérature engagée. Son œuvre allait-elle en souffrir ? Certains critiques prétendirent que, dans son nouveau roman, *Que ma joie demeure* (1935), il avait gâché ses dons de conteur en accordant trop de place à des « préoccupations idéologiques ». En tout cas, celles-ci allaient le détourner quelques années de son travail de création. Après *Batailles dans la montagne* (1937), dix ans s'écoulèrent avant qu'il ne recommence à publier des œuvres romanesques sur le rythme auquel il nous avait habitués. Pendant ces années-là, ses écrits de pacifiste et de chantre de la vie en plein air le conduisirent deux fois en prison.

À la déclaration de guerre, en septembre 1939, il fut arrêté « pour défaitisme » et incarcéré au fort Saint-Nicolas à Marseille. Nous ne possédons pas actuellement une version certaine de son arrestation, ni de sa libération. On sait cependant que Gide intervint en sa faveur auprès de Daladier. Gide avait toujours défendu les objecteurs de conscience. Giono reçut un fascicule de démobilisation.

En 1941 parut la traduction (qu'il avait faite avec deux amis) du *Moby Dick* de Melville. La préface qu'il avait entrepris de donner à cet ouvrage s'était transformée en un bref roman, le seul qu'il ait publié sous l'Occupation : *Pour saluer Melville.* Il donna également un supplément aux *Vraies Richesses,* sous le titre de *Triomphe de la vie.* Cette publication lui a été reprochée parce que l'on pouvait y voir une approbation de la propagande de Vichy pour le « retour à la terre ». Il n'y développait aucune idée qu'il n'eût exprimée avant la défaite. Il vint deux fois à Paris, à l'occasion des représentations de sa pièce d'avant-guerre *Le Bout de la route,* créée au printemps 1941 et qui fut jouée trois années consécutives dans une petite salle du Quartier latin. Il voulut écrire pour un grand théâtre et, en 1943, composa *Le Voyage en calèche,* une pièce historique située en 1797, dans Milan occupé par les Français. Cette œuvre évoquant la Résistance fut acceptée par le théâtre Marigny, mais, contrairement aux pièces de Sartre, ne reçut pas le visa de la censure allemande.

Ce furent encore ses compatriotes qui emprisonnèrent Giono un peu plus tard. Il fut arrêté à Manosque, fin août 1944, au lendemain de la Libération, et conduit au camp de Saint-Vincent-les-Forts, où il resta plus de six mois. On le relâcha sans explication. Il ne regagna pas aussitôt Manosque. Il vécut quatre mois à Marseille et c'est là qu'il inventa le personnage du hussard Angelo Pardi. Cette radieuse figure lui fut un réconfort et devait devenir son porte-chance.

La prison avait guéri Giono de tout militantisme. Il décida de n'être plus qu'un écrivain. Il se sentait la force de devenir un romancier dans la tradition du XIXe siècle : il s'égalerait à Stendhal et à Balzac, mais aussi à Dumas et même à Eugène Sue, qui avaient su enthousiasmer le plus large public. Il n'a jamais dit qu'il voulait prendre une revanche. Il désirait peut-être surtout rattraper le temps perdu à batailler pour la paix. Écrire fut sa délivrance et son bonheur.

Inscrit sur la liste noire d'un comité d'épuration littéraire, il ne publia rien jusqu'en 1947, où Paulhan (encore lui) accueillit son *Roi sans divertissement* dans ses *Cahiers de la Pléiade.* On découvrit un nouveau Giono qui allait publier en cascade une suite de chefs-d'œuvre qu'il baptisait « chroniques », situées le plus souvent au siècle dernier. La tonalité de ces livres était sombre, mais la santé de l'auteur, éclatante. C'est en 1951 que parut *Le Hussard sur le toit* qui s'imposa aussitôt comme un des sommets du roman contemporain.

Giono nous a raconté dans *Noé* comment Angelo lui était apparu pour la première fois. Par la suite, il devait beaucoup mentir sur les dates de composition du cycle du *Hussard.* Il affirma même en avoir commencé une première rédaction en 1934 (alors que les carnets qu'il devait laisser à ses héritiers confirment que l'œuvre fut écrite après la guerre). Pourquoi a-t-il cherché à nous tromper ? Quel intérêt y trouvait-il ? Probablement était-il agacé par les discours de la critique sur ses « deux manières ». Je suppose qu'il voulait surtout nous faire croire que ses deux emprisonnements n'avaient pas provoqué dans sa vie une cassure, laquelle s'était traduite, dans son œuvre, par un changement de registre.

Après *Le Hussard sur le toit,* il se trouva sollicité et honoré de tous les côtés : on lui décerna le prix de Monaco, on l'élut à l'académie Goncourt (où Aragon le rejoignit un moment), on lui demanda de présider le jury du Festival de Cannes. Tout en continuant d'écrire de merveilleuses chroniques, il trouva moyen de travailler pour le cinéma : il réalisa lui-même un *Crésus* en 1960 et adapta son *Roi sans divertissement* en 1963. Cette même année, il devint historien en publiant son époustouflant *Désastre de Pavie.* On s'attendait à ce qu'il reçoive le prix Nobel, mais les Suédois l'écartèrent comme ils avaient jadis écarté Tolstoï.

L'année 1965 vit la publication des *Deux Cavaliers de l'orage,* commencé depuis longtemps et peut-être sa plus belle œuvre. *Le Voyage en calèche* fut enfin représenté (au théâtre Sarah-Bernhardt devenu Théâtre de la Ville).

Giono garda jusqu'à la fin une parfaite maîtrise de ses moyens d'expression comme en témoignent *Ennemonde* et *L'Iris de Suse,* son dernier roman (1970). Il mourut le 9 octobre 1970, dans son sommeil.

Un recueil posthume, *Les Récits de la demi-brigade* (1972), nous réserva la surprise de le retrouver sous les apparences d'un auteur d'aventures criminelles.

Le héros et narrateur en est Martial Langlois, capitaine de gendarmerie, que nous connaissions depuis *Un roi sans divertissement.*

Vous me direz qu'*Un roi sans divertissement* était déjà un roman criminel et que beaucoup d'ouvrages de Giono sont d'une violence extrême. Oui, mais les « récits de la demi-brigade » sont des nouvelles qui racontent ce que nous appelons très exactement des enquêtes policières, même s'il s'agit souvent de police politique. Ce qui fait leur originalité, c'est qu'elles se situent au temps de la Restauration, contiennent de superbes descriptions de paysages (des Alpes aux Cévennes) et qu'elles illustrent (nous serions tentés de dire : qu'elles inventent) une curieuse psychologie de personnages romantiques.

Martial Langlois est un ancien officier de Napoléon et il conserve de son passé militaire une nostalgie directement empruntée à Stendhal. Il semble bien que l'auteur de *Refus d'obéissance* se soit vengé des ennuis et des emprisonnements que lui valut son pacifisme intégral en créant de hardis sabreurs comme ce Langlois ou comme l'Angelo du *Hussard* et du *Bonheur fou.* Langlois est très représentatif de l'évolution de Giono : il exerce son métier avec un certain recul, ne respecte que modérément la loi et les règlements, professe une philosophie désabusée sur la bonne nature humaine. Il se divertit en mettant à l'épreuve son intelligence et son courage. Ses meilleurs compagnons sont les chevaux, dont il parle en connaisseur.

Vous vous rappelez peut-être que Giono avait suivi le procès Dominici et qu'il a consacré un petit livre à cette cause célèbre. Lui que l'on donnait comme le chantre des antiques vertus paysannes nous assurait alors que les gens de son pays étaient capables de toutes les sauvageries.

Les tueries sauvages sont nombreuses dans *Les Récits de la demi-brigade.* Langlois parle d'assassinat, mais la petite marquise de Théus (que nous retrouvons également ici) lui dit : « Ne jugez pas. Un esprit non prévenu, s'il était arrivé sur le champ de bataille le lendemain d'Austerlitz (admettons-le chargé de faire les " constatations d'usage "), aurait pu dire aussi : " Quel assassinat ! " »

C'est à la politique que Langlois réserve son plus grand mépris. De fait, il est amené à s'occuper de complots politiques qui n'ont rien à envier à l'affaire Ben Barka et à bien d'autres. Les autorités civiles qu'il rencontre sont des hommes ridicules ou odieux. « Le préfet essaya de me persuader que la politique était parfois faite par autre chose que par des monstres. Il s'essouffla vite. »

Giono, lui, ne s'essouffle jamais et ses histoires de gendarmes sont très entraînantes aussi superbement écrites que ses grands romans.

MARCEL PAGNOL

La conjonction Giono-Pagnol peut paraître surprenante. Giono est un écrivain de grand style et d'une imagination exceptionnelle, tandis que Pagnol se recommande par son écriture familière et sa bonne humeur. L'un est un pur artiste et l'autre un écrivain populaire.

Qu'avaient-ils en commun ? D'être nés en Provence la même année 1895. Si Giono a souvent chanté Manosque, où il a écrit presque tous ses livres, Pagnol aimait rappeler sa naissance à Aubagne, « sous le Garlaban couronné de chèvres, au temps des derniers chevriers ». Mais, tandis que le jeune Giono se méfiait des grandes villes, le jeune Pagnol se sentait attiré par elles. Fils d'instituteur, il poursuivit de brillantes études et devint professeur d'anglais. De Marseille, il monta rapidement à Paris. C'est comme auteur dramatique et par des satires de la société moderne qu'il se fît connaître. La critique le situa dans la descendance de Becque et de Mirbeau. Son premier grand succès fut *Topaze,* pièce créée l'année où parut le *Colline* de Giono. Rien de commun entre les deux œuvres. Puis ce fut *Marius* et *Fanny* qui donnèrent aux Parisiens (et bientôt au monde entier) de sympathiques et pittoresques images de la population marseillaise. Ce n'est qu'ensuite, devenu homme de cinéma, que Pagnol entreprit de parler de sa terre natale et qu'il rencontra Giono dont il adapta plusieurs œuvres pour l'écran : *Joffroi* et *Angèle* (1934), *Regain* (1937) et *La Femme du boulanger* (1939). Peut-être y a-t-il eu influence de Pagnol sur Giono, en ce sens que Giono put rêver de la gloire que le théâtre et le cinéma avaient apportée à Pagnol.

Pour *La Femme du boulanger,* Pagnol s'était inspiré d'une nouvelle insérée dans *Jean le Bleu.* Giono écrivit en 1942 sa propre version dramatique de cette histoire. La comparaison entre le film de Pagnol et la pièce de Giono permet de voir la différence de nature entre l'inspiration de l'un et celle de l'autre.

Au début de l'Occupation, Pagnol avait produit un nouveau film provençal dont il avait entièrement imaginé le scénario : *La Fille du puisatier.* Revenant à des adaptations, il proposa en 1954 *Les Lettres de mon moulin.* Il avait toujours été plutôt le fils d'Alphonse Daudet que le frère de Giono. Ses adaptations de Giono nous apparaissent aujourd'hui comme du Giono revu par Daudet. Si elles avaient été du pur Giono, elles n'auraient peut-être pas obtenu un si bon accueil du public, un si franc succès populaire.

Un des thèmes favoris de Pagnol est celui de la fille mère. Fanny Angèle, la Fille du puisatier sont considérées par leurs familles comme des créatures déshonorées parce qu'elles attendent un enfant sans être mariées. Voilà qui fait d'elles des personnages d'un autre temps. Les droits reconnus aux femmes depuis la Libération, l'invention de la pilule, la légalisation de l'avortement (pudiquement appelé interruption de grossesse) ont amené un grand changement dans nos mœurs et dans nos familles. Toute la morale d'autrefois s'est trouvée modifiée. On n'avait jamais vu si clairement que les principes moraux ne reposent pas sur une conception rationnelle du « Bien » et du « Mal », mais sur le respect de règles purement sociales. Ce n'était pas faire l'amour avant le mariage qui était « une faute » pour les filles (on disait « avoir fauté »), c'était attendre un enfant sans être passée devant le maire. La pilule a désacralisé le mariage, institution que même les athées respectaient, car elle servait leurs intérêts. Mais on ne verra plus une petite Fanny être contrainte d'épouser un vieux Panisse pour que son enfant ait officiellement un père. Car voici la situation qu'expose Pagnol : Fanny vend son jeune corps à un vieil homme afin de sauver son honneur... La pièce n'était pas un drame noir. Le public l'estimait attendrissante et Panisse apparaissait comme un bien brave homme (et d'ailleurs l'était).

Après la guerre, Pagnol écrivit ses souvenirs d'enfance : *La Gloire de mon père* (1957), *Le Château de ma mère* (1959) et *Le Temps des secrets* (1960) obtinrent un énorme et légitime succès. Pagnol nous a quittés en 1974. Un dernier volume, *Le Temps des amours,* parut en 1977.

LOUIS-FERDINAND CÉLINE

Je me rapelle une soirée chez mon ami Francis Paul, au printemps de 1941. Céline venait de publier un nouveau livre, *Les Beaux Draps,* dédié « à la corde sans pendu ». Il y tournait en dérision la France vaincue et n'avait nullement mis une sourdine à son antisémitisme. Nous en lûmes quelques pages à haute voix (aucun des camarades présents n'avait encore vingt ans) et l'un de nous murmurait de temps à autre : « Ignoble, c'est ignoble. » Puis, soudain, je ne sais plus à quel passage, nous fûmes pris de fou rire. À partir du moment où l'on ne prenait plus Céline au sérieux, il devenait possible de saluer son génie d'imprécateur. Entendons-nous : possible entre amis. Quand nous eûmes bien ri, nous fûmes tous d'accord pour déclarer qu'avoir publié un tel pamphlet était impardonnable.

Quel homme pouvait être Céline ? Il apparaît à plusieurs reprises dans le *Journal 1941-1943* d'Ernst Jünger, dont la traduction parut chez Julliard en 1951.

À la date du 7 décembre 1941, vous trouverez le récit d'une réunion à l'Institut allemand, rue Saint-Dominique, où Céline s'était lancé dans un monologue passionné et passionnel. « Il est stupéfait, note Jünger, que quelqu'un qui dispose d'une baïonnette n'en fasse pas un usage illimité. » Jünger le décrit comme un spécimen dangereux de nihiliste. Céline resta pour lui « l'affreux Céline », et c'est ainsi qu'il le qualifie dans un autre passage de son *Journal.*

Or, en l'année 1951, Céline venait de rentrer en France et ne se sentait pas très à l'aise vis-à-vis de la justice de son pays. Un ami lui signala le témoignage de Jünger, en ajoutant que, dans le texte original allemand, on ne lisait pas le nom de Céline, mais celui d'un certain « Merline ». Vérification faite, Céline demanda à René Julliard de retirer l'ouvrage du commerce et de procéder à un nouveau tirage, où seul « Merline » serait en cause.

René Julliard fut très surpris. Il essaya de joindre le traducteur, Henri Thomas, pour avoir une explication. Henri Thomas, qui travaillait alors à la B.B.C., perdu dans « la nuit de Londres », ne répondit pas à ses lettres. Jünger, interrogé à son tour, se borna à reconnaître que l'édition originale portait bien « Merline » et non « Céline ». René Julliard dut donner satisfaction à l'auteur de *L'École des cadavres.*

Je vous raconte cette anecdote parce que je suis en mesure de donner le fin mot de l'affaire. Henri Thomas avait eu en main non pas le livre allemand mis dans le commerce, mais les épreuves d'imprimerie de ce *Journal.* Corrigeant lesdites épreuves, Ernst Jünger s'était aperçu que son témoignage sur Céline pouvait être utilisé par les épurateurs politiques et il avait modifié son nom (comme il en modifia beaucoup d'autres, par souci de ne nuire à personne). Il oublia seulement de faire prévenir Thomas et Julliard. J'ajoute que Céline prétendait ne pas se reconnaître du tout en Merline. Ses amis pensent qu'il pouvait fort bien avoir oublié les numéros outranciers qu'il avait joués devant Jünger.

En 1952, Céline fit sa rentrée littéraire avec *Féerie pour une autre fois.* Les critiques de l'époque ne furent pas nombreux à parler de ce livre. Je me flatte d'avoir été un des rares à en rendre compte. Voici mon article de *Paris-Normandie* du 12 septembre 1952.

Les métamorphoses de Louis-Ferdinand

Le nouveau livre de M. Céline semble avoir été commencé dans les derniers jours de l'Occupation, poursuivi quelque part au Danemark, dans une prison, puis dans une retraite non désignée, enfin mis au point en France même. On y trouve un essai de justification dans cette prose lyrique propre à l'auteur, c'est-à-dire en phrases brèves, parfois sans verbe principal, avec une extraordinaire abondance de points d'exclamation et de points de suspension. On discutera pour savoir si la langue employée est plus proche du français parlé que du français écrit : c'est de toute façon une étonnante création. Il est bien possible que l'honnêteté du lecteur soit souvent choquée : M. Céline ne recule pas devant les mots exacts, et l'on sait assez que les mots choquent bien plus que les choses qu'ils désignent. La preuve : on peut tout dire, à condition de trouver la manière. Mais M. Céline ne cherche pas la manière : il a la sienne et n'ignore pas que c'est à elle qu'il doit son succès. Littérateur, M. Céline triomphe par la force de son verbe. Nul déchaînement comparable depuis Rabelais. Le nouveau livre de M. Céline s'appelle *Féerie pour une autre fois.*

On sait que M. Céline s'imposa par un torrentueux chef-d'œuvre : *Le Voyage au bout de la nuit.* M. Céline était plus ou moins communiste en ce temps-là, mais écrivit un *Mea Culpa* où il se désolidarisait de Moscou. Il a supprimé ce livre dans la liste de ses ouvrages. Il a supprimé aussi *Bagatelles pour un massacre* et *Les Beaux Draps.* Mieux : il semble avoir oublié les monstruosités qu'il a écrites dans ces livres-là ! Lui, nous avoir jamais proposé des bagatelles en vue d'un massacre ? Pensez-vous ? Dans son activité d'écrivain d'avant-guerre, il n'avait qu'un but, nous faire échapper à une nouvelle guerre : « J'ai voulu leur sauver la glotte, compatriotes ! leur faire esquiver l'Abattoir... mes livres pour ça ! » (P. 25.) « Que ça recommence pas ! Je voulais empêcher l'Abattoir. » (P. 94.)

M. Céline estime qu'il a été bien mal récompensé : « Cinquante ans d'acharné labeur, d'effroyables surhumains efforts... C'est pas mal joué ! Ruiné, si détesté partout que c'en est une merveille que je bêle encore. » (P. 29.) Oui, il a oublié les *Bagatelles.* Il pense que nous aussi, et que nous lui reprochons tout autre chose. Quoi donc ? Eh bien... « d'avoir vendu les Invalides au poids, la Légion d'honneur à Abetz, cédé l'Étoile pour un garage, l'Inconnu vingt marks, la Ligne Maginot un baiser ! » (P. 34.) Il s'exclame : « Ce que j'ai pu livrer comme villes ! flottes ! généraux ! bataillons !... La rade de Toulon !... Le Pas-de-Calais ! Un peu le Puy-de-Dome. » (P. 155.) Ce système est excellent pour s'innocenter. Mais il replace M. Céline à son véritable rang. Celui où le plaçait Gide : un rang d'amuseur énorme, extravagant, qui travaille dans l'horrible. J'entends bien que M. Céline a tout intérêt à ce qu'on le considère sous cet angle. Voici comment il entend qu'on le traite : « Il est agonique mais marrant !... C'est le marrant du siècle ! » (P. 102.) Il y revient plusieurs fois : « Faut que le rire vous gagne !... Vous rigolez pas ? Je crapote ! » (P. 168.) Mais c'est gagné : nous rigolons.

M. Céline se veut plutôt médecin qu'écrivain. Beaucoup d'écrivains-médecins sont ainsi : médecins chez les écrivains, écrivains chez les médecins. Écoutons M. Céline : « Mon ambition n'est pas aux Arts ! Ma vocation c'est la médecine !... Mais je réussissais pas beaucoup... et la médecine sans les clients !... Le roman est venu... J'ai continué, alas, alas ! tout petits bénéfices d'abord et puis les menottes ! Cachots ! Haines ! N'écrivez jamais ! » (P. 40.) M. Céline-Destouches évoque son expérience de médecin : « Les remplacements, les dévouements... à la ville, en province, aux champs, parcouru bien des sentiers, escaladé bien des étages, tout fervent de l'art de guérir, panser, consoler, accoucher, prescrire, peloter aussi... Sus à la douleur ! aux microbes ! à la fatigue ! à la mort ! à vingt-cinq formes du désespoir au moins ! »

M. Destouches essaya d'ouvrir un sana pour catarrheux au-dessus d'Argenteuil. L'air chaud des sables supprime l'asthme... Mais il se mit à pleuvoir extraordinairement cette année-là sur Argenteuil. « C'est pas le déluge tous les étés ! J'aurais eu cent mille francs devant moi, Le Mont-Dore n'existait plus ! Argenteuil-Sannois, Reine des Bronches ! » (P. 33.)

La pluie nous a ainsi valu un grand écrivain et un pamphlétaire que certains estimèrent dangereux (mais que dire de la bêtise de ceux qui prirent ce pamphlétaire au sérieux ?).

Nous prenons cependant au sérieux la misère physique actuelle de M. Céline : il a écrit *Féerie* dans des conditions extrêmement misérables : pellagre, bourdonnements, vertiges, névrome du bras droit. Il ne faut pas oublier que M. Céline est un grand mutilé de la guerre de 14. Ses cris de malade sont émouvants : « J'ai des réminiscences bruyantes et puis l'agacement, la fatigue et mes bourdonnements perpétuels... mais quand même tout était pas songe. » (P. 36.)

M. Céline s'invente un interlocuteur imaginaire qui lui oppose les souffrances de ceux de l'autre camp. Il y répond avec ce parti pris que nous avons signalé : « Engagé volontaire deux fois, mutilé soixante-quinze pour cent, j'avais rien juré à Pétain, ni à von Choltitz, ni au Pape. » (P. 60.)

Il se fait des objections du genre : « Son délire est simulé ! » (ce que nous pensons bien un peu) ou nous fait des aveux : « Je tire à la ligne ! » (mais peu importe, puisque ce qui nous intéresse n'est pas tant ce que M. Céline raconte que la manière dont il le raconte). Mais, si M. Céline tire à la ligne, il est capable de raccourcis saisissants : « Le loup crève sans hurler, pas moi ! »

S'il émeut parfois, M. Céline ne convainc jamais. C'est la rançon des hyperboles. Parlant des ouvriers, il dit : « Les doigts des ouvriers, n'est-ce pas ?... à quarante ans, ils ont plus de doigts... deux, trois arrachés à chaque main... perdus et là... aux scies... aux fraiseuses. » Eh bien, on a tendance à rigoler. Et c'est pourtant vrai qu'il est rare que l'on conserve tous ses doigts quand on manie professionnellement la fraise ou la scie. Oui, drôle de *Féerie*. Drôle et pas drôle. Il était impossible de n'en point parler.

La grande trilogie

En réalité, il était très possible de ne pas parler de *Féerie*. Je l'ai dit plus haut : on en parla peu *. Céline dut attendre quelques années avant que l'on reconnaisse qu'il n'avait rien perdu de son génie. Ce fut fait en 1957 quand parut *D'un château l'autre*. Le démarrage est un peu lent et même laborieux. Céline s'exalte en exhalant sa tristesse et sa haine. Il lance des imprécations contre les hommes en général et contre les éditeurs en particulier. Le rire ici n'est pas gai. L'auteur se tourne et se retourne dans son lit de malade. La fièvre va-t-elle l'inspirer ? Oui. Il faut cependant arriver à la page 113 où Céline nous présente un bien bel endroit : « ... et même un site très pittoresque !... touristique !... mieux que touristique !... rêveur, historique et salubre !... idéal ! pour les poumons et les nerfs... un

* Paulhan avait aimé mon article. Il me demanda de le transformer en note pour *La Nouvelle N.R.F.* J'établis un texte qui parut dans le numéro d'avril 1953 (pp. 721-723).

peu humide près du fleuve... peut-être... le Danube... la berge, les roseaux... » C'est Siegmaringen.

Quand Céline avait fui Paris, à la veille de la Libération, son intention était de gagner le Danemark où il possédait quelque or, mais pour obtenir les visas qui lui permettraient de franchir la frontière danoise, il lui fallait passer par l'Allemagne.

Il faut entendre Céline parler de Siegmaringen où s'étaient repliés, lors de l'avance alliée, les ministres du gouvernement de Vichy. Nous disons : entendre, car on écoute Céline plus qu'on ne le lit. De ce point de vue (et de quelques autres) la réussite du livre est complète. Il importe assez peu que les souvenirs de Céline soient ou non délirants. Nous pencherions d'ailleurs à penser qu'il a vécu les événements qu'il rapporte tels qu'il les raconte. Vous les vivrez à votre tour : vous vous effarerez et vous admirerez comme il convient.

Dans *Nord* (1960), Céline rapporte d'autres souvenirs d'Allemagne, antérieurs à son séjour à Siegmaringen. C'est un de ses livres les mieux charpentés et peut-être le plus réussi. Il fut fort bien accueilli.

Céline mourut en pleine gloire, en 1961, alors que l'on annonçait la publication du *Voyage au bout de la nuit* et de *Mort à crédit* dans la Bibliothèque de la Pléiade. Il laissait le manuscrit de *Rigodon,* dernier volet de la « trilogie allemande ». Celui-ci ne parut qu'en 1969. Plus de six ans avaient été nécessaires pour en déchiffrer l'écriture. Dans ce dernier livre, Céline interrompt encore plusieurs fois son récit pour soigner son image d'écrivain maudit. Il se plaint de travailler sur les galères de Gaston Gallimard, son éditeur, qu'il appelle Achille. Pour *Le Voyage au bout de la nuit,* dans la Pléiade, Céline ne devait toucher que quatre pour cent de droits d'auteur : « C'est se foutre des muses », nous dit-il. Cependant, il n'était pas mécontent d'être un des trois auteurs vivants à figurer dans la célèbre collection. Les deux autres étant Malraux qu'il appelle « Dur-de-Mèche » et Montherlant qu'il appelle « Buste-à-pattes ».

Cette consécration ne l'empêche pas de se considérer comme un auteur scandaleusement méconnu. On ne l'a lu que pour le piller : tout ce qui fut écrit depuis le *Voyage* n'est que « pénibles imitations, galimatias tièdes ». On sait qu'il pensait principalement aux romans de Sartre. De fait, la littérature de la vie absurde et nauséeuse était à la mode et Céline en était l'inventeur.

Céline en chat de gouttière

Parmi les ouvrages qui ont été consacrés à Céline, le plus original est sans doute celui que Frédéric Vitoux a écrit sous le titre *Bébert, le chat de Louis-Ferdinand Céline* (1976).

Après que Vitoux eut publié sa docte et remarquable étude, *Misère et Parole* (1973), un éditeur lui avait demandé d'écrire une vie de Céline. Vitoux s'était récusé, l'heure n'étant pas encore venue de se lancer dans une pareille entreprise. Il avait répondu, en plaisantant, qu'il ne se sentait prêt que pour écrire une vie de Bébert, le premier chat de l'illustre écrivain. Mais, la plaisanterie lancée, il comprit qu'elle n'était pas du tout gratuite : elle lui fournit l'idée d'une approche inattendue et très révélatrice d'un auteur qui le fascinait. Ajoutons que Frédéric Vitoux est lui-même un ami des chats et qu'il en parle avec toute la lucidité que donne une longue fréquentation.

Avant son départ de Paris, en 1944, Céline avait, sur l'insistance de sa femme, recueilli à Montmartre un chat, abandonné par l'acteur Le Vigan. Paul Léautaud se disait prêt à s'occuper de ce chat. Vitoux nous cite de mémoire une lettre de Léautaud à Céline, datée de juin 1944 : « Vous allez sans doute être liquidé bientôt, et vous l'aurez bien cherché. Je ne verserai pas une larme, mais vous pourrez mourir en paix. Sachez que je suis prêt à recueillir Bébert, qui seul m'importe. »

Céline n'accepta pas l'offre de Léautaud. Bébert fut du grand voyage vers le Danemark. Il a été immortalisé dans la trilogie allemande. Mais c'est toute sa vie que nous raconte Vitoux, depuis l'an 1935 où Le Vigan l'acheta au rayon animaux du magasin La Samaritaine jusqu'à sa mort, à Meudon, en 1952. Bébert vécut ainsi dix-sept ans. Peu de chats connurent une existence si variée et si agitée. Au demeurant Céline, qui n'avait pas voulu le confier à Léautaud, avait songé à le laisser à un épicier avant de quitter Siegmaringen. Mais Bébert cassa une vitre de la pièce où l'épicier l'avait enfermé et réussit à retrouver l'hôtel et la chambre de son maître. Céline décida alors de l'entraîner dans le dangereux voyage vers le Danemark, dans les trains bombardés et à travers des villes en feu. Bébert se tint extraordinairement tranquille, enfoui dans la gibecière que Mme Céline avait trouvée pour le transporter.

Céline reconnaissait en Bébert des traits de caractère qui étaient les siens, par exemple le côté égoïste et râleur, mais surtout des qualités qu'il aurait bien voulu posséder, et d'abord l'élégance et la légèreté physique. Céline n'a cessé de reprocher aux hommes d'être lourds. À côté d'un homme, le chat est la grâce même. Il sait aussi se faufiler partout, silencieux, sans jamais se salir. Il est extrêmement sensible aux odeurs, aux bruits et à toutes les ondes qui parcourent notre univers. Les mots, il s'en moque. Ce qui compte, c'est ce qu'il sent. Il est indifférent à la comédie sociale, il ne ment jamais.

Frédéric Vitoux, à propos de mensonges, fait une remarque intéressante. Dans les scènes complètement inventées par Céline (comme l'enterrement de Bichelonne auquel il n'assista pas), Bébert ne figure pas. Au contraire, dans les récits les plus proches de la vérité, on constate la présence du chat. Ce n'est certainement pas un hasard.

Par une ironie du sort qu'il n'avait pas prévue, Céline se trouva tomber en Allemagne sous le coup de lois raciales. En effet, les nazis n'accordaient droit de vie qu'aux chats de race et reproducteurs : or, le malheureux Bébert était un chat de gouttière et il avait été castré. Céline n'hésita pas à refuser la loi qui condamnait Bébert. Vitoux écrit que Bébert fut le juif de Céline.

Je n'ai rencontré qu'une seule fois Céline. Sans me faire annoncer, j'étais allé frapper au bureau qu'occupait Nimier chez Gallimard. Céline se trouvait là. Nimier me dit cependant d'entrer. Céline se tenait tassé dans un fauteuil, la tête rentrée dans les épaules. Il avait un maintien modeste et paraissait très fatigué. Nimier me présenta comme l'auteur de comptes rendus très favorables de *Féerie* et de *Casse-Pipe*. Céline avait sans doute oublié mes articles. Il répéta d'un ton dubitatif : « très favorables » et il ajouta : « Oh ! les critiques ne me gâtent guère. » Il le dit sur un ton qui me rappela l'acteur Carette qui s'illustra dans des rôles de titi parisien. Mais le visage de Céline était celui d'un comédien tragique et je pensai à Antonin Artaud.

C'était en 1957. Les premiers exemplaires de *D'un château l'autre* venaient d'arriver dans la maison et Nimier en avait quelques-uns sur sa table. Il demanda à Céline s'il voulait bien m'en offrir un. Céline accepta et il écrivit sur la page de garde :

MJ. Brenner
Bien amical
L. Ferdin

Vous vous doutez que j'ai conservé le volume. Les deux premières lignes sont d'une haute écriture, nette et un peu appliquée. La signature, d'un tracé très négligé.

ANDRÉ MALRAUX

Rapprocher Céline et Malraux est intéressant à divers titres. Il est certain que ces deux auteurs sont très différents et ils nourrissaient l'un pour l'autre une forte antipathie. Ce qui les rapproche, outre le succès et leur amitié pour les chats, c'est le goût de romancer sa propre vie pour la transformer en légende. C'est aussi l'obsession de la mort.

Il y a bien des façons de romancer sa vie. Céline n'a retenu, dans ses romans puis dans ses chroniques, que les moments épouvantables et les épisodes burlesques. Au contraire, Malraux s'intéresse aux instants où l'homme, dans le feu des grandes circonstances, s'élève « au-dessus de lui-même ». (Le goût du « farfelu » ne lui est pourtant pas étranger et c'est même lui qui a remis ce vieux mot à la mode.)

Point commun entre Céline et Malraux : on les a tous deux parfois confondus avec leurs personnages romanesques et on leur a prêté des aventures qui appartenaient à leurs héros. C'est ainsi que l'on a cru longtemps que Céline avait été blessé à la tête pendant la guerre de 14. De même a-t-on cru, à cause des *Conquérants,* que Malraux avait participé à la révolution chinoise alors qu'il ne connaissait pas la Chine quand il avait écrit son roman. Ni Céline ni Malraux ne se sont jamais souciés de rétablir l'exactitude des faits les concernant. De toute façon, la légende leur paraît plus digne de retenir l'attention que la plate réalité des faits. C'est que la légende joue sur la sensibilité tandis que la vérité n'intéresse que l'intellect.

Céline et Malraux doivent leur célébrité à la littérature, mais il leur est arrivé de vouloir faire servir leur talent à autre chose que l'art. Pour Céline, les choses tournèrent mal. Nourri d'antisémitisme par des parents petits commerçants malchanceux, il écrivit des pamphlets apocalyptiques et il épousa la cause hitlérienne.

Il est possible qu'André Malraux se soit lancé dans la politique pour se venger des mécomptes qu'il avait essuyés en Indochine dans sa jeunesse aventureuse. On le vit ensuite compagnon de route des communistes. Il participa à la guerre d'Espagne et jugea inopportun, à cette époque, de condamner les méthodes staliniennes. Il avait son idée sur l' « efficacité ». Cette idée le dissuada de participer en France à la Résistance avant le début de l'année 1944. Mais, à la fin de la Deuxième Guerre mondiale, il changea d'orientation politique, rompit avec ses anciens camarades d'action et devint ministre du général de Gaulle.

En fait de souvenirs donnés pour tels, Céline n'a écrit que ses chroniques d'Allemagne et du Danemark. Elles sont truffées de justifications qui ne tiennent pas debout. Peu importe, la partie que l'on peut appeler documentaire est superbe.

Malraux n'a pas écrit ses Mémoires. Il nous a donné des « Antimémoires » où tout ce qui concerne ses origines et sa famille est imaginaire. Pour le reste, on ne finira pas d'en discuter. Il faut avouer que la vie réelle de Malraux ne constitue pas un roman moins extraordinaire que ses romans mêmes.

Une légende ne peut se créer qu'à partir de vies et de personnalités extraordinaires.

Au moment du lancement des *Antimémoires* (1967), Malraux déclara : « Les *Antimémoires* sont mon vrai livre. Je pense à Proust : *Du côté de chez Swann* a rendu impossible une nouvelle tentative qui eût ressemblé à celle de Chateaubriand. Proust est un anti-Chateaubriand. Chateaubriand était un anti-Rousseau. J'aimerais être un anti-Proust et situer l'œuvre de Proust à sa date historique. »

Étranges propos : si Rousseau et Chateaubriand ont écrit des Mémoires, Proust se présentait comme romancier et non comme mémorialiste. La vie de Proust, telle que la racontent Painter et quelques autres, n'est pas celle du personnage qui dit « je » dans *À la recherche du temps perdu*. Pourtant, le vrai Proust n'est pas celui que nous présentent ses biographes, c'est celui de la *Recherche*.

Rousseau et Chateaubriand, qui prétendaient être entièrement véridiques quant à leurs sentiments et aux faits de leur existence, n'ont pas manqué d'être accusés de nous tromper parfois. Le Rousseau de Guéhenno n'est pas tout à fait celui des *Confessions* et le Chateaubriand de Guillemin n'est pas celui des *Mémoires d'outre-tombe*. Malraux échappera aux Guéhenno et aux Guillemin de l'avenir dans la mesure où il n'a pas prétendu nous raconter sa vie, mais les grandes rencontres qui ont formé son caractère et façonné son destin. Lui seul sait lesquelles furent essentielles pour lui.

Ainsi, les *Antimémoires* sont une évocation lyrique de quelques moments cruciaux d'une destinée exceptionnelle. Aucune place n'y est faite à la vie quotidienne et aux aventures sentimentales. Malraux, en cela anti-Proust, a écarté tout ce qu'il considère comme les banalités de la vie courante.

L'homme que masque le héros, on le trouvera — pour la première moitié de son existence — dans les souvenirs qu'a publiés sa première femme.

Il semble bien que le grand reproche que Clara Malraux adresse à l'auteur de *La Condition humaine,* c'est de n'avoir jamais pris en grande considération les femmes. Sur ce plan, il est un homme d'autrefois : l'épouse doit rester dans l'ombre de l'époux à une place discrète. Ses vertus sont toutes d'effacement. Toutes les qualités, dans l'ordre de l'action et dans l'ordre de l'art, sont des qualités « viriles » — adjectif qui exaspère ou fait sourire Clara Malraux.

Si remplie d'admiration qu'elle fût pour le génie d'André Malraux, elle acceptait très mal de voir son rôle près de lui être méconnu. Il avait le premier rôle, c'est entendu, mais elle l'avait sérieusement aidé en plus d'une occasion et notamment lors de l'affaire indochinoise. Dans *La Fin et le Commencement* (paru en 1976), on la voit d'ailleurs l'aider d'une manière inattendue en intervenant pendant la guerre d'Espagne pour le faire envoyer en tournée de propagande aux États-Unis — ce qui était une manière de l'éloigner des champs de bataille. Bien entendu, cette intervention eut lieu à l'insu de Malraux mais avec la complicité d'André Gide.

Le couple était déjà séparé quand André Malraux fut fait prisonnier en 1940. Clara nous explique cependant comment elle organisa son évasion. Elle le revit pour la dernière fois en janvier 1942 à Toulouse où il lui avait donné rendez-vous, venant de Cap-Martin. Elle l'attendit avec l'espoir assez insensé qu'ils allaient peut-être faire à nouveau route commune. Et elle était prête à « redevenir une fausse soumise... pas si malheureuse que ça ». Mais il voulait lui demander de divorcer parce que Josette Clotis venait de lui donner un fils. À quoi Clara répondit : « Comme je voudrais que ma fille soit illégitime et qu'elle n'ait pas une mère juive ! »

Il est certain que Clara se sentait alors plus protégée en étant Mme Malraux qu'en reprenant son nom de Goldschmidt. Elle refusa donc à ce moment le divorce. Mais, dès la libération de Paris, elle devait écrire à Malraux qu'elle était prête à divorcer. On notera que Malraux l'autorisa à conserver son nom. « Elle ne l'a pas volé », dit-il, reconnaissant par là qu'il avait des dettes envers elle. Il s'en acquittait élégamment.

L'amusant est que Clara devint une gauchiste militante alors qu'André Malraux se transforma en chantre officiel du gaullisme. Ah ! on aurait été mal reçu, en 1968, si on lui avait rappelé la fameuse affirmation : « Tout ce qui n'est pas la Révolution est pire qu'elle. » Ou il aurait répondu : « C'est une phrase idiote d'adolescent. »

On publiera un jour sa correspondance. Elle nous réserve des surprises. Les fragments que l'on en connaît sont bien intéressants. Ainsi, dans sa préface à la *Correspondance Gide-Jef Last,* C. J. Greshoff cite les lignes suivantes d'une lettre de Malraux à son ami néerlandais Eddy Du Perron : « Pour les critiques (je parle de ceux qui ne sont pas des idiots de naissance), la vérité vraie est qu'ils aiment les romans, et nous ne les aimons pas. Plus ça va et plus je me rends compte de notre indifférence foncière à l'égard de ce que les bonnes gens appellent " l'art du roman ". *Adrienne Mesurat* est un chef-d'œuvre, vous dit-on. C'est peu probable, mais si cela était, cela me ferait le même effet [...] Il y a des gens qui ont quelque chose à exprimer et qui ne font jamais un chef-d'œuvre (Montaigne, Pascal, les sculpteurs de Chartres) parce qu'on ne domine pas une passion qui attaque le monde ; et il y a ceux " qui font des objets ". Mais le critique, au fond, c'est un homme qui aime " les objets " et non l'expression des hommes. »

C. J. Greshoff ne nous donne pas la date de la lettre en question. *Adrienne Mesurat* avait paru en 1927. On peut penser que la lettre fut écrite peu après, c'est-à-dire alors que Malraux allait publier un premier roman : *Les Conquérants.* Et la question se pose : pourquoi composait-il des romans s'il n'aimait pas ce genre littéraire ? C'est qu'ils étaient quand même le moyen d'exprimer des idées sur la vie et sur les hommes. *Les Conquérants* contiennent la matière d'un essai sur l'action. Quant à *La Condition humaine,* son titre même proclame son ambition philosophique.

La référence à Montaigne et à Pascal met en pleine lumière l'ambition de Malraux. Elle explique la phrase : « Les *Antimémoires* sont mon vrai livre. »

VII

Corps et Âmes

Autrefois, les jeunes gens épris de littérature attendaient de leurs écrivains préférés des réponses aux problèmes moraux qu'ils se posaient et des conseils sur la manière de mener leur vie. Ou plutôt ils aimaient certains auteurs parce qu'ils avaient trouvé chez eux ces réponses et ces conseils. On parlait alors de l'influence de la littérature sur les mœurs. Si l'État n'interdisait plus les ouvrages réputés dangereux, l'Église en mettait certains « à l'index ». Le 3 avril 1952, la Suprême Sacrée Congrégation du Saint-Office inscrivit à l'*Index librorum prohibitorum* l'œuvre entière d'André Gide.

Les écrivains qui jouèrent le rôle de laïcs directeurs de conscience étaient plutôt des pécheurs que des saints, mais ils avaient leur idée sur le vice et la vertu (mots passés de mode). Leurs œuvres étaient nourries d'inquiétude religieuse et de tous les troubles, joies et douleurs, de ce que l'on appelait la vie intérieure.

Nous réunissons dans ce chapitre les derniers écrivains que des jeunes gens — et de moins jeunes — soient allés interroger pour bénéficier de leur expérience, non pas en tant qu'artistes mais en tant qu'hommes.

FRANÇOIS MAURIAC

Chardonne me disait un jour que l'œuvre romanesque de Mauriac vieillirait mal parce que ce grand écrivain n'aimait pas ses personnages et le laissait trop voir. De fait, Mauriac lui-même, dans sa postface à *Galigaï* (1952), s'effrayait des peintures noires qu'il nous avait offertes et parlait d'une « humanité sur laquelle la grâce n'a pas mordu ».

Dans le roman qui suivit *Galigaï,* il voulut sans doute tracer enfin le portrait d'un héros selon son cœur. Le livre s'appelle *L'Agneau* (1954).

Xavier Dartigelongue est un garçon de vingt-deux ans qui vient de se décider à entrer au séminaire. Dans le train qui l'emmène de Bordeaux à Paris, il rencontre Jean de Mirbel, dont la renommée de débauche est venue jusqu'à lui. Mirbel vient de quitter sa femme et ne pense plus la revoir. Alors Xavier décide d'intervenir.

Xavier est un de ces garçons qui se sentent des devoirs envers ceux qu'ils rencontrent. Ses directeurs lui ont conseillé de ne pas céder à cette « tentation des autres », mais il se sent responsable de la destinée de ceux que le hasard met sur sa route. Certes, il s'expose à se mêler de ce qui ne le regarde pas. Cependant, dans le cas présent, Mirbel le regarde. Mirbel s'intéresse diaboliquement à Xavier dès qu'il apprend que le garçon se destine à la prêtrise.

Xavier intervient en défenseur du ménage. Mirbel accepte de regagner son foyer à la condition que Xavier l'accompagne. Et Xavier finit par accepter cette condition.

Dans la grande maison campagnarde des Mirbel, les événements vont se précipiter. Dès le premier soir, Xavier s'éprend d'une jeune institutrice, Dominique, que Mirbel, furieux, s'arrangera pour éloigner dès le second jour (l'intrigue Xavier-Dominique se noue peut-être avec une trop grande rapidité et surtout on s'en alarme trop vite au château). Xavier pourrait suivre Dominique : il reste pour le petit Roland, un enfant de l'Assistance que les Mirbel se proposaient d'adopter et dont ils se sont vite lassés. Ils veulent le renvoyer. Mirbel, toujours jaloux, insinue que Xavier s'intéresse à l'enfant pour des motifs inavouables. Xavier s'institue pourtant protecteur de Roland et, avec l'aide de Dominique, trouve où le mettre en pension. Va-t-il quitter les Mirbel ? Non. Un jour qu'il était allé chercher réconfort près du prêtre du village, il s'est trouvé en face d'un prêtre plus que tiède dont il se sent obligé de raffermir la foi.

La fin du roman est dramatique : le soir du départ de Roland, Mirbel, en voiture à la recherche de Xavier, écrase le jeune homme. Accident, meurtre, suicide ? Aucune des hypothèses ne peut être négligée. Les trois sont plausibles. Au reste, le livre nous fait nous poser bien d'autres questions.

L'Agneau est composé suivant le procédé des retours en arrière. Il commence par une scène entre Mirbel et sa femme (après la mort de Xavier). Le roman vient interrompre leur conversation, laquelle l'interrompra à son tour à plusieurs reprises. À la fin, imagine-t-on que ce ménage a été sauvé par le passage de Xavier ? Non. Pas plus qu'on n'imagine que le curé du village se sente désormais un autre homme. Il a beau appeler Xavier un saint : cela n'est pas convaincant. Mauriac montre que les purs sont voués à l'échec et les agneaux promis au sacrifice.

Ce roman est sans doute son œuvre la plus chrétienne, mais elle ne laisse filtrer aucune lueur d'espoir. Du moins Mauriac a-t-il aimé son Xavier. L'auteur des *Anges noirs* a montré que pouvaient exister des anges blancs.

MARCEL JOUHANDEAU

Destinée singulière que celle de Jouhandeau. Fils d'un boucher de Guéret, il se sentit d'abord attiré par la religion avant de se tourner vers la littérature. Mais il disait qu'il écrivait comme on fait oraison. La littérature ne fut pas pour lui un métier. Jusqu'à l'âge de la retraite, il enseigna dans un pensionnat où il était chargé de la classe de sixième. Alors que son premier livre, *La Jeunesse de Théophile,* parut en 1921, Jouhandeau ne devait être connu du grand public qu'en 1950, lorsque Bernard Grasset lança avec fracas *L'Imposteur* sur le thème « le plus mauvais ménage de Paris ». Pour échapper — d'ailleurs vainement — à ses penchants homosexuels, Jouhandeau avait en effet épousé en 1929 une ancienne danseuse qu'il a immortalisée sous le nom d'Élise. Sa vie conjugale lui a inspiré une série de chroniques d'une haute cocasserie.

L'œuvre de Jouhandeau compte plus de cent vingt volumes : on y trouve des romans et des récits, des contes et des nouvelles, des essais et des souvenirs, quelques pièces de théâtre et les trente volumes du *Journal.* Par quels livres un jeune lecteur d'aujourd'hui devrait-il aborder cette œuvre ? Il nous semble que c'est par le *Mémorial* (six volumes parus de 1948 à 1958) où Jouhandeau évoque son enfance et sa jeunesse à Guéret, qu'il a rebaptisée Chaminadour. Cette ville, devenue mythique pour les amateurs de littérature, est le cadre de contes et nouvelles où Jouhandeau raconte les aventures de personnages pittoresques, tantôt grotesques et tantôt sublimes. Souvent les deux à la fois. Ennemi de la tiédeur, Jouhandeau va toujours aux extrêmes. Pour prendre la mesure de son génie d'écrivain, il faut lire les petits chefs-d'œuvre réunis dans des volumes comme *Prudence Hautechaume* ou *Le Journal du coiffeur.*

Quand on lui demandait de quel grand écrivain il se sentait le plus proche, il répondait que c'était de Max Jacob, dont il fut d'ailleurs l'ami. Dans *Bon an, mal an* (1972), il évoque ses débuts littéraires et déclare : « Bientôt j'eus l'impression de n'avoir écrit mes contes que pour Max. Son mysticisme, son origine israélite, son passage par la Bretagne, ses vertus, sa foi chrétienne et jusqu'à ses goûts, pour ne pas dire son vice, sans négliger sa culture, tout l'aimantait pour qu'il fût tout de suite chez moi comme chez lui et pour que je le comprisse de A à Z. »

Nous citons ces lignes parce que les détracteurs de Jouhandeau ne manquent pas de rappeler périodiquement qu'il publia, en 1937, une petite brochure réunissant quelques articles antisémites. Il retira rapidement cette brochure du commerce et assura ne l'avoir écrite que par exaspération contre Maurice Sachs, que Max Jacob précisément lui avait fait rencontrer.

L'évolution de Jouhandeau s'est faite du mysticisme vers le réalisme. Dans sa deuxième manière, il était devenu un spécialiste du petit fait vrai et de la réplique authentique, encore qu'on l'ait toujours soupçonné d'arranger un peu les phrases qu'il rapportait. Toutefois, son réalisme ne devient jamais du misérabilisme : il fait confiance à l'homme. Il s'était donné comme règle de considérer « la vie comme une fête » et il faut une espèce d'héroïsme pour rester fidèle à un tel programme. Jouhandeau s'est montré jusqu'à la fin conforme à l'image qu'il voulait donner de lui-même. À l'une des dernières pages de *Nunc dimittis* (1978), il écrit : « Je chante un *magnificat* qui me tue, je voudrais mourir du *magnificat.* »

Sa carrière est merveilleuse sous un autre aspect encore. Avant-guerre, il a poursuivi son œuvre sans adhésion du public. Auteur méconnu, il était considéré cependant à *La Nouvelle Revue française.* On peut se demander si les conditions actuelles de la vie littéraire permettraient à un nouveau Jouhandeau de s'affirmer et de s'imposer comme il l'a fait. Aujourd'hui, quand un auteur a publié trois livres sans trouver de lecteurs, les éditeurs se désintéressent de lui.

Je ne sais si Jouhandeau était sincère quand il affirmait qu'il était dépourvu d'imagination. Il ajoutait qu'il lui paraissait vain d'imaginer, du moment que la vie est inépuisable. Quand on lui disait qu'il avait pourtant composé des œuvres d'imagination, il répondait qu'il ne s'agissait que de souvenirs légèrement transposés, pour des raisons de prudence. Dès qu'il s'était senti tout à fait libre — lorsqu'il avait pris sa retraite de professeur —, il avait utilisé la forme directe qui est celle des *Journaliers.*

Mais peut-on opposer littérature de constat et littérature d'imagination ? Un écrivain se flatte tout autant quand il déclare copier la vie que lorsqu'il prétend imaginer. Une prétendue copie de la réalité se révèle toujours une transposition, une traduction, un reflet plus ou moins déformé dans une sensibilité particulière et, finalement, une invention. À l'inverse, l'imagination n'est jamais qu'une rêverie à partir de données très réelles. Jouhandeau a bel et bien inventé un monde avec les éléments de son expérience. Il reconnaît d'ailleurs sa pente à dessiner des caricatures ou à magnifier des caractères, à construire des légendes. S'il transfigure ses personnages, j'entends bien que c'est par fidélité à l'image qu'il a gardée d'eux. Il ne s'agit pourtant que d'une image ou d'une impression personnelle. Dans les portraits d'un grand peintre, on reconnaît mieux encore l'artiste que ses modèles.

Les *Journaliers* eux-mêmes sont le produit d'une riche imagination. Toutefois nous lisons des notes éparses qui ne s'organisent pas en un récit suivi et si la reprise des mêmes thèmes permet parfois des variations intéressantes, elle entraîne aussi beaucoup de redites.

Les redites ne manquent pas dans *Du singulier à l'Éternel.* Jouhandeau, âgé de quatre-vingt-quatre ou quatre-vingt-cinq ans, nous apparaît toujours partagé entre son goût des garçons et son désir d'accéder à une sagesse qui conviendrait, lui semble-t-il, à son âge et au salut de son âme. Il voudrait ne plus s'intéresser qu'à l'éducation du petit Marc, son fils adoptif (alors âgé de neuf ans), et se préparer à sa rencontre prochaine avec la mort et avec Dieu. Mais nous le voyons connaître une dernière aventure amoureuse avec un jeune homme (âgé de vingt-deux ans à telle page et de vingt-six ans à telle autre). La différence d'âge entre les deux amants peut surprendre. À ce propos, Jouhandeau dit drôlement : « On aime hors du temps. »

Toutefois, jeune homme, il ne s'était jamais lui-même épris de vieillards et, dans *Ces messieurs,* il parlait de la gérontophilie comme d'un phénomène qui ne le concernait pas. À vrai dire, ce qui nous paraît admirable, c'est que le vieillard Jouhandeau ait conservé assez de force physique pour vivre encore une passion. Quel tempérament ! Dans le *Bréviaire,* écrit vers la même époque, ce sont des souvenirs de sa vie amoureuse qu'il évoque.

Les passages les plus curieux concernent ce qu'il appelle ses « pèlerinages » à une maison de Montmartre, où il se rendait « comme les Grecs se rendaient autrefois à Olympie pour contempler une statue d'Apollon ou de Zeus ». Pour sa part, il n'allait pas admirer des statues, mais connaître des êtres vivants, dont cependant le corps seul l'intéressait : « La pureté, l'universalité de nos échanges exigeaient que j'eusse affaire à un inconnu et que je fusse un inconnu pour lui. » Il n'hésite pas à écrire qu'il rencontrait alors « l'Homme deux fois nu, parce que débarrassé de la personne, l'Homme dans toute sa majesté ». Après cela, on ne s'étonnera pas que l'érotisme homosexuel de Jouhandeau soit de caractère mystique : dans la créature il adore le Créateur. Aussi sait-il transfigurer la sexualité et transforme-t-il en pure poésie ce qui, raconté sans génie, serait de la pornographie. Son disciple Jean Genet ne réussit pas de tels tours de force.

Évidemment, de tels morceaux de littérature ne plairont pas à tout le monde : « Qui n'a pas nos répugnances nous répugne », observait Paul Valéry. Mais tous les lecteurs souriront en découvrant que Jouhandeau n'était pas partisan de la liberté des mœurs. Il assure que « l'homosexualité n'est tolérable que dans l'exception, n'est supportable que si l'on a affaire à une âme, à un être exceptionnel ». Il va même jusqu'à affirmer : « Je souhaiterais qu'elle ne soit permise qu'aux Sages », oubliant qu'il aurait alors risqué de ne plus trouver de partenaires, la sagesse n'étant pas le signe distinctif des jeunes gens qu'il allait retrouver à Montmartre.

Dans ses dernières années il était devenu aveugle, mais il manifesta jusqu'à la fin une sérénité admirable qu'il devait essentiellement à la haute idée qu'il se faisait de lui-même en tant que créature de Dieu, et aussi en tant que très grand écrivain. Il mourut à plus de quatre-vingt-dix ans, en août 1979. Peut-être faut-il traduire pour les jeunes générations le titre latin qu'il avait choisi pour son dernier livre et qu'il avait emprunté à la Bible. *Nunc dimittis* signifie : « Maintenant, renvoie-moi, Seigneur. »

MARCEL ARLAND

Marcel Arland n'a jamais caché sa préférence pour les écrivains qui mettent dans leur œuvre le débat de leur vie. Dans une étude sur Benjamin Constant, il déclarait tout net : « Ceux qui proclament : " Ma vie ne regarde personne " me donnent plus ou moins l'impression de fournisseurs. »

Lumière du soir, qu'il publia pour ses quatre-vingt-quatre ans, appartient à la série de ses ouvrages qu'il appelle « écrits intimes » et où la part de l'autobiographie l'emporte sur celle de la fiction. Disons plus exactement : où l'auteur s'exprime à la première personne, parlant de lui-même ou déléguant à des personnages, par pudeur, le soin d'exprimer certains drames qu'il a connus. S'il nous livre directement quelques souvenirs, ceux-ci sont là pour nourrir des interrogations, expliquer une inquiétude, et ne s'organisent pas en récit d'une vie. Ce qui retient Arland, plus que le déroulement d'une destinée, ce sont des moments qui s'imposent par leur retentissement sur la sensibilité. On comprend ainsi qu'il ait cultivé l'art de la nouvelle de préférence à l'art du roman.

Il s'était cependant imposé comme romancier avec *L'Ordre* (1929), qui nous raconte les révoltes d'un jeune homme prénommé Gilbert. *La Vigie* (1953) fut le roman des exigences amoureuses. Et *Terre natale* (1938) est le long récit d'une enfance au village. Si nous citons ces trois livres, c'est que *Lumière du soir* les réunit secrètement. Le dialogue avec soi-même devient un dialogue avec le jeune garçon de *Terre natale* ou le Gilbert de *L'Ordre.* Marcel Arland voudrait être sûr d'être resté fidèle à l'enfant et à l'adolescent qu'il fut.

Il aimerait bien aussi ne plus s'interroger sur les contradictions de son caractère. Il avait intitulé un précédent ouvrage : *Mais enfin qui êtes-vous ?* (1981). Car il sait que la plus ferme intention d'être sincère n'est pas une garantie que l'on trouvera sa vérité. Il n'accepte pas que l'on change suivant les heures et les circonstances. Il aurait besoin de s'accrocher à quelques certitudes.

En 1923, dans un essai fameux, il affirmait : « Toutes questions se ramènent à un problème unique, celui de Dieu. » Il précisait : « Dieu, l'éternel tourment des hommes, qu'ils s'attachent à le créer ou à le détruire [...] L'absence de Dieu est le non-sens de toute morale. »

Dieu semblait s'être un peu retiré des préoccupations de Marcel Arland. Il reparaît dans *Lumière du soir,* sous la forme du créateur invisible d'un monde qui offre souvent aux yeux, du moins dans nos campagnes et dans nos montagnes, de pures raisons d'émerveillement : « D'abord, je loue Dieu, quelque nom qu'il ait reçu à travers les peuples et les âges. Je le loue de cette heure qui m'est donnée, inattendue. » Toute une part de *Lumière du soir* tend vers une action de grâces pour les bonnes heures que tout homme peut connaître. Une autre part nous rappelle le tragique toujours à l'affût. Marcel Arland ne nous cache pas qu'il a songé à écrire un « Cahier noir », mais « par décence », dit-il, il pense devoir s'en tenir à noter ce titre.

Aucun philosophe n'a réussi à résoudre les problèmes que pose toute vie. Le mérite des écrivains et des poètes est de nous aider à les affronter. Écrire est toujours, sinon un acte de foi, un témoignage d'espérance. Une prose aérienne comme celle de Marcel Arland a les vertus d'un chant. Comme la musique de Mozart ou de Schubert, elle apaise nos craintes et nous apporte une délivrance.

Arland nous a quittés en janvier 1986.

JULIEN GREEN

Du temps que je participais aux réunions littéraires de la revue *Études*, le père Mambrino me dit que Julien Green avait été agacé par un article que j'avais consacré à son *Journal*. Les compliments que je lui décernais lui avaient été bien indifférents, mais il avait été surpris que j'écrive que son *Journal* nous donne l'image d'une vie facile, sur le plan matériel, libérée des soucis et des obligations qui sont le lot de la plupart d'entre nous.

Je croyais n'avoir fait là qu'une constatation banale. Elle était banale pour tout le monde, sauf pour Julien Green. Dans le tome de son *Journal*, qui parut en 1972 sous le titre *Ce qui reste de jour*, nous lisons ceci, à la date du 19 novembre 1967 : « Un journaliste me reproche de n'avoir pas à travailler pour gagner ma vie. J'ai écrit trente livres dont j'ai vécu. Si ce n'est pas là du travail... »

À vrai dire, cette note est si éloignée de ce que j'ai écrit que, si je n'avais conservé souvenir des paroles du père Mambrino, je n'aurais pas pensé qu'elle fût provoquée par mon petit article. Mais elle me fait comprendre la réaction de Julien Green qui m'avait, je l'avoue, fort étonné. Mon article ne contenait pas l'ombre d'un reproche. À peine y pouvait-on trouver un soupçon d'envie. Si Green y a lu un reproche, force m'est de penser qu'il n'a pas la conscience tranquille. C'est lui qui se reproche secrètement d'être un privilégié.

J'ai la preuve de ce que je viens d'avancer. À la date du 22 juin 1971, il reçoit la visite d'un adolescent qui veut devenir bénédictin et qui lui demande brusquement : « Pourquoi n'êtes-vous pas pauvre comme saint François d'Assise ? » Et Green nous assure : « Je réponds comme je peux à cette question troublante. »

Toutefois, sa réponse, il ne nous la livre pas. Nous ne pouvons donc retenir que son trouble. Et c'est bien le trouble d'une âme chrétienne qui se rappelle les avertissements de l'Évangile.

Green se défend d'être un « possédant ». Il tient à ce que l'on sache qu'il vit du produit de son travail : c'est un prolétaire. Soit. J'avoue que l'idée ne me serait pas venue de considérer ses œuvres comme le résultat d'un labeur, comparable au travail à la chaîne dans une usine ou à celui d'un mineur dans son puits. J'ai la faiblesse de penser que, si Green avait eu la chance d'avoir des rentes, il aurait écrit les mêmes romans et tenu le même journal. Va-t-il croire que, parlant ainsi, je lui reproche de n'être pas tourneur chez Renault ou de ne pas habiter Aubervilliers ou un coron du Nord ? En dépit de leur haute qualité, ses livres ont trouvé un nombreux public : tant mieux. Je suis heureux de penser que ce grand écrivain partage aujourd'hui son temps entre les beaux quartiers de Paris et une jolie maison des champs. C'est lui qui, écrivain catholique (ce que je ne suis pas), pense que le Christ, s'il vivait parmi nous, aurait de tout autres fréquentations et de tout autres occupations et préoccupations.

En 1940, soucieux de servir la France, Green demanda conseil à Giraudoux. Celui-ci lui répondit : « Ce que vous pouvez faire de plus utile est de continuer à écrire vos livres. » Excellente réponse, encore que fort peu démocratique — ou démocratique à un niveau très élevé qui n'est pas le plus généralement admis.

Giraudoux pensait naturellement à la valeur artistique des ouvrages de Green et non pas à leur portée morale. Car ferons-nous de Green un directeur de conscience, ainsi que pourraient nous y inviter les nombreuses visites qu'il reçoit de religieux de tous âges ? Il semble bien qu'on vienne surtout lui demander l'assurance qu'on peut être sauvé chrétiennement, en dépit des tentations charnelles les moins orthodoxes. On comprend que ces problèmes intéressent les romanciers. On peut dire aussi que le christianisme pose des questions plus graves.

Que Green n'aille pas penser que je lui reproche de vivre à l'écart du siècle. Ses romans pourraient nous en persuader. Il a multiplié dans son *Journal* les notes sur l'actualité pour bien nous montrer qu'il ne vit pas dans une tour d'ivoire. Mais c'est quand il revient à son univers très personnel qu'il nous touche le plus. Que diable, nous ne sommes plus au temps de la « littérature engagée » !... D'ailleurs, Julien Green a son combat...

EMMANUEL BERL

Ce qui demeure, voilà ce que cherche Emmanuel Berl dans son beau récit *Sylvia* (1952), livre proustien à plusieurs titres : nous y voyons une exploration du temps perdu sous la forme d'une longue méditation et, au cours d'un chapitre, une des plus saisissantes évocations que nous connaissions de Marcel Proust lui-même.

Quand il écrivit ce livre, Berl avait soixante ans. Que reste-t-il de soixante années ? Berl se penche sur son passé et mène une enquête : ses souvenirs doivent être là pour l'aider à comprendre qui il est. Malheureusement la mémoire n'est jamais sûre. D'abord elle déforme les faits. Mais Berl est habile à les rétablir, sans le secours des psychanalystes, dans le sens qui lui est le plus défavorable. Surtout la mémoire a, si l'on peut dire, beaucoup oublié.

« Je rentre dans ma chambre. Tête à tête avec ma propre mémoire. Des paysages que je ne connais pas y ressortent avec plus de relief que d'autres paysages où j'ai effectivement vécu. L'image de Tolède est particulièrement nette mais je n'ai jamais été à Tolède. Assise, au contraire, est toute brouillée ; j'y ai pourtant fait deux séjours assez longs. Mais ce sont eux justement qui m'embrouillent. Je me rappelle la table d'hôte, les brocolis qu'on y sert trop souvent et qui me lassent. Je me rappelle le chauffage insuffisant de ma chambre. Il y a aussi les fresques de Giotto, bien sûr. Mais pour les retrouver, il me faut recourir aux photos qui les reproduisent... On dirait que ma mémoire a une prédilection pour ce qu'elle ne tient pas de moi directement. »

Si Berl croit se souvenir du cirque de Gavarnie, il découvre bien vite qu'il pense à une affiche du Paris-Orléans : « J'ai perçu peu de chose, très peu de chose, c'est sûr ! Plus j'y réfléchis, plus je m'en rends compte. L'univers de chacun est infiniment plus restreint qu'il ne se le figure. La plupart des sensations ne sont que des images, la plupart des images qu'un douteux agencement de mots ; chaque peintre révèle d'abord l'étonnante pauvreté de son univers ; Memling, Vermeer ne peignent, n'ont vu, sans doute, qu'une seule femme. Cézanne a vu des pommes, des oignons, la montagne Sainte-Victoire. Monet une cathédrale, une falaise, une gare, un étang de nymphéas. Du moins ont-ils vu quelque chose. N'ai-je rien vu jamais ? Ne suis-je qu'une collection de faussetés ? »

Berl finit tout de même par se persuader qu'il a vu quatre peupliers. Si ces arbres sont eux aussi illusoires, alors Berl n'a jamais eu de vie authentique.

Mais qui est cet homme inquiet ? Dès la première phrase, il nous avertit : « Ma vie ne ressemble pas à ma vie. » Il refuse de se reconnaître dans les différentes images de lui que sa mémoire lui propose : « Ce personnage qui débarque au Touquet, dans une torpédo bleue pastichée de Morand, avec une jeune dame pastichée de Van Dongen, qu'ai-je de commun avec lui ? Si tous ces fantoches, mes simulacres, constituent mon histoire, alors mon histoire n'est pas moi. »

Sartre prétend qu'un homme n'est rien d'autre que l'ensemble de ses actes. Berl refuse la série d'anecdotes qui constitue sa vie. Va-t-il lui opposer ses états intérieurs ? Au temps officiel des horloges, va-t-il opposer le temps intérieur, le temps de la vie personnelle, qui est différent pour chacun de nous ? Non. « Ce temps intérieur n'est guère moins fallacieux que le temps officiel des horloges. Celui-ci enregistre mes gestes, mes attitudes, celui-là enregistre les discours que je me tiens à moi-même ; l'un sert de cage à mon singe, l'autre à mon perroquet. »

C'est ici qu'intervient Sylvia. Comme il se raccrochait tout à l'heure aux peupliers, Berl, contre l'absurde de sa destinée, dresse le souvenir de ses rencontres avec une jeune fille qu'il appelle Sylvia, qui ressemble un peu à sa mère et qui donne son titre au livre.

Berl rencontra Sylvia à chaque tournant important de son existence. Il eut en la voyant une espèce d'éblouissement à Évian quand il était jeune homme. Il s'éloigna pourtant : « J'ai fini par comprendre qu'à m'éloigner de Sylvia, avant de l'avoir déçue, j'éprouvais un soulagement proportionné à l'angoisse dont j'avais souffert... »

Quand il voulut revenir à elle, la guerre éclata. Devenu soldat, il n'osa plus lui donner signe de vie : « Je crois que j'avais honte, que nous avions tous honte. Nous l'avons oublié. On nous l'a fait oublier. Sans doute ne l'avons-nous même pas su. Mais nous n'étions pas beaux à voir. Ce personnage hirsute et traqué qui désirait surtout coucher dans un lit sec, manger des biftecks pommes frites, ne plus entendre les obus, pouvait-il vraiment penser à Sylvia ? L'eût-elle seulement reconnu ? Notre vie était sordide autant que pénible, faite de mesquineries, plus encore que d'horreurs. »

Puis Berl tomba malade. On l'envoya à l'arrière, on le jugeait condamné : ce qui restait une mauvaise situation pour se présenter à une jeune fille. Pourtant il guérit. C'est alors qu'il rencontra Marcel Proust qui enseignait que toutes les valeurs sentimentales sont trompeuses. Un soir d'accablement, l'image de Sylvia s'imposa à nouveau à Berl contre la dure philosophie de Proust. Aussitôt Berl partit pour Évian, décidé à écrire à la jeune fille. Elle lui répondit. Il décida de l'épouser. Il alla la retrouver à Fontainebleau, mais ils se quittèrent sans être parvenus à s'accorder.

Vint l'armistice, la paix. Berl fut emporté dans le courant de l'entre-deux-guerres, dont le goût âcre lui est resté dans la bouche. « Il est vrai que rien ne réussissait ; les espoirs retombaient partout en déboires. Après la mort de Lénine on n'entend, en Europe, que le bruit des portes que le Blount ferme. Chacun se sentait floué, ne savait pas comment il l'avait été, revenait mécontent de soi et avide de reniements d'ailleurs vains. Les colonialistes haïssaient le colonialisme, les écrivains la littérature, les bourgeois la bourgeoisie, tout devenait instable, irritant, irrité ; il est possible que chacun, sous ses pattes de moineau, ait senti les ondes des messages non captés. »

Berl voit dans l'entre-deux-guerres un immense gâchis matériel, idéologique et sentimental. Il n'a pas un regret pour son passé d'auteur à succès et de journaliste brillant : « Je me cherche dans ma mémoire. Je ne me trouve pas. Je fréquente telles personnes. Pourquoi celles-là et non pas d'autres ? Ma vie n'est qu'un entrecroisement de hasards qui divergent. J'écris dans tel journal. Je n'en vois pas les motifs. Cette fille habite chez moi quelques semaines ; c'est que je l'ai rencontrée à une répétition dans un théâtre. Je fais des conférences ; c'est que le conférencier prévu, soudain refuse de parler... »

Après la Seconde Guerre mondiale, à l'exposition des eaux-fortes de Rembrandt, à l'Orangerie, Emmanuel Berl s'arrêta devant *Les Trois Arbres* si manifestement sans date, éternels. Il pensa aux trois chênes de Balbec qui furent d'une telle importance pour Proust. Comment ne pensa-t-il pas aussi à ses quatre peupliers ? Alors qu'il réfléchissait à la grandeur de certains artistes, Sylvia se trouva devant lui, arrêtée devant la même eau-forte. « Un grand nombre de Moi étaient usés, un grand nombre détruits. Mais celui qui avait connu Sylvia n'avait pas changé, faute, sans doute, d'avoir vécu. Celui qui avait voulu l'épouser n'existait plus ; mais celui à qui elle avait été donnée comme une évidence, il était intact. »

Le livre se termine sur une étrange méditation : pensant à ses échecs, dont l'échec avec Sylvia est le symbole, Berl accuse son manque de confiance, son manque de foi. « C'est lui, lui seul qui m'a toujours paralysé, ankylosé du moins. »

Et Berl en arrive à parler de Dieu : « Dieu est aussi dans sa propre absence. Je doute qu'il ait pu être plus visible en relief au temps des patriarches qu'il ne l'est pour nous en creux... Et je peux espérer que l'absence de Dieu justifie ce que, par ailleurs, elle condamne [...] Ce qui est manqué, ce qui est perdu faute de Dieu, loue Dieu. »

Ce sont là les dernières lignes de *Sylvia.*

Nous aurions pu présenter *Sylvia* sous des aspects différents : l'hérédité et la mort jouent ici un grand rôle. Les nombreuses citations que nous avons faites donnent une juste idée d'un style d'une extrême précision et de grande tradition.

Il se pourrait que Berl ait été agacé qu'on lui parle toujours de *Sylvia* et du merveilleux chapitre qu'il a consacré à Marcel Proust. Ce n'était pas du tout parce qu'on tenait pour rien le reste de son œuvre : Berl est un très remarquable historien et un très original essayiste. Mais il a écrit avec *Sylvia* un de ces livres qui vous vont, comme on dit, droit au cœur.

À vrai dire, il est bien probable que je me trompe : Berl devait très bien comprendre cette prédilection de ses lecteurs pour *Sylvia.* Au début de *Rachel et autres grâces,* qu'il publia en 1965, il parle de ses rapports avec la peinture et la littérature, et il établit une distinction entre les œuvres qui furent pour nous de beaux objets et celles qui ont été des rencontres. Il écrit, à ce propos : « Je comprends bien qu'on doit apprendre à regarder, à écouter, à lire, mais il faut quand même maintenir une différence entre ce qu'on voit et ce qui vous est montré, entre ce qui vous a été suggéré et ce qu'on a ressenti. » C'est ainsi que nous admirons un certain nombre d'œuvres dont les mérites sont reconnus par tout le monde, mais nous avons chacun un petit musée personnel et une petite bibliothèque privée où sont rangées des œuvres parfois ignorées de la critique officielle et qui furent pour nous de véritables événements dans le déroulement de nos jours.

On n'a pas oublié l'*attaque* de *Sylvia :* « Ma vie ne ressemble pas à ma vie. Elle ne lui a jamais ressemblé. Mais ce décalage entre moi et moi, je le supportais assez bien, je le supporte de plus en plus mal... » C'est précisément le ton de ces phrases que l'on retrouve dans *Rachel et autres grâces.*

Berl confie qu'il a essayé plusieurs fois d'écrire sa biographie. Il prétend avoir échoué : « Le domaine du souvenir est trop vaste pour que je ne m'y perde pas, fût-ce dans ses moindres parcelles, et celui de l'oubli l'est encore davantage. » Et qu'importe la totalité d'une vie ? Ce qui compte, ce sont « les rares lueurs qui ont éclairé, par intervalles, cette masse informe qui est moi et qui ne l'est pas ».

Il arrive aussi à Berl de comparer l'histoire d'une vie à un labyrinthe : « Son opacité est percée de rares créneaux qui s'ouvrent sur des êtres, et même sur des vies qu'on aurait pu vivre. » Ce sont ces ouvertures, ces petites lueurs qu'il appelle des grâces, « faute d'un autre mot qui ne soit pas moins juste et qui soit plus humble ».

Il a écrit ce livre, nous dit-il, « pour s'acquitter ». De quoi ? Envers qui ? « J'ai reçu quelque chose que je n'ai pas rendu. Que ce qui a vécu cesse de vivre, il faut s'y résigner, puisque, de toute manière, on ne peut l'empêcher. Mais ce qui était donné et n'a pu être saisi, ce qui était proposé et n'a pas été vécu, doit être fixé, dans et par le langage. »

Voilà une fonction nouvelle désignée à la littérature. On peut dire que Berl a inventé une espèce inconnue de Mémoires : il s'agit de la relation d'instants privilégiés et d'une rêverie sur ce qui aurait pu advenir si on les avait reconnus pour tels.

Rachel et autres grâces s'ouvre sur un chapitre d'essai autobiographique — où l'on trouve notamment un curieux portrait de Fénelon — mais il est composé essentiellement de huit portraits de femmes. Les grâces dont a bénéficié Berl portent des noms de femmes. Les huit portraits constituent huit petits romans, aux frontières du réel et de l'imaginaire. Il est bien difficile de faire un choix entre tant de figures charmantes. On avouera peut-être un faible pour Nora, la petite prostituée mythomane. Mais on n'oubliera pas davantage l'évocation de Renée Hamon, le « petit corsaire » de Colette.

Chacune de ces femmes a signification de symbole : « Chacune répond à un style de vie que je n'ai pu ou n'ai pas voulu prendre. Au départ, je ne le savais pas [...] Toutes, elles conservent pour moi leur mystère, puisqu'elles sont liées, non pas à mon existence, mais à des existences qui auraient pu être les miennes et ne l'ont pas été. »

Berl finit par admettre que toutes ses grâces se situent également dans un certain rapport avec sa mère : « Ce livre de mes grâces, j'aurais donc pu l'appeler : le livre de ma mère. Je vois, quand je le relis, qu'elle y est partout présente et sous-jacente. »

Ce livre sera pour vous une aventure, comme il le fut pour l'auteur même.

MARGUERITE YOURCENAR

« Mme Yourcenar est un bon écrivain, mais ce n'est ni Tolstoï, ni Victor Hugo, ni Chateaubriand », déclarait en 1979 l'académicien André Chamson qui ne souhaitait pas la voir être accueillie Quai Conti. Nous lui répondîmes que Victor Hugo lui-même n'était pas Chateaubriand, bien que dans sa jeunesse il eût déclaré : « Je serai Chateaubriand ou rien. » C'était une gloire équivalant à celle de son illustre prédécesseur qu'il espérait, et non d'être son reflet. Quant à Tolstoï, il n'a jamais été question, à notre connaissance, de l'accueillir à l'Académie française.

Yourcenar a-t-elle une stature comparable à celle des géants que citait Chamson ? La première différence entre elle et les auteurs que lui opposait Chamson, c'est que l'auteur des *Mémoires d'Hadrien* a mené une vie très discrète et qu'elle n'est pas intervenue en personne dans les événements et les débats du siècle. Nous ne dirons pas que la gloire lui est venue malgré elle, mais elle s'est contentée de publier des livres, en observant leur destinée d'assez loin, ayant toujours vécu en dehors des milieux où se fabriquent les réputations et où l'on acquiert par l'intrigue les places et les honneurs. Elle ne s'est pas promis non plus d'être Chateaubriand, ou qui que ce soit d'autre. Elle a voulu simplement être Marguerite Yourcenar, et il n'est pas douteux qu'elle y soit parvenue.

Pour un écrivain, la connaissance de soi passe par la connaissance des œuvres d'autrui. Les premiers ouvrages des auteurs les plus originaux portent des traces d'influences. Bien qu'elle ait fréquenté très tôt les Grecs et les Romains, et qu'un de ses premiers essais soit consacré à Pindare, Yourcenar s'est tout naturellement intéressée à de grands contemporains. Dans sa production d'avant 1940, on la voit hésiter entre le style classique selon Gide (dans ses récits) et le style moderne selon Cocteau (notamment dans *Feux*), mais, partie de l'étude d'aventures psychologiques particulières, elle est passée à l'examen des problèmes généraux de l'humanité. Ce qui l'a amenée à écrire ce que l'on doit bien appeler des romans historiques, en précisant que sa conception du genre historique se rapproche de celle de Thomas Mann et n'a rien à voir avec celle de nos écrivains romantiques.

Son premier grand roman n'est pas le fameux *Mémoires d'Hadrien,* mais *Le Denier du rêve,* où l'on trouve une évocation de Rome et de la vie romaine pendant l'année 1933 (an XI du fascisme) et dont l'épisode central relate un attentat contre Mussolini. Ce *Denier du rêve* parut en 1934 et l'on dira que c'est aujourd'hui seulement qu'il est devenu roman historique ; mais non, car, à travers tous les personnages, Yourcenar montre le jeu des forces souterraines, dont le faisceau constitue et restitue l'image politique de l'époque décrite. Ici, Yourcenar a saisi l'Histoire à chaud, par une intuition étonnante de l'essentiel.

Les *Mémoires d'Hadrien* sont le fruit d'une inspiration médiumnique. Un tel livre demandait cependant de longs préparatifs, une intime connaissance de l'époque où vécut l'empereur. En fait, Yourcenar a accumulé pendant de nombreuses années — et dès sa dix-huitième année — les éléments qui allaient lui permettre de construire ce monument. Quand le moment fut venu, elle connaissait si bien son personnage qu'elle a pu se confondre avec lui et écrire comme sous sa dictée, à la première personne. Et Hadrien est devenu notre contemporain.

De même, les ressemblances entre notre époque et la Renaissance apparaissent avec évidence dans *L'Œuvre au noir,* roman parfaitement objectif, à la troisième personne, mais qui est aussi une rêverie sur le destin de l'humanité. Comme le sont encore *Souvenirs pieux* et *Archives du Nord,* où, partant d'une chronique familiale, l'auteur nous convie à une promenade dans le labyrinthe du temps et nous conduit jusqu'à la nuit des temps. Finalement, nous avons là une légende des siècles.

Yourcenar est plus qu'un « bon écrivain ». Cela vient peut-être de ce que son œuvre, toute nourrie d'intelligence et d'érudition, repose sur une vue poétique du monde et que, tout imprégnée qu'elle est du sentiment de la solitude et de la précarité des êtres, elle reste ouverte à tous les mystères de l'univers.

C'est au lendemain de la publication de *Souvenirs pieux* (1974) que la gloire a fondu sur Marguerite Yourcenar, la transformant en monstre sacré des lettres. Six ans plus tôt, personne ne pensait qu'elle serait la première femme élue sous la Coupole (ce qui fut fait en 1980) et que ses œuvres seraient publiées dans la Pléiade (1982). Marguerite Yourcenar avait certes reçu quelques distinctions, comme le prix Femina, en 1968, mais elle se souvient que la directrice d'une grande revue, lui demandant un texte, avait ajouté : « J'aimerais que vous me le donniez vite, pendant que vous êtes en vogue. »

Nos historiens de la littérature ont longtemps ignoré Marguerite Yourcenar. Pas un mot sur elle dans le volume de *L'Encyclopédie de la Pléiade* consacré à la littérature française, paru en 1958. Pas un mot dans *L'Histoire vivante,* de Boisdeffre (1958), pas un mot dans la première édition du *Roman français depuis la guerre,* de Nadeau (1964). Dix lignes dans le Clouard (1969). Une page et demie dans le manuel Bordas (1970).

À vrai dire, les vieux admirateurs de Yourcenar regrettent un peu de la voir devenue une espèce de monument national. Ils ont soupiré de malaise en la voyant en 1980, nouvelle académicienne, serrer la main du président Giscard, dont les exploits de chasseur de petit et de gros gibier doivent lui soulever le cœur. Yourcenar à l'Élysée, c'était sainte Marguerite chez Nemrod, mais apparemment ils n'ont pas parlé de chasse. Il n'est pas sûr non plus qu'ils aient même parlé de littérature. Évidemment, cette rencontre au sommet, c'est de l'anecdote et Marguerite Yourcenar ne doit pas y attacher d'importance. Dès la deuxième page de *Mishima ou la Vision du vide* (1980), elle déclare : « Le temps n'est plus où l'on pouvait goûter *Hamlet* sans se soucier beaucoup de Shakespeare : la grossière curiosité pour l'anecdote biographique est un trait de notre temps, décuplé par les méthodes d'une presse et de médias s'adressant à un public qui sait de moins en moins lire. »

Tout cela est cependant bien contestable. Il est parfaitement possible d'écouter *Hamlet* sans se soucier de ce qu'était l'auteur et d'autant plus qu'on ne sait presque rien de certain sur Shakespeare. L'immense majorité des spectateurs d'*Hamlet* ne s'est jamais posé de questions sur la vie de l'auteur. Il est vrai qu'au contraire un auteur contemporain est en butte à mille curiosités. Mais c'est bien sa faute : il accepte et parfois même sollicite les interviews dans la presse, à la radio et à la télévision. Tout écrivain aujourd'hui se double d'un acteur qui donne des représentations. Parfois il devient une vedette, et c'est ce qui est arrivé à Marguerite Yourcenar.

Le public sait-il de moins en moins lire ? Du temps où il savait lire, il se réduisait à dix mille lecteurs. Aujourd'hui, les tirages des livres dont on parle atteignent des centaines de milliers d'exemplaires. Dans le nombre des acheteurs, il doit bien s'en trouver dix mille qui valent les lecteurs d'autrefois.

Enfin, la « grossière curiosité pour l'anecdote biographique » a toujours existé. D'ailleurs, pourquoi « grossière curiosité »? Elle est grossière quand elle s'attache à de petites histoires piquantes, mais les détails vrais, tels que les aimait Stendhal, peuvent être passionnants. Ajoutons que les auteurs eux-mêmes se sont souvent choisis comme héros de leurs livres et ont invité à l'indiscrétion. Marguerite Yourcenar ne méprise pas tous les auteurs de Mémoires et de confessions. Proust, qui reprochait à Sainte-Beuve de faire trop de cas, pour juger un livre, de ce qu'il savait sur l'auteur, Proust lui-même était plus curieux que personne d' « anecdotes biographiques ». Mais il ne désirait pas que les autres s'intéressent à sa vie privée pour y trouver les expériences qui avaient nourri ses livres.

Roger Martin du Gard, qui fuyait les interviews et n'a jamais accepté que sa photo paraisse dans un journal, reconnaissait que c'était par souci de sa tranquillité personnelle et de celle de son entourage. Il n'en était pas moins friand de détails sur les aventures quotidiennes de ses contemporains et ses *Notes sur André Gide* en font foi.

Marguerite Yourcenar, étudiant Mishima, ne s'en est nullement tenue à l'étude de ses romans. Elle parle de la vie de l'écrivain japonais, en expliquant que « sa mort préméditée est l'une de ses œuvres ». Elle précise que ce suicide « par sepuku » authentifie les derniers romans, sans les expliquer, alors que les romans peuvent, au contraire, expliquer le suicide. Certes, une grande œuvre jette plus de lumière sur le secret d'un être que tous les témoignages extérieurs recueillis sur son auteur. Et le génie est un mystère que les critiques n'ont jamais élucidé. Cela n'empêche pas qu'il soit intéressant de connaître l'expérience qui a fourni la matière d'une œuvre. Et l'on serait bien curieux de voir Marguerite Yourcenar se livrer sur sa propre personne et sur son œuvre à un travail comparable à celui qu'elle a consacré à Mishima. Si elle s'est livrée à un « examen » de ses livres, c'est à la manière de Corneille, sans jamais s'abandonner à des confidences personnelles dont elle assure qu'elles seraient sans intérêt.

Elle débuta dans les lettres à vingt-six ans, en 1929, avec *Alexis ou le Traité du vain combat,* qui s'inscrivait, tant par le sujet que par le style, dans la lignée gidienne. On y voyait un homme se séparer de sa femme, pour vivre en accord avec ses goûts véritables. Curieux thème pour une jeune fille issue de la grande bourgeoisie du Nord. Mais il était dans l'air du temps et l'audace ne déplaît pas aux débutants. Ce que l'on ne pouvait pas prévoir, c'est que ce thème de l'homosexualité masculine reparaîtrait si souvent sous la plume de l'auteur et tiendrait une place de premier plan dans les deux chefs-d'œuvre qu'elle nous offrirait par la suite, *Le Coup de grâce* (1939) et *Mémoires d'Hadrien* (1951), également écrits à la première personne.

C'est avec *Hadrien* que Marguerite Yourcenar connut son premier succès. Dans ses entretiens avec Matthieu Galey publiés sous le titre *Les Yeux ouverts,* elle déclare : « J'ai eu une presse enthousiaste... qui insistait beaucoup sur Antinoüs, et sans doute y insistais-je moi-même. Rares sont les lecteurs qui ont vu l'ensemble du livre. Les gens regardent toujours d'un livre la facette qui reflète leur propre vie. »

On dira qu'*Hadrien* a suffisamment de facettes pour passionner des lecteurs étrangers à des aventures amoureuses comme celle qui est au centre du livre. Le succès d'*Hadrien* a été dû aux amateurs d'ouvrages

historiques qui découvraient une façon inspirée d'évoquer le passé.
L'Œuvre au noir est également un roman historique, une reconstitution de l'époque de la Renaissance, mais les personnages sont inventés par l'auteur. Si le personnage d'Antinoüs ne pouvait être absent d'une vie de l'empereur Hadrien, la présence du jeune Cyprien était-elle nécessaire auprès du médecin Zénon ? Matthieu Galey a posé la question et Marguerite Yourcenar a répondu : « Pas plus qu'Hadrien, Zénon n'est ce qu'on appelle aujourd'hui un homosexuel, c'est un homme qui a des aventures masculines de temps en temps. Zénon préfère un être qui lui ressemble, qu'il puisse approcher pour ainsi dire de plain-pied, un amant qui soit un compagnon de route et de danger. Même de nos jours, bien des hommes raisonnent de même et la position de la femme augmentait encore la difficulté de faire d'elle autre chose qu'une épouse ou une maîtresse, jamais un compagnon. »

On pourrait objecter qu'avoir des aventures de temps à autre ou vivre avec un compagnon, ce n'est pas du tout la même chose. Peut-on dire d'autre part qu'Antinoüs ressemblait à Hadrien et Cyprien à Zénon ? Ce n'est pas sûr. Et pas certain non plus que, de nos jours, beaucoup raisonnent comme Zénon. De toute façon, ces propos de Marguerite Yourcenar semblent entachés de misogynie. On comprend cette autre question de Matthieu Galey : « N'avez-vous jamais souffert d'être une femme ? » Réponse : « Pas le moins du monde, et je n'ai pas plus désiré être homme qu'étant homme je n'aurais désiré être femme. Qu'aurais-je d'ailleurs gagné à être homme, sauf le privilège de participer d'un peu plus près à quelques guerres. » (Sait-elle seulement ce qu'elle aurait désiré si elle avait été un homme ?)

En ce qui concerne les revendications féministes d'aujourd'hui, Marguerite Yourcenar adhère à la plupart d'entre elles, mais elle se refuse à faire ce qu'elle appelle du particularisme de sexe : « Les femmes qui disent " les hommes " et les hommes qui disent " les femmes ", généralement pour s'en plaindre dans un groupe comme dans l'autre, m'inspirent un immense ennui, comme tous ceux qui ânonnent toutes les formules conventionnelles. Je crois qu'une bonne femme vaut un homme bon ; qu'une femme intelligente vaut un homme intelligent. C'est une vérité simple. »

Très simple en effet. Mais pourquoi donc avoir choisi généralement des hommes comme personnages principaux ? Matthieu Galey est allé jusqu'à dire que Marguerite Yourcenar s'était toujours *cachée* derrière des hommes pour donner sa vision sur le monde. « Cachée ? » Marguerite Yourcenar s'est déclarée scandalisée par le mot. Mais au lieu de protester qu'un créateur ne se dissimule pas derrière ses créatures, elle a énuméré les personnages féminins qui apparaissent dans ses livres. Il faut bien reconnaître pourtant qu'ils n'occupent pas la première place.

Marguerite Yourcenar ne peut ignorer qu'aux académiciens qui ne voulaient pas de femme à l'Académie, quelques-uns de ses plus chauds admirateurs disaient : « Mais voyons, Yourcenar, c'est un homme. » La plaisanterie l'a-t-elle amusée ? Si oui, c'est qu'elle pensait à cette tendance à l'impersonnalité totale dont parle Hadrien : « Un homme qui écrit ou qui calcule n'appartient plus à son sexe. » Ce qui ne veut évidemment pas dire qu'il appartient à l'autre sexe, mais qu'il vit dans une autre dimension que la moyenne des hommes.

N'empêche : il y a un mystère de l'inspiration de Marguerite Yourcenar qui intriguera longtemps les lecteurs.

VIII

Trois marginaux

Ce siècle avait deux ans quand naquit Marcel Aymé, et trois ans lorsque naquirent Simenon et Raymond Queneau. Tous trois peuvent être désignés comme des marginaux : parfaitement indifférents aux modes et aux courants littéraires, ils furent longtemps boudés par les « grands critiques » et les professeurs. Mais Aymé et Simenon conquirent dès leur trentième année de nombreux lecteurs. Simenon, en tant que père de Maigret, devint même notre romancier le plus lu. Moins chanceux, Queneau ne connut la célébrité qu'à cinquante-six ans, en tant que père de Zazie.

MARCEL AYMÉ

Louis Daniel Hirsch, qui fut longtemps le directeur commercial de la maison Gallimard, ne nous a malheureusement pas laissé de « Mémoires ». Il connaissait une foule d'anecdotes passionnantes. Il me dit un jour que Jean Paulhan était certes un homme de goût et un grand découvreur de talents, mais qu'il n'avait pas le sens des valeurs marchandes : « Aucun des auteurs qu'il a fait publier à la N.R.F. ne s'est jamais beaucoup vendu. Une seule exception : Marcel Aymé. »

Il avait lu son premier roman, *Brûlebois,* paru en 1926 aux *Cahiers de France*. Marcel Aymé avait vingt-quatre ans. Paulhan le fit entrer l'année suivante chez Gallimard où il allait publier un ouvrage au moins chaque année. Dès 1929, il obtint le prix Renaudot. C'était pour *La Table aux crevés*. Ce fut le début de sa célébrité, qui devint éclatante en 1933, avec *La Jument verte*. Alors Paulhan hocha la tête : « Je crois, murmura-t-il, que je me suis trompé sur Marcel Aymé. »

Si Paulhan a réellement prononcé cette phrase, peut-être plaisantait-il. Mais nous avons là une belle illustration d'un état d'esprit fort répandu dans le premier groupe de la N.R.F. On y professait qu'une œuvre un peu nouvelle se heurte à l'incompréhension du public. Il y avait fort à parier qu'une œuvre qui trouvait tout de suite de nombreux lecteurs n'apportait rien à la littérature.

De nos jours encore, quelques critiques n'ont de considération que pour des livres obscurs et ennuyeux, parce qu'ils les imaginent pleins de richesses secrètes que l'avenir découvrira. Ils dédaignent les ouvrages facilement déchiffrables qui ne leur paraissent pas mériter leurs commentaires. Aussi arrive-t-il qu'un grand auteur soit fêté par le public avant de l'être par la critique. Ce fut le cas de Marcel Aymé.

Là-dessus, on remarquera que ce n'est pas pour ses plus éminentes qualités qu'il obtint rapidement la faveur du grand public. Il reconnaissait lui-même que le succès de *La Jument verte* était venu de sa réputation de « roman licencieux » (on disait plutôt, à l'époque : « roman cochon »), mais il ajoutait : « Il me reste un public qui s'attache à mes livres pour des raisons meilleures que celles qui avaient fait le succès de la *Jument.* » En cela, ses débuts ressemblent à ceux d'autres grands écrivains : D. H. Lawrence ne connut de fortes ventes qu'après *L'Amant de lady Chatterley* et Nabokov qu'après *Lolita.* Mais eux aussi surent retenir un public.

Il est amusant de relire aujourd'hui le prière d'insérer que Marcel Aymé avait confectionné pour *La Jument verte :* « C'est l'histoire, disait-il, d'un amour entre deux familles d'un village français. Je l'ai contée à gros traits, car il ne s'agissait pas d'une étude psycho-histiolo-hérédo-pathologique. J'ai d'abord voulu rire à des souvenirs anciens dont plusieurs datent d'avant ma naissance et puis faire le compte de mes sentiments d'amitié et de méfiance à l'égard de ces paysans que je crois ne pas mal connaître puisque j'ai vécu de leur vie, très longtemps avant qu'on pût me convaincre d'être un homme de lettres... »

La *Jument* est d'abord une gaillarde chronique villageoise. Pas question de nier que la sexualité y tient une grande place, mais c'est sa juste place. L'auteur en décrit les manifestations telles qu'il les a observées, en ignorant superbement les travaux de Freud et d'autres docteurs. Il se veut conteur et rien d'autre. Il nous donne un tableau de mœurs et, d'une certaine manière, un roman historique, puisque l'action se situe à la fin du second Empire, à l'époque du général Boulanger. Les querelles politiques et les querelles d'intérêt sont bien présentes et le recul dans lequel elles apparaissent semble une garantie d'objectivité.

Marcel Aymé préférait-il les solides paysans à la bourgeoisie citadine ? Il répondait, toujours dans son prière d'insérer : « Il y a dans l'humanité une certaine proportion de coquins et d'imbéciles qui se retrouve partout avec une marge de variation très limitée. »

La grande invention de Marcel Aymé dans ce livre n'est pas d'avoir donné une couleur verte à un cheval, mais d'avoir accordé la parole à cet animal. Le récit est fait à deux voix : celle du narrateur et celle de la jument. Nous avons là le premier mariage, dans son œuvre, du réalisme et du fantastique. Dès ses premiers essais, il avait montré du goût pour l'insolite. Maintenant, il unissait avec le plus parfait naturel ce qui venait de son observation des choses et des gens et ce qui venait de son imagination. Le réalisme pur et simple risque d'engendrer l'ennui. Le merveilleux lasse aussi s'il ne s'appuie pas sur une connaissance solide des hommes et des sentiments. Marcel Aymé réussit des dosages miraculeux de réel et d'imaginaire. Son langage lui-même est invention perpétuelle.

S'il fallait désigner ses chefs-d'œuvre, on penserait tout de suite à ses recueils de nouvelles et aux *Contes du chat perché.* (Cet auteur salace devait se révéler un maître du conte pour enfants, mais les lecteurs des *Contes du chat perché* sont des gens de tous âges.) On penserait aussi à la trilogie d'histoire contemporaine qui comprend *Travelingue* (l'immédiate avant-guerre), *Le Chemin des écoliers* (l'Occupation) et *Uranus* (la Libération et l'épuration). Là, Marcel Aymé s'est révélé un extraordinaire témoin de son temps.

Jusqu'au début des années 50, la critique sérieuse le considéra comme un bon écrivain, mais marginal. Puis on s'aperçut peu à peu qu'une nouvelle génération d'auteurs le plaçait plus haut que Sartre ou que Camus. Une première grande étude critique lui fut consacrée par Roger Nimier. On la trouvera dans *Journées de lectures.*

Nimier payait là une dette, car deux de ses livres au moins s'inscrivent dans la descendance d'œuvres de Marcel Aymé. *Perfide* évidemment et *Les Enfants tristes* (pour la description des familles bourgeoises). Antoine Blondin, lui aussi, est un fils de Marcel Aymé. Jean Dutourd est un proche parent avec *Une tête de chien* (dans le genre fantastique apprivoisé) et *Au bon beurre* (dans le genre satire sociale). Jean-Louis Bory déclarait avoir souvent pensé à *La Jument verte* en écrivant *Mon village à l'heure allemande* et Boris Vian reconnaissait volontiers que la souris aux moustaches noires de *L'Écume des jours* sort des *Contes du chat perché.*

Aujourd'hui, chacun sait — et même les critiques sérieux — que Marcel Aymé fut un des grands écrivains du siècle. Jean Paulhan ne s'était pas trompé en encourageant ses débuts.

RAYMOND QUENEAU

Pour un jeune lecteur d'avant-guerre, il existait deux catégories d'écrivains contemporains : ceux qu'il avait eu l'envie ou la curiosité de connaître parce que leurs œuvres suscitaient beaucoup de commentaires et que, par suite, ils représentaient la littérature de l'époque, et ceux qu'il avait découverts par hasard, par exemple en feuilletant une revue, et dont personne ne lui avait jamais parlé. Je dis « en feuilletant une revue » parce qu'on achète rarement un livre dont le nom de l'auteur nous est inconnu. Mais, à la veille de la guerre, on achetait et on lisait les revues littéraires. Elles offraient leur première chance aux débutants de talent.

C'est ainsi qu'à la veille de mes dix-sept ans, en 1939, j'eus le plaisir de « découvrir » *Un rude hiver.* Non, Raymond Queneau — né au Havre en

1903 — n'était plus un débutant, il avait déjà publié plusieurs ouvrages très remarquables, mais qui n'avaient pas été remarqués. Bref, c'était un nom tout nouveau pour moi.

Un rude hiver parut en feuilleton dans *La Nouvelle Revue française.* J'y pris un si vif plaisir que, lorsque le livre fut en vente, j'achetai l'un des vingt exemplaires de l'édition originale (l'achevé d'imprimer est du 20 juillet 1939). Je crois que c'est le roman de Queneau que je continue de préférer. Je le tiens pour un des meilleurs romans français de ce siècle. C'est de lui que j'ai parlé, trente-six ans plus tard, dans le numéro que *L'Herne* consacra à son auteur (en 1975). Queneau allait nous quitter en 1976. Voici mon article :

Les amoureux du Havre

Dans *Un rude hiver,* nous sommes au Havre en 1917. L'auteur avait alors dans les quatorze ans et, vivant dans cette ville, flânait place Thiers ou rue de Paris, se promenait le long des quais, ou bien allait au fort de Tourneville écouter la lointaine canonnade du front, ou encore prenait le tram pour la forêt de Montgeon. Il fréquentait le Kursaal et l'Omnia Pathé. Il furetait peut-être déjà parmi les bouquins de la librairie de Mme Dutertre. Dans la boutique de ses parents sans doute écoutait-il avec intérêt les propos des gens sur les misères du temps, la vaillance de nos petits soldats et les crimes des Boches. Il y a dans *Un rude hiver* toute une série de dialogues bien datés — pris sur le vif, dirait-on — et dont la réjouissante sottise eût enchanté Flaubert, autre Normand.

Mais Raymond Queneau a-t-il jamais rencontré Bernard Lehameau ?

Bernard Lehameau nous est présenté comme un bel homme de trente-trois ans, « fonctionnaire assez gradé dans le civil, et dans le militaire blessé de guerre et peut-être même héros ». Lieutenant, il s'est battu à Charleroi et il a reçu du plomb dans les pattes : c'est pourquoi nous le voyons muni d'une canne et pourquoi nous le trouvons au Havre où, pendant sa convalescence, il fait fonction d'interprète dans un bureau de la place, tout en logeant chez lui, où une vieille bonne le sert depuis quinze ans. Ce détail (les quinze ans de service de la bonne) m'a frappé à ma récente dernière lecture parce que, n'est-ce pas, elle serait entrée au service de Lehameau quand celui-ci n'avait que dix-huit ans. Il est vrai que c'est à peu près l'âge auquel il a dû se marier. Il a trente-trois ans et sa femme a péri, treize ans plus tôt, dans l'incendie des Grandes Galeries normandes. Il est donc devenu veuf à vingt ans. Et depuis il a vécu seul et chaste. « Il n'avait pas embrassé de femme depuis treize ans. » (P. 129.) Il n'a plus invité personne à sa table : « Depuis plus de treize ans, ne s'était jamais assis ici un seul convive. » (P. 159.)

Être veuf à vingt ans, voilà qui n'est pas très courant. Vivre en vieux garçon, de vingt à trente-trois ans sans la moindre maîtresse, voilà qui est surprenant. Quelle fidélité exemplaire. Nous voyons Lehameau se rendre sur la tombe de sa femme et pleurer : « Il ne priait pas, mais ça ne l'empêchait pas de pleurer. Il pleurait le corps immobile, sans hoquets ni sanglots, comme il en avait l'habitude. Il pleurait ainsi pendant une dizaine de minutes. » (P. 202.)

C'est lors d'une de ses visites au cimetière qu'il rencontrera deux fossoyeurs, en train d'enterrer le chanteur comique Ducouillon. N'allons pas imaginer pour cela que Lehameau est une réincarnation française et moderne de Hamlet. Le « Lehamlet » de Queneau n'a pas de père à venger ni d'angoisse proprement métaphysique. Tel qu'il se montre dans ses propos, on le définirait plutôt comme un petit-bourgeois réactionnaire, éprouvant une vive répulsion pour la plèbe du port et la racaille des faubourgs. Ajoutons que ce réactionnaire n'est pas chauvin le moins du monde (bien que héros peut-être), il est allergique au bourrage de crâne et scandalise plus ou moins tous ses interlocuteurs par son pessimisme qui frise de près le défaitisme. Avec M. Frédéric, qu'il croit suisse et qui se révélera espion allemand, avec M. Frédéric, qu'il invitera à déjeuner chez lui, il se laisse aller aux dernières confidences : « Vous voyez, M. Frédéric, il y a une chose dont j'ai horreur par-dessus tout, c'est de la république française. Les radicaux, les socialistes, les radicaux-socialistes, pouah, pouah, pouah. Les francs-maçons, les juifs, les syndicats, pouah, pouah, pouah. L'éducation laïque, les instituteurs, les ouvriers conscients et organisés, pouah, pouah, pouah. La liberté, l'égalité, la fraternité, pouah, pouah, pouah. Hein qu'est-ce que vous en dites ? Et la démocratie ? Pouah, pouah, pouah. Tout cela me fait vomir, M. Frédéric. Tout juste : vomir. » (P. 162.) Bien entendu, Lehameau ne vomit pas. Mais, poussant plus loin son discours, il dira : « Il faudrait un protectorat allemand sur la France, voilà ce qu'il faudrait. » (P. 167.) Comment M. Frédéric n'en arriverait-il pas à lever son masque ? Mais mal lui en prendra, car Lehameau n'hésitera pas à le livrer à la justice et le pauvre M. Frédéric sera très probablement fusillé.

On pourrait prétendre que Lehameau s'est conduit envers M. Frédéric en agent provocateur. En fait, Lehameau ne confond pas le domaine des paroles — et celui des pensées — avec celui des actes. Il peut être scandaleux dans ses propos, il ne l'est pas dans sa conduite. A-t-il eu cependant un réflexe de patriote ? Non, l'auteur nous dit très clairement : « Ce que Lehameau ne pouvait pardonner à M. Frédéric, c'était de s'être assis à cette place, là, devant lui, à sa table, de s'être fait inviter, d'avoir souillé son seuil et son foyer. » (P. 197.)

Ainsi Lehameau a-t-il réagi comme sa femme morte aurait sans doute souhaité qu'il le fît.

Raymond Queneau ne juge jamais son personnage et intervient rarement pour expliquer sa conduite. On ne doute pas que certains traits de son caractère doivent lui paraître odieux : le mépris du populo, l'antisémitisme, mais enfin il ne le propose pas à notre exécration. Il nous montre un homme malheureux et nous devinons vite que c'est parce qu'il est malheureux que Lehameau tient des propos méchants et se nourrit de mauvaises pensées.

Voici comment sa vie lui apparaît à lui-même : « Une enfance ennuyeuse et soignée, quelque chose de sinistre et de contrit ; les études à la faculté de Caen et les farces d'étudiant ; le service militaire, une première fois, pas désagréable cela ; le mariage, d'amour certes ; l'abominable privation, puis la petite existence fonctionnaire et veuve ; enfin la délivrance de la guerre. » (P. 82.)

Il faut en avoir soupé d'une morose existence pour saluer la guerre comme une délivrance : « La vue de l'affiche de mobilisation avait fait exploser en lui une gerbe de joie, comme un bouquet de feu d'artifice. Et maintenant il enjambait les débris éparpillés par cet excessif enthousiasme. »

Il nous est dit encore, plus explicitement : « La vue de l'affiche de mobilisation avait été pour lui un feu qui avait consumé un tas de petites misères. »

Mais on ne change pas si facilement non plus. Lehameau continue à se « gaver de mépris et d'horreur » (p. 94), à alimenter sa haine, à « récolter de la haine » (p. 34) et c'est la haine de la vie. Ainsi sa joie à l'arrivée de la guerre, c'est la satisfaction de penser que beaucoup de gens vont périr dans l'incendie, tous ces gens qui ont échappé à l'incendie des Nouvelles Galeries où Mme Lehameau a péri.

Qu'est-ce qui peut nous guérir d'une telle maladie ? (Car la haine est une maladie.) C'est l'amour, évidemment. Précisément, *Un rude hiver* est une histoire d'amour. Une double histoire ou deux histoires entremêlées : l'une clairement exposée, l'autre qui garde sa frange de mystère.

La première raconte la liaison de Lehameau avec une jeune auxiliaire de l'armée britannique, Miss Helena Weeds, « grande fille blonde avec des flancs de cavale et des dents pas très bien plantées. Il la trouvait rudement bien ». De son côté, elle ne le trouvait pas mal non plus et tout irait parfaitement si ces jeunes gens ne vivaient pas en 1917, à une époque où, malgré la guerre, une jeune fille comme Helena est profondément persuadée que seul un peu de pelotage est permis avant le mariage. Enfin, je ne suis pas très sûr, elle serait peut-être passée outre aux conventions, mais ses supérieurs ne badinent pas avec la morale sexuelle et la renvoient dans le giron de la mère Angleterre. Ils la renvoient sur un navire-hôpital, qui sera torpillé. Exit Helena. Histoire d'amour qui est peut-être seulement l'histoire d'un désir frustré, mais pourquoi « seulement » : le désir ne joue-t-il pas toujours un grand rôle dans les histoires d'amour ?

Le point d'interrogation vous paraît sans doute superflu. L'autre histoire d'amour présente cependant une certaine ambiguïté. Cette fois (mais les deux histoires se déroulent parallèlement), Lehameau est attiré par une fillette de treize-quatorze ans, Annette Rousseau, une nymphette donc. En 1939, on ne connaissait pas encore Lolita ; encore moins en 1917. Annette n'est pas une femme-enfant, mais une enfant presque femme. « [...] bonne proie pour un satyre, avec ses cheveux de gaude, ses yeux plus bleus et beaux que ceux des poupées, sa bouche déjà dessinée pour les baisers, ses très jeunes seins, ses jambes purement moulées quoique encore un peu grêles. Elle lui sourit. Il rougit. » (P. 19.)

Quand il l'aperçoit avec son petit frère pour la première fois, c'est dans le tramway et, quand elle descend : « Lehameau ferma les yeux pour regarder courageusement le grand vide tout noir qui s'était creusé en lui. »

Dès lors, il essaie de la rencontrer à nouveau, et ses vœux sont exaucés. Un jour, elle est là, devant lui, dans le tram : « Cet éclair qui l'avait transpercé, il le retrouvait incarné dans cette chair, si délicate qu'il s'étonnait qu'elle pût supporter une telle intensité de grâce. » (P. 38.)

Nous ne savons ni l'âge ni l'apparence physique de l'épouse brûlée de Lehameau. On peut supposer qu'elle était plus jeune que son mari, c'est-à-dire très jeune. C'est dans le souvenir de cette très jeune femme qu'avait vécu Lehameau. Lui-même vieillissait. Son amour ne vieillissait pas, rajeunissait plutôt, avait l'âge d'Annette.

Avec Annette, Lehameau aura beaucoup de chance :

1. Elle n'appartient pas à un milieu bourgeois, sinon d'ailleurs, en 1917, ses parents ne lui auraient pas permis de sortir en la seule compagnie de son petit frère ; et Lehameau n'aurait pu faire sa connaissance. Elle est orpheline, recueillie par une grande sœur qui se débrouille seule depuis l'âge de quinze ans et ne se débrouille pas si mal puisqu'elle a pu louer une petite villa. Se débrouiller, cela veut dire, dans le cas et présentement, avoir beaucoup d'amis anglais. Grâce à quoi la grande sœur peut envoyer la petite sœur et le petit frère dans des écoles religieuses, « c'est plus chic que la communale ».
2. Annette, assez délurée, mais sans les libertés de langage d'une Zazie (personnage que Lehameau n'aurait pas aimé), Annette s'éprend aussitôt du bel officier blessé et se montre tendre et sentimentale, jalouse aussi quand elle voit Lehameau en compagnie de Miss Weeds.

On comprend très bien les sentiments d'Annette. Bon, vous me direz que l'on comprend encore mieux ceux de Lehameau. Toutefois, quand, au terme de sa convalescence et avant de repartir pour la guerre, il se fiance avec la petite fille, voilà qui tient lieu de coup de théâtre final dans le roman. Quelle surprenante décision, en effet, si l'on pense au mépris du peuple que professait Lehameau au début du livre. Mais le Bernard Lehameau du dernier chapitre n'est plus celui du premier. Le roman nous a fait assister à une métamorphose.

Quand il annonce ses fiançailles à la libraire Mme Dutertre, Lehameau précise que la fiancée appartient à une famille « modeste, très modeste » : « Plutôt dans le genre ouvrier, ajouta-t-il timidement. » (P. 215.)

Mme Dutertre comprend parfaitement qu'elle a un être nouveau devant elle :

« Alors, finit-elle par dire, vous ne haïssez plus les pauvres, ni les misérables, monsieur Lehameau ?

— Ni les Allemands même, madame Dutertre, répondit-il en souriant. Pas même eux. Pas même les Havrais, ajouta-t-il en riant.

— Il faut alors que vous soyez devenu un bien grand sage, dit Mme Dutertre en essayant de plaisanter. »

Il ne s'agit pas de sagesse. Chacun sait que l'amour, quand il est heureux, fait voir le monde avec des yeux neufs et bienveillants. Annette a rendu Lehameau à la vie, elle lui a redonné la vie. « Annette, murmura-t-il, ma vie, ma vie, ma vie. »

Si la liaison avec Helena nous est contée avec une chaleur sexuelle très vive, les rapports avec Annette sont évoqués sur un autre registre. La chaleur n'y manque pas non plus, il est question d'éclair et de flamme, la chaleur du corps y joue un rôle, mais la grâce bien davantage qui n'est pas forcément un aliment pour le désir. Avant de se fiancer avec Annette, Lehameau aura — c'était un peu scandaleux — couché avec la grande sœur, Madeleine, une bien brave fille. Couchage qui mettait fin à une période d'abstinence de treize ans.

Ce roman, réaliste en somme, et où la cocasserie naît précisément de la fidélité au réel et du naturel du langage, laisse le souvenir d'une œuvre nostalgique et sentimentale. Le thème de l'incendie y ajoute sa violence : « Il y a de grands bois calcinés où les oiseaux ne reviendront plus », comme le murmure Lehameau à sa belle-sœur Thérèse (p. 183). Et l'auteur de commenter : « Comme c'était beau, comme c'était triste. Thérèse soupira. Elle sentait en elle se propager des ondes du tympan à la matrice. »

Cette dernière citation est un bon exemple de ce mélange des genres — où la dérision ne détruit pas la poésie — qui fait l'originalité et la séduction d'*Un rude hiver*.

Quelques mots encore. Je demandais si Raymond Queneau avait connu Lehameau. Par le roman autobiographique en vers *Chêne et Chien,* nous savons qu'un de ses cousins plus âgé était parti pour la guerre et que « le poilu nous revint avec une blessure ». Nous savons aussi que M. Queneau père « préférait aux socialistes le casque à pointe de là-bas », il s'était abonné à des journaux suisses pour lire les communiqués allemands, « réelles délices » :

la victoire austro-germanique
ferait les pieds des francs-maçons,
des juifs et des démocratiques,
horrible bande de coçons.

Bien entendu, nous n'allons pas en conclure que le cousin et M. Queneau père ont servi de modèles à Lehameau. Il n'en est pas moins probable que l'auteur a pensé à la blessure de l'un, aux opinions de l'autre, en inventant son personnage.

Certains lecteurs se demandent pourquoi Raymond Queneau a prêté à un personnage sympathique des opinions qui ne le sont guère (sympathiques). Un essai de réponse nous entraînerait loin du sujet de cet article. Mais la question est intéressante.

Parenthèse

Raymond Queneau lut cet article et me donna l'explication des détails curieux que j'avais notés (les quinze ans de service de la bonne, le mariage à vingt ans, etc.). « Quand j'ai commencé ce livre, me dit-il, j'avais deux Lehameau au lieu d'un : le père et le fils. Puis j'ai abandonné le personnage du père, mais en utilisant les pages que je lui avais consacrées. Le fils a hérité du père. Je n'ai pas assez veillé à gommer les bizarreries qui résultaient de ce transfert du père au fils. » Cette confidence était surprenante de la part d'un auteur qui prétendait appliquer à la composition d'un roman des règles aussi sévères que pour la composition d'un sonnet. En tout cas, l'édition critique d'*Un rude hiver* sera bien instructive si, du moins, Raymond Queneau n'a pas détruit ses brouillons.

Je dis à Queneau qu'*Un rude hiver* illustrait le corollaire d'une proposition de Xavier Forneret : « Ce n'est pas qu'on soit bon, on est heureux. » On pourrait affirmer en effet, à propos de Lehameau : « Ce n'est pas qu'on soit méchant, on est malheureux. » Là-dessus, Queneau répondit à la dernière question que j'avais posée dans mon article : « Lehameau, me dit-il, tient des propos que je réprouve, mais enfin, dans la vie, il faut juger les gens sur leurs actes et non sur leurs paroles. » Queneau voulait peut-être me faire comprendre qu'il s'était réconcilié avec son père.

Du « Chiendent » à « Zazie »

Quand, adolescent, j'eus découvert *Un rude hiver,* je me hâtai de me procurer les autres ouvrages qu'avait publiés Queneau. Le premier de ces ouvrages, *Le Chiendent* (1933), me déconcerta, je l'avoue. C'était un récit bizarre et misérabiliste où quelques personnages sortaient difficilement de la nuit pour y retourner à la fin. Dans une langue qui singeait le parler populaire, ils avaient eu le temps d'exprimer des idées philosophiques quelque peu déprimantes. « Voilà qui est curieux, murmura Étienne, on croit faire ceci et puis on fait cela. On croit voir ceci et l'on voit cela. On vous dit une chose, vous en entendez une autre et c'est une troisième qu'il fallait comprendre. Tout le temps, partout, il en est ainsi. » À dix-sept ans, je n'étais pas mûr pour comprendre la troisième chose. *Le Chiendent,* livre contemporain du *Voyage au bout de la nuit,* annonçait toute la littérature de l'absurde qui allait triompher dans les années 40, mais Queneau essayait de s'en sortir par l'humour.

Je retrouvai un Queneau moins déroutant dans *Les Derniers Jours* (1936), où l'on suit les aventures d'un jeune Havrais venu à Paris pour y poursuivre des études de philosophie. Et c'est un autre étudiant (en mathématiques) qui est le héros d'*Odile* (1937). Ce roman nous fait connaître les activités d'une secte littéraire, dirigée par un nommé Anglarès, lequel ressemble fort à André Breton.

Les Derniers jours, Odile et *Un rude hiver* occupent une place à part dans l'œuvre de Queneau. Le rôle de la fantaisie se limite à des jeux avec l'orthographe et avec la syntaxe. L'intrigue et les personnages — même lorsque ceux-ci sont de fiers originaux — n'ont rien qui puisse rebuter l'amateur de romans traditionnels, alors que, dans ses autres ouvrages romanesques, Queneau tourne résolument le dos au réalisme et nous entraîne dans un univers imaginaire très personnel. Les références à la vie quotidienne sont nombreuses, mais tout est transposé de façon cocasse dans un registre poétique. Queneau a même inventé une moderne mythologie dans *Gueule de Pierre* (1934), qu'il a fait suivre de *Les Temps mêlés* (1941) et il a repris, modifié et complété ces deux ouvrages dans *Saint-Glinglin* (1948), œuvre singulière où se succèdent monologue, récits et dialogues, ainsi que prose et poésie. C'est peut-être là qu'il est le plus proche de Max Jacob qu'il appelait « notre maître à tous ».

Curieux de tout et attiré par les bizarreries en tout genre, Queneau avait précédemment composé une *Anthologie des sciences inexactes* où se trouvaient réunis les fous littéraires français du siècle dernier. Il dut l'enrober dans un roman pour qu'elle fût acceptée par un éditeur : ce fut *Les Enfants du limon* (1938). Les fous littéraires sont des chercheurs intellectuels dont les hypothèses et les trouvailles ne furent jamais prises en considération par personne. On est fou si l'on est seul à penser ce que l'on pense. On vous loue d'être original un peu, on vous écarte si vous l'êtes trop. La partie romanesque des *Enfants du limon* contient de savoureux morceaux tant comiques que dramatiques.

Dans les œuvres qu'il écrivit après 1940, Queneau préfère insister sur la cocasserie du monde plutôt que sur sa cruauté et son absurdité. Il s'imposa comme un virtuose des exercices de style. La littérature est pour lui une fête du langage. Si elle permet de jongler avec les idées, les images et les sensations, elle est avant tout un jeu avec les mots. Queneau les aime comme de petites choses vivantes. Il aime aussi raconter des histoires. C'est *Zazie dans le métro* qui lui valut, à cinquante-six ans, de connaître la grande célébrité. Quand parut *Zazie,* la critique et le public furent d'accord pour saluer ses vertus hilarantes. Toutefois, on put lire bientôt certaines analyses savantes qui faisaient apparaître le côté tragique des aventures de Zazie : cette enfant terrible était une « étrangère », étrangère à ce monde et disponible pour un autre — un autre monde où l'esprit ne capitulerait pas devant la force. Etc., etc. De tels commentaires amusèrent Queneau. Non pas qu'il les trouvât absurdes, mais il avait écrit ce roman pour s'amuser et pour nous divertir, et non point pour troubler nos consciences.

Oui, Queneau s'amuse. On ne contestera pas cependant qu'il ne manque pas de glisser dans ses histoires les plus farfelues des considérations très sérieuses. Il le fait de manière imprévue. Par exemple, dans *Pierrot, mon ami,* il confie à un aubergiste le soin d'exprimer son sentiment sur la précarité et le peu de réalité des choses et du monde : « Tout change vite sur cette terre. Rien ne dure. Tout ce qu'on a vu quand on est jeune, quand on est vieux ça a disparu. On ne se lave jamais deux fois les pieds dans la même flotte. Si on dit qu'il fait jour, quelques heures après il fait nuit, et si on dit qu'il fait nuit, quelques heures après il fait jour. Rien ne tient, tout bouge. Ça ne vous fatigue pas à la fin ? »

La littérature était d'abord pour Queneau un moyen d'échapper à cette fatigue-là. La bonne littérature, on le sait, nous donne l'illusion d'être des individus éternels.

GEORGES SIMENON

À dix-huit ans, je voyais des personnes qui ne s'intéressaient guère à la littérature se passionner pour Simenon. Moi aussi, je m'étais passionné pour les Maigret que m'avait prêtés mon ami Jacques Spatz, mais nous nous demandions naïvement, Spatz et moi, quelle admiration accorder à leur auteur. Les romans policiers relevaient-ils de la littérature proprement dite ? Nous découvrîmes rapidement que tous les livres de Simenon ne racontaient pas des enquêtes criminelles. Je me rappelle mon émerveillement quand je lus *Il pleut, bergère* (paru en 1941).

Ce roman se situe un peu avant la Première Guerre mondiale et se déroule presque entièrement sur la grand-place d'une petite ville du Calvados où, deux fois la semaine, se tient un marché. Le héros est un garçonnet de sept ans, Jérôme Lecœur, dont la grande distraction est d'observer, par la fenêtre en demi-lune d'un entresol, ce qui se passe au-dehors. Ses parents tiennent une boutique de confection au rez-de-chaussée. Le père n'est pas souvent là, car il parcourt le pays, dans une voiture tirée par deux chevaux, pour vendre sa marchandise dans les foires.

À l'époque, on ne prêtait pas attention aux menaces de guerre, mais on parlait beaucoup d'attentats anarchistes. Précisément, dans une maison de la place, et dans un entresol tout semblable à celui où se tient le petit Jérôme, habite la mère d'un homme dont la tête a été mise à prix : il a lancé une bombe sur la voiture d'un couple royal en visite à Paris. La police est venue à plusieurs reprises perquisitionner chez cette dame. Celle-ci ne vit pas seule : elle a recueilli son petit-fils, Albert, atteint de tuberculose et qui vit cloîtré. Il n'est pas plus âgé que Jérôme.

Le fils des honnêtes commerçants et le fils de l'anarchiste ne se sont jamais adressé la parole, mais leurs maisons respectives se trouvent à l'angle de la place et ils peuvent échanger des regards de fenêtre à fenêtre. Une espèce d'amitié silencieuse s'est établie entre eux. Les parents de Jérôme décident d'accueillir dans leur petit logement une tante de M. Lecœur, vieille dame obèse et autoritaire dont ils espèrent qu'elle leur léguera ses biens. Jérôme éprouve bientôt une véritable haine pour cette « monstresse », satisfaite d'elle-même autant que méprisante pour les gens moins fortunés qu'elle. Quand il l'entend parler des grévistes et des anarchistes, il se sent très proche du père du malheureux Albert.

Simenon décrit la guerre que se livrent la tante Valérie et le petit Jérôme, tandis qu'au-dehors la police resserre ses filets autour de l'anarchiste fugitif. Or, Jérôme a deviné où celui-ci se cachait et il ne doute pas que sa tante n'hésiterait pas à se transformer en auxiliaire bénévole de la police...

C'est une histoire tout à fait envoûtante où joue à plein la poésie noire d'une pluie tenace : il pleut, bergère... On a l'impression, en terminant le livre, d'avoir réellement vécu au début du siècle dans une petite ville normande, entre un petit garçon sensible et une vieille dame maléfique.

Certes, c'était de la littérature, et de la meilleure. Mais Simenon s'en moquait bien, que ce fût de la littérature ou non. Il ne se considérait même pas comme un écrivain : « Je ne suis pas un écrivain, disait-il. Je suis un romancier. » Beaucoup de jeunes gens s'imaginent qu'ils sont devenus romanciers parce qu'ils ont raconté, en l'enjolivant parfois, une petite aventure personnelle. Le romancier Simenon, lui, s'interroge sur la vie des autres. Telle personne qu'il a connue ou qu'il n'a fait qu'apercevoir lui donne l'idée d'un personnage auquel il va prêter des aventures qui prendront forme de destin. Il situe ces aventures dans des cadres bien différents, car il a fréquenté tous les milieux et beaucoup voyagé. Aussi son œuvre est-elle aussi variée qu'abondante. Pas moins de cent quatre-vingt-treize romans qui constituent une comédie humaine aussi considérable que celles de Balzac et de Zola.

Le romancier Simenon

Avez-vous lu, par exemple, *La Mort d'Auguste* (1966) ? Ce roman traite un sujet à la Balzac dans un décor qu'a utilisé Zola. C'est une histoire d'héritage qui se déroule aux Halles de Paris, peu avant leur transfert à Rungis. À vrai dire, rien de commun pour la composition et l'écriture avec Balzac et Zola. Simenon nous offre même ici un roman très dépouillé et j'admire qu'il ait pu faire tenir tant de vie en si peu de pages. J'admire aussi que, ayant pris des personnages très représentatifs de la société contemporaine, il ait su leur donner une existence particulière : ce sont à la fois des types et des personnages singuliers. Le secret, c'est peut-être que Simenon ne craint pas d'être banal. La réussite, c'est qu'il est banal d'une manière qui n'appartient qu'à lui. On pouvait faire la même remarque avec Roger Martin du Gard. Gide, qui admirait beaucoup Martin du Gard (comme il admirait aussi Simenon), disait : « Il est puissamment banal. »

Comme le faisait Martin du Gard, Simenon commence par choisir quelques personnages : ici, c'est un père et ses trois enfants. Le père, originaire d'un petit village d'Auvergne, est quelqu'un qui s'est fait lui-même. Il est arrivé à Paris sans argent, a travaillé pour s'acheter un petit bistrot, s'est endetté, et puis son commerce a prospéré. Il a eu trois fils auxquels il a pu payer des études. L'aîné avait des ambitions sociales : il a fait son droit, est devenu magistrat. Le second, n'ayant pas de goût pour les choses intellectuelles, est resté dans la restauration. Le cadet, arrivé à l'âge d'homme pendant l'Occupation, à l'époque du marché noir, a pris le goût des affaires mirobolantes et pas toujours très légales.

Ces personnages posés, Simenon peut nous donner des vues sur trois milieux très différents. Les plus pittoresques sont sans doute celui du commerce et celui des affaires. Mais, avec la famille du magistrat, nous avons des aperçus très savoureux sur la bourgeoisie d'aujourd'hui. Le frère magistrat est le seul qui ait des enfants. Simenon nous donne des portraits de jeunes gens d'aujourd'hui — une fille et un garçon — aussi intéressants que l'adolescent du *Confessionnal,* roman paru la même année.

Les personnages choisis, il faut créer un drame. Ce sera ici la mort du père. Ou plutôt ce deuil va être l'occasion d'un affrontement à propos des gros sous qu'il doit laisser.

Un hebdomadaire titrait l'autre jour : « Nos enfants, ces ennemis intimes ». C'était un titre à sensation et, naturellement, nous savons bien que les frères (et les sœurs) ne sont pas toujours ennemis. Mais il est vrai que les querelles d'intérêts sont nombreuses dans les familles et que, à propos d'héritages, on voit se dresser les uns contre les autres des êtres qui, jusqu'alors, semblaient unis par la plus tendre affection.

Auguste, c'est donc le prénom du père. Il meurt sans avoir laissé de testament. Or, depuis quelques années, il était associé avec le second de ses fils, prénommé Antoine. Celui-ci va être soupçonné, par son aîné et par son cadet (et plus encore par leurs compagnes), d'avoir dissimulé le magot et de vouloir le conserver pour lui seul. En réalité, le brave Auguste ne connaissait rien aux opérations boursières et avait chargé un de ses compatriotes — un homme de son village monté, lui aussi, à Paris — de s'occuper de gérer sa fortune... Cela, on ne le découvrira que tardivement et je ne veux pas vous priver de découvrir vous-même les rebondissements dramatiques qu'a imaginés Simenon.

Le personnage sympathique du livre, c'est Antoine. Chose rare dans un roman d'aujourd'hui, c'est lui qui gagne le mieux sa vie. On lui a cependant reproché bien des choses, et tout d'abord d'avoir tiré une fille du trottoir pour en faire sa femme. Eh bien ! elle est devenue une épouse parfaite. Mais pourquoi donner ce détail plutôt que vingt autres ? Un roman de Simenon, c'est, je le répète : 1° des personnages ; 2° des milieux ; 3° des histoires. Simenon joue franchement le jeu du roman. Il croit à ce qu'il raconte, nous y fait croire, nous passionne.

Simenon mémorialiste

Quand il disait n'être qu'un romancier, il était sincère sans doute et on l'aurait probablement surpris en lui disant qu'à la fin de sa vie il abandonnerait la fiction pour les écrits intimes. Pourtant, son premier récit autobiographique date de 1941. Cette année-là, un radiologue, commettant une erreur de diagnostic, lui avait annoncé qu'il n'avait plus que deux ans à vivre. À l'intention de son fils Marc, encore tout enfant, il avait rédigé des souvenirs de famille, qui devaient paraître plus tard sous le titre *Je me souviens* et qui, sur le conseil d'André Gide, furent ensuite repris sous une forme romanesque et parurent sous le titre *Pedigree.* C'est peut-être le chef-d'œuvre de Simenon : non seulement le récit d'une enfance et d'une adolescence, mais une vaste fresque sociale.

Pedigree prend fin à l'armistice de 1918, alors que le jeune Simenon n'avait encore que quinze ans. L'ouvrage se termine par la mention : « Fin de la première partie ». La seconde partie devait nous mener jusqu'à la vingtième année de l'auteur. Une troisième nous aurait raconté ses débuts parisiens.

Simenon ne fut certes pas déçu par l'accueil que reçut *Pedigree* de la part du public et de la critique. Mais son livre provoqua des procès en chaîne, de la part de particuliers qui se reconnaissaient dans tel ou tel personnage : procès que Simenon perdit tous. L'argent qu'il gagna avec ce chef-d'œuvre passa dans les poches de personnes qui s'estimaient diffamées. Simenon décida d'arrêter les frais en ne poursuivant pas la rédaction de son grand ouvrage.

Pedigree est construit au plus près de souvenirs personnels. En le lisant, on découvre l'origine d'un certain nombre de romans. On voit comment une même personne a pu donner naissance à plusieurs personnages (et à plusieurs histoires). Cela veut dire que Simenon a pu imaginer comment tel destin aurait pu être autre si tel ou tel événement s'était produit, car un homme est le jouet des circonstances, bien que sa nature ne change pas. On remarque aussi qu'après avoir écrit *Pedigree* Simenon n'a plus fabulé sur les vies possibles des êtres qu'il nous avait présentés.

Après la publication de ce livre, en 1949, il resta plus de vingt ans sans céder à la tentation autobiographique. Les romans succédèrent aux romans, à la cadence à laquelle il nous avait habitués. Puis, au début de 1960, il éprouva à nouveau le besoin de s'exprimer à la première personne dans des cahiers qu'il ne destinait pas à la publication. Il a tenu ce journal de juin 1960 à février 1963. « Si, un jour, je donne une suite à ces notes, écrivait-il à la fin, je me promets, pour les placer dans leur vrai contexte, d'écrire en titre " Deuxième crise " ou encore " Rechute ". » Mais de quelle crise s'agissait-il ? Simenon, aux approches de la soixantaine, supportait-il mal les premiers signes du vieillissement ? En tout cas, c'est sous le titre *Quand j'étais vieux* qu'il publia son journal en 1970. Curieux journal où les souvenirs occupent plus de place que le présent.

Son activité créatrice n'avait pas subi de ralentissement. De 1963 à 1970, il publia plus de trente volumes. Puis soudain, en février 1973, pour son soixante-dixième anniversaire, il annonça qu'il prenait sa retraite et qu'il n'écrirait plus de romans.

Il ne disait pas qu'il n'écrirait plus. Dès l'année suivante paraissait un petit volume intitulé *Lettre à ma mère*. « Dans *Pedigree,* disait Simenon, tu étais un personnage plus ou moins schématique. Je décrivais certains de tes faits et gestes. Je rappelais certaines de tes phrases. Aujourd'hui, c'est la vraie Henriette dont je voudrais trouver l'âme. »

En réalité, comment pourrait-on connaître d'un être autre chose que des actes, des gestes et des paroles ? A partir de ces données, nous pouvons nous livrer à des exercices de psychologie, mais cela restera une construction intellectuelle qui peut toujours être remise en question. La fameuse psychologie des profondeurs repose elle-même sur des hypothèses. Chaque homme reste même, au fond, un inconnu pour lui-même. L'explication d'un caractère ou d'une conduite peut paraître séduisante, mais elle n'est jamais absolument probante. Et, par exemple, le mérite éclatant du freudisme n'est pas tant de nous avoir rapprochés de l'insaisissable vérité que d'avoir bousculé des préjugés. Le « complexe d'Œdipe » est une belle invention de romancier tout comme la « carte du Tendre » d'Honoré d'Urfé.

Simenon a perdu sa mère en 1970. Elle avait quatre-vingt-onze ans. Prévenu de la gravité d'une opération qu'elle avait subie, son fils est venu assister à ses derniers jours : « Cela a pris huit jours environ, le séjour le plus long que j'aie fait à Liège depuis mon départ à dix-neuf ans... »

Pendant ces huit jours, la mère et le fils ne se sont guère parlé. Simenon ne cache pas que sa mère et lui ne se sont jamais beaucoup aimés : précisément, au chevet de la mourante, il a essayé de la comprendre, de comprendre sa vie, pour pouvoir enfin l'aimer. Il s'est livré à une méditation dont cette « lettre » nous apporte l'écho. Elle est la preuve d'un attachement qui ne repose pas sur l'affection, mais sur la conscience de ce qu'un fils doit à sa mère : entendez qu'issu d'elle il ne lui doit pas seulement la vie, mais une hérédité. Peu d'hommes ont éprouvé aussi fortement que Simenon le sentiment d'appartenir à une lignée. Bien sûr, il était surtout attaché à son père, mort jeune, et auquel il n'a cessé de vouer une espèce de culte. Mais il a toujours tenu à se conduire en bon fils également avec sa mère. Ce qui n'empêchait pas le regard critique...

« Ce que je comprends aujourd'hui, c'est qu'un couple qui a des enfants n'est pas seulement un couple. Et il l'oublie parfois. Il y a, dans la maison, près d'eux, presque toujours présents, des yeux d'enfants qui les regardent, qui les jugent à la mesure de leur jeune intelligence. On croit être simplement père et mère. Ce n'est pas vrai. On est deux individus dont tous les gestes, tous les mots, tous les regards sont jugés impitoyablement... »

Simenon ajoute : « Maintenant que tu es morte, maintenant que je t'écris une de mes rares lettres, je suis père à mon tour et, bien entendu, je ne suis plus impitoyable. »

Ce passage devrait être médité par ce jeune professeur de troisième qui, au grand scandale des parents, avait donné à commenter par ses élèves la célèbre phrase d'Oscar Wilde : « On aime d'abord ses parents, ensuite on les juge, parfois on leur pardonne. » En vérité, les enfants finissent par être des parents à leur tour et alors le rôle de juge leur échappe.

Simenon confie qu'il avait été choqué quand sa mère s'était remariée. Elle avait épousé un retraité jouissant d'une confortable pension dont elle continuerait à bénéficier s'il disparaissait avant elle. Née dans une famille ruinée, ayant dû très tôt travailler, elle avait toujours eu la hantise de la misère : son rêve et son ambition avaient été de toucher une pension dans ses vieux jours. (On se doute que, dans ces conditions, elle avait souhaité que ses enfants deviennent des fonctionnaires et comprenait mal la vie qu'avait choisie son fils Georges.)

Mais le remariage de la mère se révéla catastrophique sur le plan affectif : mari et femme en vinrent à se haïr. Ils ne communiquaient que par petits billets et se préparaient chacun son propre repas, de peur d'être empoisonné. Simenon n'a pas assisté à ce drame et n'a vu qu'une seule fois son « beau-père » au cours d'une courte visite. Mais l'on devine que nous avons là l'origine du roman intitulé *Le Chat* (1963).

Nous ne savons pas si nous connaissons mieux maintenant la mère que nous avions vue dans *Pedigree.* Ce qui est sûr, c'est que nous avons l'impression de mieux connaître Simenon.

Simenon intime

Quelques jours après avoir annoncé sa décision de ne plus participer à ce qu'il appelait « la vie littéraire active », il s'était acheté un magnétophone. Au lieu d'écrire, il allait maintenant parler. Ses enregistrements lui fourniraient la matière d'une vingtaine de volumes, qui parurent de 1975 à 1980, à la cadence où il publiait autrefois des romans.

Une grande différence existe entre la série des « Dictées » et le journal paru sous le titre *Quand j'étais vieux.* Non seulement dans la méthode de composition, mais aussi dans l'état d'esprit de l'auteur. Simenon, séparé de sa seconde épouse, sentit une nouvelle jeunesse s'emparer de lui quand il s'éprit d'une femme de chambre au grand cœur. Après une vie sentimentale et sensuelle très agitée, voilà qu'il avait rencontré, à soixante-cinq ans, la compagne dont il avait rêvé depuis son adolescence. Dans les volumes de « Dictées », il ne se lasse pas de nous dire et redire la parfaite entente qui règne entre lui et Térésa. Il s'en émerveille avec tant de constance que l'on en vient à se demander s'il parvient à y croire tout à fait.

Dès la page 50 du premier recueil, *Un homme comme un autre,* il se demandait s'il n'était pas en train d'écrire des Mémoires. En effet, chaque court chapitre mêle des récits d'un temps plus ou moins éloigné à des notations sur le jour présent. Dans *Point-virgule,* il déclare : « J'aurais pu écrire des souvenirs d'une façon continue, en suivant le cours des ans. Cela aurait été plus facile. » Toutefois, se fiant à son instinct, il a préféré respecter le désordre de la mémoire. Le charme des « Dictées » tient en grande partie au ton de confidence sans apprêt et presque sans retenue. (Nous disons « presque » : dans *Un homme comme un autre,* il signale que, pendant son travail de révision, il a supprimé quinze pages concernant sa seconde épouse. Nous avions compris qu'elle ne vivait plus sous son toit, bien qu'ils ne fussent pas divorcés. Nous ne savions pas quel arrangement ils avaient conclu entre eux.)

En 1980, surprise : nous apprîmes que Simenon avait repris la plume, nous disons bien la plume et non sa machine à écrire, et qu'il avait déjà rédigé mille pages qu'il situait dans la lignée de *Pedigree.* Le livre parut à l'automne 1981 sous le titre *Mémoires intimes.*

Pedigree était né sous la menace d'une mort prochaine annoncée par un médecin. Simenon écrivit les *Mémoires intimes* au lendemain du suicide de sa fille Marie-Jo, alors âgée de vingt-cinq ans. Dans le même temps, il se trouvait en butte à des menaces de sa seconde épouse, Denise (la mère de Marie-Jo), qui l'accusait non seulement de lui verser une pension insuffisante, mais d'être responsable des dépressions nerveuses qui l'avaient conduite chez les psychiatres (elle publia un livre intitulé *Un oiseau pour le chat*). On comprend que Simenon ait voulu donner sa propre version des faits. Il s'adresse à sa fille morte et à ses trois fils bien vivants. Il entreprend d'établir la vérité sur « l'affaire Simenon » en donnant un compte rendu détaillé de sa vie et de celle de ses enfants. Ce ne sont plus ici des souvenirs en désordre, c'est la reconstitution de l'enchaînement des faits qui constituent l'histoire d'une famille. Ah non ! ce n'est pas « un homme comme un autre » qui parle. Jamais un père s'adressant à ses enfants n'avait osé raconter ses aventures sexuelles et ses échecs sentimentaux. Simenon raconte aussi simplement ses relations avec les femmes que les étapes de sa prodigieuse carrière d'écrivain. Le contraste est saisissant entre sa réussite sociale et le ratage de ses deux mariages.

Du moins est-il resté en termes amicaux avec sa première épouse. Avec la seconde, il n'a même pas pu sauver les apparences. Il l'avait encore tenté quand il écrivait *Quand j'étais vieux*. Ce livre s'achevait par : « A bientôt, ma D. A bientôt, petite fille que j'aime et que je porte précieusement et passionnément en moi. » Il voulait, nous dit-il, donner confiance à une malade. Mais la malade poursuivait une œuvre de destruction : la sienne propre, par l'alcool, et celle de son mari, par un irrépressible besoin de domination. L'amour était bien mort, et depuis longtemps. D'ailleurs, y avait-il jamais eu d'amour entre eux ? Non, ç'avait été une « passion » et Simenon s'était attaché furieusement à une femme « qui n'était même pas son type », comme aurait dit Proust. Leur vie commune avait cependant duré une vingtaine d'années et les moments de bonheur n'avaient pas manqué...

De même que *Pedigree* nous donnait la source de certains romans d'avant-guerre, les *Mémoires intimes* nous permettent de deviner le point de départ de nombre de romans d'après-guerre, de *Trois Chambres à Manhattan* à *La Disparition d'Odile*, en passant par *Les Anneaux de Bicêtre*. Simenon écrit que l'on a vu à tort dans *La Disparition d'Odile* « un rapport de ma vie personnelle ». Il corrige sa phrase par une interrogation : « Peut-être intuition ? » Eh oui ! intuition. Les romans de Simenon ne sont évidemment pas des « rapports de sa vie personnelle », mais ils sont nourris de ses inquiétudes et de ses tourments. Simenon a parfaitement raison de dire que ses romans ne sont pas l'œuvre d'un intellectuel, mais qu'il les a composés en suivant ses instincts.

Il est difficile de porter un jugement littéraire sur les *Mémoires intimes*. Simenon n'a pas cherché ici, non plus qu'ailleurs, à faire de la littérature. Dans la mise en place des personnages et des situations, on retrouve cependant sa maîtrise de grand romancier. Il trace de sa fille Marie-Jo un émouvant portrait. Celui d'une enfant trop sensible, effrayée par sa mère et qui éprouvait pour son père une immense admiration (bien compréhensible) et un amour de femme : elle aurait souhaité pouvoir prendre auprès de lui la place qu'occupait Térésa. Les *Mémoires intimes* sont suivis des textes qu'elle a laissés et qui authentifient l'image que son père nous a donnée d'elle.

Tout cela dit, on peut lire les romans de Simenon sans rien savoir de ce que fut sa vie. L'étonnant est qu'avec une vie exceptionnelle il ait construit une œuvre où nous retrouvons tous un écho de nos drames particuliers.

IX

Les vedettes des années 40

De même que ce sont les pays sous-développés qui font le plus d'enfants, ce sont les périodes historiques les plus noires qui sont le plus favorables à la vie artistique et littéraire. Mais les enfants mal nourris du tiers monde sont condamnés à une existence brève et misérable, tandis que les œuvres nées dans des conditions matérielles difficiles semblent bénéficier des contraintes qu'ont connues leurs auteurs.

D'excellents livres parurent pendant l'occupation allemande. Poèmes d'Aragon, Audiberti, Tardieu. Essais de Valéry, Paulhan, Bachelard. Romans de Simenon, Aymé, Queneau. Camus, qui n'avait encore publié que quelques plaquettes en Algérie, fit ses débuts parisiens, en 1942, avec le récit *L'Étranger*. La pénurie de papier n'empêcha pas en 1943 la publication du pavé philosophique de Sartre, *L'Être et le Néant*.

L'activité théâtrale, dans Paris où flottait le drapeau nazi, fut d'une qualité exceptionnelle. Nous applaudîmes Anouilh à l'Atelier, Cocteau, Claudel et Montherlant à la Comédie-Française, Giraudoux au théâtre Hébertot, Sacha Guitry à la Madeleine, Giono aux Noctambules, Sartre au théâtre de la Cité et au Vieux-Colombier, Camus aux Mathurins.

C'est aussi pendant l'Occupation que fut conçu et tourné le plus beau film français jamais réalisé : *Les Enfants du paradis,* de Carné et Prévert.

Tous les auteurs que nous venons de citer poursuivaient leur œuvre sur leur lancée d'avant-guerre. Une exception : Aragon auquel le choc de la défaite avait donné le sens de la patrie et le goût des valeurs françaises. Aussi allait-il, en tant que poète, connaître la gloire à la Libération. Il devint une des grandes figures des années 40. Presque au même titre que Saint-Exupéry qui avait réussi à faire publier à Paris, en 1942, un ouvrage qui finissait par un appel à la résistance : *Pilote de guerre*. L'émouvante *Lettre à un otage,* publiée à New York en 1943, ne parvint en France qu'un an plus tard, en même temps que débarquaient les troupes américaines qui allaient libérer l'Europe de l'Ouest. Hélas ! Saint-Ex, héros de l'aviation, disparut au cours de sa dernière mission au-dessus de la France. Malraux, lui aussi, fut un « écrivain-combattant ». Il n'avait publié qu'un seul livre pendant les années noires, *Les Noyers de l'Altenburg*, et il l'avait confié à un éditeur suisse.

Après la libération de Paris, quelques écrivains devaient occuper une place de premier plan en qualité de journalistes : Mauriac au *Figaro*, Camus à *Combat*, Sartre un peu partout. Là aussi, Mauriac et Camus continuaient leur œuvre d'avant-guerre. Au contraire, c'est un nouveau Sartre que les événements avaient suscité : il entendit s'imposer comme homme phare de l'engagement dans les affaires du temps. Pour beaucoup de jeunes gens, nés dans les années 30 et 40, il allait tenir la place qu'avait occupée Gide pour les générations précédentes. On sait qu'il finit par condamner la littérature comme une névrose, ce que Gide ne fit jamais. Camus pouvait apparaître dans la lignée de Gide. Sartre, non.

JEAN-PAUL SARTRE

« Vous avez été un homme autant qu'un écrivain », écrivait Françoise Sagan en 1979 dans sa *Lettre d'amour à Jean-Paul Sartre*. Mais Sartre était quelqu'un d'autre encore : la foule qui suivit son cercueil en 1980 rendait hommage au militant gauchiste, au bouillant et brouillon contestataire.

Les livres qui ont paru sur Sartre depuis lors nous parlent de l'homme plus que de l'écrivain. Et de Sartre lui-même, on nous a révélé des écrits intimes : *Les Carnets de la drôle de guerre*, qui témoignent de sa prodigieuse puissance d'observation et de travail (il lui arrive d'écrire quatre-vingts pages en une journée), et les *Lettres au Castor et à quelques autres* où on le découvre dans un rôle de grand séducteur, s'accusant lui-même de se conduire parfois avec ses conquêtes en « mufle » et même « en parfait salaud ». (On regrette fort que Simone de Beauvoir n'ait pas retrouvé les lettres que Sartre lui envoya durant son séjour à l'Institut de Berlin en 1933-1934.)

Simone de Beauvoir a été la première biographe de Sartre. Ses Mémoires contiennent un « Jean-Paul Sartre raconté par un témoin de sa vie ». Il faut lire le chapitre de *La Force des choses* (1963) qui pourrait s'appeler « Sartre face au succès ». On y apprend que Sartre n'avait pensé atteindre de son vivant qu'un public étroit. Il ne fut pas heureux du tout, à la Libération, d'être transformé brutalement en auteur célèbre et cosmopolite : « Loin que la diffusion de ses livres lui en garantît la valeur, tant de médiocres ouvrages faisaient du bruit que le bruit apparaissait presque comme un signe de médiocrité. Comparée à l'obscurité de Baudelaire, la gloire idiote qui avait fondu sur Sartre avait quelque chose de vexant. »

Simone de Beauvoir va jusqu'à écrire : « Ce fut pour lui une catastrophe, la mort de Dieu. » La fameuse « Présentation » de la revue *Les Temps modernes* serait née de là : puisque la littérature était dépouillée de son caractère sacré, Sartre décida de choisir son époque, acceptant de périr avec elle. Mais c'était, bien entendu, dans l'espoir de se tromper et de retomber dans une situation analogue à celle du poète maudit. « Le refus de la postérité devait me donner la postérité. »

L'époque, d'autre part, avait obligé Sartre à se sentir vivre dans l'Histoire, et non dans l'éternité. Son souci, avant-guerre, avait été de saisir des significations : la lecture de Saint-Exupéry, en 1940, le convainquit que « les significations venaient au monde par les entremises des hommes : la pratique prenait le pas sur la contemplation ». Sartre s'était alors promis qu'après la guerre il ferait de la politique.

De fait, selon la plaisante formule de Bernard Frank : « Sitôt la guerre finie, Sartre décréta la mobilisation générale. »

Jeune homme, il avait été acharné à dénoncer les défauts de sa classe, mais il ne désirait pas bouleverser celle-ci. Quand il s'occupa de politique, il souhaita farouchement la révolution et le triomphe d'un vrai socialisme. Il oubliait que les malheurs du monde n'étaient pas moindres quand la bourgeoisie n'existait pas. Les bourgeois n'ont pas inventé le Mal. Le Mal est toujours là, alors que la bourgeoisie d'autrefois a disparu.

Au cours de cet après-guerre, les convictions de Sartre furent ballottées au hasard des révélations de l'actualité. Cependant, dit Simone de Beauvoir, « Sartre pouvait tâtonner, mais il ne se fermait jamais ». N'empêche que sa route fut jalonnée par une série de ruptures : avec Koestler, avec Camus, avec David Rousset, avec Merleau-Ponty, etc. Et l'on se dit que, si des hommes de cette qualité n'ont pu s'entendre entre eux, il est bien douteux que les hommes en général s'entendent jamais. Ces pages sont, de ce fait, d'une immense tristesse. En particulier lorsque Simone de Beauvoir prête des motifs bas à ses adversaires politiques qui étaient hier ses amis. Ainsi, quand Rousset dénonce les camps soviétiques dans *Le Figaro :* « Il s'était trouvé un job », dit-elle, ou bien, lorsque J.-F. Rolland renonce au rêve communiste : « À la suite d'un héritage, Rolland avait passé au gaullisme : il avait du bien. »

La Force de l'âge parut au moment où Sartre allait publier le récit qu'il considérait comme ses adieux à la littérature : *Les Mots.* Or, dans les dernières pages, Simone de Beauvoir nous parle de l'extraordinaire pouvoir du verbe : « Sans doute les mots, universels, éternels, présence de tous à chacun, sont-ils le seul transcendant que je reconnaisse et qui m'émeuve, ils vibrent dans ma bouche et par eux je communie avec l'humanité. »

Elle déclare cependant qu'elle ne croit plus que l'activité littéraire « justifie », mais « sans elle, je me sentirais mortellement injustifiée ».

Ces phrases nous surprennent, car, non, les mots ne sont pas éternels. Les langues sont mortelles comme les civilisations. Le premier devoir d'un écrivain français devrait être d'empêcher que le français ne devienne une langue morte.

Est-ce l'œuvre de Sartre ou bien sa biographie qui intéressera la postérité ? La question est posée. Cependant *La Nausée* et *Le Mur* resteront des œuvres marquantes du demi-siècle.

JEAN GENET

En avril 1986, après la mort, à quelques jours d'intervalle, de Simone de Beauvoir et de Jean Genet, *L'Événement du jeudi* titra : « Une porte se ferme ». Il fallait entendre : c'est la fin d'une époque qui fut marquée par le « mouvement existentialiste ». Ce mouvement se réduisait donc à l'activité d'une sainte trinité : Sartre, Beauvoir, Genet.

Simone de Beauvoir eut droit à la couverture du *Nouvel Observateur :* « Femmes, vous lui devez tout ». Nous n'inventons pas : tel était le titre de l'article que lui consacrait Élisabeth Badinter, épouse d'un membre éminent du P.S. (mais le titre était peut-être une trouvaille du rédacteur en chef et non de Mme Badinter). Les journalistes dans leur ensemble saluèrent en Simone de Beauvoir la militante du M.L.F. et négligèrent d'examiner l'œuvre de l'écrivain.

Jean Genet n'avait publié aucune œuvre nouvelle depuis vingt ans. Il avait seulement donné quelques articles et accordé quelques entretiens. *Le Monde* rappela les plus intéressantes de ses déclarations. Par exemple, en faveur des Black Panthers : « Ce qui m'a fait me sentir proche d'eux immédiatement, c'est la haine qu'ils portent au monde blanc. » Ou bien, en faveur des Palestiniens : « Ce sont eux qui cristallisent au plus haut point la haine de l'Occident [...] Ils ont le droit pour eux puisque je les aime. » Ou encore : « L'Union soviétique a toujours pris le parti du pays le plus faible, le plus démuni. »

L'ineffable Jack Lang, responsable de la culture du P.S., donna son sentiment à la presse dans un communiqué mémorable : « Haï et condamné par les tartufes, Jean Genet était la liberté même. Cette œuvre d'une pureté ardente et d'un luxe raffiné est irrécupérable pour l'ordre établi. » François Léotard, ministre de la Culture en exercice dans le gouvernement Chirac, emboîta le pas à Jack Lang (comme il l'avait fait pour les colonnes de Buren au Palais-Royal et pour le nouveau règlement du jardin des Tuileries) : « Après des années d'exclusion et d'incompréhension, le public avait fini par reconnaître la valeur de cet éternel révolté, ce marginal défenseur des minorités. »

M. Léotard connaît aussi mal la littérature française que son maître Lang. Apprenons-lui que Jean Genet choisit lui-même de publier ses premiers ouvrages sous le manteau : entre 1943 et 1947. Il y célébrait les petits prostitués, les voleurs et les beaux assassins. Le fond de ses livres était sordide, mais le style en était superbe. Genet avait appris à écrire en lisant les récits de Jouhandeau et les poèmes de Cocteau.

Dès 1947, il sortit de la clandestinité en publiant sa première pièce, *Les Bonnes,* qui reçut le prix de la Pléiade et fut jouée au théâtre de l'Athénée. Il devint aussitôt une vedette du monde des lettres et le resta jusqu'à son dernier jour.

En 1952, Sartre, au faîte de sa gloire, lui consacra un essai de six cents pages. En 1966, *Les Paravents* furent créés à l'Odéon, théâtre national.

S'il y eut quelques protestations au Palais-Bourbon, Malraux intervint en personne pour les faire cesser.

On n'imagine pas carrière littéraire plus heureuse. Personne ne sembla surpris lorsque le Grand Prix national des lettres fut attribué en 1983 à un auteur qui avait proclamé sa sympathie pour tous les mouvements terroristes à travers le monde. Genet ne suivit pas l'exemple de Sartre qui estimait compromettant d'accepter des prix. Cependant, au lieu de venir remercier les membres du jury, il envoya un charmant gigolo recevoir le chèque des mains de M. Lang.

Quelques semaines après sa mort parut un dernier livre signé de son nom : *Un captif amoureux,* recueil de souvenirs « engagés » qui n'ajoutent guère à son œuvre d'écrivain. Il décrit ainsi la défaite de 40 : « Cette France fut, presque sans coup férir, envahie par quelques bataillons de guerriers beaux et blonds. Fut-ce trop de beauté, de blondeur, de jeunesse, devant elles la France se coucha. À plat ventre. J'étais là. Enfin elle se sauva, terrifiée, sous mes yeux... » (P. 454.) Devenu soutien de l'O.L.P. dans les années 70, il s'écrie : « L'auriculaire le plus petit des feddayin occupait plus de place que l'Europe entière et la France fut un souvenir lointain de ma première jeunesse. » (P. 331.)

Critique littéraire, il était de mon devoir de saluer l'éclatante réussite du *Miracle de la rose* et de *Pompes funèbres.* Mais j'aimerais que les électeurs de MM. Lang et Léotard prennent connaissance de tels ouvrages célébrés par ces irresponsables ministres de la Culture. Pas sûr qu'ils veuillent alors assurer leur réélection.

ALBERT CAMUS

Contre sa volonté, Camus fut baptisé philosophe. Il ne l'était pas et il a très bien dit que son *Homme révolté,* essai pour comprendre son temps, peut se lire comme une confidence, « le seul genre de confidence dont je sois capable ». Il dressait là l'inventaire de ses lectures et des expériences qu'il avait subies. Il proposait enfin un remède contre les tentations du désespoir. Ce livre se vendit bien, mais suscita de violentes attaques. Les philosophes professionnels reprochaient à Camus de n'avoir pas toujours compris ni bien lu les auteurs dont il parlait, d'autres protestèrent que ses conclusions étaient légères et hâtives. Les uns et les autres se trompaient sur ce qu'est ce livre, qui reste comme un document sur le malaise d'une époque. Il a valeur d'un inventaire avant liquidation et plus d'un chapitre descriptif est magistral. En outre, avec un beau courage, Camus affrontait la banalité de dire qu'il y a des limites que l'homme ne doit pas dépasser. Nos Prométhée en chambre, nos révolutionnaires de cabinet se voilèrent la face ou lancèrent des injures. Une fois de plus, ils crachèrent de l'encre avec la prétention de cracher du feu.

En vérité, depuis la publication de *La Peste,* on reprochait à Camus d'avoir reçu l'approbation d'un public bourgeois qui avait reconnu en lui un descendant des grands moralistes français. M. André Rousseaux, lequel passait alors pour un grand critique et qui avait éreinté *L'Étranger,* avait trouvé les adjectifs les plus flatteurs pour parler de *La Peste.*

C'est un très beau livre, *La Peste.* Il y a là tout l'amour que Camus portait à la vie et sa révolte contre les conditions d'existence qui nous sont imposées. Le ton peut être passionné, mais la passion est généralement dominée par une ironie employée comme une arme tantôt offensive et tantôt défensive. Le plus émouvant, c'est quand l'ironie elle-même devient passionnée. Jean Grenier a parlé, à propos de Camus, d'une « ivresse de la lucidité ».

L'admirable est que cette lucidité n'ait jamais empêché l'enthousiasme, l'amour, la volonté de générosité. Car il y avait quelque chose de volontaire dans la générosité de Camus et nous ne pensons nullement le diminuer, tout au contraire, en notant cette particularité. C'est par une décision de son esprit que Camus avait choisi la voie où nous l'avons vu s'engager, et point du tout par faiblesse sentimentale. Aussi était-il fidèle : il n'agissait pas par coups de tête (du moins, nous parlons de l'écrivain).

Certes, nous lui avons connu le goût du travail d'équipe — il l'a manifesté dans le journalisme comme dans ses entreprises théâtrales —, mais il n'en était pas moins un homme seul. Il était prêt à répondre à tout appel à l'aide qu'on lui adressait, mais l'agitation des autres le laissait souvent rêveur.

Dans ses récits, l'essentiel est toujours la description d'une conscience en mouvement. Ce sont des nouvelles de moraliste et l'art de Camus, en particulier dans *La Chute,* rappelle la manière de Jean Schlumberger dans *Les Yeux de dix-huit ans.* Art hautain et dépouillé, art qui peut paraître un peu sec. Bien sûr, intervient ici une question de nature : Camus, pas plus que Schlumberger, n'était l'homme des épanchements sans retenue. C'était un auteur noué qui enviait la liberté d'un Calderón, d'un Dostoïevski, d'un Faulkner, auteurs qu'il a servis de son mieux au théâtre. Il était de lignée classique. Toutefois son classicisme ne cesse d'être partagé entre les tentations contraires du lyrisme et de l'ironie. C'est là qu'on trouvera sans doute l'apport le plus personnel de Camus. Dans ses essais, l'expression est moins spontanée et moins brillante que chez le Montherlant des *Fontaines* et de *Service inutile,* dont il avait subi l'influence, mais elle est de meilleure qualité : Camus ne parade pour ainsi dire jamais, n'oublie jamais que la littérature est communication, recherche d'un accord.

X

Quatre poètes

Les bons poètes ne se laissent pas enfermer dans des écoles. En revanche, ils appartiennent à des familles spirituelles. Ainsi Valéry, selon Audiberti, « paraît être né, tout cuit, de Mallarmé qui eût fait l'amour avec la charmante Racine ». Supervielle se disait fils de Laforgue. Cependant, il lui demanda, en 1919 : « Laforgue, furtif nourricier/Vois-moi, je dépéris, daigne enfin me sevrer. » Car on n'existe qu'après s'être dégagé des influences subies, mais un air de famille subsiste toujours.

Nous réunissons dans ce chapitre des poètes appartenant à des familles bien différentes. Audiberti est le dernier-né de la famille Hugo. On trouve chez lui de beaux exemples d'éloquence pure et un étonnant brassage de mots. Jean Tardieu est de la famille de Charles Cros, partagé entre les prestiges de la poésie classique et l'attrait d'une fantaisie débridée. Armen Lubin est un cousin arménien du Breton Tristan Corbière, héros d'un réalisme transfiguré. Quant à Dadelsen, il vient à la suite de Claudel, Segalen, Saint-John Perse et Milosz, bâtisseurs de somptueuses constructions verbales à résonances religieuses.

AUDIBERTI

Jacques Audiberti (né en 1899) illustre de manière exemplaire le célèbre mot des Goncourt : « Avec du talent, on fait ce qu'on veut. Avec du génie, on fait ce qu'on peut. » Audiberti a incontestablement du génie, mais il est possédé par son génie plus qu'il ne le possède. Entendez qu'il ne le maîtrise pas toujours et en perd souvent la direction. Il arrive que ses embardées déconcertent. Mais enfin un auteur de génie a toujours de quoi déconcerter. Il fait ce qu'il peut : il peut ce que les autres ne pourraient pas et il peut beaucoup.

Audiberti (il s'est rapidement débarrassé de son prénom, tout comme

Aragon) a publié une dizaine de recueils de poèmes, une quinzaine de romans, des essais, des chroniques, il a fait jouer une vingtaine de pièces et il a écrit un scénario de film *(La Poupée)*. Dans cette œuvre foisonnante, il faut sans doute faire un tri, mais les chefs-d'œuvre ne manquent pas et, dans les ouvrages moins réussis, les passages époustouflants abondent. Que veut-on de plus ? En somme, pour l'admirer sans réserve, certains voudraient qu'Audiberti ait moins écrit ou du moins qu'il ne nous ait livré que des œuvres parfaites. Il faut en prendre son parti et c'est un beau parti : Audiberti est une force naturelle, un magicien du langage, un écrivain baroque doué d'un souffle épique, grand créateur d'images, à tu et à toi avec la langue française et avec les quatre éléments.

On l'a accusé de n'être qu'un entrepreneur de feux d'artifice verbaux. Il se laisserait griser par la sonorité des mots sans souci de leur signification. C'est une curieuse critique. Audiberti ne la jugeait pas absurde. Il admettait des glissements du son au sens. Il aimait évoquer le procès intenté à son maître Giordiano Bruno (lequel fut condamné au bûcher, au XVIe siècle). Une affirmation que les inquisiteurs reprochaient le plus à ce dominicain était celle-ci : « Christ est un triste. » *(Cristo e un tristo.)* Or pourquoi avait-il prononcé le mot « triste » ? Audiberti nous le dit, dans un essai sur *L'Abhumanisme :* « Pour l'assonance, probablement. » Il n'y avait pas là de quoi brûler quelqu'un. Audiberti était ennemi du fanatisme et militait pour la liberté d'expression. Dans ses vers et dans ses essais, il amoncelle « des tonnes de semence ». À nous de choisir ce qui nous convient.

Le registre d'Audiberti est très étendu. Notre poète, au hasard de son inspiration, excelle aussi bien dans le vers classique et dans le vers populaire, dans le poème épique et dans la chanson. Il a son vocabulaire et sa syntaxe. Dans tous les genres qu'il aborde, on reconnaît aussitôt sa voix : « C'est de l'Audiberti. »

Je n'imagine pas une anthologie de la poésie française contemporaine qui ne comprendrait pas « Si je meurs » et « Martyrs » (extraits de *Race des hommes,* 1937), « Vera Cruz » (extrait de *Des tonnes de semence,* 1941), « La Commerçante de Loches » (extrait de *Toujours,* 1943).

Si je meurs est un court poème qui se termine par ces deux inoubliables vers :

Mon épouse, ô ma novembre,
Sous terre les jours sont lents.

Vera Cruz évoque superbement en trois strophes la fin tragique d'un adolescent victime de la guerre civile :

Ce petit qu'il faut qu'on fusille
On le mena devant la Croix...

Audiberti n'est pas homme à se replier sur ses déboires personnels. Il se veut ouvert au monde entier et met en scène des personnages en apparence fort éloignés de lui : il entend partager les angoisses de toute l'humanité. Dans *Martyrs,* il nous entraîne dans la zone et donne la parole à une ivrognesse qui a tué sa fillette qu'elle adorait. Quant à l'honorable *Commerçante de Loches,* elle n'est pas heureuse dans son beau café des bords de l'Indre et attend la catastrophe qui la délivrera de son ennui.

Le remue-ménage n'est pas moindre dans les romans d'Audiberti que dans ses longs poèmes. Le premier, *Abraxas* (1938), peut d'ailleurs être considéré comme un vaste poème en prose. On y trouve de multiples aventures, une rêverie philosophique et une splendide description de l'Espagne où l'auteur n'était jamais allé. Une Auvergne et un Jura mythiques apparaissent respectivement dans *Urujac* (1941) et dans *Carnage* (1942). La vie quotidienne du Paris moderne et de sa banlieue n'inspire pas moins Audiberti. *Septième* (1939) nous présente les locataires d'un haut immeuble de rapport, et *Talent* (1947), les hôtes de l'hôtel Pompelane (copie conforme de l'hôtel Taranne, à Saint-Germain-des-Prés, où logea longtemps Audiberti. Il disait en avoir occupé successivement toutes les chambres).

C'est surtout à propos de ses romans qu'il entendit le reproche de ne pas savoir discipliner son imagination et de dérouter ses lecteurs. Or il écrivait pour être lu non seulement par quelques amateurs, mais par le « grand public ». Pour obtenir les gros tirages dont il rêvait, il s'affirmait prêt à toutes les concessions ou presque, notamment à user du langage le plus commun, à écrire « en algonquin » disait-il (c'est-à-dire en un français contaminé par les modes anglo-américaines). Seulement, il se montra bien incapable d'écrire autre chose que de l'Audiberti. Son débraillé, quand il est débraillé, n'appartient qu'à lui.

« Vous devriez, lui dis-je un jour, confier le manuscrit de votre prochain roman à un habile fabricant. Il vous conseillerait surtout des coupures et vous les accepteriez. Vous pourriez publier votre ouvrage mutilé sous un pseudonyme. Probablement il obtiendrait un grand succès. Alors vous publieriez le texte intégral sous votre nom. » Il me répondit d'une voix grave que ses prochains romans n'auraient besoin d'aucune coupure. Il avait raison. Il publia *Le Maître de Milan* (1950), *Marie Dubois* (1952), *Les Jardins et les Fleuves* (1954).

Pourtant, ce n'est pas par le roman, c'est au théâtre qu'il connut le grand succès. Oh ! pas du jour au lendemain... et, bien qu'il eût commencé d'écrire des pièces (*L'Ampélour* obtint le prix de la Pièce de théâtre en 1937), c'est un texte dialogué non conçu pour la scène, *Quoat-Quoat,* qui lui valut d'être joué pour la première fois. De jeunes comédiens s'étaient enthousiasmés pour ces répliques brillantes et avaient fort bien jugé qu'elles produiraient encore plus d'effet dites plutôt qu'imprimées. *Quoat-Quoat* fut joué à la Gaîté-Montparnasse, en janvier 1946.

C'est au théâtre de Poche que fut créé *Le mal court* (en 1947) et au théâtre de la Huchette (quatre-vingts places) que furent représentées *La Fête noire,* « dédiée aux chiens et aux sapins de la Lozère », en 1958, et, la même année, *Pucelle.* Plusieurs chefs-d'œuvre d'Audiberti furent publiés en volume avant qu'un théâtre décidât de les monter : *Les Naturels du Bordelais, Cavalier seul* et *La Hobereaute,* qui parut sous le titre *Opéra parlé* en 1956. Pourtant, la reprise du *Mal court* avait été un triomphe, comme allait l'être *L'Effet Glapion,* vaudeville où Audiberti donne la main à Labiche et à Feydeau (1959). *La Fourmi dans le corps,* publié en 1961, ouvrit enfin toutes grandes à son auteur les portes de la Comédie-Française... où nombre d'abonnés l'accueillirent avec des sifflets. « Cette pièce chahutée, dit Audiberti, nous apporta la preuve qu'une vague fumée de soufre s'attarde autour du vieux grenadier que je suis de la syntaxe et du lexique assermenté. » Ah ! il n'était plus question de parler algonquin : Audiberti assurait que son style ne péchait pas par excès d'originalité, mais au contraire qu'il dérangeait par sa « fidélité à des rythmes et à des normes qui firent leurs preuves ». Il ne revendiquait plus le droit d'utiliser un langage nouveau, accordé à l'époque, mais il soulignait sa parenté avec de grands aînés :

De quoi j'ai l'air, je vous l' demande ?
J'ai l'air de quoi, pauvre Jacquot !
enregistrant, fidèle écho,
la mêm' clameur sur la mêm' bande
que Baudelaire et que Hugo !

On n'entend, dans ces vers-là, aucun écho de Baudelaire ni de Hugo, qui auraient condamné les élisions laforguiennes que se permet ici Audiberti. Cela n'empêche pas qu'il ait été de nos jours le meilleur continuateur de Hugo.

Poète, romancier, dramaturge, essayiste, il excellait aussi dans l'autobiographie. C'est en désordre, bien entendu, qu'il présente ses souvenirs et en les enjolivant avec des considérations générales et des descriptions lyriques. Son ambition était énorme quand il écrivit *Cent Jours* (publié en 1950). À la dernière page, on lit : « J'aimerais que les livres, tous, finissent en ce livre globulaire où j'ai condensé cent jours du monde où j'existe, cent jours qui, du 3 juillet au 18 octobre, sont, tout comme les Cent-Jours de Bonaparte, au nombre de cent sept, qu'importe ! C'est mieux ainsi, tous les jours d'avant, tous les jours d'après rentrent dans ces sept jours de rab. »

Si j'avais à composer des « morceaux choisis » d'Audiberti, je ne manquerais pas d'y inclure les pages ensoleillées des *Cent Jours* où il parle des remparts d'Antibes. Je donnerais également les pages sombres et cocasses consacrées à Léon-Paul Fargue. On y découvre un Audiberti dégoûté du métier d'écrivain et de toute littérature. Ça commence exactement au bas de la page 101 et ça va jusqu'à la page 104 : « Qu'est devenu Fargue mort ? Et moi, je suis devenu quoi ? »

Eh bien, il devait continuer d'écrire jusqu'à sa propre mort, avec des moments d'enthousiasme et de mégalomanie entre deux crises de doute.

Son dernier livre est le plus émouvant. Il s'appelle *Dimanche m'attend.* C'est un journal truffé de pages de souvenirs. Mais écoutez Audiberti le présenter lui-même : « M'attachant à me raconter tout au long d'une année, vraisemblablement dépensée, comme les précédentes, à voir des films, me plaindre des autres, flairer les relents et les parfums de la rue des Rosiers sous la première étoile, chercher un appartement, demander au Christ de s'expliquer une bonne fois, j'ignorais jusqu'au mois de juin de ladite année que je me trouverais soudain nez à nez avec un cortège d'officiants mâles et femelles en robe blanche, brandissant des reptiles de matière plastique et des glaives de diverses longueurs, et que ces chirurgiens et ces infirmières m'enfermeraient dans une ronde, pour l'instant sans issue. »

Audiberti nous raconte en effet l'année terrible au cours de laquelle on dut lui ouvrir le ventre pour procéder à divers rafistolages douloureux. La pensée de la mort ne le quitte guère, bien que l'appréhension de la souffrance soit plus obsédante qu'elle.

Il n'en conserve pas moins une santé d'esprit extraordinaire, même lorsqu'il se plaint de ne pouvoir plus écrire de vers comme autrefois, à l'époque où « la nuit mon cerveau perpétrait tant d'admirables poèmes qu'il eût suffit de me brancher aux tempes un cortico-scripteur pour que mon œuvre augmentât de vingt volumes rimés ». Ailleurs, il dit aussi : « De toute façon, mon œuvre se trouve avoir été faite. » Il présente alors *Dimanche m'attend* comme un testament. Il déclare : « Je souffre de n'avoir à proposer nul assemblage brillant et mémorable de pensées. » Tout ce qu'il note est cependant mémorable et brillant dans l'ordre de la poésie. Un poète n'a pas à nous expliquer le monde, mais à nous transmettre les richesses qu'il y a puisées. Audiberti n'y a pas manqué. Mais il aspirait à trouver un sens à la vie et voici qu'il nous avoue : « Tout n'eut jamais pour moi que saveur de malaise et de fausse justice. Je n'ai pas compris ce monde humain. À l'instant même où je trace ces mots et tous les autres mots de ce testament, je mesure en long et en large leur inutilité parfaite et totale. »

Il retrouve la force de plaisanter et déclare que, pour formuler des choses utiles, il compte sur Sartre : « Flanqué de sa féconde égérie, il est là… pour ça… Un service public, ce garçon ! L'ami des grévistes qui ne fait jamais grève, le puits commun, le crâne à tous. » Hélas, pas une once, chez Sartre, de la poésie qui aide à vivre.

Dimanche m'attend parut au printemps 1965, quinze jours avant la mort de l'auteur.

JEAN TARDIEU

C'est au début de 1943 que je lus pour la première fois des poèmes de Jean Tardieu. Où était-ce ? Dans un *Panorama de la jeune poésie française,* publié à Marseille, chez Robert Laffont, par les soins de René Bertelé. Jean Tardieu n'avait encore publié que trois recueils : *Le Fleuve caché, Accents* et *Le Témoin invisible.* Je me hâtai de me les procurer (du moins les deux derniers, car le premier était introuvable. D'ailleurs, je m'aperçus que *Le Fleuve caché* était repris dans *Accents*). Je connus à nouveau l'enchantement où m'avaient plongé les six poèmes lus dans le *Panorama.*

Plus près de notre cœur mais plus loin que la terre
Comme du fond du gouffre, à travers mille échos,
Au vent du souvenir nous parvient le tonnerre
D'un lourd fleuve en rumeur sous l'arbre et sous l'oiseau.

Ces quatre vers ont été proposés à l'admiration du lecteur par la plupart des critiques qui ont écrit sur Jean Tardieu. Ils sont significatifs de la première manière de l'auteur : pureté classique et inquiétude romantique. Mais ce qui importait, c'était d'avoir trouvé un ton nouveau dans les lettres françaises. Or, ce ton était résolument moderne par une certaine ambiguïté.

Passez en moi, trombes, fausses paroles !
Je crois entendre et répondre, ô muet !
Je ne serai jamais que l'ombre folle
D'un inconnu qui garde ses secrets.

Je relisais tout à l'heure la notice de Bertelé dans le *Panorama* et je me suis aperçu qu'elle avait beaucoup été utilisée par la suite. Bertelé désignait Tardieu comme un analyste lucide, de la même famille que Scève et Valéry : « Chacun de ses poèmes se propose de dénouer le faisceau confus d'impressions que constitue un instant de notre vie. Rien de plus concerté que sa démarche, toute d'inquiète exploration. » Mais Bertelé ajoutait que Tardieu dialoguait avec le monde extérieur à la manière des romantiques allemands. Peut-être n'aurait-on pas mis pareillement en évidence cette parenté si Tardieu n'avait donné dans *Accents* une traduction de *L'Archipel* de Hölderlin. Quoi qu'il en soit, Bertelé citait une phrase de Tardieu sur la volonté du poète « d'appliquer au monde visible la lucidité précise et émouvante du rêve, et de restituer à la réalité la plus immédiate son caractère d'évidence surnaturelle ». Il s'agissait enfin, en fixant un moment de la réalité, de se libérer de l'obsession de cette réalité.

La réalité est changeante. Tout d'abord Jean Tardieu l'étudia sous ses aspects graves. Après *Le Témoin invisible,* ce fut *Jours pétrifiés.*

Quoi dire, quoi penser ? Le jour
par son insistance à paraître
avouons-le, avouons-le
fatigue ses meilleurs amis.

Si la réalité est changeante, elle est une cependant. Traités différemment, ce sont les mêmes thèmes que l'on trouve dans les œuvres graves et dans les œuvres cocasses de Tardieu. *Monsieur Monsieur* est un peu la preuve par l'absurde du *Témoin invisible.*

Dans son *Choix de poèmes* qu'il publia en 1961, Jean Tardieu n'a pas voulu suivre d'ordre chronologique, ni en ce qui concernait la composition des poèmes, ni en ce qui concernait la parution des onze recueils où il a puisé. Il a préféré grouper les textes par affinités et par thèmes dominants. C'est ainsi que sont juxtaposés des poèmes de styles différents et composés à des dates parfois très éloignées les unes des autres. On est saisi par la variété des dons d'expression de Jean Tardieu tout autant que par les constantes de son inspiration, oscillation entre le réalisme et le surnaturalisme, le rire et l'effroi, l'amour du monde et la tentation du néant. Tous les amateurs de poésie voudront posséder ce *Choix de poèmes* qui est un des grands livres de la poésie contemporaine.

En même temps, Jean Tardieu faisait paraître un petit recueil d'*Histoires obscures.* Ce sont, nous dit-il, des « visions du sommeil » : « un coup de projecteur, les ténèbres tout autour ». On retrouve, ici, le Tardieu du *Fleuve caché* et sans doute convient-il, pour vous donner envie de lire ce grand poète, de vous donner le texte de l'un de ses poèmes. Voici donc, extrait des *Histoires obscures,* le poème intitulé « Mauvaise Mémoire » :

Mais quel était ce souffle aux pavés de l'aurore ?
Quelle était cette odeur de légumes jetés
Ce linge au noir balcon comme un signal glacé ?
Quel était ce regard qui me surveille encore ?

Mais quelle était quelle était dans cette ville
Cette fumée ? et ce silence ? et tout à coup
Ces heurts, ces coups de feu de bataille civile ?
Quelle était la clameur qui venait jusqu'à nous ?

Quel était votre nom quel était mon village ?
Que faisions-nous ainsi l'un à l'autre inconnus ?
Sans savoir qui je suis sans savoir qui je fus
Je revois une main qui se tend sous l'orage

Un visage qui pleure, une porte fermée.

Et je voudrais encore citer ces phrases de la dernière « histoire » : « Mais à qui donc s'adressent nos questions, si ce n'est à nous-mêmes ? Quand verrons-nous enfin, dans le fracas d'une soudaine réconciliation, apparaître au fond de l'azur, au-delà de toutes les cimes et de tous les siècles, notre propre visage, où veille un ancien sourire à demi effacé ? »

À propos d'un autre recueil, *Comme ceci, comme cela* (1979), je me suis amusé à parler de « poésie circulaire ». C'était une façon de dire que Jean Tardieu nous entraîne dans la ronde de ses émotions contradictoires, nous en fait voir de toutes les sortes et de toutes les couleurs. Comme le philosophe passe de la thèse à l'antithèse, le poète passe de l'espoir à la crainte, de la nostalgie au sourire, mais il ne propose pas une synthèse. Il s'en tire à la fin par une pirouette : la farandole des sentiments finit par former un cercle, et le cercle un cerveau, que réussit à traverser un clown. C'est ce que montre le petit « calligramme », à la façon d'Apollinaire, qui termine le livre.

Le rôle du poète n'est pas d'expliquer le monde, ce à quoi les philosophes ne parviennent pas non plus. Mais peut-être de nous montrer que nos angoisses sont partagées, d'essayer de nous en libérer en les exprimant, ou du moins de nous les rendre plus supportables, en jouant avec les mots, les formes et les images.

Dans le poème intitulé *Le Prestidigitateur,* Tardieu nous dit :

Je ne crois à rien à personne
Sinon au petit magicien des bals d'enfants d'autrefois.

et il nous le décrit, sortant de son haut-de-forme :

Un œuf, un lapin, un drapeau
Un oiseau ma vie et la vôtre
Et les morts il les cache dans la coulisse.

Prestidigitateur, Tardieu aime à se livrer à des exercices de style, manifestant une maîtrise comparable à celle de Queneau : il écrit par exemple un poème au conditionnel, un autre en style télégraphique, ou bien il propose des « cascades de génitifs » — ce que les professeurs conseillent aux écoliers d'éviter — mais il en tire des effets merveilleux. Ainsi : « Sifflement du charroi des météores d'avril », dont l'écho se prolonge en nous. Dans un autre poème, le ton devient farceur et Tardieu s'adresse à un jeune enfant :

Si tu veux reprendre
Des mots inconnus
Récapitulons
Récatonpilu.

Cependant, même ce poème se termine somptueusement :

Je suis le renard
Je cours après toi
Plus loin que ma vie.

Ce qui caractérise Tardieu, ce n'est pas l'alternance des poèmes graves et des poèmes humoristiques, c'est l'ambiguïté des uns et des autres. Voilà pourquoi Jean Tardieu use si souvent de la forme interrogative :

Est-ce bien l'heure ? Aujourd'hui ? Demain ? Jamais ?
Attendez !

Une poésie de l'incertitude, mais aussi de l'attente. Une poésie qui sait divertir, mais qui parle toujours au cœur.

ARMEN LUBIN

Un sous-titre tel que « Le Livre de mes jours » pourrait convenir aux divers recueils poétiques d'Armen Lubin. Relisons *Les Hautes Terrasses*, qui témoignent que nous avions raison de tenir leur auteur pour un poète aussi considérable que Laforgue ou Corbière, un poète qui fait entendre une voix neuve et profondément émouvante.

Ces poèmes ne chantent pas toujours harmonieusement, leur cours ne va pas sans heurts, mais ils sont l'expression d'une riche et rare sensibilité et leurs bizarreries apparaissent bientôt nécessaires, tant ils sont réguliers dans leur irrégularité même, avec leurs images qui mêlent l'abstrait au concret, leur mystérieux mouvement qui, de l'observation d'un petit fait quotidien, nous mène en plein cœur des mystères du monde. Forme et fond sont parfaitement accordés. Ces poèmes sont l'exact portrait de leur auteur.

Dans une première partie, Armen Lubin nous confie dans quelles conditions son recueil a été composé. C'est la solitude d'un sana. Ce sana de l'Assistance publique, où il a vécu pendant des années. En réalité, il n'est pas seul, bien entendu. Et même il ne possède pas de chambre à lui : il partage la chambre avec deux ou trois compagnons de misère. Mais la solitude, c'est de vivre « en pays lointain », d'être séparé de ceux qu'on aime. Les visiteurs sont rares et les courtes promenades dans la pinède n'offrent qu'un oubli momentané. La poésie devient une fenêtre ouverte sur le monde : si la maladie vous laisse le loisir de regarder par cette fenêtre, l'espace est soumis, et le temps rayé.

Le poète évoque alors (c'est le début de la seconde partie du recueil) l'année de son premier amour, l'année même où l'on installa des horloges lumineuses aux carrefours de Paris. Cet amour n'est pas mort, car l'on ne vit pas sans fidélité aux images du bonheur. L'une de ces images apparaît sur un fond d'incendie plus ou moins imaginaire. Mais l'amour est toujours un incendie. Le bonheur est parfois plus calme : il suffit du bond d'un écureuil pour mettre en échec la gravité du monde.

L'écureuil bondit, l'écureuil s'accroche,
Allégeant ma tête dont il a fait les poches.

C'est le Paris de sa jeunesse qu'évoque surtout Armen Lubin : il nous conduit du quai de la Mégisserie au quai de Bercy. Mais le souvenir n'a pas tout embelli. Dans ces jours d'autrefois, la joie n'était pas toujours éloignée des larmes. Armen Lubin nous rapporte « La Chronique de la triste impasse ». Il a vécu lui-même dans cet hôtel moisi et croulant qu'il nous décrit :

Hôtel borgne dont l'œil valide s'infecte,
Hôtel où les réfugiés et leurs dialectes
Se glissent par une vieille porte noircie,
La police reconnaît en elle l'objet de ses soucis.

Ici, le poète a connu le colonel Kanzadian, devenu tourneur chez Citroën, un professeur de « math élem » devenu cireur de parquets, bien d'autres, et le petit Ascho qui mendiait sur le palier. Fatigué de s'entendre demander : « Ascho ! t'as chaud ? » par les copains, il a préparé son bac et s'appelle aujourd'hui M. Arnaud.

Pour le poète, les choses ont moins bien tourné. La maladie a fondu sur lui, le laissant en instance de naturalisation, et c'est sur « Les Hautes Terrasses » que nous conduit la troisième partie du recueil. De là nous dominons la forêt de la mort lente, et nous faisons connaissance d'une haute procédure : la souffrance est infligée par le sort en application d'une incompréhensible loi. Voilà bien le plus injuste procès. Le ciel invoqué ne tient pas ses promesses et l'on ne sait rien sinon que « ce qui est comme ça est comme ça ». Le dernier recours est d'ordre poétique : la poésie est le dernier moyen qui reste pour essayer de lutter encore. Toutes les contradictions finissent par se fondre au-delà du malheur.

Les poèmes des *Hautes Terrasses*, dont les thèmes, les rythmes et les couleurs sont très variés, comptent parmi les plus beaux de la poésie contemporaine. Un poème comme « Les Chevaux de renfort » pourrait donner une première idée des pouvoirs d'Armen Lubin. C'est un poème de sana et c'est un poème de l'espoir. Alors que la jeunesse du sana semble abandonner la lutte, l'espoir apparaît sous la double apparence du soleil et du vent. Lubin dit, du vent, qu'il encourageait tous ceux « qui arrachent leur tente » :

Et son souffle me pénétrait si bien et si fort
Qu'une fille me ramenait deux chevaux de renfort :
Une chanson enfantine, une autre haletante,
Lancées tout d'un coup, crinières flottantes,
Alors que le printemps passait en contrebande,
Sa route devenait sentier invisible, ensuite légende.

Cette maîtrise dans l'emmêlement des correspondances, cette évidence poétique éclatent tout au long du recueil.

Un autre poème des *Hautes Terrasses* porte le titre du livre de prose où Lubin s'est approché plus que quiconque des frontières de l'inconnaissable : *Transfert nocturne*. Je crois qu'il s'agit d'un des grands livres de ce temps. C'est le récit d'une expérience forcée, d'une expérience double :

celle de la maladie et de la souffrance et, parallèlement, celle des hôpitaux et des sanas. Partant d'un palier qui appartient encore à notre monde quotidien, il s'élève progressivement, avec des haltes qui permettent de reprendre souffle, à des hauteurs où, dans une lumière déchirante, les grands problèmes de l'humaine condition se trouvent renouvelés.

Le livre commence à l'hôpital de la Salpêtrière et le ton est celui du témoignage. Lubin nous parle plus des autres malades que de lui-même : voici les hommes du peuple face à la douleur et à la mort. Il nous donne une suite de tableaux où un strict réalisme n'empêche pas qu'on sente une frémissante sympathie, laquelle à son tour n'exclut pas les manifestations d'un humour cocasse. Et ce réalisme s'accommode aussi des fantaisies poétiques : le réalisme d'un poète accueille les images puisque par ces images s'exprime une sensibilité vraie.

Le ton du livre s'élève à mesure que les souffrances évoquées deviennent plus aiguës. Un moment vient où la douleur se confond avec le monde même. Dans les dernières pages, au sana marin des Landes, les autres ont disparu et le malade se trouve face à l'éternité. Armen Lubin parle de terres pratiquement inexplorées. La description qu'il en fait est terrible et inoubliable.

Armen Lubin propose une distinction entre les souffrances humaines et les souffrances inhumaines. Il discute un jugement de Gide sur *La Mort du loup* de Vigny. Gide estimait absurde le stoïcisme du loup devant la douleur : « Quant à moi, disait-il, j'ai coutume, lorsque je souffre, de pousser de gros soupirs romantiques, je veux dire : plus gros que le mal, de sorte que la douleur me paraisse toute petite à côté. »

On peut trouver le procédé excellent, mais Lubin en conclut que Gide n'a connu que des « souffrances obéissantes qui se laissent envelopper ». Car il arrive que « cris et gémissements restent inférieurs au mal que l'on endure ».

« C'est alors, dit Lubin, qu'il faut revenir vers le loup frappé à mort ; non pas, certes, vers le loup romantique qu'on a sottement humanisé en le ramenant à la taille de l'homme, mais revenir vers la vraie bête qui vit tout près de la terre. Le souffrant veut s'abaisser lui-même, il veut s'abêtir. Il sent bien que son salut se trouve là, et non pas ailleurs. Sa reconnaissance va exclusivement vers les êtres qui l'aident à devenir une bonne bête. Que le secours se fasse attendre, aussitôt la voix s'élève, terrible et pitoyable : " Ma piqûre ! " S'il est des mourants qui " se souviennent des cieux ", lui, il est de ceux qui ne veulent penser qu'à la terre. Il a faim de la terre. Manger la terre, et être mangé par elle. Ne pas se tendre vers le haut, à la veille du jour où l'on va redevenir poussière, mais se laisser glisser vers le bas — dans la direction naturelle… »

Faut-il se soumettre au mal avec résignation, ou bien se raidir dans la révolte ? « Eh bien, ni l'un ni l'autre, répond Lubin. Projeté dans l'enfer de la souffrance physique — de la souffrance inhumaine — l'homme n'a qu'une chose à faire : se laisser envahir par son loup personnel, lui donner en pâture tout son monde intérieur, autrement dit : s'abêtir. Après quoi, c'est au loup de décider. Pas à l'homme. Dans un pays occupé, c'est l'occupant qui commande. »

Armen Lubin nous a donné la plus saisissante évocation de la mort de Rimbaud que je connaisse. Il note d'abord que la douleur inhumaine étant incommunicable aux humains, on n'employa pas pour lui l'euthanasie : « Et ne pouvant s'abêtir, ni se faire abêtir par son entourage, et ne pouvant ni vivre ni mourir, Rimbaud va pousser, durant des mois (des siècles, je veux dire), non pas de " gros soupirs romantiques ", mais des cris, de pauvres cris, le visage tout baigné de larmes. Pour le lecteur qui sait de quoi il retourne, les dernières lettres de Rimbaud et celles d'Isabelle sont tellement déchirantes que c'est avec un soulagement infini que l'on apprend le réveil du loup.

« Enfin, le voici ! Il est là. La preuve en est que le pied de Rimbaud s'est mis à trembler. La tête énorme de la bête a beaucoup de mal à passer à travers l'unique jambe squelettique. Après la traversée du genou et de la hanche, c'en est fait de toutes les évasions et de toutes les errances. Après les organes génitaux, c'en est fait de tous les Djami, et après le ventre, de toutes les faims. Le loup monte, il grossit, il s'étale. Et Rimbaud dicte. Ce qu'il dicte à Isabelle, le 9 octobre, dans cet hôpital de la Conception, va être le dernier message que nous possédons de lui. Il ouvre la bouche pour dire, sans autre préambule :

Un lot : UNE DENT SEULE
Un lot : DEUX DENTS
Un lot : TROIS DENTS
Un lot : QUATRE DENTS
Un lot : DEUX DENTS

« N'est-ce pas le loup ? Il montre toutes ses dents. Il a pris la place de l'homme qui ne dira plus rien, de l'homme qui survivait au poète. Dans quelques heures, on va annoncer une nouvelle insignifiante : la mort du loup. »

On voit qu'Armen Lubin n'est pas seulement un grand poète, mais un maître de la prose française. Ceux qui ne connaissent pas encore ce texte me remercieront d'avoir fait cette longue citation.

JEAN-PAUL DE DADELSEN

En 1957, au lendemain de la disparition de Jean-Paul de Dadelsen, mort à quarante-quatre ans d'un cancer au cerveau, les *Cahiers des saisons* publièrent l'invocation liminaire de son *Jonas,* précédée d'une note ainsi rédigée : « Peu d'hommes nous ont donné comme Dadelsen une impression de force et de génie. Et pourtant, quand nous l'avons connu, il était déjà miné par l'atroce maladie qui allait l'emporter. Le poème que voici permet de mesurer la perte que nous avons faite. Avec son *Jonas,* il nous aurait donné une très haute œuvre poétique, d'une parfaite originalité (et se moquant de l'originalité). Il savait mêler l'épique et le familier avec une puissance égale à celle d'un Claudel, et la cocasserie chez lui rend plus vive l'émotion... »

Cette note était timide, car Dadelsen, en vérité, nous a laissé une très haute œuvre poétique. Il l'avait laissée lentement mûrir en lui et c'est seulement à la veille de sa quarantième année qu'il avait entrepris de la fixer par l'écrit.

Dadelsen travaillait beaucoup ses poèmes. De chacun, il existe toute une série de versions différentes. Il faudra les publier toutes un jour, en particulier les diverses versions de *Bach en automne* et de *L'Invocation liminaire.* Pour le moment, nous ne connaissons que la suite de poèmes qu'il composa après la mort de sa mère, victime elle-même d'un cancer. Ces cinq poèmes permettent d'imaginer comment il composait. On le voit tourner autour du poème projeté, tour à tour s'éloignant et se rapprochant de la figure centrale, un peu comme un photographe qui chercherait le meilleur angle de prise de vue. Mais c'est infiniment plus complexe. Nous nous bornerons aux remarques les plus évidentes. Dans le premier poème, Dadelsen prend la parole pour les femmes de la plaine d'Alsace. Sa mère avait été l'une d'elles et sans doute aurait-elle été contente que le fils prodigue se rapprochât ainsi de la communauté traditionnelle, en lui prêtant sa voix. C'est un poème d'humilité, de tendre et pudique amour, avec ce qu'il faut d'ironie pour que le poème soit parfaitement sincère. Puis, brusquement, il s'achève sur le rappel précis de « la tumeur qui tuera ». Et toutes les rassurantes apparences s'effacent. Reste la douleur qu'il n'est pas nécessaire de dire.

Dans la seconde version, la mort n'apparaît plus à la fin mais au début du poème. La femme qui est morte, c'est maintenant la femme du percepteur, comme si Dadelsen n'avait pu parler directement de la mort de sa mère, mais, adoptée la fiction de la femme du percepteur, il développe les thèmes engendrés par la tendresse du souvenir. C'est sans transposition qu'il nous livre des anecdotes et des images familières. Les thèmes de la mère et du pays natal sont toujours liés.

La troisième version est plus ramassée, pour donner au souvenir un contour plus précis, pour lui conférer une force qui lui permettra de durer. Il s'agit, diraient nos critiques d'aujourd'hui, de « transcender l'anecdote ». Disons qu'il s'agit de trouver l'image personnelle qui puisse être adoptée par tout lecteur. (La poésie de Dadelsen n'est jamais hermétique.)

La quatrième version est un retour au poème du souvenir, avec une nouvelle assimilation à la mère. Enfin la cinquième version, qui peut être dite définitive puisque Dadelsen la livra à l'impression (elle parut dans *Preuves* en juillet 1957), ne retient que les images maîtresses des précédents poèmes. Le poème définitif a jailli des esquisses, comme détaché de son créateur. On notera que le poème est tout entier à la troisième personne et que la femme du percepteur est devenue la pharmacienne. La mort est dans le titre : *Dernière nuit de la pharma-*

cienne, mais dans le poème lui-même elle n'apparaît pas avec la même brutalité que dans *Les Femmes de la plaine,* où elle tue sans phrase (empêchant d'ajouter un mot quand son nom a été prononcé). Elle serait plutôt ce « peu profond ruisseau » dont parle Mallarmé. Il faudra bientôt traverser ce ruisseau et l'on ne peut s'empêcher de penser que, lorsqu'il écrivit ce poème, Dadelsen avait le pressentiment de sa fin prochaine.

Les *Cahiers des saisons* ont eu l'honneur de révéler ces cinq versions d'un poème et j'avouerai que je ne suis pas loin d'aimer et d'admirer les ébauches autant que le texte définitif. Les *Saisons* ont également publié le *Cantique de Jonas* où la sensibilité de Dadelsen se manifeste à l'état pur, et *Oncle Jean* où nous avons un reflet transfiguré de sa conversation qui charriait dans son cours impétueux les préoccupations les plus élevées et les plus triviales. Les uns diront qu'il se montrait bien alsacien en cela. D'autres parleront du côté luthérien de sa nature. Il était un homme complet auquel aucun aspect de la vie n'était étranger.

Dès 1957, Mme Barbara de Dadelsen avait demandé à François Duchêne d'examiner les manuscrits laissés par son mari et de transmettre à Albert Camus tout ce qui n'était pas de simples brouillons. Albert Camus, vieil ami de Dadelsen, avait proposé de publier une sélection de ses écrits. Il choisirait l'ordre dans lequel disposer les textes et il écrirait une préface. Hélas, il mourut à son tour, en 1960, dans les circonstances tragiques que l'on sait. Il n'avait pas eu le temps d'établir le choix que l'on attendait, ni de rédiger la présentation promise.

Je m'étais pris de passion pour l'œuvre de Dadelsen et j'allai à la N.R.F. pour savoir ce que devenait le dossier transmis à Camus par François Duchêne. La secrétaire de Camus m'apprit qu'il avait été retourné à Mme Barbara de Dadelsen. Les lecteurs qui l'avaient parcouru avaient estimé qu'il s'agissait d'un recueil d'ébauches : « Une publication posthume d'un auteur inconnu ne se conçoit que lorsqu'on est en présence d'un chef-d'œuvre absolu. »

J'écrivis à Mme de Dadelsen et, peu après, je reçus la visite de François Duchêne qui m'apportait de magnifiques inédits. Je parvins à persuader René Julliard que la publication d'un recueil de poèmes de Dadelsen renforcerait le prestige de sa maison et serait une chance extraordinaire pour la collection des *Cahiers des saisons.*

C'est alors qu'intervint Henri Thomas, de retour d'Amérique où il avait enseigné dans un collège pendant deux ans. Je venais de lui consacrer un numéro spécial des *Cahiers* et les journaux s'étaient mis à parler de lui. Bien mieux, Raymond Queneau me dit : « Je crois que les revues peuvent encore exercer une influence. J'ai montré vos cahiers à mes collègues de la place Gaillon et Thomas aura des chances pour le Goncourt cette année. » (Thomas n'obtint pas le Goncourt, mais le Médicis et, en 1961, il allait recevoir le Femina.)

Thomas m'emprunta le dossier Dadelsen. Il prit sur lui de le communiquer à Raymond Queneau, à Brice Parain et à Gaston Gallimard lui-même. Il m'apprit qu'aucun de ces grands personnages n'en avait eu connaissance lorsqu'il avait été retourné à Mme de Dadelsen. « Alors voilà, me dit-il, il dépend maintenant de toi que Dadelsen paraisse chez Julliard ou à la N.R.F. En fait de poésie, Julliard ne s'est battu que pour Minou Drouet *. Chez Gallimard, Dadelsen sera publié à côté de Saint-John Perse et de Fargue. C'est une compagnie qu'il aurait préférée. »

Après une journée d'hésitation, et avoir consulté René Julliard qui me laissa libre de ma décision — alors qu'il aurait dû protester que Dadelsen était désormais un auteur de sa maison —, j'abandonnai mes droits sur *Jonas*. Dans la note publiée en tête de l'édition Gallimard, François Duchêne a mentionné qu'après la mort de Camus « c'est grâce à la conviction et aux efforts de MM. Henri Thomas et Jacques Brenner que ce recueil a pu paraître. M. Brenner s'est très généreusement dessaisi lui-même de son option sur les poèmes, qui lui avaient été remis pour publication par les *Cahiers des saisons* dont il est directeur ».

J'aurais aimé que François Duchêne précisât qu'à défaut de devenir l'éditeur de *Jonas* j'avais décidé de consacrer un numéro spécial à Dadelsen. Ce numéro parut au début de l'été 1961 et remporta un vif succès de presse. Mauriac, notamment, en fit l'éloge dans son « Bloc-Notes ». Dadelsen commença ainsi d'être connu dans les milieux littéraires avant que *Jonas* ne fût édité, au printemps 1962. Ici je dois rendre hommage à René Julliard : il subventionna le numéro consacré au lancement d'un recueil qui allait paraître chez un confrère.

Beaucoup de textes de Dadelsen demeurent aujourd'hui inédits. Un beau recueil de poèmes et d'essais critiques a paru sous le titre *Goethe en Alsace* (1982) par les soins des éditions Le Temps qu'il fait, à Cognac.

* Enfant poète qui avait connu une heure de gloire et qui avait inspiré à Cocteau ce mot très parisien : « Tous les enfants ont du génie, sauf Minou Drouet. »

XI

Le monde comme il va

Dans les années qui suivirent la Libération, quatre romans de nouveaux écrivains m'impressionnèrent vivement : *Éducation européenne* de Romain Gary (1945), *Les Forêts de la nuit* de Jean-Louis Curtis (1947), *Une mort irrégulière* de Béatrix Beck (1950), *L'Auberge fameuse* de José Cabanis (1953).

Qu'avaient-ils en commun ? Leurs auteurs nous proposaient des vues originales sur leur époque et, plus généralement, sur ce que l'on peut appeler l'aventure humaine. Ils se situaient dans la tradition des grands romanciers qui offrent à leurs lecteurs l'occasion d'utiles réflexions sur le monde comme il va.

Ont-ils connu le succès qu'ils méritaient ? Ils obtinrent des distinctions flatteuses, mais ce ne sont pas eux que les critiques universitaires, qui voulaient dire leur mot sur la littérature contemporaine, désignèrent à l'attention de la jeunesse. Ces « nouveaux critiques » se voulaient d'avant-garde et s'intéressaient aux théories plus qu'aux œuvres. Peut-être Sartre les avait-il dégoûtés de la « littérature engagée ». Vers 1955, Alain Robbe-Grillet devint leur grand homme lorsqu'il entreprit de publier des manifestes qu'il réunit ensuite sous le titre *Une voie pour le roman futur*. Un grand nombre de journalistes littéraires, impressionnés par les doctes commentaires des professeurs, assurèrent une tapageuse publicité au « nouveau roman ».

Sous cette bannière, Robbe-Grillet avait réussi à enrôler Nathalie Sarraute, Claude Simon, Butor, Pinget, tous séduits par son sens de la publicité. Rien ne montre mieux la farce des « écoles », car on ne voit rien de commun entre ces auteurs, sinon le désir d'être « nouveaux », ce qui est l'ambition de tous les écrivains. Ils avaient tous un certain talent, que j'ai salué dans mon *Histoire* de 1978. Je n'y reviens pas. Aucun n'était véritablement un romancier, c'est-à-dire un inventeur d'histoires et un peintre de mœurs. Ils sont d'excellents représentants de ce que l'on appelle « littérature de laboratoire ». Ce sont eux que les fonctionnaires des Affaires culturelles envoyèrent représenter la littérature française dans des conférences à l'étranger. À l'heure actuelle, on parle encore du « nouveau roman » dans les universités américaines et japonaises, alors que l'on n'en parle plus en France depuis vingt-cinq ans. Dans son recueil de *Feuilletons* (1982), Bertrand Poirot-Delpech parle de Robbe-Grillet et de ses amis dans un chapitre intitulé « L'Ancien Roman ». L'ennui est que cet « ancien roman » a pu donner à penser à ses lecteurs que nous n'avions plus de romanciers.

Grâce au ciel, nous n'en avons jamais manqué. Les vrais amateurs de littérature l'ont toujours su.

JEAN-LOUIS CURTIS

L'œuvre de Jean-Louis Curtis m'est tout d'abord apparue dans un éclairage comparable à celui des *Thibault*. L'auteur, qui sait nous attacher à quelques personnages et nous intéresser à des scènes de la vie privée, se double d'un historien qui nous brosse le tableau d'une société et de toute une époque. Les grands événements de l'époque (les guerres en particulier) viennent toujours, chez Curtis, comme chez Martin du Gard, modifier le déroulement de la vie privée, comme c'est le cas dans nos propres existences.

Martin du Gard et Curtis ne construisent pas leurs romans autour d'une crise que traversent les héros ; ils aiment dessiner la courbe d'une destinée. Ils donnent une grande importance aux années de formation, enfance et adolescence, et nous montrent leurs personnages changeant avec les années (alors que, dans beaucoup de romans, les héros sont peints à un âge particulier et que leur caractère paraît fixé une fois pour toutes). Martin du Gard, avec *Les Thibault*, a composé un roman-fleuve auquel il a travaillé une vingtaine d'années. Quant à Curtis, il ne cesse de penser aux personnages qui ont un jour retenu son attention. C'est ainsi que les héros des *Jeunes Hommes* (1946) ont reparu dans *La Quarantaine* (1966) : dans le premier de ces livres, ils étaient des fils, et dans le second ils sont devenus des pères à leur tour. Le mari d'*Un jeune couple* (1967) était l'adolescent de *Cygne sauvage* (1962). Le plus réussi des romans de Curtis est sans doute *L'Horizon dérobé* (1979-1981) qui a été publié en trois volumes. C'est bien, là aussi, un « roman-fleuve », où nous trouvons plusieurs éducations sentimentales et un tableau de la France contemporaine.

Curtis a des méthodes de travail voisines de celles de Martin du Gard. Par exemple, il nous confie qu'il a besoin d'établir un plan avant de se lancer dans la rédaction d'un roman. Pourtant, en cours de route, il pourra modifier le déroulement de l'histoire ou le caractère d'un personnage (ou plutôt celui-ci se révélera plus sympathique ou moins sympathique qu'il n'avait cru d'abord). Ce qui ne bougera pas, c'est la documentation rassemblée pour donner au roman son soubassement historique et sociologique. Là-dessus, j'ajoute que je ne crois pas que Curtis ait le moins du monde subi l'influence de Martin du Gard. Dans ses premiers livres, c'est l'influence de Montherlant et de Mauriac qui est manifeste, et celle de Huxley. Ce qui l'éloigne le plus de Martin du Gard, c'est son ironie, son don pour la satire. Ce qu'ils avaient en commun, c'était l'ambition de mener une enquête sur l'homme et de nous communiquer une vision personnelle du monde.

Comme ils nous ont offert des romans bien charpentés qui se lisent sans problème, on n'a prêté aucune attention aux techniques qu'ils emploient. On a souvent déclaré qu'ils étaient des « romanciers traditionnels » et même, pour Martin du Gard, on l'a placé dans la descendance de l'école naturaliste. Or Martin du Gard et Curtis n'ont pas moins innové dans le domaine du roman que les confrères qui se voulaient des théoriciens. Par exemple, Martin du Gard fut, avec *Jean Barois,* l'inventeur d'un roman dialogué qui précédait les découpages cinématographiques qui ont fleuri par la suite. Quant à Curtis, il réduit, lui aussi, ses descriptions au minimum, il laisse ses personnages se peindre par leurs gestes et paroles. Il passe avec virtuosité du dialogue au monologue intérieur, il multiplie les divers angles de prise de vues. Du cinéma il a retenu les passages rapides d'une scène à une autre. Le bavardage de la radio et le défilé d'images de la télé interviennent chez lui comme le faisait « l'œil de la caméra » chez Dos Passos pour évoquer le contexte historique. Tout cela est absolument moderne.

Mais Curtis se moque complètement d'être moderne ou pas. Il veut seulement écrire des romans solides et qui accrochent. Dans *Le Mauvais Choix* (1984) il a montré qu'il était aussi à l'aise pour parler de l'Empire romain en l'an 310 de notre ère que pour imaginer ce que pourrait être la France dans une quinzaine d'années. On ne le savait pas si bon connaisseur de l'Antiquité, mais il s'était imposé comme romancier d'anticipation dès 1956 avec les nouvelles d'*Un saint au néon.*

Il est intéressant de l'écouter lui-même parler de ses livres. Il ne l'avait guère fait avant *Une éducation d'écrivain* (1985). Qui n'aurait pas encore lu ses romans pourrait penser qu'il appartient à la famille d'Henry James, lequel se garde bien dans ses *Carnets* de nous livrer aucune véritable confidence sur sa vie personnelle. Comme James, il échafaude de savantes constructions sans autre but que de surprendre et d'émouvoir le lecteur. Et ne dites pas que James, contrairement à Curtis, se désintéressait des problèmes sociaux. Il a écrit sur le développement du féminisme *(Les Bostoniennes)* et même sur la lutte des classes *(La Princesse Casamassima).* Mais, sur ce qui lui tenait le plus à cœur, pas un mot. Il laissait au lecteur le soin de le découvrir.

De même pour Curtis. À nous de dégager ses thèmes essentiels. Je dirais aujourd'hui qu'il y a le thème de l'authenticité et celui du mensonge. Nous nous avouons rarement tels que nous sommes : nous cachons notre naturel, nous jouons des rôles, par précaution, par intérêt ou pour la parade. Mais savons-nous ce qu'est notre vérité ? Nos convictions ne découlent pas d'un raisonnement que nous aurions fait.

Elles résultent de notre tempérament et de nos expériences, de nos réussites et de nos échecs. Un écrivain est le jouet du hasard, comme nous le sommes tous, mais il travaille pour dominer ses contradictions. La conception du roman qu'avait Martin du Gard et qu'illustre si bien Curtis est à nouveau à l'honneur aujourd'hui. La plupart des romanciers nouveaux les plus talentueux sont plus près de Martin du Gard et de Curtis que de toute école soi-disant d'avant-garde.

L'horizon dérobé

Dans les romans de Curtis, il s'agit toujours de vies singulières à l'intérieur d'une société qui a elle-même ses lois propres.

Voilà, semble-t-il, les deux pôles de l'univers romanesque de cet auteur : l'individu et la société. L'environnement social est capital pour lui. Et il n'est pas tant question du régime politique en place que des mœurs en vigueur. De même que nous nous vêtons comme nos contemporains, nous devons tenir compte de leur manière de se comporter et de s'exprimer. Chacun de nous a certes son tempérament propre, mais nul ne peut ignorer les règles du jeu social : les héros de Curtis s'en accommodent, s'en servent ou les combattent, mais se définissent toujours par rapport à elles.

Ses livres comportent toujours de nombreuses scènes de comédie où sont démontés les rouages des rapports sociaux, et quelles relations entretenons-nous — et même les liaisons amoureuses — qui ne présentent des implications sociales ? Même les amitiés du jeune âge ne s'établissent pas sur une base d'égalité, puisque y jouent inévitablement un rôle les différences de fortune ou de situation entre les familles des enfants. C'est précisément ce qui se passe pour les deux héros principaux de *L'Horizon dérobé* que nous voyons d'abord lycéens dans une petite ville de province. Thierry Landes est fils d'un petit employé. Nicolas Marcillac appartient à la bourgeoisie locale.

Par ses origines mêmes, Thierry apparaît plus désigné que Nicolas pour remettre en question l'ordre établi. Il déteste voir ses parents si bien accepter les hiérarchies de classe. Il se promet d'échapper à la condition modeste dont ils se contentent. Il se demande comment il y parviendra. Nicolas ne connaît pas de problèmes de ce genre. Mais ce n'est pas seulement qu'il a grandi dans un milieu plus aisé. S'il était ambitieux, il ne se satisferait pas des privilèges dont il bénéficie. Ce qui distingue les deux garçons, c'est que Thierry a des rêves de pouvoir tandis que Nicolas n'a que des désirs de bonheur. Pour opposer ces deux adolescents et montrer qu'ils appartiennent à des races différentes, un fabuliste dirait : « le Loup et la Colombe ».

Ils sont nés en 1940 et le premier volume de la trilogie nous raconte leurs vies jusqu'à l'année 1968 où, devenus parisiens tous deux, ils seront mêlés aux événements de mai, Thierry en tant qu'acteur et Nicolas en tant que témoin. Il semble d'abord que mai soit la grande chance de Thierry qui, attendant la Révolution, a vécu jusque-là en « homme-orchestre du job provisoire ». Cependant la rencontre d'une jeune fille de la haute bourgeoisie, Alix Saint-Aygulf, va être le grand événement de sa vie. Et, puisque mai n'a pu renverser le pouvoir en place, Thierry décidera de se glisser dans le « système » pour le modifier de l'intérieur — se promet-il. Pour sa part, Nicolas, qui travaille dans une agence de voyages, s'avoue satisfait du sort qui est le sien. Il n'attend rien de bon des émeutes et du déchaînement des passions publiques.

Sa vie personnelle ne nous est que peu à peu dévoilée. Depuis son enfance provinciale, il a une amie privilégiée, Catherine Comarieu. Celle-ci nourrit quelque temps l'espoir que cette amitié se transforme en amour, mais Nicolas ne semble sexuellement attiré que par des adolescents exotiques. Catherine eût mal supporté d'avoir une rivale ; elle prend son parti des goûts de Nicolas. Elle épousera un homme d'affaires, beaucoup mieux installé dans la vie que ne le sera jamais son ami de jeunesse. D'un premier mariage, l'homme d'affaires a deux enfants.

Ah ! mais (comme aurait dit Paulhan) le plus extraordinaire personnage de *L'Horizon dérobé* est sans doute aucun Mme Saint-Aygulf, monstre sacré du Paris mondain, extravagante dame qui se joue sans cesse à soi-même la comédie, dramatisant à plaisir tous les incidents de sa vie et inventant des formules cocasses pour caractériser choses et gens. Le génie loufoque qui est le sien amuse et subjugue tour à tour. Acceptera-t-elle ou sera-t-elle contrainte d'accepter Thierry Landes pour gendre ?

Nous avons là un caractère de grand format, unique en son genre. Au contraire, certains personnages secondaires sont représentatifs de divers types de la comédie parisienne. On ne donnera pas un nom, mais dix ou davantage, pour identifier le modèle du politicien Gatineau, attaché de cabinet ministériel, ou celui de M. d'Andoins, le snob mondain, ou encore celui de Duguay, le sociologue à la mode qui devient ethnologue et déclare à propos des Bungaras du moyen Congo : « Nous avons tout à apprendre d'eux. »

Il y a toujours dans les romans de Curtis des passages satiriques éblouissants. Notre auteur se situe du côté de chez Proust, quand il nous peint Mme Saint-Aygulf, et du côté de chez Marcel Aymé, quand il croque Gatineau ou Duguay.

Dans le second volume de la trilogie, *La Moitié du chemin,* Alix va s'éloigner de Thierry. Celui-ci serait-il moins séduisant à mesure que son gauchisme se fait moins radical ? Ou son caractère se révélerait-il moins intéressant qu'Alix n'avait cru ? Curtis, qui a parfois trop tendance à expliquer la conduite de ses personnages (un peu à la façon de Montherlant romancier), nous laisse ici dans l'incertitude sur ce que pense réellement Alix et peut-être cette enfant gâtée ne pense-t-elle rien de très clair.

Nous voyons le mari de Catherine prendre ombrage des relations qu'elle continue d'entretenir avec Nicolas. Il ne souffrira pas d'amour-jalousie, bien entendu, mais dans son amour-propre : parce que les jeunes gens se retrouvent sur un plan de complicité intellectuelle d'où il est exclu.

Du point de vue psychologique, l'amitié de Catherine et de Nicolas constitue l'une des nouveautés qu'offre ce roman : entente affective comme il en existe parfois également entre frère et sœur (mais ici la sœur ne répugnerait pas à l'inceste).

Le plus extraordinaire personnage reste Mme Saint-Aygulf, vedette du Tout-Paris, que nous voyons dans de nouvelles scènes de comédie, d'une drôlerie irrésistible. Personnage extravagant et vrai. Dès son réveil, elle décroche le téléphone pour colporter des nouvelles de sa façon. Mme Saint-Aygulf joue un rôle pour supporter sa vie, mais ce rôle révèle son génie qui s'agrémente d'un grain de folie. Elle ne peut voir la réalité qu'à travers sa riche fantaisie. Après tout, pourquoi parler de mensonge ? Si elle cessait d'inventer des drames frivoles, Mme Saint-Aygulf n'existerait plus.

Le titre du troisième volet de la trilogie est emprunté à un poème chinois : « Je suis seul avec le battement de mon cœur », qui semble répondre à la remarque mélancolique du *Fantasio* d'Alfred de Musset : « Quelles solitudes que tous ces corps humains ! » Mais les battements du cœur scandent les élans de l'âme et des sens qui nous entraînent dans le grouillement de la vie universelle et nous font espérer les merveilles d'un partage ou d'une communion.

Le Battement de mon cœur se situe dans les années 1978-1980 et les trois personnages principaux, Catherine, Nicolas et Thierry, vont atteindre la quarantaine.

Catherine découvre que son mariage de raison n'était pas raisonnable. Elle avait pensé qu'elle s'adapterait à un genre de vie nouveau pour elle. Elle n'y est pas parvenue et n'a même pas su empêcher le suicide de sa petite belle-fille. Elle s'est alors engagée dans une organisation d'entraide internationale et elle est partie, avec un contrat de trois ans, pour un pays sous-développé d'Extrême-Orient. *Le Battement de mon cœur* s'ouvre sur son arrivée là-bas.

Nos décisions les plus spectaculaires ont souvent des causes que nous ne discernons pas très bien nous-mêmes. Catherine voudrait évidemment donner un sens à sa vie et regagner sa propre estime, car elle se reproche le ratage de son mariage. Elle est guidée par une générosité sincère, mais sans doute aussi par un désir d'autopunition. Elle sera accablée de misère au-delà de ce qu'elle pouvait imaginer et deviendra même aussi pitoyable que les malheureux qu'elle est venue soigner. Elle souffrira de vertiges qu'elle croira dus à la fatigue et qui se révéleront le signe du développement d'une tumeur au cerveau. Le sort s'acharne souvent sur les créatures les meilleures et celles-ci prouvent la noblesse de leur âme en ne s'abandonnant pas à un ressentiment généralisé. Au contraire, la pauvre Catherine deviendra ce qu'autrefois on aurait appelé une « sainte ». Rien n'est si difficile à peindre qu'un personnage de ce genre. C'est ici la grande réussite de Curtis.

La dernière pensée de Catherine ne sera pas orientée vers quelque religion que ce soit. Elle l'adressera à son ami Nicolas Marcillac auquel elle a voué un amour total, alors qu'il n'a pu lui offrir qu'une confiante amitié.

Le doux Nicolas, jusqu'ici, avait des aventures plus ou moins brèves où sa sensualité trouvait son compte, mais voici qu'il s'attache de façon tout à fait déraisonnable à un jeune Balte, garçon sans ressources avouables et qui ne partage même pas ses goûts. Ce jeune Balte représente sans doute ce que Nicolas voudrait être, physiquement s'entend. Il est la jeunesse alors que son protecteur-esclave est taraudé par l'idée du vieillissement. On devine que leur histoire finira mal.

Le troisième camarade de jeunesse, Thierry Landes, a très bien su mener sa barque. Il appartient maintenant à un cabinet ministériel et peut normalement espérer un portefeuille de secrétaire d'État. Cependant, la riche et belle Alix avec laquelle il vit depuis les belles journées de mai 1968 a cessé peu à peu de l'aimer. Peut-être a-t-elle été déçue de l'avoir vu renoncer à ses opinions politiques de naguère, afin d'être admis dans les allées du pouvoir. Thierry se sent humilié d'avoir perdu son ascendant sur elle. Ainsi la réussite apparente d'un être peut cacher un échec personnel qui la rend un peu dérisoire.

Parmi toutes les qualités de Curtis, sa sensibilité à la manière dont chacun s'exprime me paraît des plus rares. Son analyse de l'évolution du langage et notamment du vocabulaire courant lui permet d'écrire des dialogues révélateurs de l'évolution des esprits et de la « mentalité » des jeunes générations. L'emploi de nouvelles « idées reçues » met en évidence l'apparition de nouveaux types sociaux, car un individu existe et se révèle par son langage. On connaît le talent extraordinaire de Curtis pour pasticher les grands écrivains. Ses pastiches ne sont pas un simple divertissement à la Reboux, se limitant à la reprise de tics et de bizarreries d'écriture. Curtis démonte le mécanisme d'un discours pour reconstituer une façon de penser. Dans ses romans, avec une même virtuosité, il réussit à camper un personnage en lui prêtant une certaine manière de parler. Mais qu'est la vérité d'un individu qui se borne à utiliser ce que Serge Quadruppani a appelé « le prêt-à-penser français » ? La question est d'un grand intérêt. Est-ce un naïf perroquet ou bien un malin qui croit profitable d'adopter les idées à la mode ? Il y a les naïfs et les malins. Vous devinez que Jean-Louis Curtis préfère les hommes qui se font eux-mêmes leurs opinions et ne craignent pas d'être en désaccord avec les maîtres du jour ou les dictateurs de demain. Il se garde cependant de juger. Est-il un simple « miroir le long du chemin » ? Je crois plutôt qu'il a écouté Cocteau qui disait : « Les miroirs feraient bien de réfléchir avant de nous renvoyer les images. » Curtis est un romancier doublé d'un moraliste discret.

JOSÉ CABANIS

José Cabanis a débuté par des romans que l'on pourrait dire balzaciens par leurs thèmes et leur construction, mais dont le style est aux antipodes du bouillonnement romantique de Balzac. Quelques critiques reprochèrent à *L'Auberge fameuse* (1953) une certaine froideur. Au contraire, je trouvai ce roman assez brûlant et j'en admirai la retenue et la rigueur. Il me ramenait à l'époque où, étudiant en droit, j'avais été chargé d'enquêtes par les services du tribunal pour enfants (visites aux familles des jeunes délinquants). Ah ! j'aurais bien voulu avoir écrit ce livre-là. Je vais vous le résumer.

Un garçon de douze ans, Bernard, dont le père a fui la maison et dont la mère se prostitue, suit, un soir, des camarades de l'autre côté du canal. Il y a parmi eux la petite Yvette, qui consent volontiers à s'amuser. Le lendemain, le père d'Yvette vient trouver la mère de Bernard et exige vingt mille francs : il pense que ça vaut ça. La mère met l'honorable père à la porte et interroge son fils. C'est bien vrai que Bernard n'a été qu'un spectateur. Mais la justice est saisie. Bernard est provisoirement confié à une maison d'éducation surveillée. Le juge le traite de petite crapule, les camarades lui expliquent comment vit sa mère. Il apprend bien des choses. Quand son innocence est reconnue, on le libère. Mais comment vivre désormais ? Il se jette dans le canal.

La petite Yvette, à quatorze ans, devient orpheline. Elle est recueillie par une vieille fille très morale (elle observe avec des jumelles ce qui se passe dans l'appartement d'en face, chez un jeune professeur, et elle envoie ensuite des lettres anonymes au proviseur du lycée) et pas heureuse (la solitude lui pèse). Mais cette bienfaitrice se révèle trop caressante et, comme Yvette comprend ce qui se passe, elle la chasse. Yvette est alors placée à la campagne chez de riches propriétaires. Il y a là un couple de domestiques qui s'estiment mal payés et qui volent. Ils expliquent à Yvette : « Si nous ne nous servons pas, c'est nous qui sommes volés. » Un peu plus tard, Yvette est arrêtée avec eux. La voici confiée au Refuge, une grande maison avec des grilles. Elle s'évade, se cache dans les collines. Il faut manger : le soir, elle se laisse aborder par un jeune militaire, se fait acheter du pain et « tu reviendras demain ? ». Le lendemain, le jeune militaire l'a dénoncée : elle fuit et se fait écraser en traversant une route. La Mort, c'est l'Auberge fameuse dont parle Baudelaire.

Cabanis ne suit pas continûment ces deux personnages, Bernard, puis Yvette. À côté des enfants abandonnés, il nous présente un magistrat, un professeur, un bon père, des dames d'œuvres, de riches bourgeois, un couple de domestiques, une veuve tombée dans la misère...

Y a-t-il, dans *L'Auberge fameuse,* influence de la technique du cinéma ? Un ou deux personnages sont au premier plan dans chaque scène. Mais ce ne sont pas les mêmes. Tel personnage tient un rôle principal, puis reparaît comme silhouette (ou l'inverse).

Le sévère et cynique magistrat Falconnet nous est montré d'abord, au palais, dans son cabinet, ensuite dans sa vie privée (qui n'est pas belle à voir). La mère de Bernard, Gaby, est d'abord une mère peu exemplaire, puis c'est une fille qui a été abandonnée (image de ce que serait devenue sans doute Yvette). Gilbert Samalagnou est d'abord le professeur libertin qu'observe, derrière ses rideaux, la vieille Hortense Bise (pas si vieille), puis c'est un jeune homme du siècle qui manque de passion et s'ennuie, ne sachant ce qu'il veut. La vie au château est tantôt vue du côté d'Yvette et des domestiques, tantôt du côté des propriétaires : l'homme et la femme s'accordent mal, la femme s'enfuit pour connaître une banale aventure, tandis que le mari s'enferme dans sa chambre, ne se rase ni ne se lave plus.

José Cabanis nous présente des âmes en peine. Mais il oppose la misère matérielle aux ennuis sentimentaux des gens aisés. Les gens véritablement misérables ne se posent pas de questions : « Je vis chaque jour, dit Gaby à Gilbert. Qu'est-ce que je ferai dans vingt ans ? Si je me le demande, je n'ai qu'à me foutre à l'eau, comme le petit. On verra. Il y a toujours la chance qui peut venir. Toi, tu es un bourgeois. Il n'y a que les bourgeois pour se creuser la cervelle, chercher des complications. C'est comme avec les femmes, je me souviens comment tu étais : jamais content. »

Par bourgeois, entendez des gens qui ont du temps et de l'argent : ce qui permet de se sentir malheureux. Ce malheur n'est pas très réel. Ce qui est réel, c'est la misère de certaines vies : « Auprès de ces vies, conclut Cabanis, la solitude de Gilbert n'était rien, et si Brigitte n'était pas heureuse au Busca, elle avait des domestiques et beaucoup d'argent. »

José Cabanis publia ensuite *Juliette Bonviolle* (1954). Après la mort de son protecteur, un homme marié qui ne la surveillait guère, Juliette se trouve aux prises avec des difficultés nombreuses et doit accepter les bizarres emplois que lui propose un inquiétant abbé : dame de compagnie d'une vieille dame dont il a entrepris de capter l'héritage, et puis logeuse de mystérieux voyageurs qu'il lui envoie. Le roman d'intrigue se double d'un roman de mœurs. Nous faisons connaissance de nombreux personnages et l'une des habiletés de José Cabanis consiste à les faire parler les uns sur les autres, à nous présenter l'un à travers les faux renseignements ou les calomnies d'un autre, et toute rectification appelle un complément d'information. On ne saura jamais tout. On vit une comédie des erreurs.

Le premier cycle romanesque de Cabanis prit fin avec *Les Mariages de raison* (1958), chronique, tant publique que privée, d'une grande ville de province. Parmi les mariages auxquels nous assistons, notons celui de Gilbert Samalagnou avec une jeune étudiante qui croit qu'en épousant un quadragénaire elle va trouver un sage compagnon pour la guider et la protéger ; celui de Frédéric Bénazet, directeur du quotidien *Midi-Journal,* avec la très catholique Hortense Bise ; celui de Marc Laoustin, conseiller municipal, avec Juliette Bonviolle, dont on avait pu craindre que la vie aventureuse s'achèverait dans la misère. (Si Juliette fait un mariage de raison, il semble bien que, du côté de Laoustin, ce soit un mariage d'amour.)

Comme la plupart des professeurs, Gilbert voudrait devenir romancier. Que désire-t-il écrire ? « Un récit sans truquage, net, précis, un peu cynique s'il le fallait. » C'est ce qu'a réussi Cabanis dans *L'Auberge fameuse* et dans *Juliette Bonviolle.* On a d'ailleurs l'impression de lire des romans de moraliste et c'est en raison du style, non pas d'une leçon que l'auteur voudrait nous faire entendre. Il se contente de nous peindre des scènes qui paraissent vraies. C'est le triomphe d'une apparente objectivité. José Cabanis a inventé une sorte de réalisme sec et parfois tranchant. Cependant ce réalisme ne lui permettait pas d'exprimer sa nature profonde : il entreprit un autre cycle romanesque d'un ton tout différent et qui, dans la géographie littéraire, se situe du côté de chez Baudelaire et de chez Proust.

Ce second cycle fut inauguré par *Le Bonheur du jour* (1960) que suivirent *Les Cartes du temps* (1962), *Les Jeux de la nuit* (1964), *La Bataille de Toulouse* (1966) et *Des jardins en Espagne* (1969). Ce sont là des récits à la première personne qui se présentent, les deux premiers comme des souvenirs de famille, et les trois autres comme des confidences amoureuses. Le public, sous le charme d'une écriture limpide et musicale, les accueillit comme des œuvres autobiographiques. En fait, la part de l'imagination y est sans doute plus grande qu'il ne semble. Par exemple, je suppose que les deux personnages d'écrivains, l'oncle Octave et la tante Mélanie, sont des personnages inventés. L'oncle Octave est le personnage central du *Bonheur du jour,* histoire d'un homme qui rate sa vie et sa carrière ; mais il attachait peu d'importance à la réussite sociale : sa vie réelle était une vie intérieure qu'il essayait d'extérioriser dans des poèmes. Au contraire, la tante Mélanie, que nous rencontrons dans *Des jardins en Espagne,* écrivait des romans roses où rien ne transparaissait de ses préoccupations intimes. C'est pourquoi elle restait en dehors de la bonne littérature qui exige un engagement personnel des auteurs dans les histoires qu'ils inventent. Elle fabriquait des produits commerciaux et obtint de gros tirages.

Le narrateur du *Bonheur du jour* nous confiait que, dans son adolescence, il admirait très fort l'oncle Octave qui représentait à ses yeux « l'écrivain de la famille ». Pas question alors de la tante Mélanie. Il est pourtant évident que c'est elle, étant donné son succès, qui aurait représenté « l'écrivain de la famille » si, au moment où il écrivait *Le Bonheur du jour,* José Cabanis avait déjà eu l'idée de ce personnage. Il nous semble bien qu'il l'a inventé plus tard pour nous suggérer l'opposition entre deux types d'écrivains : la tante Mélanie nous apparaît comme le « pendant » de l'oncle Octave.

Est-ce un troisième cycle romanesque que Cabanis entreprit avec *Les Profondes Années* (1976) ? Il passait à l'autobiographie directe et nous offrait une œuvre très originale construite à partir de carnets intimes. Le volume portait un sous-titre trompeur : « Journal 1939-1945 ». Cabanis ne se bornait pas à publier les cahiers qu'il avait rédigés entre sa dix-septième et sa vingt-troisième année. Il avait intercalé dans le texte d'autrefois les réflexions et les souvenirs qui lui étaient venus à l'esprit lors d'une relecture trente ans après. Le miroir d'un journal nous montre qui l'on fut et non pas qui l'on est. La distance entre l'un et l'autre suffit à créer du romanesque. José Cabanis a inventé là une nouvelle manière de jouer avec les cartes du temps.

Dans *Les Profondes Années,* il ne fait pas dialoguer l'homme du présent avec l'adolescent d'autrefois. Il juxtapose et entrelace des points de vue différents, ce qui donne à ses récits beaucoup de relief. Le dialogue était-il inconcevable ? Cabanis nous dit que s'il rencontrait aujourd'hui dans les rues de Toulouse le lycéen qu'il fut, il ne trouverait rien à lui dire. Cette rencontre est, bien entendu, improbable, mais l'adolescent Cabanis était amoureux des livres et l'auteur des *Profondes Années* a tout à fait raison de penser qu'un tel adolescent serait peut-être « un peu épaté par les livres que j'ai écrits ». Cabanis peut écrire sans fausse modestie : « Je n'aurais pas honte devant le garçon de dix-huit ans que j'étais, et c'est peut-être cela, une belle vie. »

Ces lignes comptent parmi les plus optimistes de l'ouvrage. Il ne s'agit pourtant pas non plus d'un livre noir, parce que la vie apporte de grandes joies tout autant que de lourdes peines, et que l'auteur ne cesse d'être habité, plus ou moins consciemment et parfois contre sa raison même, par une espérance dont il a retrouvé un écho dans Mozart. *Les Profondes Années* portent en épigraphe une interrogation pathétique de *La Flûte enchantée* : « Nuit éternelle, quand te dissiperas-tu ? Quand mes yeux trouveront-ils la lumière ? »

Ce que nous écrivons là n'est d'ailleurs pas tout à fait juste : Cabanis ne semble pas avoir bataillé avec sa raison au sujet de l'existence de Dieu. Simplement, suivant les périodes, Dieu lui est plus ou moins sensible au cœur. Dans plusieurs de ses romans, il nous a montré comment l'amour des créatures peut chasser la pensée du Créateur. Ce qu'il exprime ici dans une formule lapidaire : « Au diable Dieu. »

Dans le journal de sa dix-septième année, on le voit épris d'une jeune fille prénommée Véronique. Dans un commentaire de l'âge mûr, il précise que le lecteur se tromperait fort en parlant des exigences de la sexualité : « Ce n'était même pas la sensualité », précise-t-il. Et il plaint ceux qui n'ont jamais connu ces passions sentimentales et platoniques.

Pour être chaste, cette passion pour Véronique n'en était peut-être que plus absorbante. Les événements historiques passaient au second plan et il est vrai que nous menons une vie personnelle en marge de la vie collective. Mais l'Histoire, elle, ne nous oublie pas : du moins est-il difficile de lui échapper.

Pour Cabanis, la grande catastrophe de 1940, ce fut la mort de son frère préféré, tué à la guerre. Il n'était certes pas insensible aux malheurs du pays, mais ne les éprouvait pas de la même manière. Il faut dire qu'il vivait dans une région et dans un milieu préservés et que c'était par la radio et les journaux qu'il apprenait les nouvelles, sans être en contact avec la misère réelle.

Il ne perdait rien pour attendre. Appartenant à la classe 1942 que Vichy désigna en 1943 pour être déportée en totalité, il essaya d'abord de se soustraire aux ordres en se faisant embaucher dans la mine de plomb de Seintein dans les Pyrénées, mais il n'échappa pas aux contrôles de police et dut prendre la route de l'Allemagne. Élevé comme un enfant de la comtesse de Ségur, choyé par de merveilleux parents, il allait devenir pendant plus d'un an manœuvre à tout faire dans le pays de Bade.

Nos étudiants ne savent pas quel est leur bonheur aujourd'hui. Mais

Cabanis déclare ignorer lui-même ce qu'il serait s'il n'avait connu l'expérience du travail forcé : « Deux années au plus bas de l'échelle sociale, et avec la pensée qu'on n'en sortira jamais, cela m'a instruit comme aucun livre ne l'aurait fait. J'ai compris pour toujours l'horrible injustice du monde. C'est depuis que j'ai haï l'argent, la propriété, le profit, les gens arrivés et respectables, les nations opulentes, les gens d'affaires, l'armée, les gens à cravate, gants, serviette de maroquin, pourcentage sur les ventes, tout ce qui tient le haut du pavé tandis qu'une multitude d'autres triment et crèvent de faim, et c'est ainsi que je suis né une seconde fois. »

Cabanis nous donne ici la clef d'un roman comme *L'Auberge fameuse* qui ne parle pas de guerre ni de grande catastrophe, mais qui dénonce l'injustice sociale ici et maintenant.

Les Profondes Années sont ainsi une éducation sentimentale, un document sur les années de guerre et sur la condition des travailleurs français déportés, un livre plein de petits faits vrais et de considérations diverses, toujours passionnantes. On est désolé d'apprendre que Cabanis n'aime plus Stendhal, car on a envie de lui dire que Stendhal aurait beaucoup aimé ce livre.

Nous ne croyons pas nous tromper non plus en ajoutant que l'auteur des *Souvenirs d'égotisme* lui aurait reproché d'avoir omis les pages relatives à la période novembre 1940-juillet 1943, ce qui fut réparé avec la publication du *Petit Entracte à la guerre* (1981). Le héros de ce deuxième tome de « journal » est un étudiant en lettres qui a une vie amoureuse mouvementée. Il connaît ce que l'auteur appelle des « mutations de sentiments » ou des « sautes de cœur ». Il est devenu le greluchon d'une femme beaucoup plus âgée que lui, mais il n'est pas toujours bien certain de l'aimer, alors qu'il reste avide du plaisir qu'elle lui dispense. Tantôt elle est son « souci constant » et tantôt il pense à la jeune Véronique, sa cadette, dont la seule présence le comble de « bonheur ».

Les pages anciennes du *Petit Entracte* constituent un document sur la psychologie adolescente et sur les origines des romans de l'auteur. Les pages récentes nous renseignent sur ce qu'il pense et croit aujourd'hui. S'il fait peu confiance à l'homme et déteste les gens « sérieux » ou « importants », il a retrouvé la foi chrétienne de son enfance et y puise sa seule raison d'espérer. Rassurez-vous. Cela ne l'entraîne nullement à écrire des « capucinades » comme l'en accusait un de ses amis. Il s'imagine pauvre pèlerin sur la route de Compostelle, avec le poids de ses péchés, et il écrit une langue d'une plénitude et d'une liberté admirables.

Ce n'est pas tout. Homme de grande culture, José Cabanis a su s'exprimer par d'autres moyens encore que le roman, le récit et le journal. Nous lui devons notamment un étonnant survol du XIXe siècle en cinq volumes d'une érudition époustouflante et qu'il convient de lire dans cet ordre : 1° *Le Sacre de Napoléon ;* 2° *Charles X, roi ultra ;* 3° *Le Musée espagnol de Louis-Philippe ;* 4° *Michelet, le prêtre et la femme ;* 5° *Lacordaire et quelques autres.* Ces ouvrages parurent entre 1970 et 1985.

Les deux premiers tomes fourmillent de comédies d'intrigues et de comédies de caractères. Nous y retrouvons, transposées dans un cadre national et international, les préoccupations qui avaient dicté à José Cabanis ses romans provinciaux. Quant aux trois derniers tomes, ils reprennent sur un plan général bien des interrogations posées dans le cycle du *Bonheur du jour.*

BÉATRIX BECK

Béatrix Beck débuta dans les lettres en 1948 avec un récit d'enfance et d'adolescence intitulé *Barny.* Le livre s'achevait à la veille de la guerre, alors que l'héroïne attendait un enfant de son amant, juif d'origine russe, qu'elle avait rencontré aux Jeunesses communistes. Quand commence le récit intitulé *Une mort irrégulière,* qui parut en 1950, Barny et Vim se sont épousés et l'enfant est né, mais c'est la guerre. Vim est mobilisé dans l'armée française. Barny vit avec sa fille France, dans une petite ville des Alpes. Vim vient en permission. Son moral n'est pas bon : il a appris qu'il figurait sur une « liste noire ». Peu après qu'il est retourné au front, Barny apprend sa mort. On lui précise qu'il n'est pas « mort pour la France ». A-t-il été exécuté ? Barny, sans argent, gagne sa vie dans une fabrique, dans une école par correspondance, devient modèle. Puis elle reçoit une lettre où elle lit que Vim s'est suicidé. « Tu vois maintenant, se dit la veuve, que ta douleur n'était que littérature, comparée au total dénuement actuel. » Mais elle n'aura jamais la preuve et la certitude qu'on lui a écrit la vérité.

Pour qui n'a pas lu *Une mort irrégulière,* ce sec résumé ne permet pas de deviner que Barny est une des héroïnes les plus attachantes du roman français contemporain. Mais vous la connaissez certainement, car c'est elle que l'on retrouva en 1952 dans *Léon Morin, prêtre,* qui obtint le prix Goncourt et dont Jean-Pierre Melville tira un film, avec Emmanuelle Riva et Belmondo. Les adjectifs pour la qualifier nous viennent par couples et sont souvent contradictoires : elle est à la fois humble et orgueilleuse, secrète et volontaire, juste et cruelle, blessée et courageuse, pince-sans-rire et affamée d'amour. Sa conception de l'amour enchantera les biologistes : « L'amour est à la reproduction ce que l'appétit est à la nutrition. » Elle est capable de violentes amitiés féminines et elle parle bizarrement de « l'honnêteté » et de « l'élévation » du *Corydon* de Gide, mais elle ajoute aussitôt qu'un plaisir qui trouve sa fin en soi lui apparaît incompréhensible. Jeune fille, elle s'imaginait mariée à un marin ou à n'importe quel grand voyageur qui serait tout juste venu la voir tous les neuf ou dix mois, uniquement pour lui donner de nouveaux enfants. Elle s'est offerte à Vim sans histoire, admirant le militant farouche qu'elle croyait qu'il était. L'amour, au sens plus général, n'est venu qu'ensuite. Vim ne voulait pas d'enfant et elle a réussi à en avoir un de lui.

Dans son premier livre, Barny nous parlait aussi de ses goûts littéraires. Elle nous racontait comment quelques lignes de Gide, alors qu'elle était encore lycéenne, l'avaient introduite dans un monde inconnu. Gide avait écrit (évoquant Ygdrasil, le grand arbre de la Vie dans la mythologie scandinave) : « Saisir, saisir une branche d'Ygdrasil. C'est fait. » Barny nous confie : « Cette ellipse me ravit de joie. Je sentais en moi les frémissements du grand écart, du saut périlleux du style. D'une source au désert, Gide dit : " Enfant, je m'y désaltérais. " Cette phrase limpide étancha pour un temps ma soif de perfection. »

Cet art du raccourci est un art particulièrement français. C'est celui de Béatrix Beck, qui, à son tour, étanche pour un temps notre soif de perfection. Ses livres sont écrits par petites touches, par courts paragraphes. Elle ne s'étonne de rien, elle constate et rapporte d'un ton calme des choses vues qui, toujours réalistes, sont parfois extravagantes ou horrifiantes, parfois poétiques ou merveilleuses. Elle note aussi des propos entendus, dont le style cocasse tranche sur le sien propre. Jamais une ligne de trop, mais jamais non plus nous n'avons le sentiment qu'il manque quelque chose. Chaque mot porte. L'émotion, pour être contenue, n'en est que plus violente. Béatrix Beck sait nous attendrir, nous faire sourire, provoquer notre indignation.

La série des *Barny* représente sa première manière. La part de l'imagination est plus grande dans les ouvrages de sa seconde manière comme *La Décharge* (1979) et elle s'y abandonne à sa virtuosité dans les jeux de langage et les associations d'idées. On l'a comparée parfois à Raymond Queneau pour son dédain du beau style et son utilisation de tournures populaires. Mais si le « beau style » peut n'être qu'un froid style académique, le parler populaire risque de tomber dans la vulgarité. Chez Béatrix Beck, comme chez l'auteur de *Zazie,* la langue est riche, vivante, fortement personnalisée. « Je vais voler au secours des mots », déclare Simon Lebarque, principal personnage de *La Prunelle des yeux* (1986). Il s'écrie : « La France, ton français fout le camp. La France, montre ta langue : elle est chargée, pâteuse. Le français, espèce en voie de disparition, comme les ânes, les cerisiers et les baleines bleues. » Pas le moindre laisser-aller dans ce livre. Au contraire, un texte concis et ramassé, avec un sens exquis de l'ellipse.

L'héroïne de *La Décharge* est une jeune personne surdouée, prénommée Noémi. Surdouée pour le maniement de la langue française. Elle est d'une merveilleuse familiarité avec les mots, petites choses vivantes qu'elle bouscule et caresse dans tous les sens. C'est son ancienne institutrice, Mlle Minnier, qui lui a demandé d'écrire le récit de son enfance et de parler de *La Décharge.*

À la sortie du bourg, près du cimetière, la décharge dont il s'agit était la décharge municipale. Des masses et des masses d'ordures en tout genre y étaient brûlées. Le père de Noémi était chargé d'entretenir le feu. Ancien ouvrier agricole, cet homme était inapte à tout autre travail depuis qu'il avait perdu un bras dans un accident. On l'avait logé dans un baraquement proche, avec sa très nombreuse famille. Ils y vivaient comme dans une roulotte de bohémiens.

Noémi a dix-neuf ans quand elle écrit. Elle ne se doute pas que

Mlle Minnier — qu'elle adore — attend d'elle un témoignage sur un sous-prolétariat rural qui lui soulève le cœur. Mlle Minnier n'est pas du tout sensible au génie de son ancienne élève. Elle estime même que « sa plume est une fourche qui remue des immondices ». Oui, c'est ce qu'elle écrit dans un cahier qu'on trouvera après sa mort et qu'on fera lire à Noémi, laquelle sentira son amour tourner en haine.

Pour le lecteur, le miracle du langage de Noémi est qu'il transforme en féerie une enfance qui s'est déroulée dans des conditions sordides. Mais l'enfance est peut-être toujours une féerie, située entre « l'épouvante et l'émerveillement » (titre d'un précédent livre de Béatrix Beck). Et les gens qui n'ont pas notre morale n'ont pas forcément moins de cœur que nous : Noémi est une figure de l'innocence alors que Mlle Minnier nous paraît d'une effrayante dureté.

Après sa grande déception sentimentale, Noémi quitte le bourg où elle s'était placée comme domestique. Nous la verrons suivre un cours de formation professionnelle, devenir sténographe dans une pittoresque agence d'assurances, puis secrétaire d'un écrivain qui ressemble fort à André Gide, dont Béatrix Beck elle-même fut effectivement la dernière secrétaire. « J'ai déjà bien monté, conclut Noémi. Jusqu'où n'irai-je ? »

Dans *La Prunelle des yeux,* Simon Lebarque est un bourgeois de vingt-huit ans qui doit renoncer à la médecine parce qu'il perd la vue. Il va dicter à une jeune secrétaire, prénommée Mélicerte, une étude sur les aveugles célèbres, aussi bien l'Œdipe de la mythologie grecque que le Tobie de la Bible, la Juliette de la comtesse de Ségur que la Gertrude de Gide *(La Symphonie pastorale).* Mélicerte trouve Simon beau garçon et s'étonne qu'il n'ait jamais cherché à coucher avec elle. On devine sans peine qu'il préfère le fils de sa concierge espagnole, Stéphane, seize ans, qui le guide lorsqu'il a à faire au-dehors. De son côté, l'adolescent n'est pas insensible au charme de l'écrivain — sa situation sociale l'éblouit. La mort prématurée de Mélicerte permet à Simon de persuader la gardienne de lui laisser Stéphane comme « garçon de compagnie » et même comme secrétaire, dont il prendra en main l'éducation.

D'une loge de concierge, Béatrix Beck a su faire l'équivalent des « roulottes » de Cocteau. Olympia Abenzoar y règne, femme de haute cocasserie dont les malheurs n'ont pas entamé les principes d'éducation catholique. Sa fille, Angélique, qui n'a que dix-huit ans, est déjà mère d'une fillette de trois ans dont le père a disparu. Pourtant Olympia est horrifiée lorsqu'elle surprend son fils et Simon « en flagrant délice », couchés dans un même lit.

Le couple scandaleux ne scandalise nullement Angélique. Mais il faudra bien dix ans pour qu'Olympia se fasse une raison. « Mon vaurien est devenu quelqu'un », pense-t-elle, lorsque Stéphane est nommé secrétaire de rédaction au magazine *Le Pire.*

On peut se demander pourquoi ce sont des femmes qui ont le mieux parlé des liaisons amoureuses dont, précisément, les femmes sont exclues. Avant-hier, c'était Colette, dans *Ces plaisirs,* Yourcenar, dans *Hadrien.*

Hier, Christiane Rochefort dans *Printemps au parking*. Aujourd'hui, Béatrix Beck.

Parmi ses œuvres de sa seconde manière, il faut citer aussi *Devancer la nuit* (1980) où elle nous montre une femme qui se transforme en Schéhérazade pour tenter de sauver un adolescent suicidaire, *Josée dite Nancy* (1981) où elle rapporte les confidences d'une voisine de palier qui fut entraîneuse à Pigalle et ouvrière dans la fourrure, *Don Juan des Forêts* (1983) où elle trace le portrait d'un beau parleur, monarchiste et intégriste plein de fatuité, et enfin cette petite merveille qu'est *L'Enfant Chat* (1984) où elle s'est révélée un de nos meilleurs peintres animaliers.

Un livret de famille

L'auteur le plus proche de Béatrix Beck, à tous points de vue, s'appelle Bernadette Szapiro. Elle a publié *La Première Ligne* (1981), un livre composé de notations rapides et que l'éditeur comparait à un carnet de croquis.

Les enfants et les adolescents s'intéressent davantage à leur avenir qu'à leurs origines, mais ceux qui n'ont pas connu leurs parents, ou qui furent de bonne heure orphelins de père ou de mère, s'interrogent sur le passé et sur ce que furent les êtres qui leur ont donné la vie. La narratrice du livre de Bernadette Szapiro a perdu son père quand elle n'avait que trois ans. C'était au début de la dernière guerre. Il était mobilisé et avait demandé à monter en « première ligne ». Il y trouva la mort ou peut-être se la donna, en un moment de dépression.

À la première page de son livre, c'est son père que la narratrice évoque : « Le souvenir que j'ai gardé de mon père, le seul : dans l'embrasure d'une porte, un jeune homme en costume kaki de soldat. » Et à la dernière page — où elle est âgée de seize ans — elle nous rapporte sa rencontre, dans un refuge de montagne, avec un autre jeune homme qui dort sur une couchette de bois, « enveloppé dans un vieil imperméable militaire ». Nous comprenons que ce jeune homme aurait moins retenu son attention s'il n'avait été vêtu en soldat. C'est une idée de peintre (Bernadette Szapiro est peintre en effet) que d'avoir en quelque sorte encadré son récit par deux silhouettes de jeunes soldats.

Ce qui avait manqué aussi à notre héroïne dans son enfance, c'était la chaleur d'un vrai foyer. Née à Grenoble, elle fut très tôt mise en pension dans une ferme des environs, puis chez deux sœurs qui vivaient à proximité. Sa mère gagnait peu d'argent et logeait dans un petit appartement où des caisses d'emballage tenaient lieu de meubles. Après la guerre, la fillette dut quitter la région à laquelle elle s'était attachée et suivit sa mère en Belgique, chez une tante, puis en Angleterre, dans la propriété d'un oncle. À leur retour en France, mère et fille séjournèrent à Dieppe, avant de gagner Paris, où elles habitèrent successivement une modeste pension de famille, un hôtel borgne, une mansarde (elles devaient utiliser l'escalier de service de l'immeuble).

On dit que les voyages forment la jeunesse, mais une vie nomade dans l'enfance fait de vous un éternel déraciné, sujet à la nostalgie. L'héroïne de *La Première Ligne* confie qu'elle est retournée dans la plupart des lieux où elle vécut autrefois : « Je ressentais la nostalgie du passé et d'un soldat qui ne reviendrait jamais. »

C'est seulement grâce à la littérature que l'on peut remonter le temps. Notre jeune héroïne se rapprochera de son père disparu en prenant connaissance des lettres qu'il écrivit. Précédemment, elle aura vécu en imagination avec ses grands-parents maternels, en lisant leurs écrits. La grand-mère tenait des carnets. Le grand-père avait laissé une abondante correspondance et des œuvres littéraires. Car il était écrivain et collaborait à des journaux. Il avait beaucoup voyagé et son livre, *Le Vagabond,* n'est pas sans faire penser à Knut Hamsun et à Maxime Gorki. La narratrice le nomme Simon Druwen. Elle cite divers articles qui lui furent consacrés. Ici, on le décrit avec des yeux bleu clair ; là, avec des yeux marron ; ailleurs, les yeux deviennent gris, gris-vert. Les auteurs des articles ne sont pas nommés, mais nous avons identifié l'un d'eux. Il s'agit d'André Gide. C'est lui qui a écrit de Simon Druwen : « Il restait le plus souvent au bord du rire et semblait craindre, autant que la moquerie des autres, la sienne propre. » Le texte a été recueilli dans *Feuillets d'automne.* Mais Gide donne son nom véritable à Simon Druwen : il s'appelait Christian Beck. Il est le père de Béatrix Beck. Et Bernadette Szapiro, vous l'aviez deviné, est la fille de Béatrix.

En dehors de ses qualités propres, *La Première Ligne* présente l'intérêt de recouper les romans autobiographiques : *Une mort irrégulière, Léon Morin prêtre, Des accommodements avec le ciel, Le Muet* et *Cou coupé court toujours,* qui ne racontent pas seulement la vie de la jeune veuve prénommée Barny, mais aussi celle de sa fille France. *La Première Ligne* donne la parole à France et nous fait assister à une sorte de renversement des perspectives. C'est le genre de texte qui m'enchante. Aucun doute qu'il existe un « ton Beck » très particulier. Quel dommage que Christian Beck soit mort jeune et n'ait pu lire les œuvres de sa fille et de sa petite-fille...

ROMAIN GARY

Romain Gary (1914-1980) n'aimait pas « les critiques littéraires français ». Il les appelait ainsi pour les opposer aux critiques littéraires américains, plus soucieux (selon lui) d'étudier les livres que de briller à leurs dépens. Dans *Pour Sganarelle* (1965), il affirme : « Le critique français — et il y a des exceptions, notamment M. Jacques Brenner, chez qui l'amour du roman est si réel qu'il lui interdit l'opération —, le critique, donc, s'occupe moins de l'œuvre de l'autre que de son œuvre personnelle, il la subordonne à son propre besoin de s'affirmer, de marquer son originalité d'esprit, d'inventer. Il écrit donc *sur* le roman, au sens matériel du terme... » (P. 373.)

Gary reprochait aussi aux « critiques français » de l'avoir enfermé dans une certaine idée qu'ils s'étaient faite de lui. Pour y échapper, il décida d'user de pseudonymes. Il essaya Fosco Sinibaldi pour *L'Homme à la colombe* (1958) dont on vendit cinq cents exemplaires, puis Shatan Bogat pour *Les Têtes de Stéphanie,* sans beaucoup plus de succès, enfin Émile Ajar. Quand il signa Émile Ajar son *Gros Câlin* (1974), il eut l'impression de « naître à nouveau », de commencer une nouvelle vie. En tout cas, il avait inventé un auteur dont on parla beaucoup et qui allait recevoir le Goncourt pour *La Vie devant soi* (1975), tout comme lui-même l'avait obtenu pour *Les Racines du ciel* en 1956.

Voici l'article que je publiai sur *La Vie devant soi* dans le journal *Paris-Normandie* du 29 octobre 1975 (avant l'attribution du prix) :

La vieille dame et l'enfant

Le livre vedette de la rentrée romanesque est sans contredit *La Vie devant soi* de M. Émile Ajar. Il figure dans les listes des ouvrages sélectionnés par les trois grands jurys : Goncourt, Renaudot et Femina. Ce serait une grosse surprise s'il n'obtenait pas une couronne. Songez que M. Max-Pol Fouchet, du Renaudot, n'a pas hésité à écrire que c'était la plus grande révélation littéraire depuis *Voyage au bout de la nuit.*

C'est un livre mariant la drôlerie à l'émotion. Il raconte une étonnante histoire d'amour, un amour où la sexualité n'a point de part. Celui de Mohamed, dit Momo, petit Arabe de quatorze ans, et de Mme Rosa, vieille juive d'une obésité monstrueuse, qui l'a élevé. Mme Rosa, quand elle a cessé de pouvoir vivre de ses charmes, a ouvert dans son appartement, « au sixième à pied » (c'est-à-dire sans ascenseur), une pension pour les enfants des prostituées en activité. Nous sommes à Belleville, de nos jours. Mme Rosa, rescapée des camps nazis, est maintenant bien fatiguée, elle devient impotente et perd chaque jour un peu plus la raison. Le médecin voudrait l'envoyer à l'hôpital. Momo qui veille sur elle, sans jamais être rebuté par aucun soin (il la lave, la torche, la farde), Momo pense qu'il serait plus humain de « l'avorter », comme il dit. Mais le médecin n'admet pas l'euthanasie. Mme Rosa ne veut pourtant pas quitter son trou. Momo saura empêcher qu'on vienne l'enlever et restera près d'elle jusqu'à la fin.

Racontée à la troisième personne, cette histoire aurait donné naissance à un récit naturaliste probablement sinistre. La grande trouvaille de l'auteur a été de donner la parole au petit Momo. Il lui a prêté un langage extrêmement cocasse, pas réaliste un seul instant, plein de trouvailles langagières, qui se présentent généralement comme des déformations du vocabulaire courant. Or ce langage réussit à paraître naturel parce qu'il sait toucher notre sensibilité. C'est une complète réussite et l'on ne manquera pas de citer des phrases de Momo comme : « Je ne vais pas la laisser devenir champion du monde des légumes pour faire plaisir à la médecine » (il pense aux malheureux inconscients que certains médecins maintiennent en vie, à l'état végétatif).

On n'a pas manqué de soupçonner M. Ajar d'être un auteur roublard : son livre déborde de bons sentiments et si, par quelques aspects, il peut paraître anticonformiste, son anticonformisme est le conformisme même des gens à la page. Momo est un petit frère non pas tant du Gavroche des *Misérables* que de la Zazie de Queneau et des enfants pas sages de Prévert. Sa situation de petit orphelin au grand cœur est, sur le plan romanesque, une situation en or, comme celle du jeune héros des *Allumettes suédoises* de Robert Sabatier.

Soit. Tout cela n'empêche que *La Vie devant soi* se lise avec un vif plaisir. Pour notre part, c'est à un des plus beaux livres de Jean Giono qu'il nous fait penser : à *Mort d'un personnage* où un petit-fils raconte les dernières années d'une grand-mère profondément respectée et qu'il continue d'aimer malgré sa déchéance physique. Le Momo de M. Ajar n'a pas de respect apparent pour Mme Rosa et il en parle même de manière volontairement scandaleuse, sachant qu'il ne scandalisera pas. Mais il aime cette monstresse et l'on sait bien que l'amour ne se manifeste pas par des paroles : il n'existe que par des actes de dévouement et de bonté. Dans le contexte judéo-arabe où il a placé son livre, M. Ajar semble chercher à nous faire prononcer le mot charité. Voilà qui est dit. *La Vie devant soi* n'est pas seulement un des meilleurs romans de l'année — c'est le livre le plus moral que nous ayons lu depuis longtemps.

Qui est M. Ajar ? L'an dernier, lorsqu'il publia *Gros Câlin* où il montrait un pauvre homme qui n'avait d'autre consolation qu'un brave et gros serpent, on avait dit que ce livre avait été écrit par M. Queneau. On avait de la même façon attribué naguère à M. Queneau le premier roman du Canadien Réjean Ducharme. Voilà bien une illustration du dicton : « On ne prête qu'aux riches. »

M. Ajar vit à l'étranger et, d'après son éditeur, il aurait eu des démêlés avec la justice du temps qu'il était étudiant en médecine. Naturellement, des journalistes en ont conclu que M. Ajar avait appliqué la loi Veil avant que celle-ci ait été promulguée. Simple supposition M. Armand Lanoux a précisé en tout cas que « le Goncourt est attribué à un livre et non à un auteur et que, par conséquent, l'Académie ne ferait aucune enquête sur le passé des candidats ».

Mort et transfiguration

Pour le lancement de *La Vie devant soi,* Gary s'était assuré le concours d'un « cousin à la mode de Bretagne », Paul Pavlowitch. Ce jeune homme accepta de passer pour l'auteur et reçut un journaliste du *Monde* à Copenhague. Il s'agissait d'écarter le soupçon du « grand écrivain tapi dans l'ombre ». Mais Paul Pavlowitch en fit un peu plus que Gary ne lui avait demandé : il prêta à Ajar sa propre biographie et fournit sa photo à la presse. C'est ainsi qu'Ajar cessa d'être un personnage mythique pour devenir Paul Pavlowitch. Dans le bref récit *Vie et Mort d'Émile Ajar* (qui parut en 1981), Gary raconte qu'il se sentit dépossédé : « Il y avait quelqu'un d'autre qui vivait le phantasme à ma place. En se matérialisant, Ajar avait mis fin à mon existence mythologique. »

Ce qui est bien certain, c'est que le succès d'Ajar n'a pas aidé Gary à vivre. Romain Gary s'est suicidé en 1980. Un peu plus tard, Paul Pavlowitch révélait la vérité sur l' « affaire Ajar ». Romain Gary apparut alors comme le grand héros littéraire qu'il avait souhaité devenir. Tout le monde fut émerveillé par le tour de force qu'il avait réussi et personne ne songea à le traiter de mystificateur.

Dans son récit posthume sur Ajar, il accuse les critiques actuels d'être incapables de se livrer à une « analyse de textes ». Selon lui, dans les quatre livres qu'il signa Émile Ajar, on entendrait « exactement la même voix » que dans ses œuvres signées Romain Gary. On y retrouverait parfois les mêmes phrases et les mêmes tournures. Si c'était vrai, il n'aurait pas éprouvé le sentiment d'une nouvelle naissance quand il avait entrepris *Gros Câlin*. Tous les romans qu'il a écrits sont nourris d'une même sensibilité, mais Ajar se livre à des jeux avec le langage auxquels Gary ne nous avait pas habitués.

Se renouveler complètement à soixante ans passés et s'inventer un nouveau style, un tel phénomène est rare : nous en avons vu un autre exemple avec Béatrix Beck. L'exceptionnel, avec Gary, c'est que, inventant le style Ajar, il continuait de composer parallèlement des livres de facture traditionnelle, comme *Au-delà de cette limite votre ticket n'est plus valable* (1975) où les « critiques parisiens » voulurent voir l'aveu d'une fatigue et d'un déclin.

Mais pourquoi s'est-il donc suicidé ? Au début de son texte posthume, il déclare que « le monde d'aujourd'hui pose à un écrivain une question mortelle : celle de la futilité » : « De ce que la littérature se crut et se voulut être pendant si longtemps : une contribution à l'épanouissement libre de l'homme et à son progrès, il ne reste même plus l'illusion lyrique. »

XII

Trois essayistes

Dans la littérature française, depuis Montaigne, les essayistes ont toujours occupé une place de choix. Pour la période contemporaine, citons Roger Caillois, Étiemble, Cioran, Jean-François Revel, Marthe Robert. Ce sont tous là de brillants écrivains. Cioran, qui s'exprime souvent par maximes, occupe aujourd'hui la place tenue par La Rochefoucauld au XVIIe siècle. Caillois et Revel ont un savoir d'encyclopédistes. Étiemble, Dominique Aury et Marthe Robert sont des maîtres de la critique littéraire.

Ce chapitre est consacré à Gaston Bouthoul, Denis de Rougemont et Jean Grenier. Tous trois ont publié des livres propres à enthousiasmer les jeunes gens. Bouthoul est l'auteur de considérations sur la guerre et la paix. Denis de Rougemont n'a cessé de s'interroger sur le rôle de l'amour en Occident. Quant à Jean Grenier, nous le présentons ici comme un philosophe de la vie quotidienne. On sait qu'il est aussi et surtout le pourfendeur de *L'Esprit d'orthodoxie* et le poète des *Iles* et des *Grèves* (il s'agit des plages bretonnes).

GASTON BOUTHOUL

Gaston Bouthoul (1896-1980) était un brillant sociologue, inventeur de la polémologie, étude de la guerre dans ses causes, ses formes et ses conséquences. Il s'intéressait aussi à la littérature et il faut lire son ouvrage *Avoir la paix* (1967) où il nous expose la manière dont les écrivains ont parlé de la guerre.

Miroir de l'humanité, la littérature, à ses origines, était guerrière. Les premiers écrivains voulaient fixer le souvenir de hauts faits accomplis par des héros. « Je chante la colère d'Achille... », dit le poète grec. « Je chante les armes et l'homme qui, le premier... », dit le poète latin. Il s'agissait de pugilats épiques ou d'empoignades de charretiers : chacun juge de ces choses suivant son tempérament. Ce qui est certain, c'est que : 1° pendant des siècles, les guerres furent considérées du point de vue du héros ; 2° ce point de vue est perpétué de nos jours par des films à grande mise en scène qui rencontrent le plus vif succès auprès du public. « Jamais film de guerre ne déçut son producteur », remarque Gaston Bouthoul.

Pourtant, la littérature ne nous offre pas constamment une exaltation des combats. À travers les temps, on a vu périodiquement des écrivains s'élever contre les massacres. Ainsi, à la fin du Moyen Âge, un Cervantès put se moquer des exploits des chevaliers. Ou bien, au XVIIIe siècle, un Voltaire, après avoir chanté Fontenoy, se moquer des grandes expéditions royales. Certes, nous dit Bouthoul, mais ces écrivains se trouvaient, sans le savoir peut-être, entraînés dans un mouvement historique. Cervantès pouvait critiquer la chevalerie : cela plaisait au pouvoir royal qui venait d'en triompher. Quant à Voltaire, s'il s'en prenait à la folie des rois, « la conscription et l'affiche de mobilisation allaient succéder aux pauvres stratagèmes des sergents recruteurs ». Les raisons de faire la guerre changent, mais les guerres demeurent. « Tel qui sourit de pitié au souvenir de ceux qui se massacrèrent pour une phrase de saint Augustin est prêt à en faire autant pour une idéologie plus fraîche. »

Toutefois on peut dire que, jusqu'à la fin du XVIIIe siècle, les guerres étaient jeux de princes et calamités pour le peuple. La Révolution changea cela. Depuis, les peuples ont cessé d'être innocents.

Bouthoul voit la tradition épique de la littérature se casser les dents quand Émile Zola publia *La Débâcle*. Jusqu'à Zola, les écrivains auraient raconté les guerres du point de vue de ceux qui les déclarent et pensent pouvoir les diriger. Sans doute y avait-il eu des Mémoires (comme ceux du capitaine Coignet ou du sergent Bourgogne) et, ajouterons-nous, des chroniques (comme, bien plus tôt, celle de Grimmeishausen), mais Zola fut le premier à construire une œuvre littéraire en se plaçant du côté de ceux qui subissent et non de ceux qui commandent. Car Tolstoï lui-même, dans *Guerre et Paix*, a le point de vue des classes dirigeantes, et Stendhal n'a consacré qu'un chapitre de la *Chartreuse* à la bataille de Waterloo.

Zola estimait que la guerre était une absurdité, mais cet ami du peuple n'hésita pas à montrer qu'elle était un délire collectif, « une impulsion qui, le moment venu, s'empare de n'importe quel prétexte plausible » (le prétexte n'est rien, l'impulsion est tout).

Insistons là-dessus : Zola était bien ami du peuple. C'est depuis Zola, selon Bouthoul, que s'est établie une tradition tacite de la littérature française : celle de ne jamais attaquer le peuple. Mais Zola était bien davantage ami de l'individu, qu'il faut défendre contre les pressions sociales. Or il est faux que le bon peuple aime la paix. L'erreur est pourtant si répandue qu'Émile Henriot, critique au journal *Le Monde*, appelait « poncifs de gauche » les thèmes habituels, résolument pacifistes, de Jacques Prévert. Bouthoul nous rappelle que les véritables poncifs de gauche se trouvent au contraire dans des hymnes violemment combatifs, tels *Le Chant du départ, La Carmagnole* ou *L'Internationale,* dans lesquels il est toujours question de faire couler beaucoup de sang.

Durant la guerre de 14, un idéaliste comme Romain Rolland ne comprit pas l'impopularité que rencontraient ses prises de position. Parlant pour la paix, il espérait trouver plus d'écho. Mais qui veut vraiment la paix ? C'est une illusion des pacifistes de croire que tout le monde réagit comme eux. Jean Prévost, héros de la Résistance, écrivait : « L'homme ne se nourrit pas seulement de pain, il lui faut aussi des coups. » Le fait est que, de nos jours, où personne n'avoue désirer la guerre, tout État riche peut recruter des combattants en nombre illimité, soit par voie de propagande, soit en promettant de l'argent. Volontaires et mercenaires n'ont manqué d'aucun côté en Espagne, en Grèce, en Corée, en Indochine ou au Congo. Évidemment, ce ne sont pas des patriotes. Ils se recommandent plutôt d'une idéologie, d'un parti. C'est pour eux que Prévert a créé le mot « partiote ».

Bouthoul compare Romain Rolland à un aliéniste refusant d'admettre la folie. Celle-ci correspond à certains troubles somatiques. De même, les transes collectives correspondent à des structures sociales en défaut d'équilibre. Bouthoul pose ce postulat : « C'est la conjoncture qui fait les événements, très peu les hommes. » Ce que peuvent les hommes, c'est agir sur les structures sociales.

La guerre est inscrite dans notre sang. Elle est parfaitement naturelle. Le tout est de savoir si elle est souhaitable. Bouthoul désigne très bien quels complexes immémoriaux peuvent la provoquer. Il faut lire ses analyses de ce qu'il appelle les complexes d'Abraham, du Bouc émissaire et de Damoclès. Nous voyons là les passions et les peurs qui nous conduisent et comment nous les justifions. Mais il reste que la fonction principale des guerres est la résorption des excédents de population. On conçoit dès lors qu'on puisse s'effrayer que l'invention des armes nucléaires ait coïncidé avec l'explosion démographique. Notre siècle, qui est celui de la protection de l'enfance et de la fin de la mortalité infantile, sera-t-il aussi celui du plus gigantesque « infanticide différé » de tous les temps ?

Notons que la surpopulation, selon Gaston Bouthoul, qui ne manque pas d'humour, est une notion relative : en effet, nous dit-il, si les Français adoptaient le niveau de vie hindou, renonçaient à la viande, au vin et à l'automobile, et se vêtaient d'un pagne, la France pourrait avoir cinq cents millions d'habitants. Hélas, les cinq cents millions seraient vite dépassés, car ce sont les peuples les plus infortunés qui font le plus d'enfants, avec une inconscience et un égoïsme également remarquables. On mène, et l'on a bien raison, une « campagne mondiale » contre la faim, mais il faudrait mener une campagne parallèle pour enrayer la démographie galopante des pays sous-développés : elle est une menace pour l'humanité tout entière. Mais ici nous avons quitté le domaine de la littérature...

DENIS DE ROUGEMONT

Lorsqu'il publia, en 1939, son ouvrage devenu classique *L'Amour et l'Occident,* Denis de Rougemont cita un mot de Vernet, le peintre, qui vendait un tableau assez cher : « Il m'a demandé une heure de travail et toute la vie » (c'est un mot que l'on a prêté depuis à beaucoup d'autres peintres). Rougemont n'avait alors pas plus de trente-deux ans, mais il précisait qu'il avait vécu son livre toute son adolescence et sa jeunesse. Il avait mis deux ans à le préparer et quatre mois à l'écrire. Depuis, il n'a cessé de poursuivre son enquête sur les mythes de l'amour et il a publié notamment, en 1945, *Les Personnes du drame,* et, en 1954, une édition revue et augmentée de *L'Amour et l'Occident.* Puis, en 1961, ce fut *Comme toi-même,* livre qui nous oblige à d'utiles retours sur nous-mêmes, en même temps qu'il nous invite à jeter un regard nouveau sur le monde où nous vivons.

Rougemont définit le mythe comme le langage de l'âme. Il se pose ensuite la question de savoir si les mythes sont nos inventions, s'ils viennent illustrer nos actes et nos sentiments, ou bien, au contraire, s'ils gouvernent notre vie. Il est vrai que les dates de leur apparition dans la littérature mondiale nous sont connues, et que c'est à partir de leur expression littéraire qu'ils ont développé leurs pouvoirs, marquant l'irruption d'une force de l'âme dans une société donnée. Ainsi, Tristan, Faust, Hamlet et Don Juan sont les créations respectivement de Béroul, Marlowe, Shakespeare et Tirso de Molina. Mais ces grands poètes ont-ils réellement inventé ou simplement découvert leurs personnages, en prenant soudain une brutale et vive conscience de phénomènes qui se trouvaient en germe depuis longtemps dans l'homme ? Quoi qu'il en soit, ces mythes qu'on vient de citer sont antérieurs à nos problèmes individuels et, désormais, ils nous attendent, « préformant les mouvements intimes de notre sensibilité, ou déroulant devant nous les images simplifiées, ordonnatrices de nos aventures virtuelles ».

À quoi les reconnaissons-nous ? C'est une émotion particulière qui nous avertit de leur apparition lorsque, à certains moments de notre vie, nous nous sentons coïncider avec la forme ou le mouvement de l'œuvre où ils se sont incarnés. Bien entendu, cette œuvre n'est pas obligatoirement celle qui a inventé ou découvert le mythe : ce peut être une œuvre contemporaine qui l'interprète en termes de conscience moderne.

Comment agissent les mythes ? Rougemont pense que, pour le savoir, on ne saurait mieux faire qu'étudier les mythes de l'amour. En effet, les mythes de l'amour sont liés à l'expérience la plus répandue en Occident. S'il est rare que quelqu'un se compare à Faust ou à Hamlet, les garçons qui se prennent pour Tristan ou pour Don Juan sont légion. Ensuite, l'amour est lié plus que toute autre conduite, sentiment ou ambition, à son expression littéraire, musicale et picturale, c'est-à-dire au langage en général. L'amour fait parler et Rougemont note plaisamment que, semblable à la guerre des époques classiques, il n'existe qu'à partir de sa

« déclaration ». En revanche, il peut naître de sa seule évocation : d'une lecture, d'une image ou d'une chanson. Correspondant à l'action même du langage, l'action des mythes de l'amour est particulièrement lisible.

Ce qui intéresse surtout Rougemont, ce sont les problèmes de la personne aux prises avec les mythes. Si nous ne parvenons pas à reconnaître la nature et le mode d'action des mythes, nous serons simplement leur jouet : « le pantin dont une force inconnue tire les ficelles », ainsi qu'a écrit Kierkegaard.

On déplore assez généralement l'invasion dans nos vies, depuis le début du siècle, d'une sexualité qu'on qualifie d'obsédante et dont on craint qu'elle soit bien capable de faire de l'homme, plus que jamais, le jouet de ses instincts. Mais Rougemont ne croit pas qu'il s'agisse de sexualité proprement dite, c'est-à-dire instinctive et procréatrice. Il s'agit évidemment d'un « érotisme » lié à des mythes. En fait, l'instinct ne dépend pas des modes : « Ce qui se trouve libéré aujourd'hui, c'est l'expression, la manière de parler des choses de l'amour, de spéculer à leur propos ou de les montrer sur l'écran. Ce n'est donc pas le sexe, mais l'érotisme, ni la sensualité, mais son aveu public, sa projection devant nous, qui soudain nous provoque à une prise de conscience trop longtemps différée. »

La société dite victorienne avait voulu fermer les yeux sur la réalité même du sexe, interdisant d'en parler sinon sous le nom d'impureté. C'est bien pourquoi l'œuvre de Freud produisit un si énorme scandale, mais, expliquant certains troubles par le refoulement de cette sexualité, elle finit par dévaloriser la notion de censure. Elle explique la tolérance actuelle. Mais elle ne suffit pas à expliquer la vague d'érotisme elle-même. Rougemont y voit, au contraire, un grand fait psychique. C'est l'amour qui est remis en question. L'amour, dont Rimbaud écrivait qu'il était à réinventer. La pensée occidentale n'avait pris au sérieux que l'esprit et le corps : l'âme se venge, en attendant une réconciliation.

Rougemont rappelle qu'une telle révolution psychique a eu un précédent dans l'histoire, et un seul : au XIIe siècle, alors que la vie sexuelle semblait réduite à l'obscure animalité et que le mariage ne posait que des problèmes d'héritages. Le lyrisme, l'érotisme et la mystique se déchaînèrent soudain : « Subitement, voici les troubadours et la mystique d'amour, Héloïse et la passion vécue, Tristan et la passion rêvée, le culte de la Dame et le culte de la Vierge, les hérésies gnostiques ravivées et le cynisme libertin naissant, le célibat des prêtres et les lois d'Amour... »

La seconde grande révolution de l'amour, à laquelle nous assistons, doit être étudiée avec soin. Rougemont s'applique à rechercher les correspondances religieuses des attitudes décrites ou prônées par la littérature actuelle, traitant de l'amour. Il cherche « à lire en filigrane le jeu des mythes, dans les troubles complexités et les intrigues apparemment insanes de l'érotique contemporaine ». Bref, il veut comprendre au lieu de condamner. A nos puritains, il rappelle que sans l'érotisme et les libertés qu'il suppose, notre culture ne vaudrait peut-être pas mieux que celles qu'un Staline ou qu'un Mao ont tenté d'imposer par décrets : « Elle serait strictement adaptée à la production matérielle, à la procréation socialisée. »

Le livre de Rougemont est l'œuvre d'un homme dont la vocation « n'est pas de fuite, mais de prise de conscience ». Il dit encore que « notre vocation est moins d'ascèse que de transmutation ». Bref, « il s'agit de comprendre et sentir le pouvoir des mythes, puis de les traiter de la manière dont il convient à l'homme de traiter la Nature : on ne saurait lui commander qu'en obéissant d'abord à ses lois et structures ».

Comme toi-même nous offre une étude des mythes érotiques dans la culture occidentale, des considérations sur les personnages imaginaires du roman et de l'opéra, qui illustrent ces mythes, ainsi que des observations, « au sens clinique », dit-il, des personnes réelles dont le drame vécu a épousé la formule dynamique de Don Juan et de Tristan. Il nous parle ainsi de Kierkegaard, de Nietzsche et de Gide. Puis il revient au problème de la personne en soi, telle que les grandes religions la définissent ou la nient. Le livre s'achève en essai philosophique.

Rougemont nous a quittés en 1985.

JEAN GRENIER

Dans la présentation de son livre *L'Esprit du Tao,* qui est une « promenade anthologique » (1958), Jean Grenier note que les Européens s'étonnent toujours de la forme littéraire adoptée par les grands taoïstes ; c'est que nous sommes habitués à une certaine solennité dans la présentation des pensées graves. Est-il possible de présenter sous forme d'anecdotes, de dialogues et de fables une doctrine qui tient de la métaphysique, de la religion et de la mystique ?

Jean Grenier pense que notre étonnement vient d'une curieuse faiblesse : nous sommes près d'exiger, en effet, d'une pensée qu'elle soit étrangère au penseur. Si elle fait partie de lui, nous restons sur nos gardes : « On dirait qu'il y a incompatibilité entre la vérité et la vie qui met cette vérité en exercice. »

La punition d'une telle attitude est pourtant exemplaire : bien des volumes, sous prétexte de gravité, sonnent le vide. Ils ne sont que verbeux et ampoulés. Cela vient précisément de l'écart entre la vérité et celui qui la profère : « Il est triste de penser que la plupart des volumes qui traitent de l'Être suprême ne valent plus que par leur reliure. »

Ce danger reconnu a poussé quelques-uns de nos contemporains dans un excès contraire qui, malheureusement, maintient le même écart : « Seulement, cette fois, l'on se donnera et l'on essaiera de donner l'illusion de vivre une vérité, en tenant la parole en deçà de celle-ci, au lieu de la porter au-delà. » On cesse d'être amphigourique, c'est pour devenir vulgaire et plat : « Il semble que si, au milieu des occupations quotidiennes et dans les situations les plus sordides, un personnage obscur parle comme la crémière ou comme un habitué du corps de garde, il aura dit ce qu'il fallait dire de définitif sur la vie et la mort, le monde et l'existence en général ; celle-ci étant ramenée à ce qu'elle a de plus particulier pour avoir une signification universelle. »

Bien écrire serait donc réduire l'écart, éviter l'excès dans un sens ou dans l'autre. Jean Grenier estime que la littérature taoïste apporte un exemple de parfaite adéquation entre le penseur et sa pensée : « Les dialogues et les anecdotes, qui sont son moyen d'expression favori, mettent en scène des hommes dont les paroles collent aux pensées, aussi étroitement que la carapace de la tortue à sa chair. »

Les livres de Jean Grenier sont eux aussi des merveilles de justesse de ton. Nous écoutons ces livres autant que nous les lisons : un ami nous parle. La voix de Jean Grenier est une des plus précieuses dans le concert des lettres contemporaines. Familière et noble à la fois, la simplicité de ce philosophe n'est jamais affectée et son élégance est naturelle. Ce sont les problèmes les plus graves qu'il traite. Cependant, nous ne nous éloignons jamais de notre vie quotidienne. Il parle de manière claire de problèmes compliqués, laissant sa place au mystère, mais le mystère à sa place.

Un de ses ouvrages s'appelle précisément *La Vie quotidienne* (1968). Il nous invite à réfléchir sur des actes apparemment banals. Cependant, rien n'est plus révélateur de notre attitude profonde envers le monde que les gestes que nous accomplissons journellement sans penser à leur signification. Ainsi Jean Grenier nous parle de l'usage du vin et du tabac, du goût du secret, de la lecture, de la solitude, des parfums, etc. Sur chacun de ces sujets, il rassemble un faisceau de renseignements. Parfois les faits qu'il cite nous étaient connus et parfois même nous avons formulé des réflexions voisines sur leur sens, mais Grenier, en nous présentant les uns et les autres réunis dans un ordre qui lui appartient en propre, nous donne constamment l'impression de la découverte.

Un des plaisirs intellectuels les plus vifs que nous puissions connaître est assurément celui que nous éprouvons lorsque nous voyons apparaître clairement les raisons d'une activité qui paraissait d'abord machinale : le fait de comprendre nous donne une sensation de liberté. En réalité, nous jouissons à ce moment de sentir notre esprit fonctionner avec allégresse. Une des vertus de Jean Grenier est de mettre en branle notre imagination. Il n'a nulle doctrine à nous communiquer, mais il nous enseigne mille choses et, au total, un véritable art de vivre.

Les fumeurs apprendront qu'ils se livrent à des tentatives d'appropriation du monde. Tentative illusoire sans doute, mais l'illusion est là tandis que s'élève la fumée : « C'est le monde entier que j'essaie de résorber en moi et de m'approprier en le détruisant. » Le tabac est ainsi un médium. Et Jean Grenier remarque que nombre d'actes de la vie quotidienne supportent la même analyse. « Lorsque je photographie la basilique Saint-Marc, est-ce que ce n'est pas pour l'emporter avec moi et me l'approprier, et à travers elle pour m'approprier le monde ? »

Au chapitre de la lecture, Grenier déclare qu'il n'est pas vrai qu'on lise impunément n'importe quoi. Il estime qu'il y a de bonnes et de mauvaises lectures, comme il y a de bonnes et de mauvaises fréquentations. Cette remarque de bon sens nous paraît assez courageuse. Grenier la justifie ainsi : « Si vous croyez qu'il y a du bien et du mal (je veux dire : si vous agissez comme si vous le croyiez, car c'est trop facile de dire qu'il n'y a ni bien ni mal), alors vous êtes amenés à faire une discrimination entre les livres : livres à lire, livres à proscrire. Vous ne pouvez pas y échapper. » Et Grenier ajoute avec un merveilleux humour : « Une seule raison peut vous y soustraire : c'est un doute quant à la validité de votre jugement. Ce doute est improbable. »

Ajoutons que, suivant la personne consultée, le même auteur se trouve tantôt d'une lecture roborative et tantôt d'une lecture pernicieuse. On est toujours contraint à un choix. Mais prétendre que tout est égal, ce n'est pas sérieux.

Descartes parle de la lecture comme d'une conversation avec les plus honnêtes gens des siècles passés. Mais Proust pensait que la lecture, au rebours de la conversation, consiste à « recevoir communication d'une autre pensée, mais tout en restant seul, c'est-à-dire en continuant à jouir de la puissance intellectuelle qu'on a dans la solitude et que la conversation dissipe immédiatement ». Jean Grenier commente : « La lecture nous sert d'impulsion, elle nous fait sortir de la solitude sans nous embarrasser d'une société importune. »

Se soumet-on à la pensée d'autrui ? Jean Grenier note aussi que « la lecture vous invite continuellement à prendre des chemins de traverse ». C'est que l'esprit s'éveille au contact de l'esprit d'autrui et ne va pas toujours dans le sens de celui-ci. L'important est l'éveil. Jean Grenier ne cesse de nous éveiller.

XIII

Le nouveau théâtre

La plupart des essais sur un certain théâtre français du dernier après-guerre sont écrits par des étrangers. Par exemple, l'essai de Leonard C. Pronko, *Théâtre d'avant-garde,* fut écrit à Claremont en Californie, et celui de Martin Esslin, *Le Théâtre de l'absurde,* à Londres. Nous ajouterons aussitôt que quelques-uns des meilleurs écrivains étudiés dans ces ouvrages sont eux-mêmes nés à l'étranger. Il en est ainsi d'Eugène Ionesco, de Samuel Beckett et d'Arthur Adamov.

Toutefois l'ancêtre de ce « nouveau théâtre » serait Alfred Jarry. MM. Pronko et Esslin s'accordent pour donner comme une date capitale le 10 décembre 1896. Ce jour-là fut représenté *Ubu roi,* au théâtre de l'Œuvre. Dans son *Autobiographie,* le grand poète Yeats, qui était l'un des spectateurs de ce mémorable spectacle, écrit : « Nous sentant tenus à soutenir le groupe le plus animé, nous avons crié en faveur de la pièce, mais cette nuit à l'hôtel Corneille, je suis très triste... je dis... après Stéphane Mallarmé, après Paul Verlaine, après Gustave Moreau, après Puvis de Chavannes, après notre poésie, après toute notre subtilité de couleur, notre sensibilité de rythme, après la douceur des tonalités de Condor, qu'y a-t-il encore de possible ? Après nous, le dieu sauvage. »

Cela n'est pas mal vu, mais le dieu sauvage ne devait pas se manifester seulement dans le domaine de l'art : il devait apparaître aussi sur les champs de bataille de deux guerres mondiales. Et il y a, certes, un rapport entre ses deux manifestations. Un théâtre « absurde » essaya de naître après la première Grande Guerre, avec les dadaïstes et les surréalistes. Jean Cocteau fit jouer ses *Mariés de la tour Eiffel.* Antonin Artaud créa un théâtre Alfred-Jarry, où fut notamment représenté *Victor ou les Enfants au pouvoir,* de Roger Vitrac. Cette pièce (qui obtint un triomphe lors de sa reprise en 1962 par les soins de Jean Anouilh) ne trouva pas alors un public. Le nouveau théâtre devait attendre une seconde guerre mondiale pour que sa signification apparût clairement.

Martin Esslin écrit : « Notre époque a le sentiment que les certitudes et les articles de foi du passé ont été balayés, parce que, mis à l'épreuve, ils se sont démontrés insuffisants : tombés en discrédit, ils ont été tenus pour des illusions sans valeur, infantiles. Jusqu'à la fin de la Seconde Guerre mondiale, le déclin de la foi religieuse fut masqué par les religions de remplacement, telles que la foi dans le progrès, dans le nationalisme et dans les différents leurres totalitaires. Tout ceci fut pulvérisé par la guerre. »

C'est en 1942 que Camus publia *Le Mythe de Sisyphe,* où il définissait l'absurde comme le divorce entre l'homme et sa vie. Plus tard, dans un essai sur Kafka, Ionesco devait donner sa propre conception de l'absurde : « Est absurde ce qui n'a pas de but [...] Coupé de ses racines religieuses et métaphysiques, l'homme est perdu, toute sa démarche devient insensée, inutile, étouffante. »

On reconnaît là le thème majeur de notre littérature de l'immédiat après-guerre. Certes, on voit bien que les dramaturges d'autrefois n'avaient pas manqué de le traiter eux aussi. Mais ceux qu'on appelle les dramaturges de l'absurde ont su lui donner une forme plus brutale et révolutionnaire : « Pendant que Sartre et Camus apportent un contenu neuf à une convention ancienne, le théâtre de l'absurde fait un pas de plus en tentant de créer une unité entre ses postulats fondamentaux et la forme dans laquelle ils sont exprimés. »

Les dramaturges absurdes se moquent bien de nous présenter une action bien combinée, des développements logiques, des personnages à la psychologie plausible, une peinture des mœurs de l'époque. Ils ne prétendent pourtant pas à moins de vérité que leurs devanciers. En substituant aux anciennes conventions théâtrales de nouvelles conventions, ils veulent aller, au contraire, plus près de l'essentiel. Sous les débris de la vieille civilisation, ils cherchent à retrouver des vérités secrètes, les racines qui rattachent l'homme au monde. On ne retient souvent du théâtre d'avant-garde que son aspect parodique et dévastateur, la recherche poétique de mythes libérateurs n'y est pas moins importante.

Le livre de Leonard Pronko contient des études sur Beckett et Ionesco, sur Adamov (l'anti-théâtre triomphant) et Genet (le théâtre rituel). Il se termine sur une étude, « De Babel à Éden », qui nous mène du Babel de Jean Tardieu à l'Éden de Georges Schéhadé, en passant par les « Limbes » de Pichette, Ghelderode et Audiberti. Il s'agit là de ce qu'on appelle parfois le théâtre des poètes, où s'illustra également René de Obaldia.

Nous retrouvons Beckett, Ionesco, Adamov, Genet et Tardieu, dans le livre de Martin Esslin. En plus, nous trouvons une douzaine d'autres écrivains français et étrangers, tels que Boris Vian, Dino Buzzati, Edward Albee.

Franc-Nohain n'est cité dans aucun des deux livres. Il eût pourtant mérité autant que son ami Jarry d'être salué comme un précurseur du nouveau théâtre. Jean-Hugues Sainmont lui rendit hommage en 1953 dans les *Cahiers du Collège de pataphysique,* auxquels Ionesco avait confié le texte de sa *Cantatrice chauve,* et où Vian devait publier ses *Bâtisseurs d'empire.*

PARENTHÈSE FRANC-NOHAIN

Un seul des ouvrages de Franc-Nohain se trouve actuellement dans le commerce : *Poèmes amorphes,* publié par les soins de François Caradec chez Jean-Jacques Pauvert. Il s'agit de la réunion de ses deux premières plaquettes de vers : *Inattentions et Sollicitudes* (1894) et *Flûtes* (1898). Les *Inattentions* sont l'œuvre d'un très jeune poète, vingt et un ans, puisque Franc-Nohain était né le 25 octobre 1873. André Gide devait retenir trois poèmes de ce recueil pour son *Anthologie de la poésie française* disponible dans la Bibliothèque de la Pléiade.

Pourquoi poèmes amorphes, demanderez-vous ? Comme le nom l'indique, parce qu'ils n'ont pas de forme régulière et déterminée. On évoque de temps en temps Laforgue et Francis Jammes, mais, ce qui est plus curieux, on pense aussi à Jacques Prévert, et à Raymond Queneau. Par là, Franc-Nohain devrait avoir déjà sa place dans une histoire de la littérature française. Un chapitre du troisième livre du *Docteur Faustroll* de Jarry lui est consacré. Le chapitre s'intitule « De l'île amorphe » et commence par une phrase étrange, qui décrit précisément l'impression que faisaient à Jarry les poèmes de notre auteur : « Cette île est semblable à du corail mou, amiboïde et protoplasmique : ses arbres différaient peu du geste de limaçons qui nous auraient fait les cornes. » Autant dire que les vers de Franc-Nohain apparaissaient à Jarry comme du vermicelle. Cependant, dans l'île amorphe, Franc-Nohain n'est pas seul roi et, parmi ses compères, figurent Alphonse Allais, Jules Renard, et Jarry lui-même. Nous voilà, certes, en bonne compagnie.

Franc-Nohain commença une carrière dramatique en 1901, avec une pièce intitulée *Vingt Mille Âmes,* représentée par Gémier au Gymnase et que le public bouda. La pièce avait trois actes et le troisième fut coupé après la générale. Franc-Nohain déclara que, la prochaine fois, il écrirait quatre actes pour qu'en semblable occurrence « le spectacle pût supporter plus allégrement encore qu'on supprimât l'un d'eux ».

Dans *Vingt Mille Âmes,* l'action a très peu d'importance, tout reposant sur la peinture de la vie en province et surtout sur une critique du langage. Franc-Nohain avait décidé d'user de formules toutes faites, c'est-à-dire des clichés de la conversation courante. Il devait d'ailleurs publier sa pièce sous le titre *Le Pays de l'Instar* et la faire précéder d'un « petit précis de conversation franco-instar », recueil des phrases que tout un chacun prononce suivant les circonstances où il se trouve (par exemple : « pour inviter sans façon », « pour aborder les questions d'art », « pour blâmer une certaine personne », etc.).

Franc-Nohain se place ici dans une grande tradition où l'on voit l'Henri Monnier de *Joseph Prudhomme,* le Flaubert du *Dictionnaire des idées reçues,* le Bloy de *L'Exégèse des lieux communs,* et le Ionesco de *La*

Cantatrice chauve. Se moquer du langage de confection est devenu l'une des distractions les plus répandues de nos écrivains.

Un petit acte de Franc-Nohain est bien connu des amateurs de musique : *L'Heure espagnole.* Maurice Ravel l'a choisi comme livret pour un opéra bouffe où, à part le quintette final, il a sacrifié le chant à la déclamation familière, obtenant des effets comiques qui séduisent toujours.

Franc-Nohain nous a quittés en 1934. Il était devenu un des auteurs préférés des enfants, après avoir publié son *Jaboune.* Ajoutons que Franc-Nohain est le père de Jean Nohain et de Claude Dauphin qui ont tous deux connu la popularité.

Le « nouveau théâtre » qui s'est imposé dans les années 50 est maintenant intégré à notre grande tradition classique : c'est un théâtre d'auteurs. Le spectateur français, qui a étudié Corneille et Molière en classe, considère qu'une pièce, c'est d'abord un texte. On pense désormais, dans les milieux du théâtre, que la pièce n'est que le prétexte d'un spectacle. La mise en scène et l'interprétation ne sont pas moins importantes que l'œuvre même que l'on présente. Enfin, c'est ce que l'on veut nous faire croire. Dans la publicité de certains spectacles, il arrive que l'on donne le nom du metteur en scène et pas celui de l'auteur.

Autrefois, les mises en scène n'étaient pas signées. Il a fallu l'apparition de grands animateurs de théâtre (en France, Copeau et ses élèves) pour que l'on admette que la manière dont une pièce est montée compte pour beaucoup dans sa réussite. Toutefois, les animateurs de l'école Copeau (Jouvet, Dullin) entendaient servir au mieux des auteurs. Les animateurs d'aujourd'hui ne font souvent que se servir d'eux. Ils n'hésitent pas à imposer leur collaboration à Racine et à Marivaux. Sans doute faut-il voir là l'influence des mœurs cinématographiques : l'auteur d'un film, c'est le metteur en scène, et non pas le scénariste ou le dialoguiste. L'inquiétant, pour l'avenir du théâtre français, c'est que les metteurs en scène d'aujourd'hui — les soi-disant animateurs de théâtre — n'ont encore réussi à imposer aucun auteur des nouvelles générations.

Beckett (né en 1906) et Ionesco (né en 1912) auront-ils été nos deux derniers grands écrivains dramatiques ? Rappelons que c'est Jean Anouilh (né en 1910) qui, en leur consacrant de chaleureux articles, assura le succès d'*En attendant Godot* et des *Chaises.* Anouilh débuta très jeune au théâtre et fut rapidement célèbre. C'est pourquoi il fait figure d'aîné par rapport à Beckett et à Ionesco. Personne plus que lui n'a possédé le « génie des planches ». Il a manifesté un étonnant pouvoir de renouvellement et l'une de ses meilleures pièces, *Le Directeur de l'Opéra,* fut créée en 1972, alors que l'on ne parlait plus de « théâtre d'avant-garde » ni de « théâtre de l'absurde ». Mais, à cette époque, *Les Chaises* apparaissaient telles qu'il les avait saluées : comme une pièce « classique ».

EUGÈNE IONESCO

On a tellement écrit sur le théâtre de Ionesco, les critiques et Ionesco lui-même, qu'il est assez difficile désormais de regarder ce théâtre avec des yeux innocents, de l'écouter avec d'innocentes oreilles. Les commentaires nous empêchent souvent de rêver en toute liberté, et c'est pourtant de rêve et de liberté qu'il s'agit d'abord pour Ionesco : il s'agit de poésie et d'invention. Ses propres articles sur son œuvre sont d'ailleurs nés le plus souvent d'un besoin de protester contre des interprétations abusives. Beaucoup de critiques prétendent expliquer les intentions de l'auteur, donner le sens des fables qu'il nous propose, comme si un texte poétique était un texte en langue étrangère dont on puisse donner l'exacte traduction. Pour le créateur, les choses se passent tout autrement : telle histoire vient l'habiter, réponse aux provocations du monde extérieur, et qu'il raconte de telle manière parce que c'est ainsi et pas autrement que son imagination fonctionne. C'est ce fonctionnement de l'imagination qui devrait d'abord intéresser le critique.

Ionesco a souvent confié que, lorsqu'il entreprend une pièce, il n'a lui-même aucune idée de ce qu'elle va être : « J'ai des idées *après* », dit-il.

Le point de départ est un état affectif. Jamais Ionesco n'a voulu illustrer une idéologie, encore moins indiquer à ses spectateurs la voie du salut. Il a d'ailleurs souvent exprimé sa méfiance et même son opposition à toutes les religions et idéologies qui lui paraissent de beaux prétextes que s'invente l'homme pour s'abandonner à son agressivité fondamentale. Ionesco tient pour ennemis de l'humanité tous ceux qui veulent son salut ou son bonheur. Ionesco veut seulement s'exprimer : il ne nous délivre pas un message, il nous découvre un monde.

Du reste, ce qui l'intéresse, c'est notre condition d'hommes que des révolutions sociales ou politiques ne parviendraient que partiellement à améliorer. Il ne croit pas qu'une révolution puisse rien changer à la nature de l'homme et à la nature du monde ; il ne croit pas qu'on puisse jamais, par exemple, cesser d'aimer ou cesser de craindre la mort. Ce sont des thèmes fondamentaux sur lesquels sont construites toutes les œuvres durables. Et c'est en lui-même que Ionesco en cherche l'illustration : « Chacun de nous étant tous les autres, c'est au plus profond de moi-même, de mes angoisses, de mes rêves, c'est dans ma solitude que j'ai le plus de chance de retrouver l'universel, le lieu de rencontre. »

Ionesco est un poète parce que, dans sa solitude, ce sont des images qui viennent le visiter, tantôt bouffonnes, tantôt tragiques. Son théâtre est plein de symboles, mais l'image a précédé la signification. Les idées apparaissent toujours sous une forme concrète : jamais rien de schématique chez Ionesco. Telle situation vient s'imposer à lui, telle scène qui va donner naissance à une autre scène, et toutes ces scènes s'enchaînent dans un mouvement vif. Les personnages ne sont pas seuls à jouer un rôle : les objets se mettent à vivre et les décors eux-mêmes s'animent. Le théâtre de Ionesco ou les mystères de l'Incarnation. La pièce peut finir en plein ciel, comme dans cet *Amédée* qui précédait *Le Piéton de l'air.*

Si Ionesco se soucie peu de la signification politique de ses pièces (ou ne s'en soucie qu'après les avoir écrites), il ne se soucie pas davantage de psychologie ou de logique, ou c'est une logique devenue folle comme les mots étaient devenus fous dans la *Cantatrice :* c'est une logique qui peut être comparée à celle qui préside au déroulement de nos rêves. Nous subissons l'enchaînement dramatique d'une pièce de Ionesco sans plus discuter que lorsque nous faisons un rêve : c'est dire qu'il a su retrouver quelque chose de vraiment essentiel et qui échappe à l'intelligence courante. Par là nous pouvons le dire poète, mais nous sommes loin aussi de l'habituel théâtre poétique et peut-être, à propos de pièces comme *Les Chaises* ou *Le roi se meurt,* faudrait-il parler d'un théâtre métaphysique. C'est une interrogation passionnée sur le sens de notre agitation. Aucun réalisme chez Ionesco, car l'utilisation du quotidien intervient toujours à des fins burlesques, et toutefois il nous est impossible de ne pas nous reconnaître dans les fantoches qui nous sont présentés. Nous comprenons parfaitement Ionesco quand il déclare : « L'œuvre d'art n'est pas le reflet, *l'image* du monde, mais elle est *à l'image* du monde. »

Elle n'est pas tant une réplique qu'une riposte.

Avec *Rhinocéros,* nous entrons dans un univers envahi par des idéologies auxquelles Ionesco se montre rebelle. « *Rhinocéros* est sans doute une pièce antinazie, précise-t-il dans une préface pour une édition scolaire américaine, mais elle est aussi surtout une pièce contre les hystéries collectives et les épidémies qui se cachent sous le couvert de la raison et des idées. »

On y voit Bérenger, un brave garçon qui s'inquiète de voir tous les gens autour de lui se transformer en animaux cornus. Qu'est-ce que cela signifie ? Quelle est cette étrange maladie dont les victimes satisfaites prétendent appartenir à une race de seigneurs et galopent à travers la ville, grotesques et terrifiantes ? Bérenger se rend bien compte que s'il est seul à demeurer un homme, il sera bientôt dénoncé comme un monstre. Aussi bien connaît-il la tentation de s'aligner sur les autres ; mais cela lui est impossible : il deviendra donc un héros, le résistant à la « massification ».

Ionesco a montré, dans *Tueur sans gages,* une incarnation du Mal plus terrifiante encore que dans *Rhinocéros.* Il ne s'agit plus de tueurs au service d'une idéologie. Ce tueur-ci n'est apparemment au service de personne et ses crimes sont apparemment gratuits : il n'oppose qu'un ricanement aux raisonnements par lesquels Bérenger essaie de le fléchir. Ici nous retournons au théâtre métaphysique.

Le théâtre de Ionesco est un théâtre tragique. Il nous propose parfois des images presque insoutenables de notre condition et nous ne les accepterions peut-être pas si, dans le même temps où il nous les montre, Ionesco ne nous apprenait à en rire pour avoir le courage de les surmonter. Il nous apprend autre chose encore : démontrant les apparences du monde, il nous laisse supposer que celui-ci possède une dimension d'ordinaire insoupçonnée et qui permet à l'on ne sait quel espoir de refleurir contre toute raison. Dans un monde qui a la consistance d'un rêve, tous les miracles restent possibles.

JEAN ANOUILH MÉMORIALISTE

Il y a quarante ans, Jean Anouilh déclarait : « Je n'ai pas de biographie et j'en suis très content. » Cette phrase a été beaucoup citée. Anouilh s'est longtemps refusé à toute confidence sur sa vie. « J'ai un métier, disait-il encore, et je compose des actes comme d'autres fabriquent des chaises. » Il demandait que journalistes et critiques se contentent d'examiner ses pièces et de décider s'il était ou non un bon artisan.

Quand on admire beaucoup un écrivain, on aime pourtant savoir quel homme il est, quelle éducation il a reçue, comment sont nées ses œuvres. Aussi bien nous fûmes heureux d'apprendre qu'Anouilh s'était enfin décidé à écrire ses Mémoires. Mais attendions-nous qu'il commence son récit par : « Je naquis à Bordeaux le 23 juin 1910 » ? Ce n'est pas là une phrase d'homme de théâtre. Or Anouilh demeure écrivain dramatique même lorsqu'il écrit pour des lecteurs et non pour des spectateurs. Ses souvenirs s'ouvrent sur la « formule mystérieuse » qui sert de titre à l'ouvrage : *La vicomtesse d'Eristal n'a pas reçu son balai mécanique* (1987). Voilà qui éveille tout de suite votre curiosité.

Le sous-titre du livre nous avertit d'ailleurs que nous n'allons pas lire une autobiographie classique, mais quelques « souvenirs d'un jeune homme ». Jean Anouilh a entrepris de retracer les grandes lignes de ce qu'il appelle sa « vie active », de 1928 où il était élève de philo au lycée Chaptal, à 1944, lors de la reprise d'*Antigone* dans Paris libéré. Pourtant, dans un dernier chapitre, en supplément à son programme, il nous raconte quelques anecdotes de scène relatives à la création après-guerre de trois de ses pièces majeures : *L'Alouette, Becket* et *Pauvre Bitos*. Ce sont des anecdotes drôles, l'auteur voulant nous quitter dans la bonne humeur.

En vérité, tout le livre est écrit d'une plume légère : Anouilh n'est pas homme à vouloir nous attendrir sur les difficultés qu'il a rencontrées au début de sa carrière et sur les heures pénibles qu'il a connues. Il rapporte des choses vues et entendues, organisant son récit en une suite de courtes scènes si révélatrices de divers milieux et de toute une époque qu'il n'a pas besoin de les commenter. Un souvenir en appelant un autre, Anouilh ne respecte pas toujours la chronologie, ce qui donne à l'ensemble une allure de monologue très naturelle.

Après le lycée Chaptal, le jeune Jean s'inscrivit à la faculté de droit. Il s'y ennuya vite et, ne voulant pas rester à la charge de son père « qui était pauvre » (pas d'autre détail), il se mit à lire les petites annonces. Il trouva un emploi aux Grands Magasins du Louvre au service des « réclamations ». La première affaire qu'on lui confia était relative à un balai mécanique que la vicomtesse d'Eristal avait payé et qu'on ne lui avait pas livré. Il entra ensuite dans une agence de publicité — la publicité était à ses débuts — et c'est là qu'il eut comme collègues Prévert, Grimault, Georges Neveux et Jean Aurenche auquel il se lia et qui lui fournit l'idée de son premier texte de théâtre, *Numulus le muet.* Il écrivit ensuite le merveilleux *Bal des voleurs* qui fut refusé par tous les directeurs du Boulevard et ne devait être joué que neuf ans plus tard. Pour se rapprocher du monde du théâtre, Anouilh quitta l'agence de publicité pour devenir, sur recommandation de Neveux, secrétaire général de la Comédie des Champs-Élysées, dont le patron était Louis Jouvet. Le titre de secrétaire général était ronflant, mais le travail dont il était chargé consistait surtout à lire des manuscrits et à composer la salle lors des générales. Anouilh abandonna son poste quand vint le moment du service militaire.

On s'est beaucoup interrogé sur les relations Jouvet-Anouilh. On s'est étonné que Jouvet n'ait pas pressenti qu'Anouilh allait être le plus brillant dramaturge de la génération montante. « Tu comprends, mon petit Jean, lui dit-il un jour, tes personnages sont des gens avec qui on ne voudrait pas déjeuner. » Anouilh répondit : « Croyez bien qu'eux non plus ne voudraient pas. »

C'est grâce à Pierre Fresnay que *L'Hermine* fut jouée (en 1932) et c'est Pitoëff qui monta *Le Voyageur sans bagage* (1937). Entre ces deux pièces, Anouilh connut le four de *La Mandarine* (1933) et la curieuse aventure de *Y avait un prisonnier* (1935), pièce acceptée par Marie Bell qui lui demanda tant de modifications qu'il finit par ne plus savoir ce qui était de lui dans la version enfin représentée. « Inutile de dire que je n'ai jamais publié la pièce », nous assure-t-il (p. 100). En quoi il commet un curieux oubli : elle a paru dans *La Petite Illustration* du 18 mai 1935. J'ai la brochure sous les yeux et, parcourant la revue de presse qui l'accompagne, je trouve un extrait d'un article de Robert Brasillach (qui collaborait alors à un magazine intitulé *1935*) : « C'est de beaucoup ce que nous avons vu de plus original depuis longtemps. M. Jean Anouilh est le seul auteur dramatique de sa génération et il a beaucoup de talent. »

Anouilh avait beaucoup de talent, mais il connut des périodes de grande misère, avec sa femme Monelle Valentin et leur petite chienne caniche : « Il nous arrivait souvent d'acheter quelque chose pour la chienne et de ne rien manger nous-mêmes. » Il vivotait de gags, nous dit-il, à cent francs le gag, pour la Gaumont. Il note les occasions qu'il eut de devenir un révolté, mais il n'avait pas cette vocation-là. Il raconte avec beaucoup de drôlerie son passage dans les milieux de cinéma, où il rencontra des personnages hautement pittoresques.

En 1938, *Le Bal des voleurs,* grâce à André Barsacq, connut enfin les feux de la rampe et enchanta le public. La misère paraissait vaincue, et l'avenir, assuré. Grande illusion, car allaient commencer les « temps héroïques » : Anouilh raconte sa mobilisation en 1940, comment il fut fait prisonnier, comment il réussit à échapper à ses geôliers. Le chapitre est le plus long du livre et tient à la fois de Courteline et de Kafka.

Dans Paris occupé, Anouilh retrouva André Barsacq, devenu directeur du théâtre de l'Atelier que Dullin venait d'abandonner pour diriger le théâtre Sarah-Bernhardt, rebaptisé théâtre de la Cité. On reprit *Le Bal des voleurs,* on créa *Le Rendez-vous de Senlis,* qui fut un succès, puis *Roméo et Jeannette,* qui fut un four, *Eurydice,* à nouveau un succès, et, au début de 1944, *Antigone,* qui obtint un triomphe dans une salle non chauffée, où certains spectateurs portaient des passe-montagnes. « Mais c'était le bon temps du théâtre, dit Anouilh, on avait besoin de se réunir et pas tellement de s'amuser à des gaudrioles. »

Cependant, *Antigone* prêta à controverses. *Les Lettres françaises* clandestines écrivirent que c'était « une pièce ignoble, œuvre d'un Waffen S.S. ». Anouilh nous dit que l'on attribua cet article à André Breton. À mon avis, on se trompait car Breton se trouvait alors à New York. La vérité est qu'Anouilh ne manquait pas, à Paris, de confrères jaloux de son succès et satisfaits de rappeler qu'en 1940 il avait donné en prépublication sa pièce *Léocadia* à *Je suis partout.* Il répondait à une demande de Brasillach et je suppose qu'il voulait marquer sa sympathie à ce critique qui l'avait toujours soutenu plutôt qu'au directeur d'un hebdomadaire engagé. La pièce, en tout cas, était tout à fait étrangère à la politique. Mais on accusa l'auteur d'être lié à Brasillach, alors qu'il ne l'avait rencontré que deux fois, et encore par hasard, avant-guerre. Rappelons également que des collaborateurs du *Je suis partout* de 1940 passèrent ensuite à la Résistance. Anouilh, lui, reconnaît que, quand fut créée son *Antigone,* il ne savait à peu près rien de cette Résistance.

Les quelques pages qu'il consacre à la libération de Paris sont dans le ton de Marcel Aymé. Nous ne doutons pas qu'il ne raconte avec une parfaite honnêteté ce qu'il a vu. Il avoue qu'à la reprise d'*Antigone* il connut la peur. Allait-il être applaudi ou sifflé ? Il fut dédouané (comme on disait alors) par le général Kœnig, qui assista à la soirée et qui, à la fin, debout dans son avant-scène, s'écria : « C'est admirable ! » Le public se sentit autorisé à applaudir.

En lisant ces souvenirs, nous avons pu nous former une idée de l'homme qu'est Anouilh. On regrette son silence sur sa famille et son enfance. « Mon enfance est un trou noir », affirme-t-il (p. 119) et on a du mal à le croire. On soupçonne que dans ce trou noir se cache l'origine de plus d'une de ses pièces. Il ne nous dit rien non plus de sa vie sentimentale, ce qui est très honorable, mais rien non plus de ses auteurs préférés. Il aurait dû reprendre ici les pages qu'il a consacrées à ses rencontres avec Cocteau et Giraudoux. On les trouvera en annexe à l'essai que lui a consacré Pol Vandromme, en 1965. Elles annonçaient l'excellent mémorialiste qu'il est devenu aujourd'hui.

XIV

Vagabondages

Les écrivains que nous réunissons dans ce chapitre ne sont pas des rêveurs en chambre. Ils aiment bouger. Ils peuvent être de simples promeneurs, dans les rues d'une ville ou dans une campagne familière, ou bien des chercheurs d'aventures en des pays lointains. Tous ont en commun le goût de l'imprévu, du changement et des découvertes. Ils sont curieux des êtres et des choses.

Plus que des romanciers, ce sont des conteurs. Certains nous racontent des histoires véritables et d'autres ne cessent de fabuler. L'important, c'est la musique qu'ils nous proposent.

ANDRÉ DHÔTEL

D'ordinaire, dans les familles, on n'encourage pas les vocations artistiques. Le jeune héros du roman *Des trottoirs et des fleurs* (1981) se plaint au contraire que son brave homme de père le pousse à exploiter les dons qu'il lui reconnaît. Certes, par jeu, il a pu peindre une fresque exotique sur le mur de la cour de la maison et il est habile à dessiner des fleurs sur les trottoirs, mais il n'éprouve aucun désir de s'inscrire dans une école spécialisée pour devenir une espèce de professionnel. Il est tout à fait satisfait du petit emploi qu'il exerce chez un oncle photographe.

Léopold a un ami intime, qui se prénomme Cyrille et qui travaille au service des faits divers d'un quotidien régional. Pour sa part, Cyrille se refuse à entreprendre la carrière de romancier à laquelle sa sœur le croit destiné. Il préfère jouer aux cartes ou courir les routes sur sa moto.

Les deux amis sont-ils simplement des paresseux ? « Bien au contraire, dit le père de Léopold à la sœur de Cyrille, ils s'agitent suffisamment quand il leur prend envie. Ils font des courses impossibles à droite et à gauche. » La vérité est que les deux garçons ne manifestent aucun désir de réussite sociale. Mais ils ont le goût de l'aventure et attendent on ne sait quelle révélation sur le sens de la vie. Ils ne sont certes pas des intellectuels, ils se laissent conduire par leur sensibilité et non par leur raison. A ce propos, Léopold a inventé une parabole : « Tu te rappelles l'histoire d'Adam. Il s'est fait sortir du paradis pour avoir voulu goûter au fruit de la connaissance. Mais quand un élève ne veut pas goûter au fruit de la connaissance, on lui enjoint de quitter la classe. On le met dehors, mais c'est le contraire d'Adam. Dehors, c'est le paradis. »

Léopold entend « rester dehors », refusant de sacrifier son simple plaisir d'exister à des ambitions qui lui paraissent vaines et mensongères. Il lui faudra une belle obstination pour maintenir son exigence de liberté, car il s'éprendra d'une nommée Pulchérie, qui, une fois qu'ils seront mariés, voudra l'obliger à exploiter ses fameux dons. Il lui résistera, comme il a résisté aux bons conseils que lui prodiguait son père. Ce ne sera pas sans fâcheries plus ou moins dramatiques, qui nous sont rapportées avec beaucoup de cocasserie.

L'éditeur nous dit que « ce roman est peut-être celui où André Dhôtel révèle enfin sa pensée intime ». En vérité, Dhôtel n'a jamais inventé d'histoires pour nous communiquer des pensées. Il conte pour le plaisir de conter. Il nous fait partager son émerveillement devant les innombrables curiosités que l'on découvre au cours d'une simple promenade, ou bien son amusement devant les bizarreries des gens. A partir de données réalistes précises, il a inventé un monde de fantaisie poétique aux couleurs de l'espérance, laquelle n'est rien d'autre qu'une fabuleuse confiance dans la vie.

Dans un recueil intitulé *Terres de mémoire,* il nous a livré quelques souvenirs d'enfance et de jeunesse. Il nous parle surtout de ses paysages d'élection et de la manière dont il aime musarder. S'il nous confie ses premières impressions de lecteur, il se tait sur sa vocation d'écrivain. Elle semble avoir été tout autant contrariée que celle de Léopold. A quarante-trois ans, Dhôtel n'avait encore publié qu'un court récit chez Gallimard, une plaquette de poèmes (parue à Lille) et un essai sur Rimbaud (paru à Mézières). Ce ne serait pas étonnant, s'il n'était devenu l'auteur d'une œuvre abondante qui ne compte pas moins d'une soixantaine de titres, c'est-à-dire plus d'un volume par an pendant plus de quarante ans.

Il appartient à la même génération que Marcel Arland, René Crevel, Georges Limbour et Roger Vitrac. Le hasard voulut d'ailleurs qu'il rencontre ces quatre écrivains — ou plutôt futurs écrivains — en 1920 à la caserne de Latour-Maubourg. Ils firent tous partie du même peloton d'élèves aspirants et partagèrent la même chambrée. Ils créèrent ensemble une petite revue littéraire qui eut trois numéros. Puis Dhôtel, rendu à la vie civile, devint professeur en province et à l'étranger (en Grèce), tandis que ses camarades se lançaient dans la mêlée littéraire parisienne. Il aurait dû trouver plus de temps qu'eux pour écrire. Probablement lui suffisait-il de vivre, comme Léopold. Et c'est lorsqu'il cessa d'être aussi jeune que Léopold qu'il prit la plume pour accomplir le miracle de rester toujours jeune : tous ses héros principaux sont des adolescents ou de très jeunes gens, et il fait cause commune avec eux.

HENRI THOMAS

À deux reprises, dans ce volume, j'ai cité le premier roman d'Henri Thomas, *Le Seau à charbon,* qui parut en 1940. C'est un « roman de collège » comme le *Fermina Marquez* de Larbaud et *Les Amitiés particulières* de Peyrefitte, mais on n'y trouve ni séduisante petite étrangère ni liaisons entre pensionnaires.

L'action se déroule dans un collège vosgien, avant la guerre. C'est une suite de scènes très vivantes où sont présentés les professeurs et les élèves, mais aussi les autorités administratives et le petit personnel. Henri Thomas a composé une galerie de « portraits en mouvement ».

Voici M. Fresson, le principal, marié et père de famille, qui, à la veille de la retraite, est saisi par le démon de la luxure, sans trouver le moyen de le satisfaire. M. Dumont, le professeur de lettres, écrit des livres d'histoire locale, mais, souffrant d'eczéma tenace, il remet sa vie en question et se met à envier d'anciens camarades qui ont fait carrière à Paris et à l'étranger. Voici maintenant Klaus Lee, le professeur de gymnastique, un juif allemand réfugié qui, pour soutenir la cause d'un élève rebelle, n'hésitera pas à perdre la place que lui a value la protection du maire socialiste. L'élève rebelle, c'est le pensionnaire Paul Souvrault, qui rêve d'horizons lointains, n'en peut plus de se sentir prisonnier et fait une fugue. Hélas ! le jour où il s'enfuit du collège, un vieil employé alcoolique se tue en tombant dans l'escalier d'une cave et, quand on découvre son corps, on constate que la paie qu'il venait de toucher a disparu de son portefeuille. On n'apprendra jamais que c'est le pensionnaire Roger Tessier qui l'a volée. Ce gros garçon mal à l'aise dans sa peau a beaucoup d'autres activités coupables, comme d'envoyer des billets anonymes. Il est parvenu ainsi à terroriser un jeune et timide garçon de salle, qu'il a surpris mettant l'œil à la serrure de la porte de la lingère.

Tous ces personnages si divers et d'autres encore que le collège rassemble sont peints par petites touches précises et l'auteur mêle leurs aventures avec beaucoup d'ingéniosité et de naturel. Un petit univers provincial est recréé dans ce roman où les révoltes et les élans de Souvrault apportent le souffle vivifiant d'un romantisme adolescent.

Nous avons parlé de « scènes très vivantes ». Thomas s'applique à décrire des « moments » plus qu'à retracer le déroulement d'une « action ». Aussi bien excelle-t-il dans la nouvelle plutôt que dans le roman.

Son premier recueil s'intitule *La Cible* (1955). Les nouvelles de ce volume peuvent apparaître comme différents moments d'une existence. À l'exception des deux dernières, elles sont d'ailleurs écrites à la première personne et pourraient facilement être lues comme des souvenirs. Mais il importe peu de savoir si le « je » est celui de l'auteur, ou bien si ce ne sont pas encore des souvenirs qui sont rapportés dans les deux dernières nouvelles. Les souvenirs ne sont jamais qu'une matière première et ce n'est pas quand ils sont le plus transposés qu'ils sont le moins révélateurs.

Les deux premières nouvelles rapportent deux éblouissements de l'enfance. Dans *Le Sermon,* un enfant sent l'inspiration s'emparer de lui : « Comme je passais sur le pont et regardais les eaux de la rivière se précipiter vers le barrage de la centrale électrique, tandis que le vent qui s'engouffre toujours dans le couloir de la rivière baignait mon front (je tenais ma casquette à la main), j'eus brusquement l'idée d'un sermon : non pas un sujet de sermon, non pas un thème à développer en chaire, mais simplement l'idée qu'un sermon pouvait se former ailleurs que dans la tête de l'abbé Bertrand. »

Dans *La Barque,* le plaisir fond sur un adolescent : « J'étais perdu dans une joie qui vivait à ma place et guidait mes gestes [...] Je crois que ces instants ont été, d'une certaine façon, les plus importants de ma vie. Je cessais, sans le savoir, d'avoir honte de " la chair ", j'étais jeté dans quelque chose de parfait. »

Oui, *Le Sermon* et *La Barque* sont le souvenir d'instants parfaits. Entre le narrateur et le monde se produisent un échange et un accord. On remarquera qu'il s'agit de deux nouvelles de plein air.

Vient ensuite *Harry,* étrange petit chef-d'œuvre où apparaît le thème de la folie, lequel sera repris dans la dernière nouvelle, intitulée *Une cathédrale.* Ce sont deux histoires oppressantes. L'accord entre le monde et l'homme est rompu. Des puissances mauvaises surgissent, s'emparent de certains personnages et nous font douter des apparences rassurantes du monde. Les choses deviennent hantées.

Le héros d'*Une cathédrale,* Louis Drague, est un poète visionnaire qui parle comme Antonin Artaud : « N'admirez pas cette rosace ; évitez même de la regarder, elle sue des maléfices par tous les joints. Il y a dans cette rosace un homme prisonnier, encastré, arc-bouté vivant pour que ça tienne, et ça tient... ça tient... »

Louis Drague apporte le trouble dans la vie des autres et, pour l'avoir rencontré, une jeune femme voit toute son existence bourgeoise menacée.

Quant à Harry, c'est un jeune garçon qui collectionne avec amour des squelettes d'oiseaux et de rongeurs. Il pense à son propre squelette qu'il pourrait peut-être offrir à un être cher. Sa mère malade le maintient et l'encourage dans ses rêveries morbides.

Harry est une nouvelle anglaise. Il en est deux autres dans le recueil : *Dominique* et *La Deuxième Personne.* Ce sont deux nouvelles nocturnes, qui s'opposent au *Sermon* et à *La Barque,* nouvelles matinales. Dans *Dominique,* une amie du narrateur est attaquée par le satyre de Londres : « Il n'a pas de traits, son visage est une blancheur béante. Il ne fait jamais qu'un seul geste, mais d'une force, d'une sûreté terribles. Il projette sa victime en arrière, dans la nuit qui est un gouffre, dans le passé et là quelqu'un la happe et l'emporte. »

Dans *La Deuxième Personne,* le narrateur fatigué suit une petite prostituée dans un taudis. Et c'est sa méditation, au retour, qu'il nous livre : « Tes amarres dans le bien et le mal se croisent, s'embrouillent ; tu les démêles d'une main engourdie... » C'est à lui-même qu'il s'adresse (d'où le titre). Et il termine : « Mais c'est la glu ces pensées. Tu commences à te défendre. J'en connais même qui t'envieront si tu leur racontes l'histoire comme il faut. »

Deux autres nouvelles nous introduisent dans le domaine du fantastique. On y entre de plain-pied. Dans *Les Disparitions,* le narrateur évoque les absences de la jeune femme qui partage sa vie : « Ce soir-là, elle se couchait très tôt, en bâillant férocement. Je ne dormais pas de la nuit, sauf deux ou trois minutes : celles où elle disparaissait. »

Dans *Sur les toits,* une jeune femme, dans un hôtel, vient chez son voisin quêter de l'aide contre un homme qui la regardait par la fenêtre, sans s'apercevoir que son voisin est cet homme même : « Or je suis modérément chimérique, j'ai même des qualités d'observateur. Qui a-t-elle vu ? »

Les trois autres nouvelles nous rapportent des scènes d'une espèce de vie de bohème que mènent des jeunes gens, entre la Bastille et Notre-Dame, en attendant que la gloire leur tombe du ciel. Et l'on aime à lire une phrase comme : « On était tranquille, on était bien. » (P. 136.)

Enfin, voici *La Cible* elle-même. Sujet : une jeune fille et deux amis. Elle éblouit l'un. C'est l'autre qu'elle choisira. Dans cette nouvelle, l'auteur semble croire à l'influence des astres : Lucien est né sous une bonne étoile et tout lui réussit. S'il tire à la carabine dans un stand de foire, il place toutes ses balles dans le noir, par chance. « Une chance folle ! », dit la bande publicitaire du livre. Et l'ami Georges ne peut que s'incliner.

Cette nouvelle a cette tendresse déchirée, ce désespoir pudique de quelques poèmes de l'auteur.

Un autre recueil de nouvelles de Thomas a paru sous le titre *Histoire de Pierrot et quelques autres* (1960). Les deux meilleures sont sans doute la première, qui donne son titre au volume, et la dernière : *André Mauplat, esquire.* La première est un récit, et la dernière, une succession de notes composant un portrait. Elles ont un point commun : elles semblent écrites en marge du roman *Les Déserteurs* (1951), où Thomas étudiait la métamorphose qui se produit un jour chez l'homme mûr, étonné de découvrir qu'il se laisse dévorer par son entourage le plus cher et par la société. On trouve toujours une place dans le monde (les inadaptés complets sont rares), mais si l'on s'y installe, il n'y a bientôt plus là, à cette place, que l'ombre de soi-même. On est vite transformé en pantin social, si l'on n'y prend garde. Est-ce un bien ? Est-ce un mal ? Il est dangereux de se le demander. C'est certainement une inquiétude de cet ordre qui pousse André Mauplat, artiste peintre, à disparaître périodiquement : il est vrai que cet homme est « couvert de femmes », comme disait Drieu La Rochelle. Hésitant entre plusieurs ménages, il choisirait enfin la solitude, si la maladie ne fondait pas sur lui : s'il garde une femme près de lui, elle se trouve réduite à un pitoyable état de garde-malade. Atroce destinée.

Quant au héros de la première nouvelle, le frère du narrateur et l'ami de Pierrot, c'est un simple boulanger. Mais les boulangers, eux aussi, connaissent parfois d'étranges bonheurs, en marge des conventions sociales. C'est la guerre qui oblige celui-ci à quitter sa famille et ses habitudes. Il se retrouve en Corse, en juillet 1940, attendant sa démobilisation en flânant dans l'île. Il découvre la liberté, gaieté et insouciance mêlées. Plus tard, de retour au pays natal, il ne pourra pas le dire : « Comment dire, devant sa femme, que s'il s'était trouvé si heureux, à l'improviste, c'était tout simplement qu'à ce moment il l'avait un peu oubliée, elle et les enfants ? » Notre brave boulanger gardera son secret. Il reprendra sa vie d'autrefois, en pensant à une autre vie qu'il a pu pourtant faire mieux qu'entr'apercevoir un jour.

Dans ce recueil, on trouve surtout des nouvelles dont l'action se situe en Corse. Cependant l'*Histoire d'une bague* nous conduit dans l'Allemagne hitlérienne (elle est faite de pages de carnets). Et, de même que *Mauplat* est une nouvelle anglaise, *La Dame* est une nouvelle américaine, d'un humour triste très particulier.

Thomas tient des carnets — il ne dit pas : un journal — dont il a publié des fragments sous des titres divers : *Le Porte-à-faux* (1949), *Sous le lien du temps* (1963), *Le Migrateur* (1983). Il ne nous livre pas ses notes dans l'ordre chronologique où elles furent écrites. Là aussi, ce qui l'intéresse, ce sont des moments et non le déroulement d'une vie.

Il considère ses poèmes eux-mêmes comme l'expression — ou la cristallisation — de moments privilégiés. Son dernier recueil de vers fournit une belle illustration de son art poétique. Le titre *À quoi tu penses* (1980) n'est pas suivi d'un point d'interrogation. Thomas ne nous interroge pas. Il nous livre les réponses à des questions qu'il s'est posées à lui-même, ou plutôt des réflexions et des images qui lui sont passées par la tête dans ses flâneries. Ce recueil ressemble à un carnet intime. S'il contient de véritables poèmes comme « Roi misère » et « Maison d'enfance », on y trouve beaucoup de bribes poétiques (cinq ou six vers seulement).

L'attention au réel, jointe à la rêverie, caractérise la poésie d'Henri Thomas. Elle est nostalgique et parfois grinçante mais elle est ailée parce qu'elle chante, ce qui devient bien rare chez les poètes d'aujourd'hui. La parenté est évidente avec Verlaine.

Quand il m'arrive de souffrir de maux de tête, je me récite, pour me donner courage, un poème de *Signe de vie :*

il voulait être sur la tour
où sa douleur comme un turban
serait défaite par le vent
qui tourbillonne au point du jour

De telles réussites musicales ne sont pas rares dans l'œuvre d'Henri Thomas.

GEORGES NAVEL

Pendant la dernière guerre, l'auteur dramatique Paul Géraldy, qui s'était retiré dans les Maures, employa quelque temps un journalier pour des travaux de jardinage. Une amitié allait naître entre les deux hommes. Géraldy était enchanté par les propos de son jardinier : grand bourgeois vivant de sa plume, il admirait la sagesse d'un prolétaire qui vivait de ses mains. Il finit naturellement par le pousser à écrire un livre de souvenirs. Ainsi devait naître le volume intitulé *Travaux,* de Georges Navel, qui parut en 1945 avec une préface de Géraldy. Cette rencontre Géraldy-Navel devait beaucoup surprendre. Rappelons que, outre ses pièces, Géraldy est l'auteur d'un recueil de poèmes qui connut une fortune extraordinaire et dont le titre était déjà une jolie trouvaille : *Toi et Moi.* C'est là que se trouve le vers si souvent cité : « Baisse un peu l'abat-jour. » Paru en 1913, *Toi et Moi* n'a cessé d'être réédité. Nul poète contemporain n'a été autant lu sinon Jacques Prévert.

Il n'est pas question d'abat-jour dans *Travaux,* qui raconte la rude vie d'un ouvrier des villes et des champs. Le grand mérite de Géraldy est d'avoir été sensible à une poésie si différente de la sienne et même d'avoir compris tout de suite que Navel était un poète. C'est-à-dire que Navel n'avait pas seulement une expérience précieuse à nous communiquer, mais qu'il usait des mots avec un constant bonheur d'expression. Son style est d'une simplicité et d'une exactitude exemplaires. Ainsi se traduit l'honnêteté en littérature. Georges Navel, treizième enfant d'une famille ouvrière, naquit au début du siècle dans un village voisin de Pont-à-Mousson, où son père travaillait comme manœuvre aux fonderies. Le prolétariat des usines était à l'époque composé de paysans sans terre et de paysans ruinés par le phylloxéra ! Mais ces prolétaires de la grande industrie restaient pour un quart paysans, car, en dépit de journées de onze à douze heures à l'usine, ils étaient contraints, pour joindre les deux bouts, de faire pousser eux-mêmes leurs légumes. Ainsi, dès son enfance, Navel connut à la fois l'usine et la campagne. Et il se sentirait à l'aise ici et là. La guerre de 1914 le transplanta de son village natal à Lyon où il commença de travailler à moins de quinze ans dans un atelier d'étamage.

Quand nous disons « se sentir à l'aise », n'entendons pas qu'il trouvait satisfaisantes les conditions d'existence qui lui étaient imposées. Dès ses débuts d'ouvrier, son frère aîné, réformé, l'avait entraîné à des réunions syndicalistes et il était parfaitement conscient des changements qui devraient survenir pour que les prolétaires cessent d'être les esclaves du monde moderne. Mais il parle du « bonheur d'être habile », de l'allégresse qu'on ressent à réaliser une tâche avec un savoir-faire « qui vous confère une sorte de seigneurie ».

Toutefois, ce qui frappe peut-être le plus chez Navel, c'est un certain goût du vagabondage, une certaine bougeotte qui le pousse à changer de métier et à varier les travaux. Il est successivement ajusteur chez Citroën, terrassier sur un chantier de montagne, jardinier à Nice, peintre en bâtiment, vendangeur, coupeur de lavande. Chaque fois, c'est une grande aventure qui commence. À la fin du livre, il revient à l'usine, où il gagne mieux sa vie qu'ailleurs, mais, dit-il, « je n'étais plus l'heureux animal que j'avais pu être dans le Midi, au plein air ». Et il parle alors d'une « tristesse ouvrière dont on ne guérit que par la participation politique ».

BERNARD PRIVAT

L'Itinéraire (1982) de Bernard Privat commence par des souvenirs du temps où il logeait chez Blaise Cendrars et sa femme, l'actrice Raymone. Cendrars, à cette époque, était réduit à l'immobilité, mais Raymone évoquait pour le jeune Bernard leur vie aventureuse. Elle parlait de villes lointaines : Pékin, Boston, Frisco... Cendrars a utilisé le verbe « bourlinguer » comme titre pour un de ses ouvrages plus ou moins autobiographiques. Bernard Privat, pour sa part, nous raconte simplement l'itinéraire d'un « flâneur des deux rives », comme aurait dit Apollinaire, ou d'un « piéton de Paris », comme aurait dit Fargue. Il n'invente pas d'histoires extraordinaires. Il s'attache à de petits faits quotidiens qui sont l'essentiel de nos existences et qui peuvent être pleins de richesses.

Marchant dans Paris, il se souvient d'anciennes amours qui l'ont rendu bien malheureux. Il aimait la petite Agnès, fragile et insaisissable, et qui n'a pas su lui être fidèle. La promenade dans la ville se double d'une promenade dans les souvenirs. La fin n'en est pas triste, car le narrateur va bientôt retrouver son épouse, présentement dans leur maison de Provence qu'elle compare à un coin de paradis et il sait qu'elle a raison. Là-bas, on est loin du carnaval des grandes cités. Mais, à Paris même, on peut refuser les faux-semblants et c'est un des enseignements de l'*Itinéraire* qui nous est proposé.

Le livre est appelé « roman ». Cependant, en plus de Cendrars, Privat y a fait figurer d'autres écrivains de ses amis : Vialatte, Arland, Berl. Dans ses derniers ouvrages, Chardonne lui aussi mêlait fiction et réalité, et des personnages véritables côtoyaient des personnages inventés. On n'aurait su dire quels étaient les plus vrais.

Bernard Privat nous a quittés en 1985.

FRANÇOIS AUGIÉRAS

J'ai conservé trois exemplaires du *Vieillard et l'Enfant.* Tout d'abord un exemplaire de l' « édition intégrale » qui parut aux Éditions de Minuit en

1954. L'achevé d'imprimer est du 10 février. Le volume a 272 pages. Dans mon exemplaire, j'ai glissé une courte lettre datée de Périgueux, le 20 février 1954 : « Cher Monsieur, j'espérais ces jours-ci avoir des nouvelles du *Vieillard et l'Enfant,* je dois bientôt repartir en Afrique. Dès que vous aurez un ou deux exemplaires ayez la bonté de me les faire parvenir, ce sera pour moi une très grande joie ; ce livre est sorti de tant d'aventures féroces et dangereuses en Afrique ! F. Augiéras. »

Le deuxième est une plaquette hors commerce, sans nom d'éditeur ou d'imprimeur, ni achevé d'imprimer. Sur la couverture, on lit ce titre étrange : *Le Vieillard et l'Enfant de 1958.* Sur la première page, Augiéras a écrit à la main : « Version définitive de 1958. 75 pages seulement, mais simples, humaines, dans le ton juste, je crois. Très " arabes ", hurlantes vers la fin, lisibles. »

Le troisième exemplaire est une autre plaquette, mais éditée cette fois par les Éditions de Minuit en 1963, dans la petite collection in-16 où venait de paraître *Oh les beaux jours* de Samuel Beckett. Le texte est celui de la « version définitive » de 1958, mais précédé d'une sorte de préface intitulée « Zirara », du nom d'un fortin du Sud algérien où l'auteur avait séjourné comme auxiliaire d'une compagnie méhariste. Dans cette préface, il est question de la « version de 1954 » : « faite de carnets hâtivement rassemblés », « l'œuvre véritable demeurait à écrire ».

Je ne suis pas sûr de préférer « l'œuvre véritable » qu'est le texte de 1958 aux « carnets hâtivement rassemblés » qui constituent la première version. Mais il est bien possible que, sans le travail de resserrement qu'il a opéré sur l' « édition intégrale », Augiéras n'aurait pas acquis la maîtrise qui lui permit d'écrire le petit chef-d'œuvre qu'est *L'Apprenti Sorcier.*

Le jugement qu'Augiéras portait sur son travail de 1958 est intéressant. On peut discuter les adjectifs qu'il emploie pour le qualifier, mais on retiendra que ces 75 pages lui paraissent « très arabes ». En fait, il avait choisi de se présenter sous les apparences d'Abdallah Chaamba. C'est le nom qui figure sur toutes les éditions du *Vieillard et l'Enfant* et tout d'abord sur les fascicules qu'il fit imprimer lui-même et qu'il envoya par la poste à des écrivains qu'il voulait intriguer (c'est ainsi, avant toute parution en librairie, que l'œuvre fut d'abord connue dans les milieux littéraires). Étiemble avait été bénéficiaire de ces envois, en 1952. Il les signale dans *La Nouvelle N.R.F.* (chronique reprise dans *Hygiène des lettres,* tome II, pp. 221-222). Il écrivit : « Voilà un ton, un style : nus, mystérieux et singulièrement adaptés à l'esprit du jeune Arabe auquel censément nous devons cette *confidence africaine* d'un autre genre : les amours d'un enfant arabe et d'un officier français, le " père " de cet enfant. » Étiemble n'excluait pas cependant que le vieil officier eût tenu la main du jeune Arabe.

Quand parut l' « édition intégrale » aux Éditions de Minuit, la fiction de l'auteur arabe fut maintenue. Travaillant aux Éditions de Minuit, je savais qu'il s'agissait d'une fiction. Du reste, j'en avais été informé par Pierre Herbart avant même de rencontrer Augiéras, mais j'ignorais quelle part de réalité se cachait derrière cette affabulation. Par Michel Leiris, j'avais appris que le colonel du récit et le « musée au Sahara » existaient vraiment, et que le colonel était l'oncle d'Augiéras, mais le mystère du jeune Adballah restait entier. François Augiéras avait-il inventé ce personnage ? Ou bien avait-il « tenu la main » (comme disait Étiemble) d'un jeune Arabe rencontré chez son oncle ? Il me fallut attendre plusieurs années pour pouvoir donner une réponse à ces questions.

Il ne me semble pas que l'on ait dit tout ce qu'il y a d'extraordinaire dans les révélations que nous a faites François Augiéras dans *Une adolescence au temps du Maréchal et de multiples aventures* qui parut en 1968. On a simplement enregistré que, dans *Le Vieillard et l'Enfant,* récit autobiographique, c'était bien lui l'enfant arabe. Or, quand il était allé vivre auprès de son oncle, il n'était plus un enfant, il avait vingt ans et sa soumission aux caprices du vieillard n'est pas banale. D'autant moins que, jusque-là, Augiéras avait su préserver ce qu'il appelle son « innocence » et sa « virginité ». Suivant la morale traditionnelle, on peut parfaitement déclarer que son oncle l'a perverti. Nous sommes même là devant un cas classique de séduction par « abus d'autorité ».

D'où vient le prestige qui revêt les vieillards aux yeux d'Augiéras ? Lui-même pensait qu'il était à la recherche d'un substitut au père qu'il avait perdu tout jeune. C'est curieux, ça. On nous raconte que les garçons qui vivent auprès de leur père souffrent un jour ou l'autre d'un complexe d'Œdipe et veulent tuer leur géniteur qui n'est plus qu'un gêneur. Mais les orphelins ne cessent de se lamenter d'avoir perdu leur protecteur naturel.

Augiéras explique ainsi la sympathie qu'il éprouva dans son adolescence pour le Maréchal : « J'ai fréquenté tous les mouvements de jeunesse ; Pétain était " le père de tous les jeunes " ; comme je n'ai pas eu de père, cela m'en faisait un, symbolique. » (P. 178.)

Plus tard, engagé dans les « équipages de la flotte » et se trouvant à Alger, il songe à aller visiter son oncle, le colonel en retraite qui vit dans le désert, à El-Goléa. Il voudrait « tenter une expérience avec lui » : « mêler mes jeunes forces aux derniers rêves de ce vieillard sauvage ». Il écrit : « Je n'ai pas eu de père ; cet homme-là ne pourrait-il me recueillir, me laisser vivre auprès de lui, me protéger ? » (P. 199.)

L'amour et la haine sont en parts égales dans le portrait qu'Augiéras a tracé du colonel. Ce vieillard est « abominable » et « lubrique », mais « je trouve en lui le grand ancêtre primordial dont la nostalgie sommeille en chaque être [...] C'est mon père devant l'Éternel sous les astres de la nuit ». (P. 217.)

Il n'est pas certain que chacun de nous ait la nostalgie de « l'ancêtre primordial ». Augiéras cherchait une justification à sa conduite d'esclave volontaire. De retour en France, nous le voyons s'entretenir avec son âme, laquelle se révèle un excellent critique. Son âme lui dit : « Une immense puissance de rêve, tu n'es que cela. Tu ne vois le réel que dans la mesure où tu peux le rêver, le transformer en œuvre d'art. »

On n'a peut-être pas assez remarqué non plus une phrase bien curieuse qui se trouve dans les pages sur la Casbah d'Alger, où Augiéras vit quelques jours avant de se rendre à El-Goléa. Il assure se sentir plus proche des Arabes que des Français : « Lorsque je prendrai un pseudonyme algérien, ce ne sera qu'un demi-mensonge : je deviens arabe, arabe, arabe... » (P. 208.)

Présenter Abdallah Chaamba comme un enfant était un autre demi-mensonge. Deux demi-mensonges ont abouti à une création littéraire qui a sa vérité.

JEAN FORTON

Jean Forton (1930-1982) avait débuté dans les lettres à vingt ans, en fondant une petite revue, *La Boîte à clous*, à Bordeaux, sa ville natale. En 1954, il avait publié chez Gallimard *La Fuite*. Sept autres ouvrages suivirent et, à deux reprises, il fut question de lui pour un grand prix de fin d'année : en 1957 pour *La Cendre aux yeux*, et en 1959 pour *Le Grand Mal*. Puis, le succès n'étant pas venu, son éditeur lui refusa ses manuscrits. Il ne publia plus rien en volume après *Les Sables mouvants* (1966). Il gagnait sa vie comme libraire, s'étant spécialisé dans la vente de polycopiés de cours de droit.

Je l'ai rencontré pour la première et la dernière fois trois mois avant sa mort, à l'occasion d'une table ronde qu'avait organisée Roger Vrigny autour de l'œuvre de Raymond Guérin, autre auteur bordelais. Jean Forton avait préfacé la réédition de *La Peau dure* à la librairie Le Tout sur le Tout. Il me félicita de n'avoir pas oublié Guérin dans mon *Histoire de la littérature française de 1940 à nos jours*. Il eut l'élégance de ne pas s'étonner de n'y pas figurer lui-même. Au contraire, il me dit qu'il se souvenait très bien des articles que je lui avais consacrés autrefois.

Son chef-d'œuvre me semble *Le Grand Mal*, qui raconte une rivalité entre deux lycéens, Ledru et Frieman. Au début du livre, les jeunes garçons se disputent l'insignifiante petite Georgette. Ce sont des amours chastes, mais on ne peut dire qu'on s'aime en tout bien tout honneur, puisque la camaraderie et la confiance sont foulées aux pieds. Puis les garçons s'éprennent tous deux de Nathalie, la sœur d'un nouveau condisciple, Stéphane Van de Meer. Ce prénommé Stéphane est d'une saisissante beauté, mais c'est la beauté du diable : Stéphane est possédé par le démon du mal. Il imagine d'imposer des épreuves à Ledru et Frieman pour déterminer quel est celui qui se révélera le plus digne de Nathalie. Frieman devra s'introduire dans l'appartement de leur professeur de grec et dérober le paquet de copies remises le matin. Quant à Ledru...

Mais il faut savoir que, depuis quelque temps, dans la ville de province où se situe l'action, des fillettes disparaissent. La police se révèle impuissante à retrouver leur trace. Stéphane demande à Ledru de compromettre un brave portraitiste ambulant, Gustave, dont ils aiment beaucoup d'ordinaire écouter les histoires. Dans la rue, Ledru saisit Gustave par le bras et se met à crier. Pour se dégager, Gustave doit se débattre. Les passants ont l'impression qu'il veut entraîner le jeune garçon. Ah ! ne sont-ils pas les spectateurs d'une nouvelle tentative d'enlèvement ? Or, tandis que Gustave essaie d'échapper à la foule qui veut le lyncher, la petite Nathalie disparaît à son tour. « Trappe. Pierre qui tombe. La petite sut qu'elle était prise au piège. »

Les enfants terribles que nous peint Jean Forton dans *Le Grand Mal* sont, hélas, vraisemblables, et leur psychologie est finement étudiée. La scène où Ledru vole son père, celle où il fait chanter sa sœur, dix autres sont saisissantes. Elles s'enchaînent sur un rythme de film d'aventures. On pense un peu à l'art d'écrire de Gide dans *Les Faux-Monnayeurs,* mais le sujet du *Grand Mal* aurait pu se prêter à tous les prestiges poétiques qui se déploient dans *Les Fruits du Congo,* autre roman de collégiens et grande réussite d'Alexandre Vialatte. Forton se distingue par son rationalisme et refuse la poésie aussi bien que l'éloquence.

Certains critiques, comme Raphaël Sorin, vantent surtout les mérites de *La Cendre aux yeux,* qui est le portrait d'un séducteur. Cet homme, qui se présente sous les apparences physiques les plus banales, n'a qu'un but dans la vie : faire tomber les femmes dans ses filets. Il ruse, combine, ne perd jamais le contrôle de soi jusqu'à devenir amoureux. La chasse, seule, l'intéresse. Qu'une fille de seize ans s'éprenne de lui, il causera son malheur et sa mort, sans d'ailleurs prendre conscience de son accablante responsabilité. Car la grande réussite et l'originalité de ce roman, c'est que Jean Forton nous montre comment certains hommes sont habiles à se justifier, à envisager les événements sous l'angle qui leur est le plus favorable et à adopter les raisonnements les moins convaincants s'ils les arrangent. De tels personnages ont un côté comique, que Jean Forton souligne pour atténuer la noirceur de son livre. Il use d'un humour froid d'excellente qualité.

J'ai retrouvé cet humour froid dans la brève nouvelle qu'a publiée la revue *Grandes Largeurs* dans son numéro de printemps 1982 : *Nous avons fait un beau voyage.* Le narrateur, marié, raconte une randonnée en Espagne et au Portugal qu'il a faite en compagnie d'un couple ami. Il ne nous dit rien des régions qu'il traverse, il ne nous parle que de la nourriture et des boissons qu'il a ingurgitées et de ses tentatives pour coucher avec la femme de son copain. « Puis nous sommes rentrés, un peu mélancoliques, mais je me suis consolé en songeant aux bonnes bouteilles qui m'attendaient dans ma cave. C'est cela qui leur manque le plus, aux Espagnols, les grands vins. »

Non, il ne semble pas que Jean Forton ait nourri beaucoup d'illusions sur les vertus morales ou autres des hommes qu'il avait pu fréquenter. Il est possible que le pessimisme de ses livres, dont on saluait les qualités littéraires, ait nui à leur succès public. Des rééditions lui assureront peut-être une glorieuse revanche posthume.

DANIEL BOULANGER

Daniel Boulanger a signé le scénario et les dialogues de plus d'une soixantaine de films : il a collaboré avec Philippe de Broca, Louis Malle, Vadim, Godard et Truffaut. De quoi faire rêver tous les jeunes gens qui gribouillent des livres faute de pouvoir travailler pour le cinéma. Mais la vraie passion de Boulanger est la littérature et tous les genres lui sont bons : romans, nouvelles, poèmes, théâtre. *La Dame de cœur* (1980) fournit un bon exemple de ses contes pour grandes personnes.

« À la dame de cœur », c'est l'enseigne de la roulotte où Mme Marthe, moyennant un billet, raconte leur avenir à ses visiteurs. Hélas, Mme Marthe, qui est une séduisante jeune femme et doit se grimer en vieille dame pour inspirer confiance à la clientèle, n'a pas le don de voyance de sa chère tante Zoé à laquelle elle succède. Elle ne sait pas lire dans la boule de cristal ni dans le marc de café et elle abandonnerait la profession sans les encouragements de son amant Marcel qui, pour sa part, ne sait pas conserver une place : nous le voyons passer du métier de veilleur de nuit à celui d'employé d'agence immobilière et à celui d'acteur pour films publicitaires.

Pour se donner bonne conscience, Marthe décide un jour d'intervenir dans la vie de clients malheureux et va s'arranger pour que ses prédictions favorables se réalisent. Vous ne sauriez imaginer comment elle s'y prend. Le plus drôle, c'est quand elle décide Marcel à apprendre un peu d'anglais pour aller séduire une dame dans un cimetière de Liverpool... Nous retrouvons ici la fantaisie débridée du scénariste de *L'Homme de Rio*. Et nous pensons au conseil que donnait un immoraliste bien connu : « À l'âge où l'on ne croit plus aux fées, il faut se faire fée soi-même et provoquer l'incroyable. » Précisément, *La Dame de cœur* est dédiée par Boulanger « à ma plus vieille fée ».

Comme toujours chez cet auteur, la drôlerie se marie avec la tendresse, et la cocasserie des situations avec de merveilleuses trouvailles de style. Le petit monde de *La Dame de cœur* est proche parent de celui du *Dimanche de la vie* de Raymond Queneau : à la fois populaire et précieux, caricatural mais poétique. Mais Boulanger a un ton et une sensibilité bien à lui.

JEAN CHALON

Jean Chalon a une réputation d'écrivain très parisien : c'est qu'il a le goût des anecdotes et des traits d'esprit. Mais c'est aussi un homme épris de grand air et de vastes horizons : il a conservé l'accent chantant de ses origines méridionales, c'est un fils du soleil. Nous n'avons pas été surpris d'apprendre qu'il avait eu un grand-père pépiniériste. Dans *Un amour d'arbre* (1984), c'est Bernard, le père de Pierre, le jeune héros, qui est pépiniériste. À la naissance de Pierre, Bernard plante un arbre au sommet d'une colline, et cet arbre sera pour Pierre comme un frère jumeau, le grand amour de sa vie.

L'amour des arbres est commun à toute une race d'hommes. Il est éprouvé de manières diverses, suivant les tempéraments. Naguère, on apprenait en classe la supplique de Ronsard aux bûcherons de la forêt de Gastine : « Arrête, bûcheron, arrête un peu ton bras [...] » Ronsard voyait couler le sang des nymphes lorsqu'on abattait un arbre. Plus près de nous, Mauriac a souvent évoqué le « chêne sacré » de son enfance à Saint-Symphorien et parle d'un « culte primitif que le chrétien, en moi, ne renie pas ». Dans son livre sur Paris, Julien Green célèbre « nos frères les arbres », tant maltraités dans notre capitale : « Si, comme le dit Aristote, les arbres sont des personnes qui rêvent, que pense l'arbre de ses bourreaux ? »

Pierre, le héros de Jean Chalon, consacrera sa vie à la défense de ses frères les arbres. Cette cause peut paraître désespérée dans le monde d'aujourd'hui, mais c'est que l'homme court à sa perte en n'aimant plus que les machines et le béton. Un peu avant de nous faire assister à la fin tragique du jeune Pierre, Jean Chalon nous donne à lire un conte résolument optimiste écrit par celui-ci. Le conte s'appelle « Narcisse » et n'a que quatre pages, mais c'est une merveille d'invention et de sensibilité. Nous serions heureux qu'il sache toucher le cœur des générations nouvelles.

N'allons pas faire croire qu'*Un amour d'arbre* est un livre écrit pour la jeunesse. Sachez que Jean Chalon a développé sa fable poétique à travers une chronique joyeuse et scandaleuse. Il nous présente quelques femmes étonnantes, comme dans tous ses livres précédents, et tout d'abord la marraine de Pierre, Diane, qui est d'ailleurs la cousine de la Nora d'*Une jeune femme de soixante ans.* La plus curieuse s'appelle Judith Valence. Fille de la rédactrice en chef du *Nouveau Snob,* elle fut le dernier amour du président Mao. En voyant cette belle Occidentale, Mao s'aperçut qu'il n'avait jamais vécu et comprit ce qui fait la valeur de la vie. Jean Chalon vous révélera comment il mourut, heureux.

À vrai dire, Chalon n'a jamais mis les pieds en Chine, jamais rencontré le président Mao et se contente ici de rapporter les propos d'une femme mythomane. En revanche, il a, comme le jeune Pierre, séjourné à Ceylan. On prononce aujourd'hui Sri Lanka. Les pages qu'il consacre à ce voyage rivalisent avec les meilleures de *La Féerie cingalaise* (ouvrage de Francis de Croisset).

En 1985, Jean Chalon est devenu un « best-seller » avec une excellente biographie : *Le Lumineux Destin d'Alexandra David-Neel,* une héroïne selon son cœur.

GHISLAIN DE DIESBACH

Dans mon *Histoire* de 1978, je disais le plaisir que m'avaient procuré les nouvelles de Ghislain de Diesbach, *Iphigénie en Thuringe*. Diesbach devint un de nos meilleurs historiens avec une monumentale *Histoire de l'Émigration* (1975). Nous attendions cependant qu'il continuât à écrire des œuvres d'imagination. Mais c'est une suite impressionnante d'ouvrages historiques qu'il devait nous proposer : *Necker* ou *La Faillite de la vertu* (1978), *Madame de Staël* (1983), *La Princesse Bibesco* (1986).

Suis-je un plaisantin en prononçant son éloge dans un chapitre intitulé « Vagabondages » ? Un historien tel que Diesbach va sur les traces des personnages qu'il a entrepris de faire revivre, il veut connaître les contrées, les villes, les maisons qui furent les leurs. Il est aussi un chercheur de documents, un enquêteur et, dans certains cas (pour son livre sur la princesse Bibesco), il se transforme en interviewer des survivants. Bref, il est un voyageur, vagabondant dans les livres d'Histoire, les bibliothèques et un peu partout dans le monde.

Je voudrais vous conseiller ses souvenirs de jeunesse, *Aix-Marseille*, livre d'un grand charme où l'on voit naître une vocation. Mais Ghislain de Diesbach n'a pas voulu confier ce récit à un éditeur. Il l'a publié hors commerce en 1981. Il vous faudra donc attendre pour le lire.

XV

Littérature fantastique

On parle beaucoup aujourd'hui de cinéma fantastique et il s'agit de films d'épouvante. Les amateurs de littérature savent que le fantastique peut être poétique aussi bien que terrifiant. Son origine est la même que celle des rêves. En inventant certaines histoires étranges, les écrivains fantastiques cherchent à matérialiser les sentiments qui nourrissent leur vie intérieure. Le réalisme leur paraît s'en tenir aux apparences et ils cherchent le secret des êtres et des choses.

MARCEL SCHNEIDER

Marcel Schneider débuta dans les lettres alors que l'existentialisme puis le nouveau roman retenaient toute l'attention des critiques parisiens. Les écrivains à la mode se voulaient peintres de l'époque et traitaient de problèmes sociaux et politiques, ou bien se livraient à des inventaires et constats. Or Schneider s'intéressait au premier chef à la vie intérieure et aux exigences de la sensibilité. Il explorait ses rêves et, plus proche de Jung que de Freud, vivait dans la familiarité de grands mythes. On l'accusait de considérer la littérature comme une évasion : eh bien oui, il voulait échapper au matérialisme et connaître les passions qu'il trouvait si bien exprimées dans la musique de Schubert et dans celle de Wagner. Ses premiers livres n'obtinrent pas grand succès. Il persévéra et finit par s'imposer comme le défenseur et l'illustrateur de ce genre littéraire, opposé au réalisme et qu'on appelle le fantastique.

Les romanciers réalistes se transforment souvent en théoriciens, comme si une œuvre d'art se fabriquait d'après des techniques d'ingénieurs. Schneider, lui, croit à l'inspiration. Écrire, c'est se lancer dans une aventure pleine d'imprévu. Et lire est une autre façon de voyager et d'aller à la découverte. Pour Schneider, certains ouvrages eurent valeur de révélation. Afin de nous faire partager ses coups de cœur, il s'est transformé en historien et en porte-parole d'une certaine race d'artistes. Au demeurant, il observe que quelques écrivains que revendiquent les réalistes relèvent aussi bien de la littérature supranaturaliste : l'auteur de *La Cousine Bette* est l'inventeur de *Séraphita,* l'auteur de *Carmen* a écrit *La Vénus d'Ille* et l'auteur de *Boule-de-Suif, Le Horla.*

Quand il était étudiant en Sorbonne, Schneider avait entrepris de poursuivre l'œuvre de Pierre-Georges Castex, l'auteur du célèbre essai sur *Le Conte fantastique en France de Nodier à Maupassant.* Il se proposait d'écrire une thèse d'État sur « Le Conte fantastique du symbolisme à nos jours ». Ce projet lui parut bientôt très limité. Si le fantastique était admis comme un genre littéraire depuis 1830 seulement, il avait existé sous d'autres noms et sous des formes diverses depuis le Moyen Âge. En somme, il était possible d'écrire une histoire de la littérature française depuis les origines où seraient célébrées des œuvres étonnantes que l'on considérait trop souvent comme marginales. Schneider publia en 1964 un essai sur *La Littérature fantastique en France.* Il l'a complété dans les années qui suivirent et rebaptisé en 1985 : *Histoire de la littérature fantastique en France* (elle va du XIIe siècle à nos jours).

Un des mérites de l'historien Marcel Schneider est de fort bien raconter les œuvres anciennes que peu de gens connaissent et de montrer comment elles continuent de nourrir nos sensibilités.

Le talent de Marcel Schneider conteur est salué de tous côtés et l'on a même vu les auditeurs d'un poste de radio (France-Inter) plébisciter sa *Lumière du Nord* (1982). Schneider écrit des contes, des nouvelles et aussi des romans. Parmi les romans, *Mère Merveille* (1983) occupe une place particulière. Ce livre peut être présenté comme un roman de l'amour filial, sur fond d'histoire contemporaine. Il se déroule du début des années 30 au début des années 50. L'héroïne, prénommée Angélique, la mère du narrateur, est une femme courageuse et décidée, éprise d'aventures et de romanesque. Sa devise est : « Faisons front ! Faisons figure ! »

Un pessimisme foncier ne l'empêche pas de beaucoup entreprendre et d'avoir une vie bien remplie. Ce n'est pas un être d'abandon. C'est un modèle de dignité, encore que non conforme aux idées de la bourgeoisie d'avant-guerre. Mariée trop jeune et sans amour — pour obéir à ses parents —, elle a divorcé pour épouser le garçon de son choix, un jeune homme en mauvaise santé et qui fumait l'opium. Il devait mourir à la veille de la guerre. Ce fut, pour le narrateur, la fin d'une enfance passée dans la campagne aixoise avec, comme meilleur ami, un poney appelé Liouine. Sa mère, veuve, vint s'installer à Paris, dans le Marais, quartier ensorcelant parce que plein de mystères. Pendant les années d'Occupation, Angélique s'enrôla tout naturellement dans la Résistance. Après la Libération, elle ouvrit une boutique de colifichets, avant de se remarier avec un diplomate anglais. Et c'est en Angleterre qu'elle devait trouver la mort, lors d'un des premiers attentats irlandais.

Indiquant ainsi les grandes lignes d'un destin de femme, nous ne donnons pas un résumé du livre, lequel est en réalité l'éducation sentimentale du narrateur, prénommé Michel. Mais si Michel a des amitiés et des amours de son âge, son étoile fixe est bien sa mère. L'image qu'il nous offre d'Angélique est-elle celle de la mère idéale ? Nous avons remarqué qu'elle ne correspondait pas au prototype de la bonne mère selon la société bien-pensante d'où elle était issue. On estimait à l'époque qu'une mère devait penser d'abord à ses enfants. Or, Angélique peut bien dire à un moment que « les mères se moquent de tout ce qui n'est pas leurs enfants », nous l'avons vue quitter le père du narrateur pour vivre avec l'homme qu'elle aimait. Il est vrai qu'elle emmenait son fils avec elle. Mais, plus tard, bien que son fils ne soit encore qu'un enfant, elle se sépare de lui pour jouer un rôle dans la Résistance, alors que beaucoup de Français, durant l'Occupation, ont trouvé une bonne excuse pour ne prendre aucun risque, « parce qu'ils avaient charge d'âmes ».

Angélique dit très bien à son fils (ou c'est lui qui lui prête ces paroles) : « Je suis une femme qui a mis au monde un enfant, et cet enfant m'appartient. C'est toi. Mais moi je ne t'appartiens pas. »

Nous disons cependant qu'elle a été une bonne mère parce qu'elle a donné à son fils des raisons d'être fier et content d'elle. Elle n'a pas empiété non plus sur sa liberté. Se souvenant sans doute de l'éducation qu'elle avait reçue, elle lui a permis de connaître les expériences qui le tentaient et même d'avoir des liaisons qu'elle désapprouvait. Aimer un être, c'est le comprendre et lui pardonner.

On explique facilement un amour maternel de cet ordre : une mère communique à son fils une part de sa propre vie. Il est là pour la continuer : « Je te regarde et je sens l'éternité en moi », dit Angélique. C'est une belle parole d'amour.

Les lecteurs qui aborderont l'œuvre de Marcel Schneider par *Mère Merveille* auront l'impression de lire un récit autobiographique, bien que le mot « roman » figure sur la couverture. Et non seulement sur la couverture : on le trouve également sur la bande rouge qui entoure le volume et où l'éditeur annonce : « le roman du bonheur ». Ceux qui connaissent le recueil de souvenirs *Sur une étoile* se rappelleront que l'auteur a perdu sa mère alors qu'il n'avait pas dix ans.

Ils savent d'autre part que l'âge du narrateur de *Mère Merveille* ne correspond pas à l'âge réel de l'auteur. Mais on se peint aussi bien quand on invente que lorsqu'on prétend ressusciter le passé. Si Marcel Schneider est un écrivain plein d'imagination, ce sont toujours les mêmes sentiments qui l'animent : c'est toujours dans son univers intérieur qu'il nous accueille, nous faisant partager ses espoirs et ses craintes.

L'espoir en lui est-il si fort qu'il nous ait réellement donné « le roman du bonheur » ? Au vrai, le bonheur dont il s'agit ici est celui que l'on a connu ou que l'on croit avoir connu dans l'enfance et la jeunesse. Tout s'embellit dans le souvenir et chacun place « le bon temps » dans le passé. Toutefois, à certaines époques, on a pu croire à un progrès des mœurs et à l'avènement d'une société plus juste. En Europe, dans la période où se déroule *Mère Merveille,* on aspirait à être délivré de l'hitlérisme :

s'ouvrirait alors une ère de liberté. La Libération ne tint pas ses promesses et plus personne, aujourd'hui, semble-t-il, ne croit aux lendemains qui chantent. La vieille civilisation occidentale est plus que jamais menacée... Pour le narrateur de *Mère Merveille,* « l'apocalypse a commencé ». La jeune femme qu'il a épousée, une Allemande qui, adolescente, a été violée par les Russes en Prusse-Orientale, est l'incarnation de l'Europe blessée et résignée à sa fin.

Les dernières pages du livre nous ramènent à l'image de la Mère, mais cette fois dans un éclairage goethéen et wagnérien. Dans un cauchemar d'homme cultivé, le narrateur descend auprès des Mères telluriques, réunies en tribunal. Il manifestera la dignité que lui a apprise Angélique : il ne veut pas se donner d'autre justification que d'avoir essayé de préserver son âme.

Marcel Schneider ne craint pas de nous parler de notre âme, ni d'écrire dans un style qui se garde des souillures de l'époque. La vulgarité n'est pas son fort, alors qu'elle triomphe un peu partout.

Son œuvre est abondante et variée. Sa culture historique lui a permis d'évoquer superbement la France révolutionnaire dans ses *Histoires à mourir debout* (1985), mais on devine que ce n'est pas à lui qu'il faudra s'adresser pour célébrer l'anniversaire de 1789.

NOËL DEVAULX

Une douzaine de courts volumes en quarante ans. Noël Devaulx n'est pas un auteur prolixe, mais c'est un conteur que l'on n'oublie pas, dès que l'on a lu l'une ou l'autre de ses œuvres, *Bal chez Alféoni* ou *La Dame de Murcie.* Ou encore *La Plume et la Racine,* qui a paru en 1979.

Noël Devaulx écrit des contes fantastiques, et l'on pourrait dire qu'il s'agit de fantastique pur, car Devaulx ne se soucie pas de donner une signification morale ou une explication rationnelle aux histoires qu'il raconte. Il ne cherche pas une communication intellectuelle avec son lecteur, mais une communication affective. Pour l'aimer, il faut aimer l'étrange pour l'étrange et le curieux frisson qu'il procure.

Il va de soi cependant qu'on resterait indifférent si Devaulx ne s'engageait profondément dans ses contes et ne les nourrissait pas de ses sentiments vrais. Il réveille en nous l'écho des peurs anciennes et d'espérances oubliées.

L'histoire qui donne son titre au volume, *La Plume et la Racine,* est tout à fait terrifiante. Elle commence par la description d'un enchevêtrement de racines d'arbres. On croirait un champ de bataille, avec des corps mutilés étendus sur le sol. Mais tout cela bouge, animé par l'esprit de la terre qui proteste contre l'abattage de hêtres, « géants fraternels qui annonçaient l'approche du village au voyageur fourbu ». Animées par des forces mystérieuses, les souches ont cessé d'être inertes pour devenir des monstres à mille cornes qui rampent comme des serpents et terrorisent les villageois. Pour lire ce texte de tonalité germanique, il est préférable de connaître les légendes de la Grèce : car le héros qui conjurera le danger sera comparé à Thésée, vainqueur du Minotaure.

D'autres textes sont des rêveries nostalgiques où s'insèrent sans difficulté quelques vers de vieilles chansons populaires. Dans *Le Meuble à secrets,* le narrateur recompose peu à peu le merveilleux dialogue de l'amour et de la mort — que chacun connaît et où il est dit : « Dans le mitan du lit, la rivière est profonde [...] »

Tout un folklore sous-tend les contes de Noël Devaulx. Son style a l'élégance et la simplicité des poèmes qu'il aime citer, comme celui qui lui a fourni l'épigraphe de *L'Insomnie :* « Son chapeau était fait de rêve. Son manteau, de la brume au soir. Chantez ! la nuit sera brève [...] »

La dernière histoire, *L'Épave,* a un sujet voisin de celui que Jean Anouilh a illustré, selon son génie propre, dans la pièce qu'il a écrite pour la télévision : *La Belle Vie.* À la suite d'un changement de société, un certain nombre de privilégiés de l'Ancien Régime sont enfermés dans une grande demeure et conservés comme des spécimens d'une espèce qui, dans son ensemble, doit disparaître. Dans le conte de Noël Devaulx, on décidera finalement de les rééduquer. Opération réussie, mais il ne convient pas de vous dire comment l'histoire s'achève. On peut toutefois remarquer qu'elle aurait pu s'appeler, elle aussi, *La Plume et la Racine,* en admettant que la racine n'est plus ici celle de végétaux mais celle de l'être humain. La plume reste celle d'un maître écrivain.

HENRI ANGER

Nous ne savions rien d'Henri Anger quand nous lûmes son premier livre, *Chatte allaitant un ourson* (1979). Dès le titre, on devinait que l'auteur était un ami des images hardies et des situations imprévues. Il y avait bien une vraie chatte dans ce roman, mais l'ourson était un écolier fugueur. Mis en pension par une mère qui poursuivait une carrière d'acrobate, il se sentait abandonné et partait à la recherche d'aventures qui le consoleraient peut-être. Nous retrouvâmes là le charme de certains contes de Brentano ou d'Eichendorff, merveilles du romantisme allemand, fables sans moralité, éclatantes de fantaisie et de fraîcheur. Certains critiques parlèrent d'une parenté d'Henri Anger avec Lewis Carroll. C'était vrai aussi.

Nous savons aujourd'hui qu'Henri Anger est un Breton et l'on peut être tenté de voir en lui un descendant des enchanteurs de la forêt de Brocéliande. S'il avait soixante-douze ans quand il publia son premier livre, il était depuis longtemps très connu dans sa province par les chroniques qu'il donne au *Télégramme de Brest* sous le pseudonyme de Kerdaniel. Il a derrière lui toute une carrière de journaliste, commencée jadis à Nantes, dans un quotidien où travaillait Benjamin Péret.

Le deuxième livre d'Henri Anger parut pour le quarantième anniversaire de l'exode de 1940 et s'intitule précisément *L'An quarante.* Un voyageur de commerce de trente-cinq ans, qui a réussi à se faire exempter du service national, se trouve pris sur la route du Mans dans les flots de la débâcle. Il y rencontre une fillette de quinze ans, Marietta, qui est sourde et muette. Il la prend sous sa protection et la conduit jusqu'à Tours, où une dame de la Croix-Rouge la hisse dans un train bondé qui se dirige vers Bordeaux. Notre héros, lui, reste sur le quai.

Les aventures ne lui manqueront pas et même, s'étant mis à couvert sous un bouquet de pins, il échappe miraculeusement à un mitraillage par des avions. Il s'en tire avec la tête criblée d'éclats de bois qui la transforme en hérisson. Les esprits raisonnables expliqueront par le choc subi l'étrange état où va se trouver notre héros qui sent se réveiller en lui les souvenirs d'une vie antérieure, au XVIIIe siècle peut-être. À l'époque, il était colporteur et vivait avec une fille qui déjà se nommait Marietta. Ainsi ne souffre-t-il pas d'une perte de mémoire, mais d'un « excès de mémoire ». Le livre se poursuit dès lors avec une alternance de scènes vécues dans l'immédiat et d'embardées dans le rêve et les hallucinations, ce qui nous permet d'évoquer certains récits de Gérard de Nerval. Notre héros sera recueilli et soigné par une robuste paysanne, veuve de fraîche date. Mais il la quittera sans un adieu. Il voyagera de concert avec un solide Polonais, qui était fourreur rue du Sentier et qui espère gagner l'Amérique. Leurs conversations sont aussi plaisantes que celles de Jacques le Fataliste et de son maître. Ce brave Polonais accuse son compagnon de route d'être un nihiliste, mais celui-ci répond n'être occupé que de goûter « la saveur d'une liberté précaire ». En fait, il est habité par les deux Marietta, celle de jadis et celle de naguère. Il ne croit pas au sérieux des grandes raisons que les hommes se donnent pour agir et massacrer. Toutefois, l'absurdité du monde et des hommes, il la découvre en lui-même : « Je ne m'intéressais vraiment qu'à la guerre qui se livrait en moi. »

Une des réussites de l'*An quarante* est d'avoir si bien mêlé les deux guerres : celle que les hommes se livrent entre eux et celle que tout individu entretient en lui-même. C'est une histoire de violence et d'amour, plus convaincante qu'un document réaliste : on y trouve la vérité des sentiments. On pourrait dire aussi qu'Henri Anger ne croit pas non plus qu'il y ait de « grandes personnes » : les hommes sont de « grands enfants » dont on peut attendre le meilleur et le pire.

Mais les jeunes enfants sont toujours plus séduisants que les vieux enfants. Et c'est un retour à l'enfance qu'Henri Anger nous propose dans son troisième roman, *Une petite fille en colère* (1982). Ici, le titre indique que nous n'entrons pas dans un « vert paradis ». Henri Anger sait bien que le cœur des enfants est souvent bouleversé par des événements que les adultes perçoivent différemment. La petite Angelina se sent étrangère dans sa famille parce qu'elle ne ressemble pas à ses frères et sœurs et elle s'imagine qu'on ne l'aime pas. Bien pis : « Logicienne prenant tout à la lettre, elle s'imagine qu'elle est la fille du facteur ou la petite-fille d'Attila. » Elle adopte une conduite déconcertante et paraît inéducable. Précisons que ses folies ne nous sont pas racontées sur un ton tragique, mais tout au contraire comme des fantaisies d'une grande drôlerie poétique. On voit bien le rapprochement que l'on peut faire avec l'écolier fugueur de la *Chatte allaitant un ourson.*

Angelina, elle aussi, « chemine dans les ténèbres en cherchant son chemin » (car la fantaisie du récit s'accommode d'un tragique secret). Nous parlions plus haut de fables « sans moralité », mais la petite Angelina tire une conclusion de ses aventures : « Angelina toujours sereine, et comme se parlant à elle-même, déclara que les enfants devraient avoir le droit, à défaut d'une maman répondant à leur attente ou suffisamment disponible, de choisir une maman d'élection qui leur convienne. »

L'éditeur nous dit que « la voix menue d'Angelina plaide à sa manière pour les droits de l'enfance ». Il est bien à craindre que ces droits-là ne soient jamais proclamés comme les droits de l'homme, et nous savons au surplus comment les droits de l'homme sont eux-mêmes respectés aujourd'hui.

ROGER VRIGNY

« L'inconvénient d'une éducation religieuse, c'est qu'elle nous donne de l'existence une vue poétique et sentimentale », nous dit Roger Vrigny dans son livre de souvenirs, *Sentiments distingués* (1983). On est surpris par le mot « inconvénient ». Dans le cas, le mot « avantage » conviendrait mieux. C'est son éducation religieuse qui a permis à notre auteur d'écrire des romans comme *Arban, Barbegal, La Nuit de Mougins,* dont le romantisme est bien séduisant, qui nous rappelle les droits de l'âme si négligés en notre époque matérialiste.

Roger Vrigny nous dit avoir passé à peu près la moitié de son existence dans un collège religieux, d'abord comme élève, ensuite comme professeur : « Dehors la vie changeait. Moi, je ne bougeais pas. Je tournais les pages d'un livre qui racontait la même histoire. »

En vérité, Vrigny ne vivait pas seulement dans son collège et dans des colonies de vacances. Dans son livre de souvenirs où il entend réunir les moments essentiels de sa jeunesse, ceux que sa mémoire a « distingués » et qu'elle est capable de ressusciter quand l'environnement s'y prête, il nous parle de sa famille, de l'exode de 1940, de son service militaire, de la création d'une troupe théâtrale et il consacre même une dizaine de pages à Sartre qu'il alla siffler à la première du *Diable et le Bon Dieu* (car il avait horreur du théâtre d'idées).

Les pages sur la famille relatent des drames divers : faillite d'une entreprise industrielle, déménagement non désiré, disputes entre parents, divorce. Les portraits du père, époux volage, et de la mère, bourgeoise pleine de courage dans l'adversité, sont particulièrement réussis. On trouve ici l'origine du bref et dramatique roman : *Fin de journée* (1968). Le ton des souvenirs n'est cependant pas celui du roman. Dans *Sentiments distingués,* nous sommes plutôt dans le domaine de la comédie : l'auteur force par pudeur sur la cocasserie de situations pénibles et reste toujours à égale distance de l'amertume et de l'attendrissement.

Ah ! il nous raconte aussi l'histoire de la passion qu'il éprouva, jeune professeur, pour un élève du collège. Ou plutôt il décrit les feux dont il brûla, comme on dit chez Racine. Il nous donne peu de détails sur une liaison qui resta chaste et ne nous renseigne pas sur les causes de la rupture. (Il ne le faisait pas non plus dans son journal, *Pourquoi cette joie* [1974], où il l'avait évoquée une première fois.)

Il avait alors vingt-cinq ans et décida de ne plus jamais se laisser prendre aux pièges de l'amour : « Tout ce qui a trait, de près ou de loin, à une intrigue sentimentale, à un échauffement passager des glandes ou de l'imagination, provoque en moi une réaction de fuite. » Allait-il vivre en solitaire ? Pas du tout. Il aimerait s'entourer de jeunes gens et se montrerait pour eux « comme un bon papa plein d'indulgence et sans illusions ». (Étrange projet pour un garçon de vingt-cinq ans.)

Le style de Roger Vrigny est d'une pureté exemplaire. François Nourissier notait un jour que Vrigny ne haussait jamais la voix et que l'on admirait son calme et sa discrétion. Je ne sais pas si Nourissier a rendu compte d'*Un ange passe* qui parut en 1979 et qui nous réservait la surprise d'une métamorphose de l'auteur. Non point que la qualité de son style eût changé, mais l'histoire contée est d'une violence et d'une cruauté inattendues.

L'ancien élève des oratoriens semblait s'être transformé en disciple du Jean Genet dernière manière : il prononçait un éloge du terrorisme à tout-va. Le monde occidental est mauvais, il faut assainir la société en supprimant tous les « méchants ». Pour le jeune Tröll, héros de l'histoire, les méchants, ce ne sont pas les dictateurs, les tortionnaires et encore moins les assassins (il en est un lui-même). Les méchants sont les gens que l'on n'aime pas : les riches (les plus riches que vous), les vieux, les laids. Tröll fait exploser des bombes dans des réunions mondaines ou « culturelles », ou bien dans des ministères, sans songer à épargner les femmes et les enfants. Toutes ses victimes sont pour lui « de la pourriture ».

Le roman est composé sur deux portées : le récit des sanglants exploits de Tröll et le monologue de son ami Michel, blessé dans un attentat et qui agonise dans l'arrière-boutique d'un magasin d'antiquités baptisé « Au bon vieux temps » où il s'est réfugié. Ce monologue est entrecoupé par les propos conventionnels sur les horreurs d'une époque déboussolée que tiennent, dans la boutique même, des personnages qui ignorent sa présence : un colonel en retraite, deux femmes âgées et une fillette (tous bons à être fusillés).

Vrigny a capté ici divers courants de la sensibilité d'aujourd'hui et il a composé un chef-d'œuvre du romantisme noir. Il prête à son ange exterminateur une jolie devise : « Je ne détruis rien, j'efface. » Mais Tröll laisse cadavres et décombres derrière lui. On raconte que Robespierre n'a jamais assisté à une exécution capitale : il se contentait de rayer des noms sur les listes des suspects. La guillotine l'aurait peut-être écœuré. Roger Vrigny n'a jamais assisté à un attentat terroriste.

Plutôt qu'un roman, *Un ange passe* est un poème tragique. Vrigny ne se soucie nullement de réalisme. Il ne nous dit pas où Tröll et Michel se sont procuré leurs armes et leurs explosifs, quelle formation ils ont reçue, dans quelle organisation ils se sont entraînés, qui leur donne des ordres. On a l'impression que Tröll n'a pas de chef et qu'il agit suivant sa fantaisie personnelle. On imagine aussi qu'il est l'aîné de Michel. À la fin, on apprend que celui-ci a dix ans de plus que lui. C'est donc le jeune qui a perverti le plus âgé — presque un vieux déjà, puisqu'il a trente ans. Avons-nous là la clef du livre ? Beaucoup de gamins sont aujourd'hui donneurs de leçons. Ils se considèrent comme une race à part, race élue qui devrait dominer le monde et qui hait tout ce qui l'en empêche. Tröll n'aura pas le temps de se voir vieillir : il se suicidera à l'issue d'un attentat contre une centrale thermique. S'il avait disposé d'une bombe atomique, il n'aurait pas hésité à faire sauter la planète — laquelle disparaîtra dès que ladite bombe sera à la disposition d'un quelconque nihiliste ou d'un illuminé (c'était la conviction de Georges Dumézil).

Rien, dans *Sentiments distingués,* ne permet de deviner comment l'idée d'*Un ange passe* a pu venir à l'auteur. Mais ce livre n'est sans doute pas né d'une idée. Il va de soi que Vrigny doit détester les romans d'idées tout autant que le théâtre de Sartre.

La violence est beaucoup mieux contenue dans *Accident de parcours* (1985), un parcours sinueux qui nous conduit du pur réalisme au pur fantastique sans rupture de ton. On peut sympathiser avec le narrateur, homme rêveur qui s'est toujours interrogé sur ce que l'on appelle « réalité ». Il s'appelle Martin comme un personnage de Marcel Aymé. Martin compte se rendre en voiture dans la Somme où il est invité pour les vacances de Pâques chez son ami Gustave. Auparavant, il doit passer prendre à la gare du Nord le jeune Christophe, fils de Gustave et pensionnaire dans un collège religieux de la grande banlieue. Martin nous décrit les modernes embarras de Paris, embouteillages, difficultés de se garer. Quand, non sans mal, il a pu trouver Christophe : en route. Les descriptions du voyage ne sont pas plus réjouissantes que celles des encombrements de la capitale : laideur des banlieues, enlaidissement des campagnes. Le monde moderne, ennemi de la vieille mère Nature, est mis en accusation dans une optique d'écologiste. Oh ! le passé n'était pas paradisiaque non plus. Justement, dans Paris tout à l'heure, Martin a repensé à l'occupation allemande, parce que l'on avait orné l'Opéra de banderoles à croix gammées pour les besoins d'un film. Des images de cette sombre époque vont habiter son esprit. Elles se mêlent à d'autres souvenirs plus récents, relatifs à des amitiés et à des amours. Pour Martin, passé et présent ne se distinguent pas très bien. Il va jusqu'à retrouver en Christophe les traits d'une jeune fille dont il fut épris naguère… La fatigue de Martin expliquera sans doute, pour les lecteurs raisonnables, la fin de son voyage : lorsque, dans la nuit, il sera victime d'un brutal accident de la route, il sera projeté des années en arrière. Ce ne sont pas des gendarmes français mais bien des policiers nazis qui viendront le tirer de sa voiture fracassée. « Quand on meurt, dit Christophe, on n'entre pas tout de suite dans la vie éternelle. » Les dernières pages d'*Accident de parcours* se situent dans un intervalle entre la vie et la mort. Roger Vrigny a conservé intact le « sens du mystère » que lui a donné son éducation religieuse.

RENÉ-JEAN CLOT

Au lendemain de la Libération, le peintre René-Jean Clot avait fait des débuts très remarqués dans le roman, avec *Le Noir de la vigne* (1948). Il étonna par son talent et aussi par sa fécondité. Épais romans, recueils de nouvelles, poèmes et pièces de théâtre se succédèrent à un rythme accéléré jusqu'au début des années 60. Et puis, soudain, un silence qui devait durer vingt ans.

René-Jean Clot a effectué sa rentrée littéraire en 1984 avec *Un amour interdit* qui montra qu'il n'avait rien perdu de sa puissance visionnaire. L'histoire est celle d'un homme qui perd son épouse qu'il adorait. Celle-ci ne lui laisse pas d'enfant, mais un chat noir, lequel veilla sur elle durant toute sa terrible maladie. Si fort que le veuf soit attaché à l'animal, le désir lui vient un jour d'introduire dans la maison une jeune femme dont il s'est épris. Mais le félin devient sournois et menaçant. Défend-il la mémoire de la défunte, en est-il la réincarnation, ou est-il simplement jaloux ? Vous vous doutez que l'histoire finit mal.

L'année suivante parut *Chahrouz le voyant*. Comme la plupart des romans de René-Jean Clot, il raconte des destins étranges et monstrueux. Le narrateur est professeur à l'Alliance française et fait connaissance d'un étudiant iranien. Celui-ci le prend pour confident, et ce sont ses propos que rapporte le narrateur : « J'avais un élève qui était fou », dit-il, mais Ali Chahrouz parle magnifiquement, comme un conteur oriental. Il y a ici un côté Mille et Une Nuits. Cela est évident dès le début quand nous apprenons que son père est mort, léguant trois immeubles à Téhéran à son aîné, une ferme avec de grandes terres au second fils, et, au troisième, Ali, le préféré, huit tapis. Ces tapis sont, en fait, des « outils d'illumination ». Leur contemplation permet à Ali de partir à la recherche de réalités secrètes et de trouver parfois la félicité. Ali est un esprit religieux, épris de perfection. Toutefois, il n'en est pas moins homme et il présente aussi des caractéristiques de Don Juan. « Le sexe, nous dit-il, est la vérité de l'existence. » Et voilà qui explique l'hostilité de Moussa, le frère aîné, pour son cadet. Car Moussa souffre d'impuissance et sa chasteté forcée le pousse à de grandes cruautés. Les puceaux sont des violents. Pendant la révolution, Moussa devient ministre de la Justice, sera tué et par là deviendra un héros national. Ali, lui, est hostile à la révolution, mais finalement, marié à une Iranienne, il retournera dans son pays.

Je ne vous ai pas résumé ce livre foisonnant, où les épisodes mystérieux ou terrifiants abondent, truffés de remarques de psychologie et de moraliste. Il y a des personnages très curieux comme Gorak, un brahmane accueilli chez les parents d'Ali, pourvu de pouvoirs religieux surprenants mais qui se révèle un tartufe : il courtise la mère d'Ali, lequel, dans son adolescence, a découvert en l'épiant l'aspect abject que peut revêtir la sexualité. Il y a les pages sur l'impuissance de Moussa, neuves et hardies.

Ah ! iranien, Ali n'est pas arabe, mais persan. Il déclare ne pas manger de couscous et prétend que les Français n'en consomment tant que pour se consoler d'avoir perdu l'Algérie. Je donne ce détail pour montrer que l'auteur ne manque pas d'humour et que la drôlerie n'est pas absente de son univers.

Nous retournons en France avec *L'Enfant halluciné* (1987). René-Jean Clot raconte l'adolescence d'un peintre, orphelin de père et qui se montre très jaloux des relations de sa mère (comme le chat noir d'*Un amour interdit* l'était des nouvelles amours de son maître). Éducation sentimentale, éducation d'artiste, c'est un récit superbe.

MAURICE FICKELSON

Maurice Fickelson n'a publié que trois romans. Le premier reste une réussite exceptionnelle : *Dod* (1968). Il raconte une année de la vie d'un jeune homme, paralysé des deux jambes. Dod loge dans une chambre meublée d'une ville universitaire et se trouve confié aux soins de deux dames : une espèce de gouvernante, Mme Luffergal, et une infirmière, Mme Arthème. Il se rend à ses cours dans un fauteuil roulant. Chez lui, il reçoit des visites — les parents, des amis, un médecin — sans oublier une terrible petite fille qu'il appelle l'écolière. Surtout, il mène une vie nocturne pleine d'aventures étranges : souvenirs ou rêves ? Les uns et les autres se mêlent et l'on suit essentiellement une histoire d'amour, l'amour qu'éprouve Dod pour une actrice aux incarnations changeantes.

On ne saura jamais exactement l'origine de sa maladie : a-t-il abusé des drogues ? Est-il victime de son imagination ? Il est accusé, à un moment, d'être un simulateur. On devine en tout cas que la fin de l'histoire nocturne va coïncider avec son retour à une vie normale. Délivré de ses obsessions, il pourra se remettre à marcher. « Au fond de toi, lui dit son ami Olivier, tu le sais bien, que vivre ce n'est pas si terrible. »

Vous allez penser qu'il s'agit d'un livre « difficile », et sans doute donnera-t-il naissance à des commentaires savants. Ce qui importe, c'est qu'il soit (et il est) d'une lecture aisée et proprement *délicieuse*. Dans le fantastique et l'onirique mêmes, le détail est merveilleusement réaliste — et c'est par là qu'on pourrait évoquer certains contes de Kafka. Dans tous les registres, du dramatique au familier, le récit est relevé par des touches d'humour : il m'est arrivé de penser à la famille du Commodore chez Lautréamont et au Plume de Michaux. C'est du côté de ces grands écrivains que Maurice Fickelson se situe. Il a l'insigne mérite de raconter, avec une clarté parfaite, des histoires obscures, et de les rendre attachantes.

Peut-être a-t-il voulu seulement traduire l'ambiguïté de la condition humaine. Qui ne s'est jamais demandé si la vie n'était pas un songe ? Qui, au sortir de certains rêves, ne s'est jamais trouvé la tête embrouillée, l'esprit incertain ?

Quant à Fickelson, comme un journaliste lui demandait si la vie réelle de Dod était sa vie diurne ou sa vie nocturne, il a très bien répondu : « Je ne sais pas. Je les ai imaginées toutes les deux et de la même façon. »

G.-O. CHÂTEAUREYNAUD

Châteaureynaud débuta en 1973 par un recueil de nouvelles intitulé *Le Fou dans la chaloupe*. Ses premiers textes, réunis sous le titre *La Fortune*, ne parurent qu'en 1980. Il les avait composés entre 1968 et 1971, soit entre sa vingt et unième et sa vingt-quatrième année. Ainsi pourrait-on dire qu'il y décrit le passage de l'adolescence à l'âge adulte. Mais un poète — et tout homme peut-être — reste en son for intérieur un adolescent : « Il avait pris de l'âge, et pourtant, dans l'amour ou dans la colère, il lui semblait encore faire comme les grands ; son ennui seul était adulte. »

Châteaureynaud parle à la troisième personne. Ses porte-parole ont des noms bizarres, comme Nébule, Inane ou Ténèbre, ou bien on les désigne majestueusement comme le Grand Blasé ou le Grand Ulcéré. Ce sont de petits-enfants de Lautréamont, mais l'auteur n'use pas d'un grand style romantique : il utilise une forme moderne et resserrée comme Michaux, dont l'influence est évidente ici et là.

Comme Michaux encore, Châteaureynaud nous propose des fables sans moralité. Elles témoignent d'une exigence d'absolu. « Si Dieu n'existe pas, tout est impossible. TOUT VA MALGRÉ. La conscience éperdue finit par s'en apercevoir. »

Châteaureynaud n'explique pas son titre. Ayant lu son livre, on peut penser que la Fortune est cette divinité grecque qui personnifiait le hasard ou la chance, bonne ou mauvaise fortune. Cependant, pour la plupart des gens, un homme chanceux ou un homme fortuné est toujours un homme heureux, comme si l'on voulait oublier les malchanceux et les infortunés. Or, les héros de Châteaureynaud ne sont pas heureux. Ils n'ont de recours que dans les mots et dans l'imaginaire.

« Tout est dit, tout reste à dire », déclare notre auteur. Ce pourrait être la devise de tout écrivain. Parce que ce qui est dit, c'est l'expérience des autres. Chaque génération est appelée à donner son propre témoignage.

Châteaureynaud ne nous livre pas ses idées, par lesquelles il s'adresserait à notre intelligence. Il nous donne des images qui les illustrent et qui parlent à notre sensibilité. Ses images lui appartiennent en propre et, dès lors, tout ce qu'il dit paraît nouveau.

Cependant lui-même a des doutes sur la nature de l'inspiration. La première nouvelle du *Fou dans la chaloupe* raconte l'histoire d'un jeune écrivain qui, dans une maison de campagne, découvre les manuscrits d'un inconnu. Il s'accorde si bien au texte qu'il en devine le déroulement. Tout se passe comme s'il le savait par cœur. Mais qui est l'auteur des manuscrits ? Il ne parviendra pas à l'apprendre. La propriétaire de la maison affirme même que l'armoire où il a trouvé ces manuscrits était vide. Notre jeune homme décide alors de recopier les manuscrits. Il les recopie sans avoir grand besoin de consulter le texte original, et les modifications qu'il fait ainsi subir à celui-ci sont infimes. La publication est un triomphe.

Résumée ainsi, cette histoire est tout juste une anecdote bizarre. Châteaureynaud a su en faire un petit chef-d'œuvre qui se lit avec une intense curiosité.

Elle m'a remis en mémoire un récit d'un auteur aujourd'hui bien oublié, Louis Dumur, qui eut son heure de grande célébrité avec des ouvrages guerriers tels que *Nach Paris* et *Le Boucher de Verdun* où cet écrivain d'origine suisse se libérait de son sadisme en le prêtant aux soldats de Guillaume II. Mais Louis Dumur a écrit aussi de petits romans provinciaux. Dans l'un d'eux, nous faisons connaissance avec un poète qui est la gloire de sa petite ville. Ses admirateurs tiennent à le présenter à un écrivain parisien de passage. L'écrivain est bien surpris en entendant le poète réciter comme étant de son cru des poèmes de Victor Hugo. Est-ce un imposteur, jouant sur l'inculture de ses concitoyens ? Pas du tout. La vérité est que le poète est somnambule. La nuit, en état second, il se rend dans un grenier où il lit des recueils de vers. Dans la journée il croit être visité par l'inspiration et c'est en toute bonne foi qu'il s'attribue l'œuvre d'un autre.

De quoi est faite l'inspiration ? De quoi sont faits les livres ? Qu'est-ce que la création littéraire ? Voilà des questions auxquelles personne n'a pu répondre encore.

Le titre de *La Fortune* aurait convenu au roman *La Faculté des songes* (1982) qui valut à Châteaureynaud un grand prix littéraire. Mais qu'est cette *Faculté ?* C'est le nom qu'un personnage du livre a donné à un vaste chantier où l'on doit édifier une faculté des sciences. Pour le moment, une vieille maison abandonnée y subsiste. Tout d'abord, c'est Quentin, un jeune O.S., qui décide d'y camper. Il travaille dans une usine de pneus, faute de mieux. Il fait la connaissance d'un nommé Manoir, un homme d'une tout autre situation sociale — un fonctionnaire des finances — mais non moins maltraité par la vie. Manoir et d'autres personnages, un pittoresque bibliothécaire et une jeune chanteuse des rues, trouveront à leur tour un refuge provisoire à la Faculté des songes. Une étrange communauté se constitue en marge des soucis quotidiens. Chacun de ses membres, amené là par la malchance, y trouvera le réconfort dont il avait besoin. Tous seront pour un temps « les squatters heureux de l'oubli ».

Châteaureynaud nous a donné ensuite *Le Congrès de fantomologie* (1985), un récit d'aventures à la Stevenson qui se termine par une embardée dans la science-fiction. Ouvrage inquiétant où l'on voit comment un homme pourrait être dépossédé de lui-même. L'individu est chose fragile à notre époque.

XVI

Les princes de la chronique

On appelle chroniqueurs les écrivains capables d'écrire sur n'importe quel sujet et de trouver toujours à dire des choses intéressantes, dans un style brillant. Les auteurs réunis dans ce chapitre ont tous collaboré à des journaux, hebdomadaires et revues, où ils ont commenté les grands et petits événements de l'actualité, aussi bien politique que littéraire.

Dirons-nous que leur passage dans le journalisme a influencé leur manière de composer un roman ? Non pas de le composer, mais peut-être de le nourrir de mille notations et réflexions sur la vie quotidienne. Les romans de nos chroniqueurs sont souvent des tableaux de mœurs ou des récits de moraliste. Mais place y est faite au sourire et au rire.

ALEXANDRE VIALATTE

Les éditeurs ne publient pas volontiers des recueils de chroniques. Plusieurs d'entre eux pressaient pourtant Alexandre Vialatte de réunir les meilleures de celles qu'il donnait au journal *La Montagne.* Il est mort en 1971 sans avoir composé le choix qu'on lui demandait. Son amie Ferny Besson se chargea du travail et c'est ainsi que parut en 1978 le volume intitulé *Dernières nouvelles de l'homme,* préfacé par Jacques Laurent. La critique fut enthousiaste. De nombreux lecteurs réclamèrent d'autres recueils. On leur offrit en 1979 *Et c'est ainsi qu'Allah est grand,* en 1980 *L'éléphant est irréfutable,* en 1981 *Almanach des quatre saisons.* D'autres recueils suivirent et suivront.

L'éléphant est irréfutable est préfacé par Pierre Daninos, qui écrit : « J'en veux tout de même un peu à ceux qui, ayant connu Vialatte de son vivant, ont attendu sa mort pour le couvrir de fleurs. » Cette phrase me paraît bien curieuse, car tous ceux qui ont connu Vialatte de son vivant l'ont toujours considéré comme un merveilleux écrivain et n'ont jamais manqué de le dire quand on leur en donnait l'occasion. Les occasions étaient rares dans la presse, car il publiait peu de livres. Après la guerre, il ne publia qu'un seul roman, *Les Fruits du Congo,* dont on ne peut nullement dire que la critique le négligea. On en parla beaucoup pour le Goncourt en 1951. Aussi bien Chardonne que Paulhan, Nimier que Dutourd en conseillèrent vivement la lecture, et c'est en effet un des plus beaux romans inspirés par les troubles, les aspirations et les tumultes de l'adolescence.

Vialatte pensa longtemps que son activité de journaliste l'empêchait d'écrire les romans qu'il avait projetés et parfois ébauchés. Puis il en vint à admettre qu'il s'exprimait aussi bien dans ses chroniques qu'il aurait pu le faire dans des romans. Du moins déclara-t-il à un interviewer : « Si je devais avoir un maître, ce ne serait pas un auteur abondant. Ce serait La Fontaine, quand il écrit des pièces brèves, limpides, absolument achevées, à quoi on ne peut plus retrancher une virgule, ni un mot. »

À vrai dire, c'est quand on le considère comme romancier que Vialatte est un auteur rare (trois romans en tout) ; il est un auteur abondant si on le considère comme auteur de pièces brèves (ses chroniques). On notera d'ailleurs qu'il n'est pas nécessaire, pour durer en littérature, d'avoir écrit beaucoup, mais il suffit d'avoir écrit un chef-d'œuvre. Il importe surtout d'avoir inventé un petit monde à soi par les vertus du style.

« La littérature, au meilleur sens du mot, commence et finit avec le style », écrit Vialatte dans l'*Éléphant.* Et il poursuit, donnant un exemple de son style à lui : « Il y a peu de véritables écrivains. En revanche, il y a beaucoup de livres, comme il y a beaucoup de détergents, parce qu'il faut que les imprimeries tournent et que les marchands de savon vendent beaucoup de savonnettes. À son origine, l'imprimerie était conçue pour diffuser des livres, maintenant les livres sont écrits pour faire travailler l'imprimerie. Et comme elle va extrêmement vite, elle a besoin de beaucoup de manuscrits. Ils correspondent à des besoins nouveaux qui n'ont rien à voir avec l'art. »

Dans les chroniques de Vialatte, on est d'abord sensible à une cocasserie très particulière qui tient à des rapprochements et à des enchaînements inattendus. Cet auteur jongle avec les mots et les idées, mais il ne nous séduirait pas autant si nous ne devinions une vraie sagesse derrière sa fantaisie. Son apparente frivolité aide à vivre. Mais aucun grand sujet ne lui était étranger. À propos du bonheur, il écrivait : « Le bonheur date de la plus haute antiquité. Il est quand même tout neuf car il a peu servi. »

La liste des œuvres de Vialatte est tout à fait impressionnante si l'on tient compte du nombre de livres qu'il a traduits. Le nom de Vialatte est lié à celui de Kafka, dont il fut l'introducteur en France en nous faisant connaître dès 1927 *La Métamorphose.* Il traduisit d'autres grands auteurs : Goethe, Nietzsche, Thomas Mann, Hofmannsthal, Brecht, Gottfried Benn. Il appartient un peu à la famille de chacun d'eux.

Ferny Besson lui a consacré une précieuse biographie, où elle cite de nombreux extraits de lettres. Nous y apprenons entre autres choses que

Vialatte a subi lui-même l'accès de folie qu'il raconte dans son récit *Le Fidèle Berger.* C'était au moment de la défaite de 1940, quand il fut fait prisonnier. Le fantastique ici n'était pas inventé, mais sévèrement vécu. Le reste de sa vie fut heureusement moins tragique. Si l'on devait le comparer à un auteur de sa génération, ce serait à Georges Limbour, l'auteur des *Vanilliers* et de *La Chasse au mérou.* Ils furent même exactement contemporains (Limbour : 1900-1970, Vialatte : 1901-1971). Tous deux, fils d'officiers, connurent une enfance baladeuse, de garnison en garnison. Leur vie professionnelle fut partagée entre le journalisme et le professorat. Ils séjournèrent en Rhénanie et en Égypte. Ils ne publièrent que peu de livres, mais qui leur valurent une grande réputation dans les milieux littéraires. Les auteurs qui survivent ne sont pas ceux qui ont connu un large succès commercial de leur vivant, mais ceux qui se sont constitué un petit public de lecteurs fervents, indifférents aux modes et aux coteries.

ROGER NIMIER

Dans les années 50 et 60, pour de nombreux jeunes gens épris de bonnes lectures, Roger Nimier (né en 1925) fut un frère aîné plein d'expérience et de séduction. Ces jeunes gens lisaient de préférence ses romans, qui vont du romantisme flamboyant des *Épées* et du *Hussard bleu* à la nostalgie amère des *Enfants tristes* et caracolante de *D'Artagnan amoureux.* Nimier n'avait pas eu besoin d'un prix littéraire pour devenir célèbre. Alors qu'on oublie généralement très vite le nom des heureux lauréats du Goncourt et du Femina, celui de ce jeune homme s'inscrivit très tôt dans l'histoire des lettres contemporaines : Nimier avait su exprimer les sentiments d'une bonne partie de la génération qui avait eu vingt ans en 1945.

Il mourut dans un accident de voiture et certaines personnes déclarèrent qu'il était un garçon désespéré. Marcel Aymé s'éleva vivement contre une telle affirmation. Dans un article publié dans le *Bulletin de la N.R.F.* de novembre 1962, il affirma : « Roger Nimier était la vie, la joie de vivre et, même pour les gens de son âge, la jeunesse. Ceux qui l'ont connu se souviendront de son solide équilibre, de sa gentillesse, de sa gaieté. »

Marcel Aymé n'avait certainement pas tort. Ou plutôt il avait tout à fait raison d'insister sur la bonne santé de Nimier. Car Nimier pouvait être triste à ses heures, comme tout le monde. Il pouvait pester contre la décadence de l'époque et se montrer réactionnaire, parce qu'il avait la nostalgie d'une ancienne société où l'on respectait des valeurs qui donnaient un sens à la vie. Mais il savait fort bien que toute société est décadente. On l'a parfois embrigadé un peu vite dans tel ou tel parti, parce qu'il avait brocardé tel ou tel autre parti. Ses mouvements d'humeur étaient surtout l'expression de sa vitalité. Marc Dambre dit très bien, dans sa préface à *L'Élève d'Aristote* (recueil paru en 1980) : « Porté par tempérament vers l'excès, peu assuré dans ses pensées parce que leurs contraires le séduisent, il se méfie de son humeur sauvage comme de toute maxime. » Ajoutons qu'il savait parfaitement qu'un auteur nourrit son œuvre de ses contradictions. Aussi n'hésitait-il pas à exprimer ses emballements et ses aversions et ne reculait-il pas devant des maximes dont il savait qu'on peut les retourner comme un gant.

À côté du Nimier romancier, il y a le Nimier essayiste qui enchante les amateurs de littérature par sa familiarité avec les grandes œuvres du passé et d'aujourd'hui. Tout en lui reconnaissant une intelligence critique très vive, les professeurs lui reprochent parfois son goût des cabrioles. C'est que, pour lui, la littérature est une fête et que les choses les plus sérieuses peuvent être dites de façon plaisante. Sous le titre *Journées de lectures,* on a réuni, en 1965, une série d'articles sur des auteurs contemporains. Auprès d'un tel recueil, les divers panoramas de la littérature du XXe siècle ont bien triste mine.

L'Élève d'Aristote n'est pas exactement un deuxième volume de *Journées de lectures.* Marc Dambre a essayé de reconstituer l'ouvrage que Jacques Chardonne conseillait à Nimier de publier sous le titre valéryen de *Variétés,* c'est-à-dire un rassemblement de chroniques qui ne soient pas des comptes rendus ou des analyses d'ouvrages, mais des portraits et des fantaisies littéraires. Il faudrait d'ailleurs dire : « historiques et littéraires », car l'ouvrage s'ouvre sur des morceaux consacrés à Alexandre et à Jules César, et l'un des textes les plus longs et les plus réussis nous raconte et nous décrit Versailles, de ses origines à nos jours. (Titre inattendu : « Le Palais de l'ogre ».)

Le livre est divisé en trois parties. La première est intitulée « Monarchies », mais c'est seulement pour désigner les époques où vécurent les personnages évoqués, qui peuvent être aussi bien Maurice Scève que Tallemant des Réaux. La deuxième partie est réservée aux auteurs du XIXe siècle. Nimier nous parle de Constant et de Chateaubriand, de Joubert et de Sainte-Beuve, de Stendhal et de Mérimée, de Balzac et de Dumas. Dans la troisième partie, nous retrouvons nos contemporains... Nimier trace d'amusants croquis de Marcel Aymé et de Chardonne, salue son ami Blondin et esquisse une vie de James Joyce. Des notices destinées à un dictionnaire de littérature ne sont pas tendres pour tous les écrivains mentionnés. On a la surprise de découvrir que Nimier aimait beaucoup Alain dont il semblait bien éloigné. L'article consacré à Alain commence ainsi : « Alain était un puissant brasseur d'idées, qu'il livrait à la pression, fraîches, appétissantes pour l'œil, dans les récipients d'une forme particulière dont il était l'inventeur et qu'il nommait : Propos. » Nimier variait beaucoup, pour sa part, la présentation de ses textes critiques.

Il continue aujourd'hui d'avoir beaucoup de jeunes lecteurs. Son influence est évidente dans les premiers livres de Jean-Marie Rouart et de Patrick Besson. Hier frère aîné, il est devenu un maître, donnant toujours de bonnes leçons de style et d'insolence.

JEAN DUTOURD

Jean Dutourd devint célèbre après la publication d'*Au bon beurre* (1952), l'un des deux romans qui contiennent les meilleurs tableaux de la vie quotidienne en France sous l'Occupation. L'autre est *Le Chemin des écoliers* de Marcel Aymé. On les lit tous deux avec un plaisir identique. Ce sont là des chefs-d'œuvre du roman de mœurs, et l'on y voit comment une caricature peut être le reflet violent de la réalité.

Aujourd'hui, Dutourd est à la tête d'une œuvre abondante et variée : romans, contes, essais et chroniques. Grand écrivain, il est aussi un grand journaliste, et ses éditoriaux de *France-Soir* l'ont transformé en vedette de notre vie politique. Descendant de Voltaire et de Diderot, il a toujours l'esprit frondeur et il provoque des réactions passionnelles. On a même été jusqu'à plastiquer son appartement de l'avenue Kléber, qui a bel et bien été démoli. Toutefois, cet attentat n'a pas entraîné pour Dutourd que des inconvénients : il a facilité son entrée à l'Académie (en 1978), de même qu'autrefois une opération des cordes vocales avait assuré l'élection de Mauriac.

Personne ne conteste le talent littéraire de Dutourd. Ce sont ses idées qui ont le don de provoquer la colère de certains lecteurs. Il en allait de même pour Mauriac. Les gens qui se fâchent sont des gens qui ne supportent pas qu'on pense autrement qu'eux et qu'on bouscule leurs convictions.

Dutourd a une tendance marquée à croire qu'une opinion généralement admise a beaucoup de chance d'être erronée. Il n'a pas toujours eu mauvais esprit. Dans son enfance, il adhérait à tout ce qu'on disait dans son honnête famille, et puis il s'aperçut que les principes moraux qu'on lui inculquait se trouvaient en contradiction avec les réalités du monde. Il choisit de se fier à sa seule expérience et de remettre en cause les idées reçues.

Son recueil, *Le Bonheur et autres idées* (1980), se présente à la manière du *Dictionnaire philosophique* de Voltaire. Cependant Dutourd avoue que, en abordant un sujet, il ne sait pas toujours ce qu'il va écrire : c'est en écrivant qu'il le découvre. Parfois, n'étant pas un homme tout d'une pièce, il utilise le dialogue. Il appuie toujours ses développements sur une observation précise des mœurs. En fait, on ne peut guère contester l'exactitude de ses notations. On peut les trouver incomplètes, et n'être pas toujours d'accord sur les conclusions qu'il en tire.

L'ennui des idées (au sens populaire du mot), c'est qu'elles ne rendent compte que d'un aspect des choses. Par exemple, Dutourd nous assure que le plaisir se trouve dans le travail et non dans le loisir, attendu que les gens sont très gais au bureau ou à l'usine, alors qu'ils meurent d'ennui le dimanche. Voilà qui fait crier à la provocation, mais comporte une part de vérité. Au lieu de se fâcher et de rappeler comment les travailleurs sont exploités, on ferait mieux de louer Dutourd de prêter à la discussion. D'autant plus que, dans le même livre, il décrit fort bien les inconvénients qu'entraîne la nécessité de gagner sa vie. Dutourd n'est nullement un homme à idées fixes. Il dit ce qui lui chante, souvent plus attentif à la musique qu'aux paroles.

Jusqu'en 1981, on le présentait souvent comme « le porte-parole de la majorité silencieuse ». Il devint soudain celui de la minorité souffrante, appellation beaucoup plus chic. A vrai dire, je n'ai jamais considéré Dutourd comme le porte-parole de personne. Il aborde les problèmes sous un angle original et ce qu'il dit est toujours inattendu. L'expérience socialiste a particulièrement excité sa verve. Ses chroniques de 1981 ont été recueillies sous le titre *De la France considérée comme une maladie* (1982). Vinrent ensuite *Le Socialisme à tête de linotte* (1983), *Le Septennat des vaches maigres* (1984), *La Gauche la plus bête du monde* (1985). Jean Dutourd journaliste procède un peu à la manière des chansonniers d'autrefois. On voit apparaître les « grands personnages » du gouvernement, souvent transformés en héros de fables. On sait qu'il y a aussi du La Fontaine en Dutourd. Où il est le plus drôle, c'est quand il prête à ces héros des propos qui nous semblent traduire la réalité beaucoup mieux que les discours officiels. Je tiens pour un chef-d'œuvre la « Prosopopée du président à l'Hôtel de Ville pour fêter le vingt-cinquième anniversaire de la Ve République ».

Dutourd tient à des valeurs plus que négligées aujourd'hui. Il reproche au ministère de l'Éducation nationale de n'avoir su inculquer aux jeunes Français de solides notions d'histoire de France et d'orthographe. Pour sa part, ce n'est pas seulement à l'histoire de France qu'il est attaché. Cela lui permet de proposer des comparaisons riches d'enseignements entre hier et aujourd'hui. Voyez sa chronique sur Lech Walesa à propos duquel il évoque Spartacus.

Ce que j'aime aussi, c'est son imprudence, que l'on peut appeler courage. L'imprudence consiste à nous confier sans précaution toutes les observations qu'il a pu faire, oubliant le risque d'être mal compris et de voir sa pensée déformée. Sa chronique sur la natalité lui valut bien des attaques. Il avait seulement remarqué que l'on faisait plus d'enfants dans les pays du tiers monde que chez nous et il avait écrit que la pauvreté semblait plus propice à la procréation que la richesse. Il nous raconte comment M. Lionel Jospin interpréta son texte. M. Jospin s'écria : « M. Dutourd souhaite que la France devienne un pays pauvre ! »

Toutes les chroniques réunies dans ces volumes ne concernent pas la vie politique. Certaines sont consacrées à des sujets littéraires. Par exemple, l'année 1983 fut celle d'un anniversaire de Stendhal et de la mort d'Aragon. On connaît la passion qu'a Dutourd pour Stendhal. On est un peu surpris de son admiration pour Aragon qu'il jugeait digne de funérailles nationales. Il n'oubliait pas le poète de la Résistance et pardonnait l'appartenance au parti communiste. Ah ! On ne peut accuser Dutourd d'être sectaire (contrairement à ses détracteurs).

Sa vraie passion n'est pas la politique, c'est la littérature. Il la considère comme un remède *contre les dégoûts de la vie.* Sous ce titre, en 1986, il a publié un recueil de textes critiques qui lui valut une presse unanimement favorable. Le livre s'ouvre sur des pages autobiographiques où Dutourd nous dit quelle place la lecture a très tôt tenu dans sa vie et comment il devint écrivain à son tour. Il nous raconte avec drôlerie son passage comme conseiller littéraire dans une grande maison d'édition. Il nous confie qu'il a refusé à diverses reprises de devenir critique professionnel parce que, ayant eu tant de relations amoureuses avec la littérature, il ne voulait pas faire un mariage de raison. Dans son *Carnet d'un émigré* (1973), il donnait une autre explication : le critique professionnel « absolument gorgé par les quatre-vingts bouquins qui s'échouent tous les mois sur sa table » n'a plus une minute pour mettre le nez dans les bons auteurs anciens. Aussi bien Jean Dutourd ne s'est livré à la critique qu'en deux sortes d'occasions : quand on lui demanda des préfaces pour des ouvrages qui lui plaisaient, et quand on lui proposa de tenir une rubrique consacrée aux rééditions d'écrivains d'autrefois.

On trouvera ici les éléments d'une petite histoire de la littérature française allant de Montaigne à Marcel Aymé (en passant notamment par Corneille, Molière, Voltaire, Chateaubriand, Hugo, Verlaine, Proust), mais aussi des notations sur des auteurs moins connus et fort pittoresques (comme Jean Lorrain, Rachilde, Hugues Rebell). Les grands écrivains étrangers ne sont pas oubliés (entre autres, Edgar Poe, Melville, Stevenson). Dutourd nous dit que, parmi les influences qu'il a subies, la plus déterminante fut celle d'Oscar Wilde. C'est Wilde qui lui apprit « non pas l'art du paradoxe, mais celui, essentiel, de se placer à des points de vue bizarres pour examiner les idées ». J'avoue que je n'avais pas pensé à Wilde quand je lus ses premiers livres. J'avais plutôt pensé à Marcel Aymé. Nous fûmes plusieurs critiques à signaler cette parenté. Jean Dutourd se rappelle n'avoir pas compris tout de suite que nous lui adressions un énorme compliment. À l'époque, les écrivains de grand format s'appelaient Sartre, Malraux, Camus. A côté d'eux Marcel Aymé n'était qu'un amuseur. Aujourd'hui il occupe enfin sa vraie place et Dutourd peut le proclamer « notre plus grand romancier » (parmi les contemporains).

Quoi qu'il en soit, fils de Wilde dans ses essais, frère d'Aymé dans ses romans, Dutourd est de bonne famille. Et nous avons dit qu'il comptait parmi ses ancêtres Voltaire, Diderot et Stendhal... Il ajouterait peut-être à ces noms illustres celui de Restif de La Bretonne qu'il considère comme le plus grand écrivain du XVIIIe siècle français et celui de Labiche, dont il parle excellemment dans *Le Bonheur et autres idées.* Il n'est pas conformiste non plus dans ses admirations.

Ses deux derniers romans montrent l'étendue et la variété de ses dons de conteur. Avec *Les Mémoires de Marie Watson* (1980), il nous a offert un délicieux divertissement littéraire et policier. Avec *Henri ou l'Éducation nationale* (1983), un tableau de la société française contemporaine.

Dans *Les Mémoires de Marie Watson*, il a réussi le tour de force de mettre en scène, de façon vraisemblable, deux écrivains aussi fameux et aussi différents l'un de l'autre qu'Oscar Wilde et Conan Doyle. Il a prêté sa plume à une narratrice, Mary Morstan. Celle-ci a vingt-sept ans, en 1888, quand elle rédige ses souvenirs. Fille d'un officier de l'armée des Indes, elle a perdu sa mère très tôt et a été élevée dans un pensionnat d'Édimbourg. Un jour, alors qu'elle est devenue une adolescente, elle reçoit une lettre de son père qui lui laisse entendre qu'il a découvert un trésor et qui lui donne rendez-vous à Londres, où il est de retour. Mais, quand elle arrive à l'adresse qu'il lui a indiquée, il a disparu très mystérieusement.

La pauvre Mary est recueillie par la directrice du pensionnat d'Édimbourg, brave cœur sous des dehors austères, et, grâce à elle, se trouve bientôt engagée comme demoiselle de compagnie par une brillante et richissime veuve, Mrs. Forrester, qui fut autrefois du dernier bien avec l'empereur Napoléon III et qui tient maintenant salon à Londres. Mrs. Forrester est l'amie des artistes les plus renommés, non seulement d'Angleterre, tels Wilde et Whistler, mais de l'Europe entière, et de France en particulier. Nous verrons chez elle Verlaine et Mallarmé qui écriront dans son *keepsake* des vers, naturellement inédits.

Chaque année, à date fixe, Mary reçoit une perle de grande valeur, sans que l'expéditeur se fasse connaître. Et puis, un matin de 1888, un rendez-vous lui est donné. Elle peut s'y rendre accompagnée, à condition que ce ne soit pas par la police. Mrs. Forrester lui conseille de demander l'assistance du détective Jeremy Holmes. Et c'est ainsi que Mary fait connaissance, par la même occasion, du jeune docteur Watson, dont elle tombe aussitôt amoureuse.

Jeremy ? vous demandez-vous. Eh oui ! c'est ainsi que le détective se prénommait avant que le docteur Watson, qui s'est institué son historiographe, ne le baptisât Sherlock. Lui-même, Watson, sur le conseil d'Oscar Wilde, devait choisir le pseudonyme de Conan Doyle quand il publierait ses comptes rendus des enquêtes de son ami.

Nous ne savons pas comment Conan Doyle aurait apprécié cette trouvaille de Dutourd. Nous ne savons pas non plus si Oscar Wilde connaissait l'inventeur de Sherlock Holmes. Mais leur rencontre chez Mrs. Forrester est bien savoureuse, et Dutourd fait tenir à Wilde des propos que celui-ci n'aurait pas désavoués : le petit discours sur la vérité, dans la troisième partie du livre, est un enchantement.

Côté Conan Doyle, l'histoire du trésor du capitaine Morstan, telle que Sherlock Holmes parviendra naturellement à l'élucider, vous rappellera sans doute les péripéties d'un roman comme *Le Signe des quatre*. Bien que Dutourd y mêle beaucoup d'ironie, on le suit avec un intérêt constant.

Quant au roman d'amour, c'est un pastiche des romans roses d'autrefois, à l'époque où le plus vif désir d'une jeune fille était de rencontrer un beau garçon intelligent qui l'épouserait. Vous me direz qu'il est vraisemblable que Jean Dutourd lui-même — ce vieux réactionnaire — pense que les femmes ne trouvent à s'épanouir que dans le mariage. En tout cas, cela ne l'a pas empêché d'inventer le personnage si séduisant de Mrs. Forrester, dont la plus grosse bêtise fut précisément de se marier, ce qui lui valut de connaître neuf ans d'ennui, au bout desquels, grâce au ciel, elle devint veuve, « titre enviable et délicieux », nous est-il dit. Sacré Dutourd !

Signalons enfin les croquis londoniens dont le livre est parsemé, aussi réussis que les petits tableaux parisiens des *Horreurs de l'amour*. Jean Dutourd a vécu, jeune homme, plusieurs années à Londres et s'en souvient ici. Cependant, il nous donne aussi quelques descriptions de l'Inde où il n'a jamais, croyons-nous, mis les pieds...

Bref, voici un livre surprenant et drôle, superbement enlevé.

Avec *Henri ou l'Éducation nationale,* nous retrouvons Dutourd observateur critique des mœurs de notre temps. Le héros est un garçon de dix-sept ans, Henri Chédeville, né en 1954, à Paris, dans le 16e arrondissement. L'action se situe donc en 1971. Mais le héros est également le narrateur et il a pris la plume le jour de ses vingt ans, en 1974, pour nous raconter comment il a décidé de rompre avec sa famille et son milieu et s'est lancé dans la merveilleuse aventure d'écrire. Écrire devient en quelque sorte sa manière d'exister, et bien plus glorieusement que dans la vie courante, parce que l'écrivain tire avantage de tout et même de l'analyse de ses faiblesses et de ses faux pas.

Henri paraît avoir deux maîtres dans l'art d'écrire. L'un qu'il se plaît à citer, et c'est Stendhal, en particulier l'auteur de *La Vie de Henry Brulard.* L'autre dont il ne souffle mot, et c'est Jean Dutourd. Il faut bien avouer que Jean Dutourd n'a pas essayé d'inventer un style particulier pour son narrateur de vingt ans. Il lui a prêté le sien propre et il court ainsi le risque de s'entendre dire : « Mais, cet Henri Chédeville, c'est vous. »

On voudra bien admettre que le récit n'est en rien autobiographique, c'est-à-dire que toutes les aventures d'Henri sont inventées, mais on décidera que les idées et les sentiments qu'exprime le héros sont des idées et des sentiments de Jean Dutourd. En vérité, peu importe. Ce qui compte, c'est l'intérêt que peut présenter l'étude de la vie et du caractère d'un garçon qui appartient aux nouvelles générations.

Ici Dutourd nous tend un nouveau piège : son Henri ne se veut nullement représentatif des garçons de sa génération. C'est le contraire : il s'affirme par opposition. Il condamne l'évolution de la société et des mœurs. Bon, c'est un réactionnaire. Mot acceptable si on lui conserve son sens véritable, si on ne le transforme pas en étiquette infamante, à la manière du professeur de terminale Barragaud.

Dans son portrait de Barragaud, lequel se veut camarade de ses élèves et se fait appeler par son prénom de Jean-Loup, Henri a rassemblé tous ses griefs contre certains universitaires d'aujourd'hui, qui prétendent travailler pour un monde meilleur alors qu'ils se contentent de répandre la propagande d'un parti politique, sans se soucier de mettre leur mode de vie en accord avec les opinions qu'ils affichent. Ils se flattent de n'être pas bourgeois, alors qu'ils ont tous les caractères du bourgeois selon Flaubert : « esprits étroits, intolérants, égoïstes et avides ».

« Jean-Loup » n'hésite pas à s'écrier : « Voulez-vous que je vous dise, Henri, ce que vous êtes, au fond ? Un petit humaniste. C'est là votre drame. De l'humanisme au fascisme, il n'y a qu'un pas. » Henri se demande en quoi les humanistes, gens bien paisibles, peuvent être considérés comme dangereux par les hommes de progrès comme Barragaud.

Il trouve une réponse : c'est que les humanistes ont appris, en lisant les meilleurs auteurs du passé, « que les hommes sont toujours les mêmes, que tout passe mais que rien ne change, que l'histoire n'a pas de sens, que les idéologies ne sont que les masques des passions ou des intérêts », etc.

On voit bien la contradiction dans les propos d'Henri : on ne peut à la fois prétendre que le monde ne change pas et qu'il se transforme de manière déplorable. On pourrait seulement dire qu'il y a une permanence des mauvais instincts de l'homme et que ceux-ci se cachent sous des dehors plus trompeurs qu'autrefois. Henri met le doigt sur de profonds changements : par exemple, il constate qu'aujourd'hui le patriotisme est remplacé par la solidarité politique. On veut vous enfermer dans tel parti, dans tel tiroir et l'on vous dénie le droit de choisir ici et là ce qui vous convient. On vous colle une étiquette sur le dos et l'on vous juge selon cette étiquette : « Rien de plus malhonnête, dit Henri, que de diviser les gens selon des normes politiques. »

Ce qu'Henri se propose, c'est de jeter un regard libre, non partisan, sur le monde qui nous entoure. Que vaut son témoignage ? Les observations sont-elles justes ? Les accusations qu'il porte sont-elles fondées ? Henri reconnaît : « Je me prends sans cesse à caricaturer. » Oui, mais un caricaturiste honnête ne ment pas, il se contente de forcer certains traits pour attirer sur eux l'attention. Au surplus, c'est bien un roman que nous propose Dutourd, lequel utilise des idées pour peindre un personnage. Si Henri attaque la politique et l'éducation nationale, sa cible principale est la famille moderne. Nous avons ici des scènes très savoureuses autour de la mésaventure de « Ségolaine », la jeune sœur du héros : au siècle de la pilule, elle se laisse faire un enfant, sans le désirer.

Ces choses-là arrivent. Elles étaient encore plus gênantes il y a quelques années, avant que l'avortement ne fût autorisé. C'est sans doute pourquoi Dutourd a situé son roman en 1974 et non en 1983. Le monde reste peut-être le même pour l'essentiel, mais la société, elle, change beaucoup. Pour notre plaisir, Dutourd ne change pas.

FRANÇOIS NOURISSIER

François Nourissier est un maître dans le maniement de la langue française, et aussi dans l'autodénigrement. Il lui arrive même de s'accuser d'écrire trop bien, de faire trop bien chanter ses phrases : cela nuirait à son intention de serrer la vérité au plus près. Dans *Le Musée de l'Homme* (1978), il a cherché, nous dit-il, à renoncer aux séductions littéraires de ses premières œuvres autobiographiques pour livrer un constat sans aucune complaisance. On dira que, sur ce plan, ses efforts ont été vains : son style n'a jamais été de meilleure qualité.

Le Musée de l'Homme se présente comme une suite de chroniques sur des thèmes tels que « L'Homme de l'Est », « Le Fils », « Le Mari », « Le Père », « Le Quinquagénaire », « L'Écrivain », « Le Notable », « L'Homme au rancart ». L'auteur dresse le bilan de son existence et le présente comme négatif : les sentiments dominants sont la fatigue et l'ennui. Est-ce une vie ratée ? Oh, pas plus qu'une autre. « Adolescent, nous dit Nourissier (p. 283), je ne voulais pas croire que la société prépare à peu près le même destin aux percherons et aux réputés pur-sang, aux bûcheurs et aux frivoles. »

Auparavant il avait noté : « Il arrive que, dans un article, l'auteur se risque à me décrire — et c'est en général pour signaler et déplorer la disparate entre ma vraie vie et les récits que j'en offre. D'où je conclus que ma vie, telle que je l'éprouve, de l'intérieur, n'a pas grand-chose à voir avec l'image que j'en donne ou l'idée que l'on s'en fait. » (P. 211.)

Nourissier semble apporter là de l'eau au moulin de Proust qui tenait tant à ce que l'on distinguât, dans la personne d'un écrivain, l'homme et l'artiste, lesquels avaient des existences différentes (la « vraie vie » étant celle que racontait l'œuvre). Mais que se passe-t-il quand l'artiste entreprend lui-même de nous raconter sa vie ? Proust n'est plus là pour répondre.

Quoi qu'il en soit, il est bien vrai que la vie de Nourissier, telle que ses contemporains la perçoivent, ne correspond pas à l'image qu'il en donne dans ses livres. Du point de vue social, comme du point de vue littéraire, cette vie apparaît comme une vie réussie. Le « petit-bourgeois » d'autrefois a obtenu tout ce qu'il désirait : il est devenu un grand bourgeois. Il est devenu aussi un homme d'influence. Angelo Rinaldi l'a désigné comme « l'évêque du diocèse des lettres », critique littéraire dans deux importants magazines et académicien Goncourt. Sans doute les choses dont on rêvait perdent-elles leur attrait quand on les possède. Mais peut-on penser, « quand on est quelqu'un », que tous les petits camarades ont eu, au fond, « le même destin » ? Vous me répondrez qu'une femme aussi comblée que l'avait été Simone de Beauvoir a pu s'écrier un jour : « J'ai été flouée. »

Quand il écrivait *Le Musée de l'Homme,* ce qui manquait à la panoplie littéraire de Nourissier, c'était d'avoir composé un « vrai roman », d'avoir pris assez de recul par rapport à son expérience personnelle pour inventer une longue histoire pleine de personnages divers et de rebondissements inattendus. Ce fut fait avec *L'Empire des nuages* (1981) que les critiques saluèrent comme son chef-d'œuvre. Il nous a offert là un vaste tableau des années 60, avec descriptions des milieux mondains et artistiques, relations de séjours dans le Lubéron et en Suisse, de voyages aux États-Unis et même en Inde. Les événements politiques sont évoqués, mais tiennent une place secondaire. Le personnage principal est un peintre quadragénaire, Burgonde, qui voit ses dernières toiles mal reçues par un public avide de nouveautés. Il se lancera dans une aventure sentimentale et sensuelle avec une fille de vingt ans comme pour retrouver l'élan de sa propre jeunesse — mais la liaison finira mal. Parallèlement, on assiste à l'ascension d'un autre peintre, un jeune, Ludovic Lepoux, qui ne croit qu'aux valeurs de choc et de provocation. Les lecteurs ne manqueront pas de faire un rapprochement entre ce terrorisme pictural et le terrorisme du nouveau roman. Burgonde sera lâché par les collectionneurs et par son marchand même. Son dernier soutien sera Aragon, qui lui consacrera un article dans *Les Lettres françaises.* Service inutile : Burgonde, fatigué, finira misérablement sa vie.

Après *L'Empire des nuages,* François Nourissier est revenu à ce que l'on appelle le « récit à la française » avec *La Fête des pères* (1985). Le livre commence par cette phrase : « Depuis le temps que je me mets à table, je devrais avoir vidé mon garde-manger. » Qui parle ? Un écrivain désigné par l'initiale de son nom : N. Est-ce un retour à l'autobiographie ? Par sa construction, *La Fête des pères* est, comme l'*Empire,* un « vrai roman ». Pourtant, cette fois, l'action tient en trente-six heures : le temps d'un aller et retour du narrateur, invité à faire une conférence en Suisse. Avant son départ, il aura eu une méchante et brève conversation avec son fils de dix-neuf ans, Lucas, que depuis longtemps il ne voit pourtant que deux fois la semaine (après le divorce de ses parents, Lucas a été confié à sa mère). En Suisse, N. retrouvera une ancienne maîtresse, venue assister à sa conférence, et il rencontrera la fille de celle-ci. Il ne la connaissait pas encore : elle s'appelle Béatrice, n'a guère plus de seize ans et ressemble à Lucas, physiquement et aussi par sa manière d'être, en moins brutal. Cette ressemblance donne à penser. N. pense. Ah ! ne se serait-il pas mieux entendu avec Béatrice qu'avec Lucas ? Mais ses sentiments pour elle sont-ils tout à fait paternels ?

Ce que N. a en commun avec Nourissier, c'est assurément le coup d'œil critique qu'il porte sur lui-même et sur les autres, sur les « gens », comme il dit. Comme il sait démonter ses comédies et les leurs ! D'où un savoureux mélange de drôlerie et de cruauté. La tendresse, une tendresse blessée, ne manque pas quand N. nous parle de son fils et de Béatrice. Nous avons noté que l'action se déroulait en moins de deux jours, mais N. a le temps de revivre l'évolution de ses relations avec Lucas qui s'éloigne de lui en grandissant et dont il n'a pas su garder la confiance. Dans le train qui le ramène à Paris, il se promet de raconter son voyage et toutes les réflexions qui lui ont traversé l'esprit. Ce sera *La Fête des pères.* Ce livre-là, nul doute que Lucas ne le lise en entier « et mon amour lui éclatera au cœur comme une grenade ». C'est une fin optimiste. Je crois bien que c'est le livre de Nourissier que je préfère.

BERNARD FRANK

Bernard Frank, quand il paraît à la télévision, n'est pas bavard. Il se rattrape quand il écrit. Ses essais sont de prodigieux monologues qui relèvent à la fois de la critique littéraire, de la chronique politique et de l'autobiographie. Le dernier paru s'appelle *Solde* (1980) et porte comme indication de genre « un feuilleton ».

Le mot « feuilleton » appartient au vocabulaire du journalisme. Il s'agissait autrefois d'une chronique qui paraissait en bas de page, ce qui fait qu'on l'appelait aussi « rez-de-chaussée ». On appelait également « feuilleton » le roman qui était publié par tranches régulières. *Solde* est bien un feuilleton, dans les deux sens du terme, car il tient de la chronique et du roman. En fait, Frank est si passionné par le journalisme qu'il lui arrive de désigner ses livres comme « le seul hebdomadaire vaguement écrit que je connaisse traitant de l'actualité de ce demi-siècle ». Un hebdomadaire dont les divers numéros nous seraient livrés en bloc tous les huit ou dix ans.

L'actualité saisie par Frank conserve, grâce aux vertus du style, l'éclat de la nouveauté. Elle lui est prétexte à brosser des scènes de la comédie humaine et des portraits de personnages réels, lesquels deviennent des héros de roman et ne vieilliront pas. Par là, Frank est parent de Saint-Simon.

La part de la comédie est ce qui le retient chez les hommes qu'il observe et il ne craint pas de caricaturer un peu quand il dénonce leurs faiblesses, même s'il s'agit de Sartre et de Malraux, qu'il admire. Il n'épargne personne, ni les puissants, ni les amis, ni d'ailleurs lui-même. Il frappe à droite et à gauche, aussi bien sur Jean Daniel que sur Jean d'Ormesson. Ce sont les plaisirs du jeu de massacre.

On est un peu surpris quand il affirme n'éprouver, au fond de lui-même, qu'indifférence pour ses victimes. Il précise cependant : « J'ai l'indifférence méchante, agressive ; j'écris parfois comme un roquet qui aboie [...]. C'est que je veux à tout prix passionner moments et rapports. » Il y parvient aisément et sans se forcer.

Ce qui doit lui coûter un effort, c'est de commencer un chapitre. Une fois lancé, il nous entraîne dans un discours fleuve, plein de parenthèses qu'il ne se soucie pas de refermer. Son imagination court plus vite que sa plume et c'est la fatigue physique qui le fait s'arrêter un moment. Pour repartir, il attend une provocation extérieure : elle vient, tantôt sous forme d'un livre dont un chapitre l'irrite (ce peut être l'opinion de Berl sur Mérimée), tantôt sous forme d'une demande d'article (un directeur de journal souhaite son opinion sur les législatives) ou d'une lettre de lecteur (un universitaire américain l'interroge sur Nimier et les « hussards »). Tantôt enfin, il a un compte à régler avec ses éditeurs et se défoule en nous racontant ses démêlés avec eux.

Dans ces conditions, il est normal que ses livres soient décousus (et le charme des hebdomadaires est de parler un peu de tout), mais ils conservent une unité qui est due à la personnalité du narrateur. Après tout, *À la recherche du temps perdu* est aussi un livre mal fichu et ça ne l'empêche nullement d'être un chef-d'œuvre. Chardonne comparait Frank à Proust, écrivant un livre comme une araignée tisse sa toile. Quelle vérité se trouve prise dans ses mailles ? À cette question, Frank donne une profonde réponse : « La vérité d'un écrivain, c'est le plaisir qu'il nous procure, l'irritation qu'il suscite en nous. » Pour provoquer le plaisir ou l'irritation, c'est selon, Frank ne craint personne. Littérairement, c'est un régal.

Frank dit que les écrivains sont gens de cirque et qu'ils nous proposeraient un livre comme ceux-ci donnent une représentation. Il est vrai qu'avec Frank on est constamment au spectacle. Cela n'empêche que les problèmes les plus graves soient abordés. Par exemple, *Solde* contient d'impressionnantes réflexions sur la mort où, partant d'une relecture de Montaigne et de Malraux, Frank en vient à des souvenirs personnels, relatifs à un accident de voiture dont il fut victime.

Il n'est pas question de donner ici un recensement des richesses pratiquement inépuisables de ce livre. On y trouve des éléments d'une « histoire de la littérature française », avec des pages magistrales sur Diderot et Voltaire, sur Hugo, Stendhal et Flaubert, sur Laforgue et Corbière, sur Rimbaud (maltraité, bien que Frank lui emprunte son titre de *Solde,* comme Sagan empruntait à Eluard le titre de *Bonjour, tristesse*). Les pages sur la politique ne sont pas moins épatantes et, ici, Frank adopte des positions très fortes. Il parle de la légèreté de nos grands intellectuels (Malraux louant Mao, grâce à qui « tous les Chinois ont leur bol de riz », ou Sartre condamnant fermement la publication du rapport Khrouchtchev), et il n'est pas d'accord quand on prétend « équilibrer les crimes staliniens et poststaliniens à l'aide des massacres d'un Pinochet », car, dit-il, « l'enfer, c'est la contradiction entre le dire et le faire ».

Bernard Frank est un bel exemple d'esprit libre. Il n'a jamais accepté, d'où qu'elle vienne, aucune consigne de prudence ou de prétendue opportunité. Les patrons de presse craignaient ses éclats. Cependant, peu après la publication de *Solde,* Claude Perdriel lui donna carte blanche au *Matin.* Il y collabora quatre ans, puis claqua la porte quand le journal changea de mains et parut passer aux ordres du gouvernement (un gouvernement auquel Frank n'était pas hostile, mais il refusait de collaborer à un organe de propagande). Il fut alors sollicité de tous côtés. Aujourd'hui, il est l'un de nos écrivains les plus lus : tous les mardis, il a ses quatre cent mille lecteurs pour ses « Digressions » dans le journal *Le Monde.*

ÉRIC NEUHOFF

Éric Neuhoff, qui aime payer ses dettes, nous dit avoir emprunté à Bernard Frank le titre de son livre, *Un triomphe* (1984). Frank avait ainsi baptisé la cinquième et dernière partie de son roman *Les Rats,* mais c'était déjà le sous-titre ironique et amer des *Sept Piliers de la sagesse* de

T. E. Lawrence. Frank le reprenait par jeu intellectuel, comme Neuhoff l'a repris à son tour. Nous avons également remarqué que le *Triomphe* de Neuhoff commence, comme *Les Épées* de Nimier, par la présentation d'un adolescent qui médite sur une photo de magazine. Chez Nimier, c'est la photo de Marlène Dietrich. Chez Neuhoff, la photo de Caroline de Monaco. Avec celle-ci, le héros de Neuhoff se conduit beaucoup plus convenablement que le Sanders de Nimier avec Marlène. Il lui reproche de s'être mariée, de ne pas l'avoir attendu.

Neuhoff emploie tantôt le « je », tantôt le « nous », plus rarement le « il ». Ça lui arrive pourtant d'écrire à la troisième personne, comme un romancier classique : par exemple, dans le chapitre *Retour à Toulouse*, où il s'abrite sous le pseudonyme de Nicolas Sanders (eh oui ! Sanders encore). Il est plus près de Frank quand il dit « je ». Plus près de Nimier quand il dit « nous ». Ce « nous » donne à entendre qu'il parle alors pour tous les garçons de son âge, comme faisait Nimier dans *Le Grand d'Espagne*. Mais ici apparaît une grande différence, que souligne notre auteur dans sa *Lettre à mes aînés :* Neuhoff n'a pas connu la tentation de participer aux querelles des agitateurs politiques. Depuis un demi-siècle, l'engagement n'a pas réussi aux écrivains, en ce sens que tous ont reçu des démentis de l'Histoire. « Vous avez voulu changer la vie, et c'est la vie qui vous a changés. » Neuhoff n'a pas la prétention de changer la France et encore moins le monde : « Ce n'est pas aux Afghans, aux Polonais, aux ouvriers que ce livre s'adresse, qu'il sera utile en quoi que ce soit. Ce ne sont pas ces lignes, snobs comme tout, qui risquent d'illuminer leurs fins de mois, d'égayer leurs foyers. » Pour sa part, Neuhoff n'hésite pas à déclarer : « On n'écrit que pour ses pairs, que pour assister aux réactions des membres de la famille. » Et revoilà, employé par Neuhoff lui-même, le mot « famille ». On pouvait croire que les jeunes écrivains d'aujourd'hui n'éprouvaient plus pour la littérature les mêmes sentiments que les meilleurs de leurs aînés. Ils ne cherchaient plus à être admis dans une société d'amateurs et de connaisseurs, mais à trouver accès auprès du grand public. Du reste, ils ne lisaient plus guère et, quand ils rencontraient des confrères, ne parlaient plus que de droits d'auteur et d'avances sur manuscrit. Eh bien, Neuhoff, lui, a ses idées sur Gide et sur Drieu, il connaît Guégan et Besson. Autrement dit, les autres écrivains existent pour lui et il sait que la littérature est une fête où l'on joue avec des phrases et des mots. C'est l'habileté à jongler avec les idées, à trouver des formules plaisantes, qui est le premier signe du talent. Or c'est un vrai plaisir de voir Neuhoff nous jouer la comédie.

Des critiques grincheux n'ont pas manqué de lui reprocher d'être terriblement parisien (« Pour nous, l'étranger commence sur le quai de la gare d'Austerlitz ») et d'avouer sans vergogne qu'il désire la richesse et la célébrité. C'est vrai qu'il consigne souvent des réflexions d'adolescent. Hélas ! ça lui passera. On souhaite qu'il conserve sa verve et son style.

Dans son roman *Des gens impossibles* (1986), il met en scène deux jeunes mondains, Paul et Hélène (les prénoms du couple Morand), mais

Paul estime que le couple qu'il forme avec Hélène doit ressembler à celui que formaient Scott et Zelda Fitzgerald. Et c'est bien vrai qu'ils fréquentent eux aussi des gens impossibles. Toutefois, à la fin du livre, ils se marient et voici la dernière phrase : « Ils ne revirent plus personne. »

XVII

La lignée du lieutenant

Albert Thibaudet distinguait deux familles de stylistes français : la lignée du lieutenant et celle du vicomte. Dans celle-ci se trouvent Bossuet, Rousseau et, bien sûr, Chateaubriand (c'est lui, le vicomte). Dans la première, Montaigne, Voltaire et, bien sûr, Stendhal (c'est lui, le lieutenant). Les lieutenants évitent le lyrisme qui nuit à l'exactitude. C'est pourquoi on leur reproche parfois de manquer de sentiment : on sait pourtant que Stendhal écrivait pour les âmes sensibles. Les critiques confondent parfois un peu facilement la sécheresse du style et la sécheresse du cœur. Chez les lieutenants, la sécheresse peut être un nom de la pudeur.

Dans mon *Histoire* de 1978, je parlais de francs-tireurs, parmi lesquels Félicien Marceau, et de hussards (parmi lesquels Michel Déon et Jacques Laurent). Les écrivains que Bernard Frank avait le premier désignés comme hussards étaient eux-mêmes des francs-tireurs. Ils ne s'étaient nullement constitués eux-mêmes en un groupe organisé et même ils se ressemblaient surtout par leur refus des mots d'ordre. Je pense qu'ils ne seront pas fâchés d'être réunis ici sous l'invocation de Stendhal.

La lignée du lieutenant, où figure également Dutourd, l'emporte aujourd'hui sur celle du vicomte, qui fut si brillante avec Barrès et ses fils, Mauriac, Montherlant, Drieu, Malraux, Aragon. Cependant Chateaubriand a toujours de fervents admirateurs, au premier rang desquels Jean d'Ormesson, dont il faut lire l'ouvrage tout à fait passionnant intitulé *Mon dernier rêve sera pour vous,* sous-titré « Une biographie sentimentale de Chateaubriand » (1982). Mais d'Ormesson lui-même est plutôt un lieutenant qu'un vicomte.

MICHEL MOHRT

La Campagne d'Italie (1965) peut d'autant mieux être appelé un livre de lieutenant que le héros est un jeune homme qui sort de Saint-Maixent. Nous faisons sa connaissance lorsqu'il est nommé au Royal-Piémont, régiment d'infanterie alpine qui tient garnison dans une petite ville de la Côte d'Azur. On pense à l'arrivée de Lucien Leuwen à Nancy. Michel Mohrt ressuscite les années de l'immédiat avant-guerre qui semblent déjà si loin dans le passé. On en éprouve une impression de nostalgie.

Nous comprenons tout de suite que l'auteur aime beaucoup l'armée, ses fastes et ses manœuvres. Quant à son héros, Talbot, il a été élevé dans les rêves de gloire militaire et il a beaucoup aimé les peintures de Meissonier. L'épigraphe du livre est empruntée à Vauvenargues : « Il n'y a de gloire que celle des armes. » Or, bien entendu, la vie militaire que Talbot découvre à Fréjus ne ressemble pas à celle qu'il avait pu imaginer à travers ses lectures enfantines. Qu'importe : il reste un certain cérémonial et certaines figures de chefs qui méritent l'estime. Il y a aussi, sur la Côte d'Azur, le soleil et la mer. Il y a l'école de ski et les champs de neige des Alpes.

Talbot ne fait pas seulement son éducation militaire. Il fait son éducation sentimentale. C'est un jeune homme qui plaît et il aura diverses aventures. La principale figure féminine du livre est celle de Frédérique Bon : c'est la femme d'un officier de la garnison. L'histoire de Talbot et de Frédérique commence sur un mode léger et gracieux. L'analyse du comportement des deux héros est assez stendhalienne, elle aussi. À vrai dire, Mohrt analyse au minimum : c'est le jeu même des attitudes et des paroles qui nous renseigne sur les sentiments des personnages. Les sautes d'humeur de Frédérique quand elle croit Talbot moins attaché à elle qu'elle ne le croyait sont d'un art très fort et très subtil.

Un contraste est obtenu tout naturellement entre la comédie de garnison et les menaces de guerre. Et toutes les catastrophes arriveront en même temps, dans la vie publique et dans la vie privée. Le dernier chapitre est consacré à la drôle de guerre et à la défaite. Pour le Royal-Piémont, il n'y aura eu que dix jours de combat. L'armistice survient : la campagne d'Italie n'aura pas lieu. Et voici les dernières répliques du livre (c'est Talbot qui s'adresse à son ami Léveillé) : « On reste sonné, tu ne trouves pas ? — Oui, dit Léveillé, on n'est pas près de s'en remettre. — On ne s'en remettra jamais », dit Talbot. Cette fois, la résonance des phrases est nettement flaubertienne.

Le livre contient une critique sous-jacente de la politique française : elle est même exprimée clairement par quelques personnages. L'auteur se contente de citer leurs propos et paraît ne pas prendre parti. Publié au lendemain de la Libération, *La Campagne d'Italie* aurait peut-être provoqué quelques polémiques. Aujourd'hui, c'est une petite page d'Histoire. Il n'empêche que Michel Mohrt appartient à cette génération qui ne s'est pas remise de la catastrophe de 1940. Il a choisi comme bande publicitaire à son roman cette phrase ambiguë : « Oh les beaux jours ! » Les derniers jours d'un vieux monde...

Ce monde ancien mérite-t-il d'être regretté ? Dans un autre roman, *La Guerre civile* (1986), Michel Mohrt est revenu sur les années d'avant-guerre. Il y a peint la bonne société de province et des jeunes gens qui étaient maurrassiens au moment du Front populaire. Il décrit leur idéalisme et leur bonne volonté, ainsi que leurs faiblesses et leurs aveuglements. Il retrace leur cheminement au cours des années noires. Le narrateur se prénomme Alain, et l'on pense à un autre Alain, le « philosophe », qui disait un jour que tous les romans pourraient s'appeler « les illusions perdues », aussi bien ceux de Stendhal que ceux de Balzac.

FÉLICIEN MARCEAU

On avait pu dire qu'avec *Le Corps de mon ennemi* (1975), Félicien Marceau avait fait ses débuts dans le roman policier. Accusé d'un meurtre, un homme y menait une enquête pour découvrir le véritable assassin. En fait, nous avions un roman de mœurs, décrivant la société contemporaine où se déroulent tant de tortueuses et ténébreuses affaires, chez les riches comme dans le bon peuple. Marceau avait inventé un personnage de jeune homme pauvre et le suivait sur les chemins qu'empruntait son ambition.

Plutôt que de parler de « roman policier », Marceau préférait que l'on évoquât l'influence de la « Série noire » où l'on trouve des chefs-d'œuvre, comme certains romans de Dashiell Hammett qui a très bien su démonter les mécanismes qui régissent une grande ville et la haute administration.

Va pour la « Série noire ». Félicien Marceau y introduit son génie particulier. *Appelez-moi Mademoiselle* (1985) est un des romans les plus plaisants de l'après-guerre. Roman d'une extrême violence, mené sur un rythme vif, avec une bonne humeur constante.

Nous sommes dans une ville du sud de l'Italie où tout le monde, du maire aux douaniers, est plus ou moins compromis dans des magouilles diverses. Une femme de tête a organisé une fructueuse affaire de cigarettes de contrebande. « Mademoiselle » est aussi une femme de cœur : elle aide les petits camarades d'autrefois et elle éprouve une véritable passion pour une blonde amie qui partage sa vie et que l'on appelle « la Comtesse ». Les affaires de Mademoiselle marchent trop bien : on voudrait qu'elle adhère à une « Organisation » avec laquelle elle partagerait ses bénéfices. De la capitale, où l'Organisation a l'appui secret d'un parti au gouvernement, on lui dépêche une espèce d'ambassadeur, surnommé « le Professeur », pour négocier une entente. Mais Mademoiselle n'entend pas se donner des patrons, elle veut régner seule sur le petit royaume commercial qu'elle s'est constitué et qui ne fait de tort qu'au monopole d'État sur le tabac. Elle va résister à toutes les mesures d'intimidation prises par le Professeur, lequel n'y va pas de main morte puisqu'il fera enlever la Comtesse.

Félicien Marceau a dit qu'il avait un point commun avec Mademoiselle : c'est qu'il préfère les femmes aux hommes. Non seulement il les préfère physiquement, mais il estime qu'elles ont plus de courage que les hommes. Pour l'aider dans sa lutte contre l'Organisation, Mademoiselle n'aura bientôt plus à ses côtés que des femmes.

Ajoutons aussitôt que Félicien Marceau est tout à fait capable de peindre des hommes aussi libres que nous apparaît Mademoiselle. Il les trouve surtout dans le passé. Il nous a donné un saisissant portrait de Casanova, dans un livre précisément intitulé *Une insolente liberté* (1983). Ce que Casanova repousse, ce sont toutes les conventions que la société a inventées pour brider le désir amoureux : il ne croit qu'au plaisir. Pour sa part, Mademoiselle, avec la Comtesse, connaît ce que nous continuerons d'appeler l'amour.

MICHEL DÉON

Michel Déon a raconté comment son premier roman (ou plutôt le premier qu'il maintienne dans la liste de ses œuvres), *Je ne veux jamais l'oublier,* circula pendant deux ans dans les principales maisons d'édition parisiennes avant d'être accepté par Plon qui le publia en 1950. Dans les dix mois qui suivirent, on n'en vendit pas plus de mille exemplaires. Puis un prix lui fut décerné sur la Côte d'Azur et des articles commencèrent à paraître. Ce fut le début d'une des plus brillantes carrières de romancier de l'après-guerre. Début seulement, car, pour devenir un « best-seller », Déon dut attendre qu'un autre prix, un grand prix parisien celui-là, lui fût décerné, vingt ans plus tard. « Un de ces grands prix littéraires dont, tant qu'on ne les a pas eus, on se moque, mais qui changent la vie d'un écrivain », a-t-il écrit.

Un prix vaut à un auteur d'être lu par de nombreux lecteurs. Cependant peu de lauréats savent retenir le public que le prix leur a valu : à leur suivant ouvrage, ils retrouvent généralement les tirages de leurs débuts. Déon n'a pas connu cette déception. Les lecteurs des *Poneys sauvages* lui sont demeurés fidèles et, mis en verve par son succès, il nous proposa une suite d'aventures romanesques propres à être adaptées (et elles le furent) au cinéma et à la télévision.

Stanislas Beren aurait peut-être classé *Le Jeune Homme vert* (1975) et *Les Vingt Ans du jeune homme vert* (1977) dans le genre qu'il appelait le « roman-roman » : ouvrages où l'auteur se livre à des « exercices de style » sans y engager beaucoup de lui-même — ce qui n'enlève rien à leur agrément.

Ah ! qui est Stanislas Beren ? C'est le héros d'*Un déjeuner de soleil*

(1981), un des romans les plus originaux de ces dernières années et probablement le chef-d'œuvre de Michel Déon.

Le livre s'ouvre de manière traditionnelle par l'arrivée en classe d'un nouvel élève (ainsi commencent aussi bien *Madame Bovary* que *Le Grand Meaulnes*). Nous sommes en 1925 au lycée Janson-de-Sailly. Le nouveau, âgé de dix-sept ans, a été admis par protection en classe de troisième, pour y apprendre le français, qu'il ne parle pas du tout. Le mystère de ses origines ne sera pas éclairci : peut-être vient-il du Monténégro où la guerre civile se poursuit dans les forêts. En quelques mois, Stanislas assimilera parfaitement notre langue. À vingt-deux ans, il publiera son premier roman.

Car c'est la vie d'un écrivain, Stanislas Beren, qu'a entrepris de nous raconter Michel Déon. Plus exactement, il la fait raconter par un narrateur, Georges Garrett, fils d'André Garrett, le meilleur ami de Stanislas, et neveu de l'épouse de celui-ci.

Encore lycéen, Stanislas a été introduit par André dans une brillante société où il a rencontré Félicité, la femme, plus âgée que lui et fort riche, qui deviendrait son Pygmalion, transformant le fils de maquisards balkaniques en un garçon d'un suprême raffinement et d'une grande culture. Vous devinez que Stanislas n'est pas un personnage qui puisse plaire aux critiques « progressistes ». Il renonce à se mêler aux luttes politiques qui déchirent son pays. Écrivain, il est un favorisé du sort, vivant dans des maisons splendides ou des palaces. Sa carrière est à l'opposé de celles des grands écrivains américains de l'époque qui se flattaient d'avoir exercé une foule de petits métiers avant de conquérir la gloire (Fitzgerald mis à part).

En 1930, le grand-père Garrett avait racheté une petite maison d'édition en péril, sans intention d'essayer de la relancer, mais pour rendre service au propriétaire, un de ses anciens camarades. Quand Stanislas eut écrit un roman, la maison d'édition fut rouverte et reprit vie. Elle serait même l'affaire la plus intéressante que Georges Garrett trouverait plus tard dans son héritage. Son père étant mort en 1940, il deviendrait à sa majorité l'éditeur de Stanislas.

Georges Garrett est né en 1935. De quels éléments disposait-il pour entreprendre la biographie de Stanislas, après la disparition de celui-ci, en 1977 ? D'abord les cahiers où son père avait noté de longues conversations avec son camarade de classe, les souvenirs qu'il avait gardés de ses propres entretiens avec l'écrivain et ses proches, les lettres que lui avait envoyées Stanislas, et puis toutes les œuvres de celui-ci.

Georges suit l'itinéraire de Stanislas dans sa vie réelle et dans ses livres. Retraçant sa carrière, il fait revivre la société littéraire française des années 20 aux années 70. Examinant ses œuvres afin d'y démêler la part du vécu et la part de l'imaginaire, il mène une enquête qui éclaire la complexité de la création littéraire.

L'étude des œuvres de Stanislas permet à Michel Déon d'inventer une nouvelle forme de « roman dans le roman ». Il faudrait écrire « romans (au pluriel) dans le roman » : Georges Garrett nous raconte chaque livre de Stanislas et ses comptes rendus deviennent souvent des comprimés ou des condensés romanesques comme les aimait Chardonne à la fin de sa vie. Garrett se livre au plaisir des citations révélatrices. Nous avons des extraits des romans de Stanislas, et même des poèmes de sa composition, qui sont de l'ordre des divertissements d'époque.

De même que Garrett part à la recherche des personnes que Stanislas a transformées en personnages de romans, on pourra s'interroger sur les personnes auxquelles a pensé Déon en inventant les personnages d'*Un déjeuner de soleil.* Indiquons d'abord que les personnages inventés rencontrent des personnes réelles, parfois désignées par leur nom véritable. De même que Gide avait introduit Jarry dans un chapitre des *Faux-Monnayeurs,* Déon nous montre André Breton piquer une de ses célèbres colères. De même que, dans *Les Faux-Monnayeurs,* on devine tout de suite que Passavant a été inspiré à Gide par Cocteau, on ne doute pas un instant que Déon ait pensé à Tristan Tzara en crayonnant son portrait de Béla Zuhor. Mais les personnages principaux d'*Un déjeuner de soleil,* à commencer par Stanislas Beren, ne se prêtent pas au jeu des clefs. Ou plutôt ils ont été construits avec des éléments empruntés à diverses personnes (ainsi procédait Proust) et les identifier à une seule de celles-ci n'est pas possible.

Stanislas a eu deux grands amours dans sa vie : Félicité, qui avait treize ans de plus que lui, et Audrey, qui avait treize ans de moins. Il est probable que le personnage de Félicité a été inventé par Déon parce qu'il s'était souvent interrogé sur les liens qui unissaient Hélène et Paul Morand. L'attitude de Félicité envers les maîtresses de Stanislas semble avoir été celle d'Hélène envers les maîtresses de Paul. Et l'attachement de Paul à Hélène fut aussi fort que celui de Stanislas à Félicité. Mais enfin la carrière de Stanislas est toute différente de celle de Morand et, sentiments amoureux mis à part, Hélène Morand ne ressemblait pas à Félicité (même dans sa jeunesse, on n'imagine pas qu'elle aurait pu avoir des faiblesses pour un Tristan Tzara).

Et surtout l'œuvre littéraire de Beren n'est pas celle de Morand. Au fait, n'allons pas oublier que Michel Déon en est l'auteur véritable. Ah ! Stanislas serait-il une image de Déon, comme Fabrice ou Lucien Leuwen sont des images de Stendhal ? C'est probable. Les fausses confidences que Déon nous livre ici ont leur poids de vérité.

Homme discret et protégeant sa vie privée, Michel Déon n'écrira sans doute pas ses Mémoires, mais il a publié deux beaux livres de souvenirs : *Mes arches de Noé* (1978) et *Bagages pour Vancouver* (1985). Il nous y déclare que, s'il a bien aimé certains de ses contemporains, c'est avec des livres qu'il a entretenu les relations les plus suivies. Il parle superbement de ses écrivains préférés, Stendhal et le Giono du *Hussard sur le toit,* ainsi que du poète Maurice Fombeure. Il brosse un petit tableau de la vie littéraire d'autrefois, au temps où des revues entretenaient la passion des jeunes pour les belles-lettres. Maître portraitiste et maître paysagiste, il évoque pour nous des personnalités exceptionnelles comme Maurras, Dali ou Mlle Chanel, et il nous entraîne dans de petits ou longs voyages en France et ailleurs. L'éloge de la langue française qu'il prononce au chapitre 4 de *Bagages pour Vancouver* devrait être mis dans les mains de tous nos collégiens et de tous nos étudiants (et dans les mains de leurs professeurs).

Son dernier roman, *Je vous écris d'Italie* (1984), situé au surlendemain de la Libération, s'inscrit dans la tradition des chroniques stendhaliennes. On y goûte un vif plaisir, bien que le tragique ne manque pas.

Il ne manquait pas non plus dans *Un déjeuner de soleil.* J'ai oublié de noter que Stanislas Beren était mort dans une rue de Londres, abattu par un tueur qui sans doute s'était trompé de cible ou plutôt avait mal ajusté son tir. Peu de jours avant, Stanislas avait évoqué devant Georges Garrett un ancien souvenir qu'il n'avait jamais confié à personne : alors qu'il était un maquisard de seize ans, il avait été amené à tuer un soldat guère plus âgé que lui. Ce souvenir l'avait tourmenté en secret tout au long de son existence. Ainsi cette vie heureuse était habitée par le remords. L'idée de la mort y avait toujours été présente.

JACQUES LAURENT

Dans son essai *Stendhal comme Stendhal* (1984), Jacques Laurent nous parle de la « liesse agressive » qui caractérise l'ouverture de *La Chartreuse de Parme.* Il écrit : « Ce bonheur fou continuera de chanter le long du livre en s'associant à des malheurs fous qui sont déments sans jamais être tristes ou amers et qui rendent le même son que la joie parce qu'ils reflètent des moments et des destins exceptionnels. »

Les livres de Jacques Laurent ne manquent pas de liesse agressive. L'auteur s'abandonne au plaisir de bousculer habitudes et conventions. On ne sait jamais où il va nous entraîner. Prenons son dernier ouvrage, *Le Dormeur debout* (1986). La première partie de ce roman pourrait porter le titre d'une des plus célèbres nouvelles de Hemingway, *Les Tueurs.* Mais, surprise : la manière dont Laurent l'a traitée nous donne l'idée de ce qu'aurait été une Série noire écrite par Giraudoux.

Nous sommes à la fin des années 30. Trois hommes se rendent dans l'arrière-pays niçois pour retrouver un camarade qu'ils ont reçu l'ordre d'exécuter. Ils appartiennent tous quatre à un groupement fasciste — ce sont des cagoulards — et Juste Amadieu a commis des malversations lors d'un transfert d'armes. La mort n'est-elle pas un châtiment excessif ? Bah ! tous les hommes sont mortels, et un peu plus tôt, un peu plus tard (dit Clodandron, le chef du commando)... Pourtant, les tueurs sont si bien reçus, si bien traités, le condamné est un si bon vivant, la contrée si belle et les filles du coin sont si jolies que le projet d'assassinat semble devoir être abandonné. Et puis, non, dans la cave où ils sont descendus pour chercher des alcools, Faypoul tire sur Amadieu et le tue.

Toute l'histoire de ce fait divers est racontée avec une bonne humeur entraînante. Les dialogues sont savoureux, et quel art dans l'évocation rapide des paysages et la minutieuse description des agapes ! N'oublions pas l'intermède des riantes et acrobatiques amours d'Amadieu avec la jeune Huguette... Cependant, le principal personnage, c'est Faypoul. Qui est-il ? Un artiste, figurez-vous, attiré, tout à la fois, par la peinture et la littérature. Il est d'apparence fragile et son père l'avait surnommé « Aspergette ». Le meurtre est, pour lui, un moyen d'affirmer sa virilité.

À la fin de la guerre, engagé dans la milice, il se replie en Allemagne, et c'est là-bas qu'il supprime Clodandron. Devant ce nouveau cadavre, il lit au fils d'Amadieu, requis du S.T.O., des fragments de son ouvrage *Le Vide-Château* où, sous les apparences d'un pastiche dans le style du XVIIIe siècle, il exprime son mépris pour le monde contemporain et sa conviction que personne n'est maître de sa vie, qu'on est le jouet du hasard et des circonstances. De retour en France, il finit par se livrer à la justice. Son avocate trouvera des amis bien placés qui témoigneront qu'il agissait sur ordre de la Résistance. Faypoul sera acquitté. Mais le voilà qui retourne au palais pour revendiquer les meurtres d'Amadieu et de Clodandron. Cette fois, on l'envoie à Sainte-Anne, sans autre forme de procès. Il s'en échappe, laissant une lettre où il dit sa volonté de « disparaître » : suicide ou fuite à l'étranger ? Nous n'en saurons pas plus.

Pourquoi parler d'un « dormeur debout » ? C'est que la vie est un songe. L'auteur, tout en accumulant les preuves de la culpabilité de Faypoul, nous assure que celui-ci pourrait être innocent des crimes dont il s'accuse. Faypoul est-il un fou mythomane, ou encore une victime (de l'époque) ? En tout cas, c'est un individu dangereux.

Cependant, ce livre n'est pas « politique ». A son habitude, Jacques Laurent s'est livré aux plaisirs de l'imaginaire et, sur des données tragiques, a composé un roman ingénieux et burlesque, aux rebondissements parfois invraisemblables. Julien Gracq lui reprocherait sûrement de manquer d'ingénuité. En définitive, nous avons là un divertissement d'intellectuel sceptique et surdoué, amateur de bonne chère et de jeux érotiques. A d'autres les préoccupations morales ! Va-t-on reprocher à un écrivain le bonheur de fabuler ?

Quelques mois après la publication du *Dormeur debout*, Jacques Laurent a été élu à l'Académie française où il a retrouvé ses amis Marceau et Déon.

CHRISTINE DE RIVOYRE

Pourquoi ne pas inscrire une femme dans la « lignée du lieutenant » ? Cette femme sera Christine de Rivoyre, que Déon et Marceau ont saluée comme leur meilleure camarade.

J'ai lu avec beaucoup de plaisir les premiers romans du lieutenant Rivoyre. Mais c'est avec passion que j'ai pris connaissance de *Reine-Mère* (1985) où j'ai trouvé une parfaite illustration de mes idées sur la société actuelle. Avouons que l'on est reconnaissant à un auteur quand les scènes et portraits qu'il nous présente correspondent si bien à ce que l'on pense. Cependant *Reine-Mère* n'est pas du tout un livre intellectuel. C'est un livre sensible où les faits parlent d'eux-mêmes.

Tout commence par une agression nocturne dans le quartier Saint-Michel. Reine est sortie pendant la nuit pour promener son petit chien, qu'elle appelle l'Oiseau, et voici qu'un jeune drogué s'en prend à l'animal. Reine contre-attaque et se trouve rouée de coups. Reine, qui s'est séparée depuis longtemps de son mari, vit seule avec son chien, depuis la mort d'un ami qui lui avait fait connaître le bonheur. Mais elle a trois enfants, maintenant adultes, qui viennent lui rendre visite une fois la semaine. Prévenus, les voici tous qui accourent auprès de leur mère. Tous lui sont très attachés et c'est eux qui l'ont surnommée Reine-Mère. Titre mérité : elle se conduit en bon petit soldat d'autrefois. Elle est plus qu'un lieutenant : un capitaine, et descend d'une de ces grandes familles bordelaises qui fascinaient Mauriac. Chacun de ses enfants est représentatif des générations nouvelles : un fils, Vincent, que sa femme a quitté et qui élève lui-même son petit garçon ; Viviane, une fille mal mariée, et Camille, une autre fille qui a la passion des animaux et qui organise avec des camarades l'enlèvement de chiens promis aux horreurs des laboratoires.

Christine de Rivoyre peint aussi quelques relations de la famille, comme la brave Mme Ramirez, dont le petit-fils a été enlevé par son père algérien. Le livre pourrait être noir, mais il est écrit sur un rythme qui rappelle les meilleures comédies américaines d'autrefois. Le style, lui, est bien français. On est ému, amusé, enchanté. La qualité morale des personnages principaux rend la lecture réconfortante. Ah ! les braves gens ! Eh oui, ça existe encore...

XVIII

Les tchékhoviens

Ce n'était pas une mauvaise idée de qualifier de tchékhoviens Marguerite Duras, Jean Freustié et Roger Grenier. C'est par le regard qu'ils jettent sur la vie qu'ils ressemblent au grand écrivain russe. Un regard vif, désabusé, sans complaisance. Cela n'empêche pas la compréhension, la sympathie. Dans notre époque dure, ils nous offrent des havres de chaleur humaine — expression qui fera sourire nos petits réalistes.

Contrairement à Tchekhov, il leur est arrivé de nous confier des souvenirs personnels. Mais ils avaient dépassé l'âge où disparut Tchekhov, qui mourut jeune.

JEAN FREUSTIÉ

C'est un grand malheur de ne pas vivre en bonne intelligence avec soi-même. Un malheur assez répandu et qui a inspiré à Aragon le vers fameux : « Dites ces mots ma vie et retenez vos larmes... » D'où le bon conseil : se contenter de vivre et ne pas trop se poser de questions. Mais c'est une affaire de caractère. Certains hommes — et certaines femmes aussi, bien entendu — ne peuvent s'empêcher de devenir à certains moments leur propre spectateur et de dresser des bilans : « Qu'est-ce que j'ai fait de ma vie ? » Hélas ! le bilan est presque toujours négatif. C'est que l'on se considère généralement comme un peu supérieur à soi-même. Et c'est que l'on n'a pas toujours bien profité des chances qui nous ont été offertes. On ne se reconnaît pas facilement dans l'image que nous présentent nos propres souvenirs, et si l'on se reconnaît, on n'a plus guère envie que de se jeter par la fenêtre. C'est ce qui arrive au héros du roman de Jean Freustié *Proche est la mer* (1976). Il se jette bel et bien par la fenêtre.

Il est à craindre cependant qu'en vous proposant un tel résumé de ce livre, je ne vous donne pas une forte envie d'en prendre connaissance. Mais n'oublions pas que quelques-uns des plus beaux romans du monde sont des livres apparemment désespérés. Il faut ajouter ce correctif : leurs auteurs avaient trouvé la force de les écrire. Thomas Mann assurait que les romans les plus noirs — quand ils sont réussis — témoignent encore en faveur de la vie.

Au demeurant, la vie du héros de Freustié pourra paraître enviable à plus d'un lecteur. Très jeune, il a commencé de plaire aux femmes et il a contracté des habitudes de luxe qu'il a toujours pu satisfaire. Se destinant à la carrière militaire, il a pu montrer pendant la guerre et la Résistance qu'il était capable d'une grande force de caractère. Prisonnier en Allemagne, il s'est évadé. Résistant, il a été torturé et il a su se taire. Vivant avec une femme malade qui, pour oublier son mal, est devenue alcoolique, il l'a soignée avec dévouement jusqu'à la fin. D'où vient donc le dégoût qu'il finit par éprouver pour lui-même ?

Quand nous faisons sa connaissance, Paul a atteint la cinquantaine. Riche par héritage, il est devenu peintre et sa grande spécialité, ce sont les épaves que l'océan rejette sur le rivage. Vous devinez qu'il y voit la matérialisation de ses illusions perdues. Mais quelles illusions ?

Nous avons mentionné qu'il avait eu une vie amoureuse bien remplie, mais, les passions éteintes, il est surtout sensible au temps perdu et au gâchis qu'il a provoqué dans l'existence de certaines femmes. N'est-il pas responsable des dérèglements de la fille de sa première maîtresse ? N'est-il pas responsable du suicide d'une petite provinciale, qui s'est un jour lassée de l'attendre ? Et s'il a été trompé à son tour, ne l'avait-il pas mérité ?

Mais Paul est-il malheureux à cause de ses souvenirs ? Sa dernière maîtresse lui dit, sans méchanceté : « Je crois qu'on peut oublier tout le monde, tu sais. Sauf soi. En réalité, c'est toi-même que tu n'as pas oublié avec tous les remords qui ne ressuscitent rien ni personne. »

On a souvent comparé Freustié à Tchekhov pour son art ferme et sa tendresse désabusée. On rappelle souvent aussi qu'il fut médecin et cela expliquerait la netteté de ses descriptions des misères humaines. Mais ce livre permet d'insister sur la nostalgie d'une enfance passée au bord de la mer. À maintes pages de ce livre, on entend la rumeur de l'océan et des premières amours.

Proche est la mer est un roman parfaitement réussi. Je lui préfère encore les nouvelles réunies sous le titre *Les Collines de l'Est* (1967). À une exception près, elles pourraient être considérées comme les divers chapitres d'un roman autobiographique. C'est un peu le même personnage que nous retrouvons dans chacune d'elles : un médecin que, dans les premières pages, nous voyons élève officier du service de santé, mobilisé à Bar-le-Duc, durant la drôle de guerre.

C'est lui qui reparaît dans « Les Collines de Rome », épisode de la campagne d'Italie. Lui encore que nous retrouvons, civil, exerçant la médecine à Paris : « Un métier comme un autre », ainsi que le veut le titre d'un des autres récits.

Si la médecine peut être un métier comme un autre, Jean Freustié est un écrivain qui ne ressemble à personne. Pourtant, la simplicité est sa règle. Il raconte des histoires souvent toutes banales. Mais le ton de sa voix n'appartient qu'à lui. Il fait partie de ce petit nombre d'écrivains à qui l'on pense comme à des amis. Or, lorsqu'on n'est pas professeur de littérature, que va-t-on chercher dans des ouvrages littéraires sinon une compagnie amicale ?

À vrai dire, Jean Freustié est tout à fait capable d'accomplir ce qu'on appelle des prouesses techniques et de rivaliser avec nos romanciers architectes ou géomètres : il l'a prouvé dans un roman comme *La Passerelle* ou bien comme *Proche est la mer,* dont nous parlions tout à l'heure. Mais je crois bien que c'est lorsqu'il semble laisser glisser sa plume, au hasard de l'inspiration, que je l'admire le plus. La nouvelle intitulée *L'Inconnue* doit être entièrement imaginaire et pose une énigme qui, après divers rebondissements, trouvera une solution ironique. Dans les autres récits, il semble que Freustié se soit contenté de rêver autour de quelques souvenirs. Son style n'a d'ailleurs rien de rêveur : il est au contraire d'une précision exemplaire. Toutefois, la rêverie, qui était celle de l'auteur au départ, devient celle du lecteur à l'arrivée.

L'Héritage du vent (1979) est donné franchement comme un récit autobiographique. C'est en le lisant que j'ai appris que Jean Freustié s'était à une époque confié à un psychanalyste. Il avait cherché à savoir ce qui avait pu le pousser à s'abandonner aux tentations de l'alcool et de la morphine. Et voilà qu'il avait découvert que son père devait être tenu pour responsable, un père qui ne buvait pas et se droguait encore moins. Ce serait par admiration pour son géniteur qu'il aurait pris le contre-pied de son comportement et de ses opinions. Freustié se noircit à plaisir dans ce récit. On peut n'être pas toujours convaincu par les commentaires qu'il ajoute aux souvenirs qu'il rapporte, mais les souvenirs eux-mêmes sont superbement évoqués et contiennent de nombreuses scènes qu'on n'oublie pas.

Les deux derniers ouvrages de Jean Freustié devaient être encore des livres de souvenirs. *Les Proches* et *L'Entracte algérien,* qui parurent en 1982. Freustié nous a quittés en 1983, victime d'un cancer. Sa femme, Christiane Teurlay, a publié le récit de ses derniers mois, sous le titre *Pierre.* (Pour l'état civil, Jean Freustié s'appelait Pierre Teurlay.) C'est un témoignage précis qui constitue aussi un poignant hymne d'amour.

ROGER GRENIER

Sous le titre *Un air de famille* (1979), Roger Grenier a publié un livre de souvenirs, non pas une autobiographie en forme, mais un recueil de scènes et portraits, où tout s'enchaîne comme dans une partition musicale. C'est une suite d'études de sensibilité, d'un art très sûr.

Mais qu'il invente ou qu'il se souvienne, Roger Grenier nous donne toujours l'impression de décrire très simplement la vie comme elle va, que ce soit dans les nouvelles de *La Fiancée de Fragonard* (1982) ou dans les courts romans que sont *Il te faudra quitter Florence* (1985) ou *Le Pierrot noir* (1986).

Je vous parlerai ici de *La Follia* qui parut en 1980 et dont le titre est emprunté à une chaconne de Corelli. L'héroïne, Geneviève Trémulat, déclare que cette musique correspond tout à fait à son tempérament, où entre un grain de folie, mais elle apprend, en lisant un ouvrage spécialisé, que la « follia » est très précisément « une danse où l'on danse seul ». Le roman se trouve aussi bien nommé parce que tous les personnages sont aux prises avec une solitude qui, pour chacun d'eux, prend un masque différent.

Être seul ne veut pas dire qu'on vit en solitaire. Roger Grenier nous peint ici un groupe de personnages très divers qui se trouvent périodiquement rassemblés par le caprice d'un puissant homme d'affaires et de sa femme, capables d'organiser de grandes soirées et des sorties en bande. La plupart d'entre eux sont mariés et certains ont des « aventures » qu'ils prennent pour des histoires d'amour, et qui en sont quelquefois. Mais l'amour n'est qu'une étincelle, une brève éclaircie dans la monotonie du quotidien.

Les deux personnages qui éprouvent des sentiments profonds et durables sont des maris trompés : le riche Trémulat, qui ferme les yeux sur les infidélités de sa femme, et le comique de music-hall Batifol, très fragile sous ses apparences frivoles (notons que, pour l'état civil, il est un authentique marquis). La pitoyable Marie-Joe voit son mari Christian Marmande, devenu footballeur célèbre, l'abandonner avec ses gosses dans un pavillon de banlieue pour courir le beau monde et y séduire des garces. La rancœur, plus encore que la jalousie, la poussera à des actes criminels qui la conduiront dans un hôpital psychiatrique.

Le peintre Alexis Vallée, aux ambitions modestes, est sans doute un sage quand il ne cherche pas à transformer en véritable liaison ses relations épisodiques avec l'étrange Geneviève Trémulat, qui a la séduction des êtres de fuite. Il se contente de ce qu'elle lui accorde en passant. Geneviève a des coups de cœur mais, si elle connaît des périodes de déprime, elle conserve toujours assez de tête pour n'épouser que des millionnaires. Alexis chérit en elle l'image évanescente d'un amour impossible : il aime un rêve. Ce sera pourtant son unique amour, bien qu'il connaisse une agréable camaraderie sensuelle avec la femme de Batifol.

Le seul personnage de *La Follia* qui vive en solitaire, c'est Bunim, un intellectuel juif originaire d'Europe centrale, dont la famille et les amis ont disparu dans les massacres de la guerre. Il vient parfois frapper à la porte de l'atelier d'Alexis : « Il y a des jours où l'on a besoin d'entendre une voix humaine. » Ce malheureux Bunim prétend avoir dit à Sartre, qu'il connaissait un peu : « Le paradis, c'est les autres. »

Quand il agonisera à l'hôpital, gisant désormais incapable de se servir d'un verre, sa dernière idée de bonheur, son dernier désir, sera qu'on le soulève doucement et qu'on lui introduise, à l'aide d'un tube de plastique, un filet d'eau entre les lèvres. Ce sont bien « les autres » qui peuvent vous rendre de tels services.

La dernière image qu'offre le livre est-elle plus réconfortante ? Alexis revoit la fille de Geneviève, devenue mère à son tour. Elle se prénomme Cathie et connaît des difficultés tant sentimentales que financières. Alexis la regarde avec nostalgie : la comédie humaine continue et les nouvelles générations reprennent les rôles tenus autrefois par leurs aînés, en croyant jouer une pièce nouvelle.

On peut se demander pourquoi un livre comme celui-ci, passionnant de bout en bout, apporte au lecteur un réconfort moral alors qu'il devrait plutôt donner des pensées sombres. Ce doit être parce que les pensées sombres, on les a naturellement, et l'auteur de nous rappeler que c'est la chose au monde la mieux partagée. Un tel roman est un remède paradoxal contre le désespoir. Roger Grenier est un médecin homéopathe.

MARGUERITE DURAS

François Nourissier, qui fait partie de divers jurys littéraires, a comme principe de ne jamais voter pour un écrivain plus âgé que lui. C'est pourquoi, en 1984, il refusa sa voix à Marguerite Duras (née en 1914) qui obtint cependant le prix Goncourt pour un petit livre intitulé *L'Amant.*

Le mot « roman » ne figure pas sur la couverture et, en effet, il s'agit d'une suite de souvenirs à la première personne, un récit haché, avec des redites, le retour d'images obsessionnelles et beaucoup de blancs entre les paragraphes. (Enfin, tout n'est pas à la première personne : dans les dernières pages, le « je » fait place au « elle », l'auteur ne se confond plus avec l'adolescente qu'elle fut.) Le style et le vocabulaire sont des plus simples, comme dans une conversation ou plutôt un monologue haletant. « J'ai beaucoup écrit de ces gens de ma famille, mais tandis que je le faisais ils vivaient encore, la mère et les frères, et j'ai écrit autour d'eux, autour de ces choses sans aller jusqu'à elles. »

En 1950, Marguerite Duras avait publié *Un barrage contre le Pacifique,* un roman où la mère et le grand frère tenaient déjà des premiers rôles et où la Cochinchine était superbement évoquée. Pourquoi Duras ne reçut-elle pas le Goncourt cette année-là ? Parce qu'elle était communiste, pense-t-elle aujourd'hui. Mais ce n'est pas parce qu'il était communiste que Nimier n'obtint pas non plus le prix, cette année-là, pour *Le Hussard bleu.* Et ce n'est certainement pas parce que Duras avait rompu avec le communisme que *L'Amant* fut couronné.

Les vingt dernières années, Duras n'avait donné que des ouvrages du genre « expérimental » (fragments dialogués, ébauches diverses) et l'on voulut peut-être saluer son retour à une littérature plus traditionnelle. Le livre avait été accueilli par une critique unanimement élogieuse, Pivot lui avait consacré un numéro spécial d'*Apostrophes*, les ventes avaient démarré en flèche. Après le prix, *L'Amant* devint un phénomène de librairie, comparable à *Bonjour tristesse*.

L'histoire est toute simple : en Indochine française, une adolescente blanche de quinze ans et demi, qui est de famille pauvre, devient la maîtresse d'un riche Chinois, de douze ans plus âgé qu'elle. C'est la voiture du jeune homme qui l'a d'abord séduite. La sensualité n'intervient qu'ensuite. Bien sûr, c'est une liaison scandaleuse et sans avenir. La narratrice apprend la dissimulation. Elle devra cacher aussi les sentiments qu'elle éprouve pour sa mère (elle la déteste) et son frère aîné (elle voudrait le tuer). Elle n'aime que son petit frère, enfant poète et malheureux.

Duras nous dit que son éducation lui avait appris la pudeur. Quand elle commença d'écrire, certaines confidences lui étaient interdites. « Écrire, maintenant, il semblerait que ce ne soit plus rien bien souvent », remarque-t-elle. La réussite de *L'Amant,* c'est d'avoir été composé comme au temps où c'était quelque chose d'écrire.

Un des passages les plus surprenants est la longue parenthèse qui contient les portraits de Ramon Fernandez et de sa deuxième épouse. Duras a fréquenté le couple durant l'Occupation et en parle avec une chaude sympathie. Puis : « Collaborateurs, les Fernandez. Et moi, deux ans après la guerre, membre du P.C.F. L'équivalence est absolue, définitive. C'est la même chose, la même pitié, le même appel au secours, la même débilité du jugement, la même superstition disons, qui consiste à croire à la solution politique du problème personnel. » (Je cite en respectant la ponctuation de l'auteur.)

Le succès de *L'Amant* enivra Duras. On l'entendit déclarer : « Tout s'est passé comme si, depuis des années, les lecteurs avaient été privés d'une littérature lisible. » (Elle ajoutait : « Je lis très peu de contemporains. J'ai cessé d'en lire. ») Ou bien : « Si je n'avais pas été là, le Goncourt crevait. »

Puis elle reçut le prix Hemingway, à l'hôtel Ritz. François Léotard, ministre de la Culture, assista à la cérémonie et prononça un petit discours que Jack Lang semblait lui avoir dicté : « [...] il peut y avoir des " Éthiophie de la culture ". Merci de participer par votre œuvre à l'irrigation du monde et de rompre l'indifférence. Vos livres sont notre mémoire et entrent aussitôt dans le patrimoine de notre pays et du monde. » Et allez donc, les livres de Duras sont la mémoire de M. Léotard !

Ayant, dans mon *Histoire,* classé Marguerite Duras parmi « les tchékhoviens », je ne fus pas surpris quand un animateur de théâtre lui demanda de donner une traduction nouvelle de *La Mouette.* Mais elle déclara que cette pièce devait être entièrement revue et corrigée, car on ne supporte plus aujourd'hui les dentelles dans lesquelles Tchekhov l'a enveloppée : « De nos jours, on ne peut pas écouter le bavardage insipide, ridicule de Nina. Et les personnages guindés de Trigorine et d'Arkadina, dans la dimension moderne, ils n'existent plus [...] » Ainsi

Duras n'hésita pas à tailler dans les dialogues de Tchekhov. Bah ! vous me direz que Cocteau n'avait pas procédé autrement en adaptant l'*Antigone* de Sophocle. Du moins s'était-il gardé d'annoncer qu'il pensait avoir amélioré le texte original.

XIX

La nouvelle fable

Les professeurs, qui aiment classer les écrivains par école, diront que, dans les années 60, le « nouveau roman » céda la place à la « nouvelle fable ». Les jeunes romanciers qui, dans ces années-là, retinrent l'attention de la critique refusaient les mots d'ordre, ne voulaient plus entendre parler de « théories » et s'abandonnaient aux plaisirs de l'imagination, sans se soucier de réalisme. S'ils s'étaient eux-mêmes réunis en un groupe organisé, avec un bon chef d'orchestre, ils auraient vite conquis une place de choix dans les médias. Mais leur honneur est d'avoir voulu rester des écrivains libres et indépendants. Au demeurant, ils n'inventaient pas un genre nouveau, ils renouaient avec une grande tradition. Ils continuent aujourd'hui de l'illustrer brillamment.

MICHEL TOURNIER

Michel Tournier tient-il à être considéré comme un romancier ? Il est un conteur et un fabuliste. Peu soucieux de réalisme, il interroge les légendes et les mythes et leur découvre des significations nouvelles et imprévues. Dix ans après avoir conquis la célébrité avec son *Roi des Aulnes,* il nous a offert le résultat de ses rêveries sur les mystérieux rois mages de l'Évangile de saint Matthieu : *Gaspard, Melchior et Balthazar* (1980).

Saint Matthieu ne nous parle pas de rois mages, mais de mages. Étaient-ils trois ? On déduit ce chiffre du fait que les présents offerts furent l'or, la myrrhe et l'encens. Matthieu ne nous renseigne pas sur les noms des donateurs. Il se contente de nous apprendre qu'ils étaient originaires d'Orient, voulant indiquer par là que Jésus n'était pas venu pour le seul peuple juif mais pour la terre entière. Les mages avaient suivi une étoile qui devait les conduire auprès de l'enfant qui serait le Sauveur du monde.

Tournier fait une première entorse aux faits relatés par l'Évangile en décidant que les mages s'étaient mis en route, non pour saluer le Sauveur, mais pour trouver une réponse à leurs inquiétudes particulières. Gaspard, le roi noir de Méroé, amoureux bafoué d'une esclave blanche, s'interroge sur le mystère des races et des peaux différentes. Melchior, jeune prince de Palmyrène, chassé de son trône par un oncle félon, se pose le problème du pouvoir légitime. Balthazar, roi de Nippur, grand amateur d'art, en butte aux critiques de son clergé, part à la recherche d'une réhabilitation de l'image condamnée par l'Ancien Testament.

Comme tous les mages n'ont pas suivi l'étoile, c'est le hasard plutôt que la nécessité qui les fait se rencontrer à Jérusalem où ils sont reçus par Hérode, grand monarque fastueux et cruel, un ogre qui leur indiquera la route de Bethléem. Tournier considère l'arrivée des mages dans la grotte de la nativité comme l'irruption superbe et stupéfiante des Mille et Une Nuits dans le mystère de Noël.

Nous vous laisserons aller voir comment les rois mages trouvent une réponse aux questions qu'ils se posaient. Pour notre part, nous avons spécialement aimé l'intervention du bœuf et de l'âne de la crèche. Dans un émouvant récit, l'âne raconte comment la venue de Jésus, agneau divin, va mettre fin aux monstrueux sacrifices d'animaux qui transformaient le temple de Jérusalem en abattoirs géants. Ces pages auraient certainement enchanté Jules Supervielle qui, lui aussi, a fait si joliment parler le bœuf et l'âne. Ce conte se trouve dans le recueil *L'Enfant de la haute mer*.

Dans la dernière partie de son livre, Michel Tournier donne toute la mesure de son invention grandiose et burlesque. Il a imaginé qu'un quatrième roi mage, un prince indien nommé Taor, grand amateur de sucreries, avait appris que le Grand Confiseur s'apprêtait à livrer au monde la « nourriture transcendante ». Taor s'était dirigé vers Bethléem dans l'espoir de trouver la recette du rahat-loukoum à la pistache. Après bien des aventures en chemin, il arrive trop tard pour offrir à Jésus les monceaux de confiseries que transportait son troupeau d'éléphants. Il organise un grand goûter pour les enfants du village mais, à la même heure, les soldats d'Hérode viennent massacrer les nouveau-nés. Ces horreurs marquent pour Taor la fin de l' « âge du sucre ».

Plus tard, prisonnier dans les mines de Sodome, Taor connaîtra l'âge du sel. Libéré au bout de trente-trois ans, il reprendra, malgré son délabrement physique, sa recherche de Jésus dont il a appris qu'il accomplissait des miracles. Pêche miraculeuse, multiplication des pains. Taor arrive encore trop tard pour rencontrer Jésus au festin pascal chez Joseph d'Arimathie mais, dans la salle vide, sur la table non desservie, restent des fragments de pain azyme et un peu de vin au fond de quelques coupes. Du pain et du vin : Taor épuisé mange un morceau de pain, boit une gorgée de vin, et le voilà qui passe dans un monde meilleur, s'étant administré lui-même le sacrement de l'eucharistie.

Le charme de ce livre tient à mille trouvailles de détail qui vont du pur canular (lire l'éloge de la sodomie aux pages 254 et 255) à des réflexions morales et philosophiques très sérieuses et à des images poétiques souriantes ou terribles. Nous ne savons pas si c'est un livre chrétien ; en tout cas, c'est un livre peu catholique où l'on va de surprise en surprise.

On ne reprochera pas à Michel Tournier de ne pas savoir se retourner contre lui-même. Grand amateur de photographies et photographe lui-même, il n'a pas hésité à inventer une histoire qui porte condamnation des images : *La Goutte d'or* (1985). Toutefois, il ne va pas jusqu'au fanatisme des religieux qui avaient détruit le musée qu'avait constitué le mage Balthazar.

Idriss est un jeune Maghrébin dont nous faisons connaissance alors qu'il est berger dans une oasis du Sahara. Un jour, une Parisienne de passage le photographie et lui promet de lui envoyer la photo. Elle ne la lui enverra pas et quand, deux ans plus tard, Idriss part pour la France afin d'y trouver du travail, il pense aussi retrouver la Parisienne et obtenir sa photo. Tournier raconte les pénibles aventures d'Idriss et il évoque la triste situation des immigrés. Il le fait dans des scènes réalistes, écrites avec une grande économie de moyens (inhabituelle de sa part). De là, il passe à une condamnation d'un Occident soumis à la dictature des images, non seulement les photographies, mais d'abord le cinéma et la télévision, qui vous font perdre votre âme. Comme remède, il faut apprendre à lire et, mieux encore, s'initier à la calligraphie dont Tournier entreprend l'éloge : « Le signe est esprit, l'image est matière. La calligraphie est l'algèbre de l'âme tracée par l'organe le plus spiritualisé du corps, sa main droite. » Une telle phrase ne va naturellement pas plaire aux gauchers, mais tous les lecteurs se demanderont si l'image est l'opium du seul Occident, et non pas du monde moderne tout entier, de même que le bruit et la vitesse sont l'opium des jeunes générations. Les pays sous-développés ne manifestent malheureusement pas une sagesse supérieure à celle des nantis. Du reste, pourquoi y a-t-il tant d'immigrés en Occident ?

Le plus réussi dans *La Goutte d'or,* ce sont les deux contes (l'un au début, l'autre à la fin du livre). Tournier jongle avec des idées farfelues : vous y apprendrez notamment pourquoi certains naissent rouquins et d'autres blonds, alors que tous les hommes devraient avoir des cheveux noirs. Michel Tournier est plus à l'aise dans la légende que dans le reportage. Il veut donner à ses reportages une portée qu'ils n'ont pas. Ses contes ont une séduction propre qui enchante.

J. M. G. LE CLÉZIO

Le Clézio a appelé *Procès-Verbal* son premier roman, qui lui valut de connaître la célébrité à vingt-trois ans (en 1963). Il y racontait les déambulations d'un jeune homme solitaire, Adam Pollo, qui enregistrait ce que lui communiquaient ses sens et ses nerfs sans recours à l'intellect. Il échappait ainsi à l'anthropocentrisme et même à une vue rationnelle du monde. Le livre oscillait entre réalisme et fantastique et contenait des pages saisissantes, comme le combat avec un rat : la peur qu'en avait

Adam transformait le petit animal en géant tandis qu'Adam devenait un nain.

Ce premier roman n'était pas bien construit. On avait souvent l'impression de lire un brouillon. Le Clézio soigna davantage la composition de son second roman, *Le Déluge* (1966) qui, passé les cinquante premières pages cauchemardesques, retrace un itinéraire très cohérent. Il arrive au jeune Le Clézio de faire des emprunts à la panoplie des écrivains d'avant-garde : collages, artifices typographiques ; c'est sa seule concession à des modes aujourd'hui dépassées.

Le Déluge est l'histoire d'un jeune homme, François Besson, qui éprouve une grande difficulté d'être. Son signe distinctif est de regarder le monde comme à travers une glace, ou plutôt il est enveloppé de solitude, et cette solitude lui donne une lucidité un peu inhumaine. Sous son regard précis et méthodique, les choses perdent leur vernis rassurant : elles apparaissent bizarres et inquiétantes. Quant aux humains, ils ne sont guère plus que des choses. Pourtant, c'est bien à François Besson qu'une jeune femme, prénommée Anna, a choisi de faire des confidences. En guise de lettre, elle lui a envoyé une bande de magnétophone où elle explique ses raisons de se suicider. On se dit que Besson est capable de la comprendre et peut-être de l'imiter. Mais ce qui rend l'existence pénible pour Besson, c'est au contraire qu'elle doit avoir une fin. Ce monde, Besson s'y sent mal à l'aise parce que tout pourrait bientôt basculer et disparaître. Il a eu la sensation d'une catastrophe imminente en entendant hurler une de ces sirènes qui donnaient l'alerte pendant la guerre et, depuis, il voit des signes de mort partout. Ainsi, *Le Déluge* est le roman de la peur.

Besson semblera vouloir renoncer à tout. Il quitte sa maîtresse, abandonne sa situation d'étudiant, se fait manœuvre, puis clochard. Arrivera-t-il à quelque illumination ? Pour finir, il se fera brûler les yeux par le soleil et, devenu aveugle, pourra rêver au paradis qu'il a perdu.

La chute de François Besson s'accomplit en une dizaine de jours. Ce qui est très curieux, c'est le mélange d'une fable et d'un récit réaliste. La fable, c'est l'histoire du jeune homme qui s'aveugle parce qu'il ne peut vivre en regardant la vérité en face. (On peut naturellement contester cette fable et l'auteur a préféré la conter que la vivre.) Le réalisme, on le trouvera dans l'inventaire de la ville où déambule François Besson.

Le Déluge est assurément un livre noir et beaucoup de critiques décidèrent que l'auteur devait être un garçon désespéré. Je n'en étais pas sûr car il manifestait une vraie passion pour l'écriture et je me permis de prédire qu'il nous surprendrait peut-être en écrivant un chant à la gloire du monde et de la vie.

Ce fut fait avec *Terra amata* (1967) que suivit *Le Livre des fuites* (1969) où il inventait un jeune homme épris de voyages, comme les héros de Kerouac. Hélas, il retrouvait un peu partout les mêmes difficultés matérielles qui viennent compromettre le bonheur d'exister. Ce sont ces difficultés — inhérentes au développement d'un détestable progrès de la technique et de l'industrialisation — qu'il dénonce dans *La Guerre* (1970) et dans *Les Géants* (1970). Le Clézio est capable d'une grande attention au réel, mais il aime les embardées dans un fantastique à la Lautréamont.

Ennemi du monde moderne, il s'est senti naturellement attiré par des contrées peu fréquentées d'Amérique centrale ou d'Afrique du Nord, dans lesquelles on peut rencontrer des survivants d'anciennes civilisations : Indiens du Mexique et hommes bleus du Sahara.

Pour ses quarante ans, il publia *Désert* (1980) où il nous offre un portrait de la jeune et belle Lalla, descendante de ces hommes bleus. Dans son existence d'immigrée, elle connaît la misère puis la gloire (comme cover-girl). Son âme est sauvée par sa foi religieuse et l'espoir de retrouver un paradis perdu. On trouvera dans ce livre des évocations parfois superbes de la vie des Touareg. Mais, en tant que roman, c'est un peu lent, long et répétitif.

On adressera le même reproche au *Chercheur d'or* (1985). Cette fois Le Clézio nous parle de l'île Maurice où sa famille paternelle, d'origine bretonne, avait émigré au XVIIIe siècle. A-t-il voulu écrire son *Ile au Trésor?* Au siècle dernier, le père d'Alexis, le narrateur, était persuadé qu'il finirait par retrouver « l'or du Corsaire », caché dans l'île de Rodrigues. Alexis poursuivra cette chimère, mais, après avoir participé à la guerre de 14 en Europe, il comprendra que tout l'or du monde, ce n'est pas un vil métal. Ce qui compte, ce qui a du prix, c'est la gloire d'être vivant, c'est la mer, le soleil, l'amour. Le livre est sympathique. Le Clézio quadragénaire a gardé une âme d'adolescent.

Entre *Désert* et *Le Chercheur d'or*, il avait publié un recueil de nouvelles : *La Ronde et autres faits divers*. C'est dans la nouvelle qu'il est au mieux de sa forme. Dans *La Ronde*, il revient à la dénonciation des horreurs quotidiennes du monde moderne. Il paraît se contenter de décrire, mais il nous oblige à réfléchir sur des vies misérables et ses « procès-verbaux » ont valeur d'actes d'accusation. On peut parler de « tranches de vie » et c'est un compliment : on croit aux personnages que nous peint Le Clézio. Sa vive sensibilité lui permet d'imaginer ce qui se passe en eux et de nous en communiquer le pathétique.

YVES BERGER

Yves Berger est ce qu'on appelle un auteur rare : il n'a publié que trois romans en vingt-cinq ans. Il est rare pour une autre raison : ces romans ne ressemblent à rien de connu et occupent une place à part dans la production contemporaine.

Aucun livre ne donne une plus juste idée des pouvoirs de la littérature et de la puissance des mots que *Les Matins du Nouveau Monde* (1987). Le héros est un jeune garçon qui s'est enthousiasmé pour l'Amérique à la lecture d'ouvrages découverts dans la bibliothèque familiale ou à la bibliothèque municipale. Sa vie réelle se double d'une vie imaginaire : les choses lues ont pour lui autant d'importance que les choses vues ou vécues. Elles lui permettent de supporter de dures épreuves parce que désormais il les partage avec des personnages qui sont devenus des compagnons de tous les jours.

Le livre se situe en Avignon durant la dernière guerre mondiale. Notre jeune garçon, après avoir lu *La Case de l'oncle Tom,* Fenimore Cooper et bien d'autres, en est arrivé à *Autant en emporte le vent.* Il a si bien adhéré à la cause des sudistes du général Lee que les Allemands représentent pour lui l'armée du Nord. Tout au cours des *Matins du Nouveau Monde,* nous avons des évocations entrelacées, avec descriptions précises, de la guerre de Sécession et de la guerre de 40.

On pourra s'étonner que notre garçon aime tellement l'Amérique alors qu'il déplore le génocide des Indiens et l'esclavage des Noirs, et qu'il voit bien que, dans la guerre de Sécession, nordistes et sudistes étaient tous des Américains. Mais il a retenu des légendes et de l'histoire des États-Unis ce qui convenait à son tempérament et il en a fait son bien propre. Il n'est pas moins passionné par les livres d'histoire naturelle, les descriptions de plaines et de forêts, la flore et la faune, en particulier les oiseaux dont il a contemplé les images dans le superbe album de Jean-Jacques Audubon.

À une époque de disette où, en fait de légumes, on ne trouve plus guère dans le commerce que topinambours et rutabagas, il prend goût aux topinambours quand il apprend qu'ils sont une création des Indiens d'Amérique. De même le cacao lui paraîtra meilleur quand il lui aura redonné ses noms indiens de *cacahualt* ou *xocoalt.*

Ce récit est plein du souffle des grands espaces du Nouveau Monde, mais aussi de l'éclat de mots mystérieux que le jeune garçon découvre et dont les sonorités l'enchantent. Utilisant un vocabulaire pour lui magique, il fait cause commune avec les hommes auxquels il l'emprunte. Le plus beau jour de sa vie est celui de la libération d'Avignon : il va voir de ses yeux de vrais Américains et le premier char qu'il aperçoit porte le nom de *Faucon Pèlerin.*

Le paradoxe des *Matins du Nouveau Monde* réside en ceci que les livres qui enthousiasment le héros sont des livres populaires, mais Yves Berger, qui exalte des auteurs comme Fenimore Cooper ou Jack London, a composé un grand opéra baroque, une œuvre d'esthète dont les surcharges poétiques sont justifiées par une passion vraie.

DOMINIQUE FERNANDEZ

Homme de culture, grand intellectuel, Dominique Fernandez se révéla un puissant romancier en publiant *Porporino* (1974), où il évoque superbement « les mystères de Naples » au XVIIIe siècle. Il y ressuscite une époque brillante et une curieuse société.

Son suivant roman, *L'Étoile rose* (1978), fut un roman contemporain où se trouve exposée la situation des homosexuels en France. Fernandez ne cachait pas son désir de participer à la campagne entreprise en 1968 par d'actifs groupuscules pour la libération des mœurs. On lut *L'Étoile rose* comme un dossier de sociologue, dont les observations pouvaient être parfois discutées. On n'était pas ému comme on l'aurait souhaité par les amours de David et du jeune Alain.

Nous eûmes l'impression que Fernandez était moins doué pour le roman contemporain que pour le roman historique. *Dans la main de l'ange* (1982) nous apporta la preuve que nous nous trompions. Peut-être Fernandez a-t-il besoin, pour construire un roman, de choisir comme personnage principal un être exceptionnel. Ce livre est né d'une interrogation sur la dramatique destinée du cinéaste Pier Paolo Pasolini. En développant à sa façon les renseignements biographiques qu'il avait pu recueillir, Fernandez nous suggère une explication possible du caractère de cet artiste qui finit assassiné sur une plage des environs de Rome. Nous sommes cependant en pleine fiction et Pier Paolo raconte lui-même les circonstances d'une mort qu'il a lui-même cherchée et même organisée, par un furieux désir d'autopunition, car, en dépit de ses révoltes et de ses provocations, il n'avait jamais accepté sa sexualité. Il apparaît ici victime volontaire d'interdits qu'il n'avait su vaincre : le sexe restait pour lui « une affaire clandestine et honteuse ».

Histoire d'un homme né sous une mauvaise étoile (l'étoile rose), *Dans la main de l'ange* est aussi l'histoire d'un pays, l'Italie, d'avant-guerre à nos jours. L'Italie est ici un personnage romanesque et se transforme au cours du livre. Fernandez redevient essayiste pour nous retracer les étapes de l'évolution d'une société. Mais l'essai est parfaitement intégré au roman.

Avec *L'Amour* (1986), Fernandez revint au roman historique. Cette fois encore, il met en scène des personnages ayant réellement existé. L'ouvrage se situe au début du siècle dernier. Il fait revivre une époque où, dans l'Allemagne, l'Autriche et l'Italie occupées par les troupes de Napoléon, on pouvait, cependant, voyager pour son seul agrément.

L'opposition Nord-Sud n'était pas ce qu'elle est aujourd'hui : le héros, qui est allemand, est partagé entre les valeurs sentimentales de sa terre natale et les valeurs artistiques de l'Italie. Où trouvera-t-il son accomplissement ? Dans les paysages brumeux et infinis de son pays ou dans les décors bien dessinés qu'il découvrira au-delà des Alpes ?

Dans la tradition du roman d'éducation, illustrée jadis par Goethe et naguère par Thomas Mann, Fernandez nous décrit les années d'apprentissage du peintre Friedrich Overbeck, qui deviendra « le chef de l'école catholique romantique allemande », mais qui n'est encore, dans les années 1810, qu'un étudiant, et de religion luthérienne, bien qu'il ait senti naître sa vocation d'artiste en découvrant une reproduction de la *Madone Sixtine* de Raphaël.

À vingt ans, fils de riches négociants de Lübeck et fiancé de la jolie Elisa, non moins riche héritière, il quitte sa ville natale afin de poursuivre à Vienne ses études de peinture et d'y retrouver son cher ami Franz, le musicien, avec lequel il a pratiqué autrefois le rite de l'échange de sang. S'il s'éloigne d'Elisa, c'est aussi qu'il a un doute sur l'amour qu'il lui porte : si cet amour favorise les intérêts sociaux des deux partenaires, est-il un sentiment très pur ? Or c'est l'amour pur que cherche Friedrich, et il espère le trouver dans ses relations avec Franz, dont il ne peut attendre un quelconque avantage sur le plan de la réussite matérielle. Il risque, au contraire, de perdre sa respectabilité aux yeux de la société, parce que l'attirance qu'il éprouve pour lui n'est pas seulement intellectuelle. Il lui en fait l'aveu pendant leur voyage vers Rome. Le jeune homme ne le repousse pas brutalement, mais lui demande comment il peut parler d'amour désintéressé s'il attend la satisfaction de ses désirs charnels. Selon Franz la sexualité, si elle n'est pas justifiée par la procréation, doit être proscrite. En vérité Franz est en mauvaise santé : il mourra bientôt de phtisie galopante. Friedrich décide alors de rentrer à Lübeck pour épouser Elisa. Triomphe de la culture germanique : « La légèreté, la grâce, la fantaisie italiennes doivent s'incliner en fin de compte devant la gravité, le sérieux allemands. » C'est Friedrich qui parle ainsi, et non pas l'auteur.

Lettres et fragments du journal intime de Friedrich forment toute une partie du livre. Nous ne savons pas sur quels documents Fernandez s'est appuyé. Comme Friedrich rencontre beaucoup d'hommes illustres et rapporte sur eux de curieuses anecdotes, on se demande également si celles-ci reposent sur des témoignages d'époque ou si Fernandez les a inventées pour nous communiquer son idée de grands personnages, tels Stendhal, Beethoven ou Canova. Pour Stendhal, c'est assez simple : était-il à Vienne en 1809 et assista-t-il au service funèbre en l'honneur de Joseph Haydn ? Il n'en dit rien dans son journal, mais vous trouverez, au chapitre 13 de sa *Vie de Haydn,* le paragraphe dont s'est sans doute inspiré Fernandez. Beethoven a-t-il eu un jeune valet du nom de Joseph Wintergest, fort mal récompensé de son dévouement ? L'histoire de la pendule offerte par Joseph à son maître, et que celui-ci jette dans l'escalier, a toutes les apparences d'une fable à travers laquelle Fernandez veut nous peindre le caractère de ce génie. De même, le sculpteur Canova avait-il les mœurs que notre auteur lui attribue ? À propos de Canova, Fernandez reprend une thèse qu'il avait exposée dans *Signor Giovanni,* où il racontait la vie et la mort de Winckelmann. Il utilise ici les mêmes mots : « culte du beau, pratique du laid ». Friedrich ne retournerait-il pas à Lübeck de peur de finir à Rome comme Canova ?

Où l'on ne met pas en doute la parfaite exactitude des renseignements qui nous sont fournis, c'est dans les descriptions de villes, de paysages, de musées. La culture et l'érudition de Fernandez sont éblouissantes sur des sujets aussi divers que l'architecture, la sculpture, la peinture, la musique, la poésie, mais aussi l'histoire et la géographie, l'économie, la gastronomie, la mode et même le système métrique ! Le roman d'éducation se transforme en ouvrage encyclopédique.

La grande réussite de Dominique Fernandez est, pourtant, d'avoir écrit un livre sans rien de pédant, et dont le romantisme se coule dans une forme élégamment classique.

PATRICK MODIANO

Patrick Modiano débuta brillamment dans les lettres en 1968 avec *La place de l'Étoile.* Âgé de vingt-trois ans, il évoquait les années d'Occupation, lesquelles lui fournirent également le cadre et les personnages de ses deux romans suivants : *La Ronde de nuit* et *Les Boulevards de ceinture.* On déclara qu'il était prisonnier d'une époque antérieure à sa naissance. C'est toujours son « image de marque ». Cependant, depuis *Villa triste* (1975), il nous parle des années d'après-guerre.

Faut-il distinguer chez Modiano ses romans de l'Occupation et ses romans d'après-guerre ? Les anecdotes qu'il utilise ont moins d'importance que la lumière dans laquelle il les baigne. Dans *Une jeunesse* (1981), son style est si clair, si net, si dépourvu de toute emphase romantique et de toute jonglerie avant-gardiste qu'on le croirait au service d'un réalisme sec. Et puis le Paris des années 60 finit par devenir aussi mystérieux et inquiétant que celui des années de l'Occupation : nous sommes dans ce domaine de l'équivoque et de l'insécurité que notre jeune romancier a inventé.

Patrick Modiano éprouve la même attirance pour les milieux interlopes qu'autrefois Francis Carco (en littérature) et Jacques Prévert (au cinéma). Il a le même goût pour un Paris nocturne où se côtoient professionnels du spectacle et trafiquants divers, jeunes innocents et vieux malins, dangereux maniaques et doux originaux, à la recherche d'une aventure, bonne affaire ou mauvais coup.

Les histoires de Carco et les films de Prévert finissaient dramatiquement. Au contraire, le roman de Modiano se termine le mieux du monde pour ses deux héros. La fin nous est d'ailleurs connue dès les premières pages, car c'est dans le chalet savoyard où ils se sont retirés que nous faisons connaissance de Louis et d'Odile, à la veille de leur trente-cinquième anniversaire à tous deux. Ils sont installés là depuis une douzaine d'années. Ils avaient d'abord utilisé ce chalet comme home d'enfants, mais ils ont abandonné cette activité et vont ouvrir un restaurant-salon de thé. Ils semblent très satisfaits de l'existence et sont pleins de tendresse pour leur fillette et leur petit garçon. Un anniversaire est l'occasion de se rappeler quelques souvenirs marquants et c'est alors que l'on nous raconte les débuts du couple dans la vie, quand Odile et Louis avaient vingt ans.

Louis Memling a perdu ses parents très tôt, un coureur cycliste et une chanteuse de Tabarin. Il ne reçut aucune formation pour exercer quelque métier que ce soit. Quand il est libéré du service militaire, il accepte un poste de veilleur de nuit dans un garage de grande remise. Son patron brasse des affaires assez mystérieuses, mais Louis consent à prêter la main à des combines illégales. La jeunesse est l'âge des compromissions, du moins quand on est orphelin et sans le sou. Louis s'est lié avec Odile rencontrée dans un café un soir de déprime. Celle-ci, livrée à elle-même, bien que mineure (on était encore mineur à vingt ans en ce temps-là), a perdu un emploi de vendeuse dans un magasin et rêve de devenir chanteuse et d'enregistrer un disque. Ses essais seront plus que décevants et c'est en vain qu'elle se sera laissé tripoter par un directeur artistique qui la dégoûte.

Louis et Odile appartiennent à la race des « innocents » dont profitent de vieux malins. En lisant toutes leurs aventures et mésaventures — toutes ne sont d'ailleurs pas sinistres, il en est même d'heureuses —, on se demande comment ils ont pu devenir ce couple apparemment bourgeois que l'on nous a présenté au début du livre. Ce mystère sera éclairci dans les toutes dernières pages. Disons que c'est parce qu'ils ont réussi une escroquerie que Louis et Odile ont pu acheter leur chalet, le transformer en home d'enfants et devenir des gens parfaitement convenables. Ajoutons qu'ils avaient escroqué un escroc...

Dans *Villa triste,* qui aurait pu s'appeler également *Une jeunesse,* Patrick Modiano nous avait déjà offert le spectacle du tumulte de la jeunesse considéré du rivage de la maturité. Patrick Modiano n'est pas du tout un nostalgique du passé : en le faisant revivre, il nous communique le sentiment doux-amer de l'irréalité d'un monde où rien ne dure et où les êtres se métamorphosent suivant les hasards de l'existence. Patrick Modiano est de la race des écrivains pour qui la vie est un songe, rêve ou cauchemar, selon les jours. Il est poète autant que romancier.

Modiano, qui souffre (ou bénéficie) d'un excès de mémoire, a inventé un personnage d'amnésique pour son roman *La Rue des boutiques obscures* (1978). Employé dans une agence de police privée, il part à la recherche d'un homme disparu depuis de nombreuses années. Et cet homme est peut-être lui-même. Parodiant une formule de Malraux, l'éditeur nous disait qu'il s'agissait de l'intrusion des âmes errantes dans le roman policier.

La fameuse mémoire de Modiano est en fait le produit de son imagination. Dans la réalité, les souvenirs véritables s'effacent. Le livre s'achève alors que le narrateur regarde la photographie d'une petite fille sur une plage. Elle pleure parce que sa mère lui a dit qu'il fallait maintenant rentrer à la maison : « [...] et nos vies ne sont-elles pas aussi rapides à se dissiper dans le soir que ce chagrin d'enfant ? »

Deux autres romans de Modiano ont pour thème l'enquête d'un narrateur sur son passé et sur ce que sont devenues les personnes qu'il a connues jadis : amis de jeunesse dans *De si braves garçons* (1982), anciennes relations d'un célèbre auteur de romans policiers dans *Quartier perdu* (1984). Le charme de ces livres tient à la nostalgie qui les nourrit. Modiano apparaîtra peut-être demain comme le dernier des piétons de Paris, de la banlieue, des villes d'eaux et des villes de bord de mer. *Dimanches d'août* (1986) confirme cette impression.

ANGELO RINALDI

On peut définir les romans d'Angelo Rinaldi comme des compositions musicales à thèmes nombreux et savamment entremêlés. Le sentiment dominant est celui du temps qui passe et de la mort qui vient. Le narrateur de *La Dernière Fête de L'Empire* (1980) déclare : « Je n'ai rien contre la mélancolie, qui est l'unique sentiment qui pense. »

Ce narrateur, un garçon qui n'est plus un tout jeune homme, est revenu pour quelques jours dans sa ville natale où sa mère s'est décidée à vendre le café que, veuve, elle a tenu pendant des années, et c'est là qu'il a été élevé, non certes dans l'aisance — car le café, bien que nommé *L'Empire,* est un établissement modeste, situé dans le quartier de l'Octroi — et, si un homme politique influent ne l'avait choisi pour y recevoir à dates fixes ses électeurs se présentant en solliciteurs, les fins de mois eussent été parfois difficiles. Au soir de la fermeture définitive (le café doit être transformé en laverie), la mère a invité ses amis et ses meilleurs clients. Le fils ne pouvait se dispenser d'être là, d'autant moins qu'il doit toucher une part sur la vente du fonds de commerce.

Tout au long de la journée qui nous est contée et qui se termine par cette fête, le fils attend un coup de téléphone de Paris et le temps est mesuré par les battements d'une vieille horloge, laquelle prend rang de véritable personnage. Or l'enfance et l'adolescence du narrateur, telles qu'il se les remémore, n'ont été elles-mêmes qu'une longue attente : il attendait l'heure où il échapperait à la pauvreté relative de sa condition, « je secouerai la sciure de L'Empire à la semelle de mes souliers », et aussi aux contraintes de la province, « ce pays d'aspérités et de ronces où je m'écorchais à chaque mouvement du corps et de l'âme ». Il semble bien que les seuls moments de bonheur qu'il ait connus enfant aient été les visites du merveilleux cousin Arnaud, de six ans son aîné et qu'il *adorait,* et les plongées dans les livres. Le reste du temps, trop fier, trop susceptible, il se sentait humilié et offensé comme un personnage de Dostoïevski. Il souffrait enfin de devoir cacher quelle sorte d'amour l'attirait. C'est l'homme politique influent, le sénateur, qui devait lui permettre de quitter la ville en lui faisant obtenir une bourse pour étudier le droit.

Cette ville natale, qui n'est jamais nommée, était-elle vraiment un enfer miniature ? N'était-ce pas plutôt le sentiment de s'y sentir sans cesse observé, jaugé et jugé qui la rendait si inconfortable ? Le narrateur ne dénonce pas tant les provinciaux que la vie en province. Et pourquoi ne pas remarquer que c'est sa propre expérience d'ancien provincial qui lui a permis de nous offrir toute une savoureuse galerie de personnages fortement typés ? Si certains d'entre eux sont ridicules ou présentés avec causticité — les professionnels de la politique notamment —, il en est d'autres qui sont touchants, comme Técla, la serveuse mal payée, ou pathétiques, comme la cliente qui relance au téléphone un bel et cruel Antonio. Le narrateur éprouve lui-même de l'amitié pour la mystérieuse Mme Casalda qui tient l'hôtel de passe situé au-dessus de L'Empire et sait tirer les cartes. Elle a été autrefois la secrétaire de la Belle Otéro, fameuse courtisane qui a fini ses jours à Nice dans la misère : chargé de lui apporter des fleurs et quelques gâteries, le narrateur l'a trouvée morte quand il a pénétré dans son petit studio.

Diverses pages évoquent la vie parisienne du narrateur. Il ne s'explique pas sur un goût de la souffrance physique, dans le domaine de la sensualité, qui peut surprendre et qu'il mentionne calmement. Il l'avait découvert dans les bras d'Arnaud quand ce beau cousin l'avait brutalement entraîné dans un fossé pour le protéger des ruades d'un cheval. Mais rien n'est simple et, tout compte fait, c'est un plaisir masochiste aussi que l'on prend à relater les souvenirs d'années qui nous parurent pénibles à vivre.

Le personnage de la mère ne prend toute son importance que vers la fin du livre, quand son fils, se reprochant soudain d'être allé si peu souvent la voir, évoque ce que furent ses derniers mois et les reconstitue à partir des lettres qu'elle lui adressait (elle ne devait pas jouir longtemps de sa retraite). Il se donnait bonne conscience en envoyant de l'argent à une voisine pour veiller sur elle, mais elle s'est éteinte à l'hôpital, seule, alors qu'il aurait pu être près d'elle. Angelo Rinaldi use de phrases longues, avec des incidentes et des propositions subordonnées bourrées de détails concrets qui donnent au passé l'épaisseur et l'évidence des choses présentes. On est entraîné dans un flot d'images au son d'une musique de perdition. Il s'agit d'un réalisme transfiguré par la maîtrise du style et le sentiment tragique de la vie.

Le Jardin du consulat (1984) est une autre symphonie de la mémoire douloureuse. Le narrateur n'a rien oublié de ce qu'il a pu entendre, voir, ressentir tout au cours de sa vie. Rien ne lui arrive qui ne réveille un souvenir proche ou ancien. Il vit dans un univers où les jours se renouvellent moins qu'ils ne se superposent. A travers les années, la même tragi-comédie se poursuit et se répète, avec des personnages et des décors différents. Le narrateur est pris dans un réseau de rappels et de correspondances que son récit orchestre superbement. Le temps nous transforme, mais le héros de Rinaldi estime superficiels nos changements. « J'étais, je resterai, je demeure », lui arrive-t-il de conjuguer. On pourrait résumer son histoire en disant que, né dans un milieu modeste, orphelin de père très tôt, mal aimé par sa mère qui s'est remariée, il a connu une enfance et une adolescence humiliées. Comme le narrateur de la *Dernière Fête,* il a fui dès que possible son île natale. Ses débuts parisiens furent difficiles : vendeur d'encyclopédies au porte-à-porte, employé d'une agence de voyages et ne reculant pas devant diverses compromissions. Puis il a été engagé sur recommandation dans une banque d'affaires et c'est alors qu'il a entrepris une ascension sociale au terme de laquelle il est devenu un riche et important personnage. Un tel résumé donnerait à penser que nous avons le récit d'une revanche et d'une réussite. Il n'en est rien. Le narrateur n'entreprend pas de nous narrer ses succès. Il nous décrit les milieux où il a vécu, les personnages qu'il a rencontrés, afin de nous communiquer ses sentiments, qui ne sont pas gais, sur le monde et sur les hommes.

Les souvenirs qu'il rapporte ne sont pas donnés dans l'ordre chronologique, mais tels qu'ils se présentent dans la mémoire. Nous avons un entrelacement d'épisodes situés à des époques diverses, et restitués dans des phrases savantes, riches en détails concrets et en considérations abstraites de moraliste. Le narrateur n'est pas un donneur de leçons, mais, au nom de la vérité, il prend souvent pour nous des allures de justicier. Il n'est pas tendre pour lui-même qu'il peint comme un comédien sournois et malin. Nous devinons pourtant qu'il se noircit « à plaisir » pour que nous trouvions son pessimisme tout naturel. Il ne parle qu'incidemment des élans de son cœur. C'est avec une nostalgie amère qu'il se rappelle la chanson qu'interprétait sa marraine, Rachel, vedette d'un beuglant : « Rêvez-moi, j'existe. Un jour, vous me rencontrerez. » À vingt ans, « l'envie d'être aimé le tenaillait plus encore que la faim de nourriture », mais il n'a pas rencontré l'être dont il avait rêvé. La seule personne pour laquelle il devait éprouver une affection durable — un attachement sentimental, mais non pas amoureux — est une amie plus âgée, la riche et belle Consuelo. Cette amitié ne fut jamais si bien ressentie qu'une fois perdue. Consuelo, devenue veuve, prit un jour la calme décision de se retirer du monde et se suicida. Le narrateur recueillit Florina, la chatte de la disparue. Hélas ! au moment même où elle semblait avoir adopté son nouveau maître, Florina fut atteinte d'un cancer. C'est le point de départ du livre. Le narrateur veillera sur le confort de Florina jusqu'au jour où les douleurs apparaîtront et où il demandera à un vétérinaire d'intervenir. La chose faite, et une sépulture assurée à la chatte, il se préparera à partir lui-même pour son dernier voyage. Rien ne le retient plus. Tout est fini quand tout nous est devenu indifférent.

Toute la démarche du narrateur — en enroulant et en déroulant ses souvenirs — devait aboutir à ce parfait détachement. Mais il nous plonge dans l'univers dont il se retire et son passé devient présent pour nous. Le livre contient toute une série de scènes fortes, cruelles et dramatiques, et toute une galerie de portraits. Les personnages provinciaux, et tout d'abord sœur Annonciade, mendiante illuminée, sont dignes d'un Jouhandeau. Les personnages de la comédie parisienne ont un format proustien : ainsi M. Wilmer, un Charlus contemporain, fils d'un auteur célèbre et qui finira assassiné, ainsi Mme Athalin, la concierge râleuse, ou le pittoresque M. Jouanneau, chauffeur de taxi et lecteur de Rochegude. Angelo Rinaldi nous propose ici une comédie humaine d'une parfaite originalité et d'une densité exceptionnelle.

DIDIER MARTIN

Didier Martin a beaucoup lu et les meilleurs auteurs. Ses aventures de lecteur sont à l'origine de la plupart de ses ouvrages. Non point qu'il copie jamais les livres qui lui ont plu, mais il en retient des thèmes qu'il entreprend de traiter à sa façon. Parfois c'est une simple situation de base qu'il emprunte, les développements qu'il imagine lui appartenant en propre.

Bellevue (1979) est un des meilleurs romans de ces dernières années, et des plus originaux. Didier Martin l'a construit sur une anecdote qui rappelle *La Mort à Venise.* Dans un hôtel près de la mer, nous faisons connaissance d'un jeune homme prénommé Didier, passionné par la lecture et qui s'enthousiasme pour l'œuvre d'un romancier déjà âgé, prénommé Martin. Il s'appelle Martin Zwiemann et l'on voit le jeu de mots sur le nom de Thomas Mann. Or, Martin Zwiemann vient s'installer lui-même à l'hôtel Bellevue, pour écrire un nouvel ouvrage dont le héros, prénommé Dieter, ressemble beaucoup physiquement à Didier. Le jeune lecteur et le vieux romancier, Didier et Martin, se rencontrent ou plutôt ils se croiseront sans se parler une seule fois.

Le vrai sujet de *Bellevue,* ce sont les rapports d'un lecteur avec l'ouvrage qu'il lit et d'un auteur avec l'œuvre qu'il crée. Le miracle est que Didier Martin ait pu bâtir là-dessus un roman qui n'a rien d'abstrait, qui est même souvent très amusant et qui passionnera tout amateur de littérature, lequel retrouvera ses propres tics et manies dans les comportements des héros.

Après *Bellevue,* Didier Martin publia une vie de Gilgamesh sous le titre : *Un sage universel* (1980).

L'épopée de Gilgamesh est connue en Europe depuis 1862, où un archéologue parvint à déchiffrer des tablettes assyriennes conservées au British Museum. Il découvrit là, entre autres choses, un récit du Déluge qui était antérieur à celui de la Bible. Il datait du XVIIIe siècle avant Jésus-Christ. Par la suite, on retrouva d'autres fragments du même texte, rédigés en des langues diverses, qui permirent de reconstituer toute l'histoire de Gilgamesh, due elle-même à un certain nombre de conteurs et de scribes. La manière dont cette légende a été composée et nous est parvenue constitue en soi un véritable roman, qui est l'un des attraits du célèbre essai de Samuel Noah Kramer, *L'Histoire commence à Sumer,* dont la traduction parut chez Arthaud en 1957.

L'histoire de Gilgamesh, où interviennent les dieux et les déesses, contient la plupart des grands thèmes qui ont nourri aussi bien les religions que les littératures fantastiques. On y voit les personnages de grands voyages initiatiques : qu'il s'agisse de monstres qui gardent les trésors ou du serpent que ses mues préservent de la mort.

Didier Martin, confiant dans le pouvoir des mythes sur l'imagination, s'est contenté d'adopter le ton des contes pour adolescents. Il nous a restitué la légende, mais pas le ton de l'épopée que l'on trouve au contraire chez Abed Zarié. Dans la traduction qu'a donnée celui-ci des textes originaux, les lamentations de Gilgamesh à la mort de son ami Enkidou font irrésistiblement penser à la grande scène de la mort de Cébès dans *Tête d'or.* Didier Martin, qui a inséré dans son roman *Le Secrétaire* de merveilleux pastiches de Proust, aurait dû tenter d'écrire son Gilgamesh à la manière de Claudel. Peut-être aurait-il versé dans la parodie, mais ce n'est nullement un genre inférieur. C'est le genre qu'avait adopté Thomas Mann pour raconter la légende médiévale de saint Grégoire dans *L'Élu.*

Son travail sur Gilgamesh a peut-être donné à Didier Martin l'idée de son énigmatique roman, situé de nos jours et qui s'appelle *Contretemps* (1980).

Un déluge moderne

Au début du livre, le narrateur demande à un adjudant de gendarmerie comment il imagine la fin du monde, et l'adjudant répond : « Ma foi, comme tout le monde, je pense : une bonne petite guerre atomique. À côté de ça, même la pluie la plus dramatique n'est qu'une amusette. » Cet adjudant se trompe : la pluie qui tombe tout au long du roman n'est pas une amusette. Elle provoque des inondations catastrophiques, contraignant les habitants des plaines à un exode vers les montagnes. Cette fuite se révélera inutile : si ce n'est à la fin du monde, nous assistons à la disparition de cette terre.

Didier Martin n'a pas cherché à provoquer l'effroi par la description de la montée des eaux et de la furie des éléments, comme Zola dans *L'Inondation,* ou Faulkner dans *Les Palmiers sauvages.* Il a adopté un ton paisible de chroniqueur distant.

Le narrateur, prénommé Robert, est un employé de banque au chômage. Il écrit son histoire à mesure qu'elle se déroule, comme il tiendrait un journal intime. Il commence par le récit d'une aventure amoureuse burlesque : on le voit séduire Claire, la maîtresse d'un sien cousin, Christophe, qui l'agace par ses vantardises. C'est pourtant avec Christophe que Robert et Claire quitteront la capitale envahie par les eaux. Ils emmèneront avec eux un petit garçon dont les parents ont disparu.

Sur les routes, Christophe se révélera un homme efficace et sans scrupules, volant une voiture quand la sienne devient inutilisable, forçant les portes des maisons abandonnées, et même assommant un homme pour lui prendre son embarcation. Le narrateur ne s'oppose pas à ces violences, se contentant de noter : « A quoi servait de protester contre ce que je n'avais pu empêcher ? » Christophe estime pour sa part que nécessité fait loi. Il finira d'ailleurs victime de gens qui avaient les mêmes convictions que lui.

Le narrateur s'avoue impropre à l'action. Il se contente d'observer. Mais quels sentiments éprouve-t-il ? Sa première réaction aux inondations a été un « frétillement de l'humeur », parce qu'elles apportaient un changement radical dans son existence monotone — et pour une raison plus profonde : une fascination pour l'élément liquide. C'est avec exaltation qu'enfant il avait appris que le corps humain se compose surtout d'eau et que les océans couvrent les quatre cinquièmes de la surface du globe. Que le monde finisse dans les inondations, ce serait, pense-t-il, une « glorieuse apocalypse »... Aussi bien ne le verrons-nous jamais atteint par la peur au cours des événements dramatiques qu'il relate, mais transformer peu à peu son récit, d'abord badin, en une allégorie de la destinée. Le monde et l'homme ne sont pas poussière : ils sont eau et seront rendus aux eaux.

Étrange roman : l'histoire d'un moderne déluge devient conte philosophique, de même que, dans le *Moby Dick* de Melville, un reportage sur la pêche à la baleine se métamorphose en drame métaphysique. Le narrateur fait lui-même de nombreuses allusions à *Moby Dick,* qui est l'ouvrage lu par le jeune garçon. On trouvera aussi diverses considérations sur la Bible. Sur le mode mineur, Didier Martin révèle des préoccupations qui donnent un poids inattendu aux aventures de ses personnages.

Le livre ne s'achève pas sur la construction d'une arche de Noé, mais par celle d'un radeau où le petit garçon emporte son exemplaire de *Moby Dick* et le narrateur son manuscrit de *Contretemps.*

Par la suite, Didier Martin inventa une forme inédite de dictature avec *Les Petits Maîtres.* On lui découvre là une lointaine parenté avec Kafka. Dans *L'Amour dérangé,* il a brossé le portrait d'un homme jaloux, auquel il prête un comportement farfelu qui aurait sans doute beaucoup amusé Nabokov.

CHRISTIAN GIUDICELLI

Avec *Une affaire de famille* (1981), Christian Giudicelli, dont nous avions beaucoup aimé *Les Insulaires,* nous donne un roman à la fois tout simple et très savamment composé. Il y raconte le bouleversement que provoque en nous la mort d'un être proche et les métamorphoses que subit le disparu dans notre souvenir.

Il s'agit ici de la mort d'un père. Le fils, qui se prénomme Jacques, n'est plus un enfant. Il a trente-cinq ans et l'on ne dit pas, à cet âge, que l'on devient orphelin. D'ailleurs Jacques ne perd pas son père, il l'a perdu depuis longtemps. Qu'avaient-ils en commun ? Jacques ne se rappelle pas avoir jamais eu de vraie conversation avec son père, petit fonctionnaire bedonnant et vivant sous la domination de sa femme.

Auprès de ses parents il s'est toujours senti autre, différent. Il les a quittés sitôt passé son bachot, et il a quitté Nîmes, sa ville natale, pour aller vivre à Paris dans les milieux de littérature, de journalisme et de théâtre. Certaines attaches ont cependant été maintenues : la preuve en est que Jacques prend aussitôt la route quand sa mère lui téléphone que son père, victime d'une attaque, a été transporté à l'hôpital. Et voici Jacques s'interrogeant sur le passé : sur son propre passé — c'est-à-dire sur ses origines — et les origines de son père — c'est-à-dire sur sa famille, dont il se fichait bien jusqu'ici.

Une affaire de famille ne se présente nullement comme des fragments de Mémoires. Christian Giudicelli nous en prévient en écrivant de son héros : « Il déteste les confidences, celles qu'on lui fait et celles qu'on veut l'entendre faire. Il ne se livre à ce genre d'exercice qu'en le truquant. » Si Jacques donne parfois de lui-même une image qui s'éloigne de la réalité objective, c'est qu'il obéit aux exigences de sa sensibilité et à ce qu'il considère comme sa véritable nature. Jacques ne s'embellit pas et peut même exagérer ses défauts (ce que l'on pourrait appeler une dureté de cœur et qui est un refus des sentiments conventionnels). Moderne Narcisse, il ne peut aimer que ce qui lui ressemble et il ne se rapprochera de son père qu'en lui confectionnant un passé où il puisse le considérer comme un frère aîné.

Le mot de « frère » a pour Jacques une résonance affective qu'il ne peut avoir que pour un fils unique ayant souffert d'un sentiment de solitude. Cependant, âgé de douze ou treize ans, lors de vacances en Corse (d'où son père était originaire), Jacques avait eu un camarade bien-aimé, Antonio, fils bâtard d'une immigrée de race arabe. Il n'hésite pas à imaginer que le jeune Antonio était son demi-frère et il ne semble pas comprendre que, si c'était vrai, la conduite de son père aurait été assez dégoûtante. Tout au contraire, il veut montrer que, jeune homme séduisant, le futur fonctionnaire bedonnant avait été capable d'une aventure sensuelle bafouant la morale courante. Jacques est un amoureux des turbulences de la jeunesse. Ce qui le séparait de son père, c'était tout bêtement l'écart d'âge, mais cet écart se rétrécit à mesure que l'on vieillit. Lorsqu'un auto-stoppeur de vingt ans, l'estimant un peu trop « sage », l'appellera en plaisantant « papa », il se sentira cruellement coupé de sa propre jeunesse.

Le tour de force de Christian Giudicelli est d'avoir réussi le mariage d'une autobiographie et d'un roman, de nous faire croire aux deux, alors même qu'il nous permet de faire la part de l'une et de l'autre. L'autobiographie de Jacques n'est pas forcément celle de Giudicelli, ou plutôt celle-ci est elle-même « truquée ». *Une affaire de famille* est un vrai roman, dont la composition s'apparente à celle d'une œuvre musicale illustrant l'art du contrepoint. Les motifs sont d'abord simplement indiqués avant d'être repris et développés. L'auteur emploie tantôt le « il », et tantôt le « je ». Il entremêle le présent et le passé, les souvenirs et les imaginations, le rêve et la réalité. Je n'ai pas seulement pensé à des musiciens, mais aussi au cinéaste Ingmar Bergman et, en particulier, au film *Cris et Chuchotements* où la vie nous est présentée dans ses aspects divers, de l'idyllique au tragique.

Les pages sur les vacances en Corse — dans un village de montagne au sud de l'île — nous valent le portrait d'une merveilleuse grand-mère qui perdit son mari à la guerre de 14, un mari de vingt ans qu'elle voit revivre dans son petit-fils. La Corse paysanne de Giudicelli n'est pas la Corse d'Angelo Rinaldi, mais les deux écrivains ont en commun une violence sourde, un cœur ardent, une sensibilité à vif.

Nous avons retrouvé Jacques dans *Le Point de fuite* (1984) et dans *Station balnéaire* (1986). Christian Giudicelli n'est pas tendre pour lui dans ce dernier livre. Il le compare à Paul Bourget : « Quelle différence entre eux deux ? Réponse : l'un refuse de s'intéresser aux gens du peuple, l'autre les utilise comme objets de plaisir avant de s'apitoyer sur leur cas dans des œuvres sociales. » (P. 133.)

Christian et Jacques se distinguent en ceci que Christian n'écrit pas d'œuvres sociales. Il a même fait jouer une farce dramatique très savoureuse, *Le Chant du bouc* (1981), sur les écrivains « progressistes » et le théâtre qui se veut « engagé ».

MICHEL LUNEAU

Michel Luneau (né en 1934) pourrait être appelé un « écrivain du corps ». Entendez par là qu'il n'oublie jamais que l'homme est fait de chair, d'os et d'humeurs diverses. La vie intérieure est d'abord pour lui celle des organes. Il a écrit un *Mémorial du sang* (1981) où l'on assiste à un curieux procès intenté à ce liquide rouge qui symbolise la vie, mais peut inspirer tant d'inquiétude.

Le cœur, le sexe, le cerveau deviennent les personnages d'une fable tout à fait originale. Luneau nous a donné aussi un roman, *Folle alliée* (1982), où il nous rappelle comment notre vie d'homme pensant dépend de notre état physique. Ce sont des choses que l'on sait, mais il faut la maladie pour en prendre vraiment conscience.

Faut-il voir en Luneau un matérialiste ? Pas du tout. La preuve nous en est fournie dans les *Chroniques de la vie d'en dessous* (1984) où l'auteur imagine que l'activité de l'esprit continue alors même que le corps est devenu cadavre. Beaucoup de gens craignent qu'on les enterre un jour, alors qu'ils ne seraient qu'en catalepsie passagère. Le héros de Luneau, lui, est bien mort. Mais il garde sa conscience. Son éducation religieuse l'invite à espérer une résurrection. L'espoir se réduit pourtant à peu de chose à la dernière page : les relâchements musculaires amènent le corps à « se recroqueviller dans la position du fœtus ».

Le monde contemporain se détourne des morts. On les enterre à la sauvette. Plus de cortèges dans les rues derrière des corbillards. Vestimentairement, on ne porte plus le deuil de personne. Il ne s'ensuit pas que l'on n'éprouve plus de douleur lorsque nous quitte un être cher. Ni que beaucoup d'hommes ne soient effrayés à la pensée de disparaître eux-mêmes un jour. Michel Luneau veut nous apprivoiser et s'apprivoiser lui-même avec l'idée de la mort. Il jongle avec des images de poète et des mots d'auteur. Il avoue : « L'humour ne résout rien », mais nous sommes bien d'accord quand il ajoute : « Au moins fait-il du bien. »

XX

La garde montante

Il n'y a plus d'écoles littéraires. Un auteur serait ridicule s'il se prétendait d'avant-garde. Avant-garde de quoi ? On est plutôt à la recherche de moyens pour sauvegarder des valeurs anciennes de plus en plus menacées.

Hier, on accusait la littérature française contemporaine de s'être enfermée dans deux sortes de ghettos : la littérature intimiste où l'on se contentait de raconter des aventures sentimentales (on l'accusait d'être « nombriliste ») et la littérature de laboratoire où les problèmes de forme reléguaient au second plan les problèmes de fond (qui intéressaient pourtant le lecteur au premier chef). Aujourd'hui nos nouveaux romanciers aiment sortir de leur chambre, nous parler du monde où ils vivent, s'interroger sur les origines de la crise de civilisation dont nous ne sommes pas près de sortir. Ils utilisent toutes les techniques de narration, anciennes et modernes, mais c'est le sujet traité qui commande l'emploi de tel ou tel procédé. Ou plutôt forme et fond redeviennent inséparables. Ce qui a été toujours le cas pour les meilleurs auteurs.

GÉRARD GUÉGAN

Les romanciers ne sont pas les derniers à se passionner pour les faits divers, que Flaubert appelait « détails des mœurs » et qu'il lui arrive de commenter dans sa correspondance. De tels détails, quand ils s'accumulent, donnent finalement une forte image des injustices et des violences d'une époque. À cet intérêt sociologique s'en ajoute un autre, d'ordre psychologique, car les faits divers nous révèlent des comportements qui surprennent et bousculent nos habitudes de pensée. Gérard Guégan avait fait une étonnante utilisation des faits divers dans *L'avenir est en retard* (1978) : quinze histoires exemplaires, issues de coupures de journaux, reflet brutal d'une crise de civilisation, comme on dit en termes emphatiques (car la civilisation a toujours été en crise).

Dans *Le Sang dans la tête* (1980), Guégan n'a pas emprunté aux seuls journaux la matière de son livre. Il a visiblement subi l'influence des romans de série noire et des films de même couleur. Il est passionné de littérature policière et de cinéma en tout genre. Cela se sent parfois un peu trop, mais le récit est très bien mené et l'auteur change de registre suivant la scène à traiter.

Le premier chapitre est en soi une nouvelle de sueur froide, dans la ligne des *Tueurs* d'Hemingway, et l'affaire ne semble pas du tout se situer à Paris. Puis l'inspecteur Ruggieri entre en scène et il est chargé de découvrir les assassins de jeunes garçons vietnamiens. Cette fois, c'est bien à Paris que la chose se passe, et même dans des quartiers précisément décrits. Cependant, il arrive à l'auteur de se laisser aller à des embardées du genre érotique qui n'ont rien à envier aux *Onze Mille Verges* d'Apollinaire (les jeux auxquels se livrent deux truands dans l'appartement de Ruggieri).

Dans *L'avenir est en retard,* Guégan s'en tenait au vraisemblable. Ce n'est pas toujours le cas ici. Même remarque pour les dialogues : Guégan prête à ses personnages les plaisanteries langagières qui lui sont venues à l'esprit en écrivant ses dialogues. Il préfère parfois sa verve de dialoguiste à la rigueur naturaliste qui serait de mise.

Sa grande trouvaille est d'avoir fait de son policier un homme meurtri par la mort tragique de sa femme et qui s'abandonne, quand il est seul, à des fantasmes morbides. Ce flic névrosé est aux antipodes du brave Maigret — le flic de Simenon —, et Guégan a créé un type nouveau de commissaire.

Dans *Une femme coincée* (1982), c'est une jeune journaliste de *Libération* qui enquête sur un fait divers monstrueux : à Fécamp, un psychologue scolaire a assassiné son fils de quinze ans.

S'il n'avait publié le roman dialogué parfaitement réussi intitulé *Père et Fils* (1977), on aurait pu se demander, comme René Lalou l'avait fait pour Simenon avant-guerre, si Guégan avait besoin de la secousse provoquée par une mort violente pour déployer son talent de romancier. Il répondrait sans doute que nous vivons une époque pleine de bruit et de fureur et qu'il veut la peindre dans sa vérité.

Avec *Pour toujours* (1984), il a composé un roman de grand format, avec des aller et retour dans le temps. Richard Jacquet, un écrivain français d'une quarantaine d'années, fuyant les drames de sa vie privée et les déceptions de sa vie publique, s'est exilé aux USA où il a trouvé un emploi de croque-mort dans une entreprise californienne. Tout son passé reste bien présent à sa mémoire, mais ce n'est pas seulement son destin particulier qu'il entreprend d'évoquer, c'est l'histoire de toute sa génération. Il la raconte à la troisième personne, avec les apparences de l'objectivité en courts chapitres nerveux.

Les principaux personnages — à l'exception de Charles Brander, le sculpteur — ont eu vingt ans dans les années 60. À l'âge des grandes amitiés et des brûlants échanges d'idées, ils ont connu le désir de changer le monde. Ils étaient de gauche et parfois d'extrême gauche. Nous saurons quels étaient leurs espoirs et leurs désaccords, et quelles furent leurs actions et leurs désillusions. On en verra certains s'engager dans des mouvements terroristes, par un goût des sociétés secrètes qui traduit une sorte d'élitisme. Nous assistons alors à des scènes haletantes de série noire.

Les histoires d'amour se mêlent à l'agitation politique. L'éducation sentimentale des personnages subit le contrecoup de l'évolution des mœurs sexuelles. Toute la vie culturelle d'une époque est évoquée ici. Les héros de *Pour toujours* s'intéressent aux beaux-arts et, en particulier, au cinéma, tout comme l'auteur lui-même.

Ce roman nous fait beaucoup voyager : Amérique, Allemagne, Irlande, Espagne. Mais les plus grands voyages sont ceux que l'on accomplit en soi-même, sous la poussée de ce qu'il faut bien appeler l'expérience. Dès son adolescence, Richard Jacquet était parti à la recherche d'une maîtrise de soi par la pratique du karaté. Elle lui permet de conserver intacts les espoirs de sa jeunesse. Il ne rentrera pas en France en vaincu.

Gérard Guégan écrit à l'emporte-pièce. Son style musclé est très efficace.

JEAN-MARIE ROUART

Jean-Marie Rouart (né en 1943) nourrit des exigences rares à notre époque. Il semble croire à l'obligation morale qui serait imposée à tout homme de laisser une belle image de lui-même. Il ne s'intéresse qu'à des individus qui ont pris en charge leur destin, même si c'est dans la mort volontaire qu'ils ont trouvé leur accomplissement. Sur le thème du suicide, il a publié un ouvrage original, *Ils ont choisi la nuit* (1985), qui mêle l'essai à l'autobiographie. Il nous y livre des confidences sur sa jeunesse tourmentée et des réflexions sur quelques grands personnages de l'Histoire et de la littérature qui se suicidèrent ou furent tentés de le faire. Parmi les écrivains de la première moitié du siècle, il s'est beaucoup interrogé sur la trajectoire de Drieu La Rochelle, qui parut mourir en vaincu et qui est devenu une des figures représentatives de son temps. On pense souvent à Drieu en lisant les romans de Jean-Marie Rouart où la politique et l'amour sont considérés comme des agents du destin.

Le premier ouvrage de Rouart, *La Fuite en Pologne* (1974), était un attachant roman d'inquiète adolescence, à fortes résonances poétiques. Dès son second roman, *La Blessure de Georges Aslo* (1975), Rouart nous donnait l'histoire d'un jeune homme qui entendait réussir sa vie et s'imposer socialement.

La bande publicitaire du livre portait « itinéraire d'un jeune loup » et nous y suivons en effet les aventures d'un jeune homme pauvre qui accédera, à la fin de l'ouvrage, à des fonctions ministérielles. Cette ascension nous est contée par un témoin privilégié, un ancien camarade du héros à l'École des langues orientales. Il s'agit cependant d'une amitié à éclipses, de sorte que le livre est fait de souvenirs directs mais aussi de scènes reconstituées. La fascination qu'exerce Georges Aslo sur le narrateur est un des éléments très romanesques du livre.

Sa première grande chance, Georges Aslo la devra à sa mère qui a été l'infirmière d'un écrivain influent durant une pénible maladie. L'écrivain donnera une introduction au jeune homme pour le directeur du *Matin,* un journal qui est décrit ainsi : « *Le Matin,* selon l'angle de vue, tenait d'un temple, d'un club, d'une maison de retraite, d'un panier de crabes, d'une ruche bourdonnante et aussi d'un journal, puisque c'en était un. » (Précisons que l'actuel *Matin* ne fut lancé par Claude Perdriel qu'en mars 1977.) Georges Aslo débute dans un petit poste du service politique. Comment il parviendra à gagner rapidement du galon, c'est l'objet de scènes de comédie où le héros n'est pas toujours bien sympathique. Mais comment arriver sans jouer des coudes, comme disait Mauriac ? Le royaume de ce monde n'est pas pour les purs, semble penser Rouart, et il nous offre le portrait d'un collègue d'Aslo, garçon en dehors de toute compromission et qui sera victime de son honnêteté.

Jean-Marie Rouart était lui-même journaliste parlementaire en 1975 et il nous donne un intéressant tableau des couloirs de l'Assemblée nationale. Cependant c'est encore par le jeu des relations que Georges Aslo entrera comme conseiller privé dans un cabinet ministériel. Mais voici qu'éclatent les événements de mai 1968. Georges Aslo croit un moment qu'il a joué le mauvais cheval. Il n'en est rien. Quand la tempête se calme, il sort de sa retraite, démissionne du *Matin* et, sur les conseils du ministre qu'il servait et qui lui promet son appui, il se présente aux élections législatives dans une circonscription des Hautes-Alpes.

Rouart nous révèle les dessous savoureux et quelque peu scandaleux d'une campagne électorale. Et voici Georges Aslo député. « Le succès appelle irrésistiblement le succès. Georges Aslo ne devait pas rester député. Molinier [le ministre] avait pour lui des projets plus ambitieux. Il voulait en faire la cheville ouvrière d'un nouveau groupe parlementaire qui se constituait, dont lui-même ne faisait pas partie, mais que dans ses desseins politiques il lui était indispensable de contrôler... »

Seulement, pour renforcer l'autorité du jeune député, il fallait le faire entrer au gouvernement, en lui accordant ne fût-ce qu'un strapontin. Molinier obtient que l'on crée pour son protégé un secrétariat d'État au Commerce extérieur. Le ministre avait allégué « la nécessité de se ménager la presse qui verrait d'un œil favorable un de ses membres accéder à un poste ministériel ».

Vous allez peut-être penser que notre nouveau Rastignac est alors un homme heureux. Il n'en est rien. Quelle est la blessure à laquelle le titre du livre fait allusion ? Est-ce le remords d'avoir abandonné les nobles et intransigeantes idées qu'il nourrissait quand il était étudiant (et qui s'expliqueraient peut-être en partie par l'envie et le ressentiment) ? Non.

C'est dans sa vie sentimentale que Georges Aslo est un blessé. Il a fait un riche mariage, utile à ses ambitions, mais continue d'aimer une jeune femme qu'il a connue autrefois et qui ne se montre pas éblouie par sa réussite. L'envers de la réussite sociale est ici un échec amoureux. Le narrateur sera plus heureux avec la belle, prénommée Isaline. Mais il est moins épris d'elle que ne l'est Georges Aslo.

Voici donc un roman de notre temps, à la fois roman social, roman politique, roman psychologique, roman d'amour.

Les deux ouvrages qui valurent à Jean-Marie Rouart sa présente notoriété s'appellent *Les Feux du pouvoir* (1977), au titre significatif, et *Avant-guerre* (1983).

Avec *Avant-guerre,* Rouart a composé un roman historique. Le livre commence en 1933 pour s'achever une douzaine d'années plus tard. On s'est parfois étonné que tant de jeunes écrivains d'aujourd'hui s'attachent à faire revivre une époque qu'ils n'ont pas connue. La raison me paraît évidente : l'enfance et l'adolescence de ces écrivains (à commencer par Modiano) ont été fortement marquées par les séquelles de la guerre et de l'Occupation. Il était bien normal qu'ils s'interrogent sur des drames dont on leur avait beaucoup parlé et qu'ils se demandent : qu'aurais-je fait dans telle ou telle circonstance ?

Avant-guerre commence donc pendant l'été de 1933, au Pays basque, non loin de la mer. Des jeunes gens de vingt ans sont là en vacances, plus préoccupés par leurs amours présentes que par leur avenir. Rouart est un merveilleux peintre de femmes et de jeunes filles, des désirs et des rivalités qu'elle provoquent. Il redevient poète pour raconter de nouveaux jeux de l'amour et du hasard, et pour évoquer les surprises tendres ou cruelles des nuits d'été.

L'Histoire va emporter tous ces jeunes gens vers des destins imprévus. Les amours continueront de jouer un grand rôle, plus décisif peut-être que les opinions, les idéologies et les humeurs. Mais nous passons de la comédie à la tragédie. La catastrophe de 40 a placé chacun devant une situation sans précédent. Beaucoup sont amenés à opérer des choix hâtifs et à accepter des compromis. Les purs héros sont rares de tout temps. Rouart a évité le piège des simplifications faciles et le partage partisan entre bons et méchants. Il a réuni une documentation solide et s'est inspiré de personnes réelles pour créer ses personnages romanesques : Pucheu, d'Astier, Berl et bien d'autres. Par exemple, il s'est demandé si Pucheu aurait quitté Vichy pour Alger, au cas où il n'aurait pas été persuadé d'avoir, dans la mesure de ses moyens, servi les intérêts de la France.

Un adversaire n'est pas non plus forcément un salaud. Jean-Marie Rouart s'est sans doute souvenu aussi que Malraux ne retira pas son amitié à Drieu pendant l'Occupation, lui demanda même d'être le parrain d'un de ses fils et, à la Libération, confia à des proches qu'il était prêt à l'accueillir dans sa brigade Alsace-Lorraine pour tenter de lui sauver la mise.

BERNARD-HENRI LÉVY

Quelque temps après mai 1968, on vit des jeunes gens, beaux parleurs et beaux garçons, devenir des vedettes « médiatiques » et obtenir des succès de librairie avec des essais « engagés ». On parla des « nouveaux philosophes » comme on avait parlé du « nouveau roman » dans les années 50. Certains critiques décidèrent que cette génération de 68 se détournait du roman, comme la précédente s'était détournée de la poésie.

Le plus connu des « nouveaux philosophes » était Bernard-Henri Lévy (né en 1949). Ce fut un événement dans la vie littéraire quand on apprit qu'il écrivait un roman. Celui-ci parut en 1984 sous le titre *Le Diable en tête.* On s'attendait à lire un roman d'intellectuel.

Première surprise : c'est un roman de vrai romancier. Certes l'histoire contemporaine y est constamment évoquée mais pour montrer les répercussions d'événements très précis sur des destins individuels et même très particuliers. Par exemple, il n'est pas rare qu'un gosse de riche devienne gauchiste, mais que, tel Baader, il s'engage dans le terrorisme à tout va, voilà qui est plus rare. C'est le cas du héros du *Diable en tête.* L'auteur se garde de commenter ses aventures et même il ne les raconte pas lui-même : la vie de Benjamin nous est livrée chronologiquement, mais en cinq parties dont les narrateurs sont différents. Deuxième surprise : l'auteur n'a pas seulement voulu varier les voix et les points de vue, selon une technique utilisée par d'autres romanciers (Morand dans *Tais-toi,* Rouart dans *La Fuite en Pologne*). Les témoignages qu'il a rassemblés ne se recoupent pas exactement : souvent les faits ne sont pas les mêmes ici et là, parfois parce que le témoin se trompe ou est trompé, soit parce qu'il veut tromper. On a finalement l'impression d'assister à une tragi-comédie des erreurs. Et cela d'autant plus que les idées politiques et philosophiques des personnages valsent aussi bien que leurs sentiments. Troisième surprise et qui est de taille : ce sont les femmes qui tiennent les meilleurs rôles dans ce livre. La mère de Benjamin et l'une de ses maîtresses s'expriment à la première personne de manière tout à fait convaincante. Cependant le livre péchait par un excès de rebondissements dramatiques, une accumulation de situations extrêmes et singulières qui auraient pu chacune fournir la matière d'un roman particulier (par exemple, l'histoire des sœurs jumelles). Mais enfin B.H.L., avec son *Diable en tête,* n'avait pas voulu rivaliser avec *Le Diable au corps* de Radiguet.

WALTER PRÉVOST

En 1978, Walter Prévost, alors âgé de vingt-deux ans, faisait de remarquables débuts littéraires avec un roman intitulé *Tristes Banlieues,* où il nous présentait la vie quotidienne de divers jeunes gens issus de milieux populaires. Pour son roman suivant, *Luc-sur-Mer* (1980), il a choisi un personnage principal, un garçon de son âge qui travaille dans une gare parisienne. Son boulot, peu exaltant, consiste à transporter des sacs de courrier, du centre de tri aux trains en partance.

Extérieurement, la vie de Luc est pareille à celle de milliers de travailleurs auxquels la littérature s'intéresse rarement. Le lecteur fait connaissance d'un milieu que l'on côtoie souvent sans le voir vraiment. Par petites touches précises, Walter Prévost nous le rend très présent. On y vit dans la promiscuité, le bruit, la bousculade, que ce soit sur les quais où l'on trime ou dans les bistrots où l'on boit, mange, joue aux cartes, ou bien où l'on discute femmes, ciné et politique. La camaraderie n'y fait pas défaut et l'on y connaît de nombreuses petites joies. Cependant, c'est la fatigue et l'ennui qui l'emportent.

En nous racontant la vie professionnelle de Luc, Walter Prévost a réussi un excellent document social.

Le livre n'est pas moins attachant comme éducation sentimentale. Il est d'ailleurs probable que l'auteur tient surtout aux pages qui évoquent la vie privée de son jeune héros. La preuve en est qu'il a divisé son roman en trois parties qui, chacune, portent comme titre un prénom féminin.

Lou, c'est le premier amour, gâché parce que Luc était trop jeune. Laure, elle, croyait encore à l'action révolutionnaire quand déjà il n'y croyait plus beaucoup. Elle le poussait à des extravagances et il a préféré la quitter. Avec Carole, il a rencontré une véritable amoureuse, simplement heureuse d'être avec lui. Mais alors il se met à craindre le fil à la patte.

Le sentiment qui domine en lui, il l'appelle « liberté » et il définit celle-ci comme « la promesse de tout ». On reconnaît là cette avidité de la jeunesse qui se traduit en toutes circonstances par la question : « Pourquoi pas moi ? » Luc en conclut d'ailleurs qu'il ne sera jamais heureux, puisque « le bonheur, c'est se contenter de ce qu'on a, ne rien désirer de plus. Moi, je veux toujours plus et je ne sais même pas quoi ».

Le difficile est en effet de savoir ce que l'on veut. Il est plus aisé de savoir ce que l'on ne veut pas. Il arrive même à Luc de se dire : « C'est la haine qui me fait vivre », et il ajoute : « Quand j'aurai crié toute ma haine, il ne me restera plus de voix pour te dire que je t'aime, Carole. »

Voilà, certes, qui nous entraîne très loin du roman prolétarien. Cette haine dont parle Luc et qu'en réalité il ne criera jamais traduit une révolte qui dépasse de loin les questions sociales et politiques. On pourrait la rencontrer aussi bien chez de jeunes bourgeois. Elle s'exprimerait d'une autre façon. La manière dont Luc passera à l'action pourra paraître dérisoire. Ce dérisoire même est pathétique.

On ne gardera nullement le souvenir d'un garçon animé par la haine, mais à qui manquait l'espoir de sortir de sa condition et de ses difficultés intimes. Entre deux phrases désenchantées, il était capable de déclarer que « la vie est belle » et il lui arrivait même de se sentir heureux, certains jours, et sans bien savoir pourquoi. Il conservait de beaux souvenirs de vacances : « La vie est douce, au sud de la Garonne », lui arrivait-il de penser naïvement.

À toute époque, on a parlé de « mal du siècle », de « mal de la jeunesse », de « génération perdue » et ainsi de suite. Walter Prévost nous dit quelle forme revêt ce malaise pour de nombreux garçons de sa génération. C'est pourquoi l'on a eu raison de parler de « réalisme romantique » à propos de *Luc-sur-Mer*.

Cette qualification convient également pour *Café Terminus* (1982).

PATRICK BESSON

Patrick Besson aime mettre les bouchées doubles. En 1974, pour fêter ses dix-huit ans, il publiait deux récits coup sur coup : *Les Petits Maux d'amour* et *Je sais des histoires*. Il y peignait avec brio des garçons et des filles de sa génération. On lui reconnut une certaine grâce d'écriture et une fine sensibilité, teintée d'ironie. Il publia ensuite *L'École des absents* (1976) pour ses vingt ans. On se dit que, décidément, il « promettait ». Toutes les promesses furent tenues en 1980, avec deux romans : *Lettre à un ami perdu* et *Vous n'auriez pas vu ma chaîne en or?* Les éditeurs déconseillent à leurs auteurs de « trop publier » et ils ont raison sans doute. Mais il est dans la nature des jeunes gens d'être pressés. Reconnaissons qu'il bâclent parfois leur copie. Ce n'est pas le cas de Patrick Besson : il nous offrait deux livres parfaitement maîtrisés, l'un dans le genre grave, l'autre dans le genre léger. Ce jeune auteur était aussi surprenant que le fut Radiguet autrefois. Sa *Lettre à un ami perdu* était une des heureuses surprises, non seulement de l'année, mais des dix dernières années dans le domaine du roman.

Le livre est fortement daté. Patrick Besson ne craint pas d'indiquer le prix d'une consommation dans un café, le montant des revenus d'un professeur de karaté ou celui du loyer d'un studio boulevard de Sébastopol. De tels chiffres, dans la société où nous vivons, cessent rapidement de coller à la réalité. Mais enfin, l'auteur a justement voulu décrire la vie de quelques jeunes gens en 1979. Il ne pense pas à la postérité. Il s'adresse à ses contemporains.

Ces jeunes gens — entre seize et vingt-cinq ans — ne représentent pas toute la jeunesse d'aujourd'hui. Ils sont l'équivalent moderne de la bohème d'autrefois. Les garçons essaient leurs talents de dramaturges à la radio ou dans le court métrage de cinéma, les filles suivent des cours d'art dramatique ou posent pour des magazines de mode. Ils se croient des esprits libres, préservés des préjugés dont ont pâti les générations précédentes. Ils sont absolument de notre époque par leur genre d'existence, leur langage, leurs goûts et leurs distractions.

Ce que nous raconte Patrick Besson, c'est l'intrusion du drame sentimental dans des vies qui paraissaient l'exclure. Au début du livre, la toute jeune Gladys devient sans histoire la maîtresse de Marc Alby. Les histoires ne viennent qu'ensuite, parce que Gladys est un petit animal qui s'ennuie et qui accueille toutes les invitations dont elle attend une distraction, tandis que Marc découvre en lui une capacité d'attachement qu'il ne soupçonnait pas. Le narrateur, son ami intime, voit avec surprise ce garçon solide perdre peu à peu son équilibre. Il assure mieux comprendre la légèreté de Gladys que le sérieux de Marc. Nous sommes de toute façon dans un domaine où la raison est de peu de secours.

Une des originalités de ce récit est d'être fait par un témoin. Les jeunes écrivains préfèrent d'habitude raconter leurs amours plutôt que les aventures de leurs amis. Patrick Besson réintroduit dans le roman moderne le personnage du confident des tragédies classiques (toutefois, ce confident nous confie les événements de sa vie privée en un habile contrepoint des amours de Marc).

Patrick Besson semble s'en tenir aux faits, aux petits faits de la vie quotidienne. Mais il les commente discrètement : de brèves notations psychologiques donnent à son récit beaucoup d'épaisseur. Son portrait de Gladys est un petit chef-d'œuvre.

Le narrateur de *Lettre à un ami perdu* peut apparaître comme un reflet de l'auteur. Au contraire, le garçon qui raconte ses aventures dans *Vous n'auriez pas vu...* est un petit dévoyé qui fait commerce de ses charmes et ne recule pas devant les pires indélicatesses.

Sur le plan des mauvaises mœurs, la petite sœur de dix-sept ans avec laquelle il vit — et qu'il oblige curieusement à poursuivre des études — le bat de quelques longueurs. Dans une scène grinçante, elle essaie de terroriser une dame paralysée des jambes en imitant le comportement des voyous d'*Orange mécanique*.

Le frère et la sœur se prénomment Jérôme et Sylvie et sont amants. En vérité, on ne saura jamais s'ils sont bien frère et sœur, mais qu'on les croie frère et sœur facilite leurs entreprises coupables. Voilà de vrais enfants terribles, ceux de Cocteau n'étant que des rêveurs maladroits.

Dans une scène de quelques lignes, Jérôme et Sylvie se regardent ensemble dans une glace et, contemplant leur image, Jérôme déclare : « Cela ne mérite pas de vieillir, ni d'être pauvre, ni de travailler. » (Remarquez l'emploi du « cela » à la place de « nous ».) Sylvie objecte seulement : « Pour ce qui est de vieillir, je crains que nous n'y puissions rien. »

Ils ne manquent pas de réalisme mais de ce qu'on appelle une morale. Ils sont même intelligents et Jérôme est doué pour la peinture (et il en parle très bien), mais ils ne veulent pas se fatiguer ou, du moins, ils ne veulent que s'amuser.

N'avoir pas de morale (ni de moralité) ne veut pas dire, bien entendu, qu'on manque de sensibilité, mais qu'on obéit aux seuls instincts. Les bons mouvements que l'on peut avoir ne sont pas dictés par de bons principes. Ils interviennent sans qu'on sache pourquoi ni qu'on cherche à le savoir. Jérôme et Sylvie se veulent résolument superficiels. À ce propos, tout est dit dans un petit dialogue entre Jérôme et une fille de vingt ans qui s'est éprise de lui. Elle lui demande : « Qui êtes-vous ? — Je suis Jérôme. — Non, je veux dire : qui êtes-vous au fond de vous-même ? — Je ne sais pas. Le fond de moi-même, c'est loin. »

Nous ne vous raconterons pas toutes les machinations qu'ourdissent Jérôme et Sylvie ni les aventures qu'ils connaissent à Paris et au cours de leurs voyages. Elles ne sont pas toutes vraisemblables, mais Patrick Besson les raconte toujours très drôlement, et nous pouvons d'ailleurs penser que son narrateur arrange un peu la vérité. Puisqu'il ment à tout le monde (sinon à Sylvie), pourquoi ne mentirait-il pas au lecteur ?

Voici l'essentiel : Patrick Besson a un style qui enchante. Il est net, clair, rapide, plein d'imprévu. Il juxtapose les notations, à la manière impressionniste, et cependant tout s'enchaîne parfaitement, parce que l'auteur a le sens du rythme d'une narration. Il a aussi une bonne oreille : il excelle dans les dialogues, et sa moquerie du langage de nos contemporains est très savoureuse.

Nostalgie de la princesse (1981) est une autre fantaisie dramatique, mais toute différente. Ici, Patrick Besson s'est diverti à inventer une principauté, dont il nous raconte la vie et les mœurs. Il l'a située dans une île de la Méditerranée et l'a baptisée « Novembre ». Ce n'est pas du tout une principauté d'opérette. Les événements qui nous sont rapportés et qui se déroulent de nos jours relèvent du drame plutôt que de la comédie. Il est vrai cependant que le ton objectif et détaché de l'auteur semble nous inviter à ne pas trop nous émouvoir. Quelques passages sont franchement humoristiques et l'ensemble est tranquillement amoral. La joie de vivre s'y exprime à tort et à travers.

Certaines coutumes de l'île n'ont pas d'équivalent chez nous. En particulier l'institution du « challenge ». Les princesses de Novembre sont données en mariage aux garçons qui se révèlent les plus valeureux au cours d'épreuves diverses, lesquelles se déroulent dans un stade en présence de toute la population. Il ne s'agit pas seulement d'épreuves sportives : il faut manifester sa supériorité aussi bien sur le plan de l'intelligence et de la sensibilité. Hélas ! les princesses préféreraient que l'on s'en tienne aux qualités physiques des candidats et se moquent bien de leurs qualités morales. Du moins est-ce le cas de la princesse Éléonore.

Au personnage de cette Éléonore aux cheveux noirs s'oppose celui de la blonde Héléna, qui s'éprendra de David Klessing, un jeune soldat défiguré par une blessure de guerre. Tout au long du livre, nous suivons David dans des aventures *illégales* (c'est le moins qu'on puisse dire) : soit qu'il agisse par jeu — lorsqu'il falsifie la comptabilité de la cantine de son casernement ou qu'il participe à un trafic de drogue —, soit qu'il ait entrepris de rendre service à des amis — n'hésitant pas pour cela à attaquer une banque. À la fin, il trouve refuge chez Héléna, attachée de presse d'une maison d'édition : « Le voici donc au bord de l'eau, l'eau calme et limpide qui s'appelle Héléna. Il est prêt à plonger, pour se rafraîchir et oublier sa fatigue et ses malheurs. » C'est alors qu'il pose cette dernière question : « Et comment trouves-tu mon âme, Héléna ? » Car Héléna lui a dit qu'elle était insensible aux disgrâces physiques, parce qu'elle voyait l'âme des gens « à la place de leur tête ».

Nostalgie de la princesse a été conçu comme un « hommage à la littérature d'action et d'émotion ». Patrick Besson a probablement souhaité écrire un roman qui dispense le plaisir qu'il a trouvé lui-même à lire certains ouvrages pleins de mystères et de rebondissements. Toutefois, il ne cite qu'un seul des auteurs dont il s'est inspiré et nous avons de quoi être surpris. Un chapitre s'intitule en effet « Hommage à Saint-Exupéry » et David Klessing y rencontre un petit prince, mais le récit de leur entrevue relève de la parodie plutôt que de l'imitation.

En vérité, je ne me hasarderai pas à donner les noms des auteurs que Patrick Besson s'est ici réellement choisis comme modèles. Je nommerais seulement avec certitude quelques auteurs de la collection du Masque et de la Série noire. Patrick Besson se révèle aussi lecteur d'histoires de fantômes : un des chapitres contient un fort drôle récit de ce genre (« Bonne nuit, Mac Gregor ! »). Mais notre auteur a surtout subi l'influence de nombreux films policiers. Son livre est un répertoire de toutes les situations qu'ont utilisées les cinéastes d'Hollywood et d'ailleurs pour créer un « suspense ».

Les chapitres ne sont pas numérotés. Ils portent chacun un titre particulier, souvent meilleur que le titre du livre lui-même. On pourrait les considérer comme une suite d'exercices de style. Tantôt les phrases sont courtes et le rythme rapide. Tantôt Besson s'attarde à des comparaisons. Elles peuvent parfois s'assimiler aux métaphores que prônait Proust : « Sa douleur à l'épaule est comme une bouche d'acier plantée dans sa chair, une bouche qui s'ouvre et se referme au rythme de ses battements de cœur. » D'autres fois, les comparaisons se rapprochent des jeux d'esprit qu'affectionnait Giraudoux. Voici Clarisse après qu'elle a confié ce qui la tourmentait secrètement : « Elle a maintenant cet air à la fois défait et soulagé d'un poids qu'ont les jeunes accouchées. Elle gardait sans doute cette plainte en elle depuis longtemps. Peut-être même depuis neuf mois, ce qui serait, d'un point de vue purement métaphorique, idéal. »

Il faudrait parler de la technique de narration. Patrick Besson aime, dans un chapitre, faire des allusions à des événements qui ne se produiront que quelques chapitres plus loin. Inversement, il mentionne dans certains chapitres des événements qu'il avait omis de raconter à leur place chronologique. Ces procédés sont habiles parce que l'histoire contée paraît exister en dehors de l'auteur qui l'invente. Or il n'y a pas une, mais cinq ou dix histoires entremêlées dans le livre. Elles constituent cependant une œuvre solidement bâtie et bien bouclée.

Deux enquêtes policières

Rendant compte de *Lettre à un ami perdu,* j'avais écrit que ce livre aurait mérité le succès du *Diable au corps.* Comme il a beaucoup d'esprit, Patrick Besson m'a dédicacé *Le Deuxième Couteau* (1982) en précisant que c'était son *Bal du comte d'Orgel* (le second grand succès de Radiguet). En réalité, c'est à un drôle de bal que nous sommes conviés : il s'agit des débuts de Patrick Besson dans le roman policier. Nous sommes loin du roman psychologique et de ses dentelles, mais, de même que Radiguet nous offrait, avec son *Comte d'Orgel,* le tableau d'une certaine société parisienne des années 20, *Le Deuxième Couteau* propose la peinture d'un petit monde d'aujourd'hui où les anciennes valeurs morales sont décidément bien mal en point.

Au demeurant, Besson ne se préoccupe pas de morale, il veut seulement raconter des histoires. Et c'est un étonnant conteur, tout à fait moderne par son style et son rythme de narration. Il est rapide. Il écrit des scènes courtes, nourries de quantité de petites notations savoureuses. Il saute les transitions, à la manière des gens de cinéma. Sa caméra est extrêmement mobile (comme elle l'était déjà dans *Nostalgie de la princesse*).

On peut parler de sa désinvolture, car il décrit souvent des choses abominables avec une simplicité parfaite, sans s'étonner de rien. On ne doute pas qu'il ait vu beaucoup de films noirs et lu beaucoup de faits divers dans les journaux. Il ne manque pas non plus d'humour.

Le livre relate deux enquêtes du commissaire Bartillot. La première se déroule à Paris dans les milieux de l'édition. Tout commence à Saint-Germain-des-Prés, à la brasserie Lipp où Sandra Gamelier, auteur de best-sellers, se fait étrangler dans un sous-sol. Nous ne sommes pas certain que M. Cazes, patron de la brasserie, soit enchanté de la publicité que fait ici Patrick Besson à son établissement. Toutefois, d'aussi sombres drames ont commencé là, par exemple l'affaire Ben Barka. Qui a pu tuer la belle Sandra et pourquoi ? Elle allait changer d'éditeur. Certes, un éditeur n'aime pas que le quitte un auteur à succès, mais ça ne va pas jusqu'au meurtre. D'autant que les meurtres s'enchaînent, dans *Le Deuxième Couteau :* le nouvel éditeur avec lequel Sandra se préparait à signer se fait assassiner lui aussi, à coups de couteau, dans une allée du bois de Boulogne. Lui a-t-on fait payer des entourloupettes dans son activité professionnelle ? On ne se posa pas une telle question quand l'éditeur Denoël fut abattu, peu après la Libération, sur l'esplanade des Invalides. La police n'a jamais éclairci l'affaire.

Rassurez-vous (si j'ose dire), dans *Le Deuxième Couteau,* tous les mystères sont finalement éclaircis. Au roman policier de pure violence, auquel les séries noires nous ont habitués, Besson préfère les enquêtes bien menées. Je l'ai entendu se recommander de Conan Doyle, bien que je le voie plutôt (ici) dans la tradition de Marcel Aymé — auteur d'un merveilleux roman criminel, *Le Moulin de la Sourdine* — ou de Friedrich Dürrenmatt, l'auteur du *Soupçon.*

L'inconvénient de rendre compte d'un roman à intrigue policière, c'est que l'on risque de gâcher le plaisir du lecteur en lui révélant la clef des énigmes proposées par l'auteur. Ce serait pourtant intéressant de commenter les mobiles qui ont guidé les tueurs de Sandra et de son nouvel éditeur. Disons que Besson s'est amusé à dramatiser la situation des écrivains qui se voient refuser leurs manuscrits et de ceux qui, prêtant leur plume à des gens incapables de rédiger, voient soudain les ouvrages qu'ils fabriquent obtenir des tirages fabuleux.

Le personnage le plus inquiétant est le tueur de l'éditeur. Bon fils et ami des animaux, il a une sexualité comparable à celle de certains héros de Mishima. Il se laisse aller à des confidences et il écrit ceci : « Le meurtre à l'arme blanche est indiscutablement une pénétration de qualité supérieure. » Mais l'auteur donne probablement là une démonstration d'humour noir.

La seconde enquête conduit le commissaire Bartillot en Allemagne, à la recherche d'un jeune Français disparu. Nous faisons connaissance avec des sociétés secrètes, comme il en existe là-bas dans les milieux étudiants.

Une œuvre de maîtrise

Pour ses trente ans, Patrick Besson publia *Dara* (1986). Ce livre se présente au tout premier abord comme l'enquête que mène une jeune femme, Brigitte Laurens (trente ans elle aussi) sur les liens qui existaient entre sa mère disparue et une certaine tante Nathalie, une Russe qui finit assassinée.

Ah ! pensez-vous, encore un roman criminel... Mais il n'en est rien. Les diverses personnes dont Brigitte recueille les témoignages évoquent surtout les souvenirs qu'elles ont conservés de sa mère, prénommée Dara, yougoslave de naissance et qui avait fui son pays après l'arrivée de Tito au pouvoir. C'est bien un portrait de Dara que Besson a entrepris de nous présenter, ou plutôt il juxtapose des portraits de Dara à différents âges. La première originalité du livre est de nous raconter la vie d'une femme non pas dans son déroulement chronologique, mais au contraire en remontant peu à peu dans le passé. En menant son enquête, Brigitte rencontre en effet des témoins qui évoquent des années de plus en plus lointaines. À la dernière page, c'est une Dara de quinze ans qui, après une journée de ski aux environs de Zagreb, confie que « plus tard, elle irait vivre à Paris. Elle ne se marierait pas. Elle deviendrait une grande couturière, serait très riche, se paierait de beaux garçons et voyagerait dans le monde entier ». Nous savons que ce beau programme ne s'est pas réalisé. Dara a fini sa vie comme couturière en chambre à Bagnolet, mariée à un brave employé français beaucoup plus âgé qu'elle. Tout grand roman pourrait porter comme titre : « les ambitions déçues » ou « les illusions perdues ». L'image que l'on gardera de Dara, le livre refermé, n'en est pas moins celle d'une créature superbe, pleine de courage, de fierté et de générosité. Dara est supérieure à ce que fut sa vie.

Deuxième originalité : nous avons d'abord une peinture de l'immigration yougoslave, mais l'enquête de Brigitte nous permet de refaire à l'envers la route de Dara et de ses amis, lesquels sont devenus parfois des truands (dans l'exil) ou des personnalités politiques (au pays). Le tableau que nous présente Besson s'élargit peu à peu en une fresque où est retracée non seulement l'histoire de la Yougoslavie durant la dernière guerre, mais l'histoire du peuple croate depuis le VIIe siècle (au cinquième chapitre).

Troisième originalité : le rôle discret et capital confié à l'enquêteur. Des lecteurs naïfs ont reproché à Besson d'avoir utilisé le même style pour rapporter les divers témoignages qu'a réunis la fille de Dara. Il aurait été parfaitement capable de prêter à chaque témoin un langage particulier, mais il avait décidé de nous livrer l'histoire de Dara telle qu'elle avait pris forme dans l'esprit de Brigitte. C'est Brigitte qui a rédigé toutes les pièces du dossier que nous avons en main. Vous devinez la nature de sa curiosité et quels sentiments l'animaient.

Bien entendu, ce livre ne se lit pas comme on consulte un dossier. C'est un roman d'aventures et si fertile en scènes attachantes et en rebondissements que vous ne penserez plus à la tante Nathalie quand les raisons de son assassinat vous seront enfin révélées. C'est un roman d'amours (au pluriel), car Dara très courtisée a eu bien des liaisons surprenantes avant de devenir une épouse rangée. C'est un roman de mœurs, car nous voyageons beaucoup et nous pénétrons dans divers milieux très bien décrits. C'est un roman historique, nous l'avons dit. Ce n'est pas un roman « engagé », parce que Besson ne prend pas parti dans les conflits politiques auxquels ses personnages sont mêlés : il relate des faits avec objectivité et je ne pense pas que son livre puisse être utilisé par personne à des fins de propagande.

FRANÇOIS GEORGE

François George avait seize ans quand ses premiers textes critiques parurent dans *Les Cahiers des Saisons*. Il y parlait déjà de la crise de la culture dans la société contemporaine. Le ton était facétieux, mais les analyses frappaient par leur justesse. François George plut aussi bien à un vieux sage comme Jean Rostand quà des garçons de sa générations.

Il n'avait pas dix-huit ans quand il publia son premier livre : *Autopsie de Dieu* (1965), qu'il sous-titra « roman ». Il s'agissait d'un essai, mais François George a toujours su que dès qu'on parle on invente et que, dans toute réflexion philosophique, « la vérité ne se démarque jamais absolument de la fiction ».

La mort de Dieu est un événement qui se situe à mi-chemin de la fiction et de la réalité. Les hommes ont besoin de s'appuyer sur des croyances et, quand la religion leur fait défaut, ils se raccrochent à l'une ou l'autre des formes que peut revêtir le mythe du progrès. Par exemple, François George fut élevé dans un milieu intellectuel communiste dont il a dénoncé les illusions avec verve. Il faut lire *Pour un ultime hommage au camarade Staline* (1979), livre que vint compléter *Souvenirs de la maison Marx* (1980).

S'il lui arrive d'avoir de brefs accès de colère, François George utilise le plus souvent les armes de l'ironie et de l'humour. Il a été salué comme un maître démystificateur. Et aussi bien dans le domaine philosophique que dans le domaine politique : son essai sur Lacan *L'Effet yau de poêle* (1979) connut un grand retentissement dans les milieux intellectuels.

N'allez pas imaginer qu'il soit un esprit destructeur. Les idées le passionnent. Il a des admirations très vives et sans réserve pour quelques grands esprits, tels Vladimir Jankélévitch et Raymond Aron *. Avec Sartre, sur lequel il a beaucoup écrit, il est plus nuancé et, par exemple, comment le louerait-il d'avoir abandonné l'existentialisme pour le marxisme ? Il pense avec Aron que, sur le plan social et politique, la grande division entre les hommes d'aujourd'hui est entre ceux qui défendent la démocratie et ceux qui ont opté pour le totalitarisme. Toutefois, dans l'hommage qu'il écrivit pour le cinquième anniversaire de la mort de Sartre, nous lisons : « J'ai été proche de Sartre... parce que j'ai compris qu'il était notre dernier monstre sacré, et que, si je pouvais voir plus juste que lui sur tel ou tel point, c'était à la manière d'un nain grimpé sur les épaules d'un géant. » (*Le Débat,* mai 1985, p. 72.) Voilà qui est inattendu.

François George nous surprend d'une autre façon encore par sa sympathique fidélité à un des héros de son enfance et de son adolescence. Il est président à vie de l'Association des amis d'Arsène Lupin, « dont Maurice Leblanc fut l'historiographe scrupuleux comme Racine le fut de Louis XIV ». Ici s'affirme la parenté de François George avec Jean-Hugues Sainmont, le fondateur du collège de pataphysique. Aux amateurs de philosophie-fiction, il faut conseiller *La Loi et le Phénomène* (1978). Ce brillant essai a pu faire dire à certains que François George pouvait prendre plaisir à nous mystifier lui-même, tout autant qu'à démolir les mystifications à la mode.

Là-dessus vous me demanderez quel homme est réellement François George. Alors je vous recommanderai un livre d'une lecture aisée et délicieuse : *Histoire personnelle de la France* (1983), que je considère comme le meilleur essai littéraire de ces dernières années. On y trouve un mélange d'humour et de gravité, de sagesse et de poésie, dans un style étincelant. François George nous raconte ce que la France représente pour lui et il trace son propre portrait en nous relatant ses voyages dans l'Hexagone. Les considérations historiques et géographiques se mêlent à des réflexions sur la littérature et la philosophie. L'intelligence, ici, loin d'étouffer la sensibilité, la met en valeur. Au total, cette *Histoire*

* Bernard Pivot invita François George à participer aux émissions d'*Apostrophes* qu'il consacra à Jankélévitch et à Aron.

personnelle est une histoire heureuse. Elle s'achève sur une ferme décision, en réponse au pessimisme contemporain : « Tant que la vie ne nous quittera pas, nous ne hurlerons pas à la mort. »

Il y a aussi une part d'autobiographie dans le recueil intitulé *Sillages* (1986) qui est un autre livre de voyages, cette fois parmi les idées. Sartre cessait souvent d'être écrivain quand il devenait philosophe. François George appartient à la race des philosophes qui restent toujours des écrivains.

INDEX
DES PERSONNES CITÉES

TABLE

Achevé d'imprimer en avril 1987
sur presse CAMERON,
dans les ateliers de la S.E.P.C.
à Saint-Amand-Montrond (Cher)
pour le compte des éditions Grasset
61, rue des Saints-Pères, 75006 Paris

N° d'Édition : 7284. N° d'Impression : 638-394.
Dépôt légal : avril 1987.
Imprimé en France

ISBN 2-246-36341-1